GOLDMANN

W0016160

Buch

»Und das nach all den Jahren«, denkt die 47jährige Englischlehrerin Rosie Meyers, als ihr Mann sie am Tag nach der Silberhochzeit mit freundlichem Bedauern und einer Abschiedsträne im Auge wegen einer jungen Finanzmanagerin verläßt. Doch es kommt noch schlimmer, denn wenige Wochen nach dieser schockierenden Eröffnung stolpert Rosie eines Nachts in ihrer Küche über den Noch-Ehemann, der mit einem Fleischermesser in der Brust mausetot am Boden liegt. Und weit und breit keine Menschenseele in Sicht. Grund genug für die Polizei, in erster Linie die Ehefrau zu verdächtigen.

Logisch, daß Rosie bereits zwei Tage später auf der Flucht ist, ganz allein und quer durch Manhattan, auf der Suche nach dem wahren Mörder. Und dabei kommt sie nicht nur dem geheimen Doppelleben ihres geliebten Ex-Gatten auf die Spur, sondern entdeckt auch etwas völlig Überraschendes: daß eine Frau in den besten Jahren mit sämtlichen blonden Glamourgirls dieser Welt mithalten kann. Zumindest wenn sie so schlagfertig und clever wie Rosie ist...

Ein wunderbar ironischer, humorvoller und gleichzeitig einfühlsam geschriebener Roman über eine Frau in den besten Jahren, die sich und ihr Leben neu entdeckt. Mit diesem Buch hat sich die amerikanische Bestsellerautorin Susan Isaacs »selbst übertroffen« *(New York Times Book Review).*

Autorin

Und das nach all den Jahren ist der sechste Roman der amerikanischen Autorin Susan Isaacs. Mit der Verfilmung ihres Romans *Wie ein Licht in dunkler Nacht* mit Michael Douglas und Melanie Griffith in den Hauptrollen ist sie auch bei uns bekannt geworden. Susan Isaacs lebt mit ihrem Mann und zwei Kindern auf Long Island.

Außerdem bei Goldmann im Taschenbuch erschienen

Wie ein Licht in dunkler Nacht. Roman (9560)
Die magische Stunde. Roman (41109)

Susan Isaacs

Und das nach all den Jahren

Roman

Aus dem Amerikanischen
von Blanca Dahms und
Sonja Hauser

GOLDMANN VERLAG

Die amerikanische Originalausgabe
erschien unter dem Titel »After all these Years«
im Verlag HarperCollins, New York

Umwelthinweis:
Alle bedruckten Materialien dieses Taschenbuches
sind chlorfrei und umweltschonend.
Das Papier enthält Recycling-Anteile.

Der Goldmann Verlag
ist ein Unternehmen der Verlagsgruppe Bertelsmann

Genehmigte Taschenbuchausgabe 2/96

Umschlaggestaltung: Design Team München
Umschlagfoto: Comstock, Berlin
Druck: Elsnerdruck, Berlin
Verlagsnummer: 43205
MK · Herstellung: Peter Papenbrok
Made in Germany
ISBN 3-442-43205-7

1 3 5 7 9 10 8 6 4 2

Meiner Tante und meinem Onkel,
Sara und George Asher,
gewidmet, die dafür sorgten,
daß ich kein Einzelkind war.

1

Nach fast einem Vierteljahrhundert Ehe forderte mich mein Gatte, Richie Meyers, auf, ihn doch Rick zu nennen. Und dann fing er an, sich die Haare mit einer fünfunddreißig Dollar teuren englischen Pomade nach hinten zu kämmen.

Das hat mich damals ziemlich geärgert, muß ich zugeben. Aber warum, bitte schön, sollte nicht auch Richie Anrecht auf eine Lebenskrise haben? Nur noch zwei Jahre, dann würde er fünfzig. Sein Kinn schien nicht mehr aus Granit gemeißelt, sondern eher aus Kartoffelbrei geformt. Sein Haaransatz wich ungefähr mit der gleichen Geschwindigkeit zurück wie sein Zahnfleisch. Und wenn er kein Hemd anhatte, beäugte er ungläubig die Haare auf seiner Brust, als hätte ihm irgendein Scherzbold ein graues Toupet dorthin verpflanzt.

Ich verstand ihn sehr gut. Auch wenn ich elf Monate jünger war als Richie, konnte man mich nicht gerade als Küken bezeichnen. Trotzdem hätte mich sicher jeder Mann, der sich nicht ausschließlich zu bezopften, pubertären Milchmädchen hingezogen fühlte, irgendwo zwischen attraktiv und ausgesprochen hübsch eingestuft. Glänzendes dunkles Haar. Reine Haut. Ebenmäßige Züge. Nußbraune Augen mit grünen Tupfen, die ich mir gerne als funkelnde Smaragdsplitter vorstellte, dazu ein verteufelt reizvolles Paar Wimpern. Und mein Körper war auch nicht übel, obwohl im Kampf zwischen der Schwerkraft und mir allmählich die Schwerkraft immer mehr Punkte machte. All der vielen Klappmesser zum Trotz, die ich täglich absolvierte, würde ich mir wohl auch in meinen kühnsten erotischen Phantasien nie mehr vorstellen, wie mir jemand am hellichten Tage das Höschen vom Leib zerrte.

Genau wie Richie war auch ich nicht sonderlich versessen aufs Älterwerden, zumal mir allmählich die Erkenntnis gekommen war, daß es mit der Unsterblichkeit nicht weit her sein konnte. Und ein Mensch, der ein zukünftiges Dasein als Nichts auf die leichte Schulter nimmt, ist ein elender Snob. Mein Herz schlug also für Richie, und ich unternahm ernsthafte Anstrengungen, ihn Rick zu nennen. Doch nach all den Jahren, in denen ich immer »Richie« zu ihm gesagt hatte, rutschte es mir ab und zu noch heraus – im Bett zum Beispiel. Ich schrie: »O Gott, hör nicht auf, Rich . . . Rick!« Doch da schrumpelte er schon zusammen, und wenige Augenblicke später sah es aus, als hätte er sich eine gepulte Garnele ins Schamhaar geklebt.

Die Zeichen waren deutlich, nur wollte ich sie nicht sehen. Deshalb war ich auch so überrascht, als mir Richie an dem strahlend blauen Junimorgen nach unserer Silberhochzeit eröffnete, er werde mich wegen seiner Vize-Direktorin verlassen, wegen – seine Stimme wurde weich, dann schmolz sie ganz dahin – Jessica.

Wir hatten auf dem von unserem Makler so bezeichneten »Großen Rasen« hinter unserem Haus in einem mit cremefarbenen Rosen und blinkenden Lichtergirlanden geschmückten weißen Zelt gefeiert, und Jessica Stevenson war unter den zweihundert Gästen gewesen. Richie hatte mit ihr zu einem Cole-Porter-Medley, darunter »You'd Be So Nice to Come Home To«, Foxtrott getanzt. Jessica war eine jüngere Frau; aber nicht anstößig viel jünger. Richie gehörte nicht zu den Männern um die Fünfzig, die mit neunundzwanzigjährigen Lufthansa-Stewardessen durchbrennen. Mit ihren achtunddreißig Lenzen war Jessica bloß neun Jahre jünger als ich. Leider hatte sie leuchtend aquamarinblaue Augen und lernte Japanisch, nur so zum Spaß.

Bei dieser Party, die sich als die letzte meiner Ehe erweisen sollte, erwartete ich ständig, von Richie zu hören: »Sieh dich einer an, Rosie! Immer noch so wunderschön wie am Tag unserer Hochzeit!« Er sagte es aber nicht. Das weiße Seidenplisseekleid im klassisch griechischen Stil, das meine Kurven in der Garderobe von Bergdorf Goodman noch liebevoll umschmeichelt hatte, klebte mir in der schwülen Nachtluft heimtückisch an Busen und Schenkeln.

Jessica sah natürlich nicht aus wie in ein nasses Leintuch geklatscht, o nein! Sie schimmerte in einem schulterfreien Bodysuit aus Goldlamé unter einer transparenten beigen Chiffonbluse, die sie in zarten Bahnen, Blütenblättern gleich, umwehte; ein handbreiter goldener Ledergürtel trennte Ober- und Unterkörper. Daß sie eine schlanke Taille hatte, versteht sich von selbst, aber ihr Busen war offen gestanden nicht von der Gestalt, für die sich Richie normalerweise begeistern konnte: Jessica war vorn ziemlich platt, nur hatte sie diese übereifrigen Brustwarzen, über die Männer regelmäßig den Verstand verlieren, solche Dinger, die aussehen wie zwei Radiergummis an Bleistiftenden.

Als ich den Verantwortlichen vom Partyservice suchte, um ihm mitzuteilen, daß ein Gast – die Geliebte von Richies Bankier – schon seit dem letzten Wochenende streng vegetarisch lebte, hatte ich ihr sogar im Vorübereilen eine Kußhand zugeworfen. Jessica stand in schwindelerregend hochhackigen goldenen Sandalen mit einigen anderen Managern von Data Associates zusammen, lachte und preßte gerade Limone in ihren Drink. Energiegeladen wie gewohnt, winkte sie zurück: Rosie! Hallo! Mit ihrem goldenen Bodysuit und den messingfarbenen Strähnchen in ihrem dunkelblonden Haar wirkte sie schimmernd, magisch, fast wie eine Nixe.

Aber daß Richie mich ihretwegen verlassen wollte? Kein Gedanke! Er und ich, wir hatten doch eine gemeinsame Geschichte. Wir hatten uns Ende der sechziger Jahre kennengelernt, als wir beide Lehrer an der Forest Hills High-School in Queens waren. Wir hatten es gemeinsam zu etwas gebracht in unserem Leben – einem erfüllten Leben übrigens, schon lange vor dem vielen Geld. Und wir hatten Kinder. Daher war ich wirklich überrascht. Besser gesagt, völlig vor den Kopf gestoßen.

Richie hatte auf der anderen Seite unseres Schlafzimmers gestanden, und aus seinen olivschwarzen Augen waren die Tränen gequollen. Er schnappte geräuschvoll nach Luft, und seine Stimme klang so erstickt, daß ich sie fast nicht wahrnahm: »Ich kann es selbst kaum glauben, daß ich so etwas sage, Rosie.« Dabei wischte er sich mit dem Handballen die Augen, was seinem Heulen eine männliche Note gab. »Was mich so fertigmacht« – seine Brust hob sich – »ist« – er schluchzte, weil er sich einfach nicht mehr zurückhalten konnte – »daß es so verdammt abgedroschen klingt.«

»Bitte, Richie, jetzt sag's mir doch endlich.«

»Zum ersten Mal seit Jahren fühle ich mich wieder richtig lebendig.«

Die Vormittagsluft war heiß und süß vom Geißblattduft. Sie ließ an den wunderbaren, schweißklebrigen Sommersex denken, den es in wenigen Wochen geben würde. Doch wie heißt es so schön? Nicht für mich. Der Jahreszeit zum Trotz zitterte ich und schlang mir die Bettdecke fest um die Schultern. Klar, mir war kalt, aber im Unterbewußtsein muß ich wohl außerdem die Hoffnung gehegt haben, daß ich als zusammengekauertes Bündel, mit meiner bebenden Unterlippe, unwiderstehlich wäre.

Dem war nicht so.

Dafür war Richie unwiderstehlich. Mit seinem zurückgekämmten, stahlgrauen Haar, seiner Reiche-Leute-Sonnenbräune, seiner maßgeschneiderten weißen Hose, dem knackig gestärkten weißen Hemd und seinen weißen Slippern aus Eidechsenleder sah er aus wie ein Exmann, der seiner Gattin entwachsen ist. Doch sein Gesicht war naß; die Tränen waren echt. »Ach Rosie, es tut mir so schrecklich leid.«

Das klang endgültig: Ich konnte nur noch weinen. Er verlagerte sein Gewicht vom einen Slipper auf den anderen und dann wieder zurück. Entweder war ihm die Konfrontation peinlich, oder aber sie dauerte länger, als er gedacht hatte, und er war zum Lunch verabredet. »Richie«, schluchzte ich, »du kommst schon über sie weg!« Eiligst korrigierte ich mich: »*Rick*, bitte! Ich liebe dich doch so!« Aber da war es schon viel zu spät.

In jenem Sommer durchlebte ich jede einzelne Phase, die verschmähte Ehefrauen durchmachen müssen. Hysterie. Lähmung. Selbstbetrug: Ganz sicher läßt Richie ein weltgewandtes, erfolgreiches, fruchtbares Finanzgenie mit Fotomodellfigur für eine Englischlehrerin aus der Vorstadt sitzen. Verzweiflung: Ich verbrachte meine Nächte im Rausch von Xanax, einem Beruhigungsmittel, das ich mir von meinem Frauenarzt unter Vorspiegelung falscher Tatsachen hatte verschreiben lassen, und bedauerte nur, daß es keine Vollnarkose war.

Ich war ganz allein – Mann fort, Kinder erwachsen und auf eigenen Füßen. Noch dazu starb in der ersten Augustwoche Irving, unser Beagle. Ich wanderte weinend durchs Haus und dachte an Richies Körperglut, an die Wärme der Kinder, an Irvings kalte, liebevoll stupsende Nase.

Wenigstens hielt mich das Umherwandern in Bewegung. Als Richie groß rauskam, war er nicht der Meinung gewesen, weniger sei mehr. Mehr war mehr. An einem Tag wohnten wir noch in unserem kleinen Haus mit der Original-Avocadoküche aus den sechziger Jahren, den ramponierten Sturmfenstern und einem verbogenen Basketballring über der Einzelgarage – und am nächsten schon zweieinhalb Meilen weiter nördlich, direkt am Long-Island-Sund im Land des »Großen Gatsby«, in einem Haus im georgianischen Stil, das so hochherrschaftlich war, daß es sogar einen Namen hatte: Gulls' Haven – Möwenhort.

Zugegeben, eine nächtliche Wanderin in einem T-Shirt vom New Yorker Shakespeare-Festival, schwarzem Slip von unnötigem Sexappeal und Pan-Am-Socken von unserem letzten Erster-Klasse-Flug nach London (ehe Richie noch reicher wurde und wir Concorde flogen), die sich bei ihren Streifzügen durchs verlassene Haus an ein Knäuel feuchter Kleenextücher klammert, paßte nicht in das Bild, das »Gulls' Haven« ursprünglich vermitteln sollte. Doch so war es nun einmal. Auch in jener schicksalhaften Nacht.

Schicksalhaft? Um ehrlich zu sein, schien diese Nacht nicht

mehr und nicht weniger schicksalhaft als jede andere auch. Nach unserem Umzug hatte Richie den digitalen Radiowecker auf seinem Nachttisch zugunsten einer Kutscheruhr aus Messing ausrangiert, so daß ich wohl nie erfahren werde, um welche Zeit ich genau aufwachte, geschweige denn – noch wichtiger – was mich geweckt hatte. Aber es muß ungefähr halb vier gewesen sein. Mir wurde klar, daß ich nicht mehr weiterschlafen konnte, weil ich zu große Angst hatte, noch eine Xanax zu nehmen. Bei meinem Glück konnte mich schon die nächste Tablette in einen Zustand befördern, den die Ärzte als toxisches Koma diagnostizieren würden. Von Schuldgefühlen geplagt, würde Richie die beste Pflege zahlen, und dann könnte ich die letzten drei Jahrzehnte meines Lebens in unermeßlicher Trostlosigkeit und Einsamkeit verbringen, in der Einzelhaft meines eigenen Körpers.

Ich machte mich wieder einmal auf eine meiner nächtlichen Wanderungen. Richie hatte, als er sich in jener letzten Juniwoche absetzte, seine Reise in den Westen – die sechsundzwanzig Meilen nach Manhatten – nur mit einer kleinen Tasche angetreten. Wollte der Kerl tatsächlich fast sein ganzes Leben hinter sich lassen? Doch ich war mittlerweile über das Stadium hinaus, in dem ich vor den mit seinen Maßanzügen vollgestopften Kleiderkammern in Tränen ausbrach und die Kappen seiner handgefertigten Schuhe berühren mußte. Auch an seinem Badezimmer mit dem protzigen grünen Marmor und den klotzigen goldenen Statuen kam ich anstandslos vorbei. In der Nacht nach unserem Einzug hatten wir uns in seiner Duschkabine geliebt.

An dieser Stelle knurrte mein Magen. Ich dachte: Ein Becherchen fettarmer Joghurt könnte nicht schaden. Während ich die geschwungene Freitreppe hinunterschritt, wußte ich tief in meinem Innersten, daß ich zum Kühlschrank gehen und dort – Hoppla! Was ist denn das? – eine der Hackfleisch-Salami-Pizzas finden würde, die ich für den Fall im Haus hatte, daß die Jungen überraschend heimkämen. Vielleicht könnte ich mir auch einen Hotdog in der Mikrowelle heiß machen; vermutlich würden es sogar drei. Seit Richie fort war, hatte ich ein Bäuchlein bekommen. Nun ja, Bäuchlein ist wohl ein etwas verniedlichender Begriff. Noch ein paar Wochen mit diesen köstlichen Kleinigkeiten, und ich würde aussehen wie im zweiten Schwangerschaftsdrittel – etwas unvorteilhaft für eine Frau im Klimakterium.

Ich spazierte in die dunkle Küche, die so groß war wie ein Basketballfeld, und fragte mich, ob wohl noch Hotdog-Brötchen da waren oder ob ich die Hotdogs gefügig prügeln mußte, damit sie sich in Hamburger-Brötchen wickeln ließen. Außerdem überlegte ich, rein theoretisch und aus intellektueller Neugier, ob es menschenmöglich wäre, im Mixer richtig dicke Malzmilch zu zaubern. Und dann stolperte ich.

Stolperte? Allmächtiger! Ich stürzte über ein riesiges Ding – was zum Teufel war das? Mein irrsinniger Schrei erschreckte mich noch mehr. Ich kroch auf allen vieren rückwärts, bis ich gegen den Wärmeofen im großen Eisenherd stieß. Was es auch war, es bewegte sich nicht. Ich hörte mein eigenes Wimmern, genauer gesagt, ein erbarmungswürdiges Winseln. Völlig außer mir blickte ich zur Anzeigetafel für die Alarmanlage neben der Gartentür. Da leuchtete es grün, was bedeutete, daß jemand die Anlage abgeschaltet hatte. Ich war aber ganz sicher, daß ich sie angestellt hatte. Noch ein Wimmern. Lieber Gott, nicht! Aber dann dämmerte es mir . . .

Alexander! Natürlich! Ihm war das Geld ausgegangen, und deshalb war er nach Hause gekommen, hatte wie üblich seinen Rucksack auf den Küchenfußboden plumpsen lassen, seine Gitarre zärtlich in die Arme geschlossen und sie in sein Zimmer hochgetragen. »Mist!« entfuhr es mir seiner Schlampigkeit wegen, aber ich war auch beglückt, daß einer meiner Söhne heimgekehrt war. Ich streckte den Arm aus und knipste das Licht an.

Es war nicht Alex' Rucksack auf dem Fußboden.

Es war Richie. Er lag auf dem Rücken. Seine Lippen bildeten einen schmalen, mißbilligenden Strich.

Kein Wunder: Ihm steckte nämlich ein Messer mitten im Leib.

Was habe ich da geschrien! »O Gott, o Gott!« Ich rannte herum wie ein aufgescheuchtes Huhn und wedelte mit den Armen, völlig kopflos. Dabei prallte ich gegen den walisischen Ahorn-Geschirrschrank, so fest, daß ein mit blau-weißen holländischen Meisjes bemalter Servierteller und eine Suppenterrine in Schildkrötenform auf dem Fußboden in tausend Stücke zersprangen. Dann schrie ich noch einmal. Vielleicht hatte ich zu viele Filme gesehen. Was tut eine Frau, wenn sie eine Leiche findet? Sie stößt einen so grauenerregenden Schrei aus, daß Gott geneigt sein könnte, kurzfristig umzudisponieren.

Ich beugte mich hinunter und berührte Richies Backe. Kalt. Na ja, schließlich lag sein Kopf auf den Fliesen. »Richie?« flüsterte ich. Dann schrie ich: »Richie!« Keine Antwort. Kein Lebenszeichen. Ich hielt ihm einen Finger unter die Nase, um zu spüren, ob er noch atmete. Nichts. Es mußte doch wenigstens eine Chance geben; er *könnte* immerhin noch leben. »Richie, bitte!« In meiner Hysterie – nein, eher Hoffnung – packte ich das Messer am Griff und versuchte, es herauszuziehen. Es ruckte noch einmal mit einem quatschenden Geräusch und rührte sich dann nicht mehr vom Fleck. Richie übrigens auch nicht. Da wußte ich, daß er wirklich tot war.

Wie ich mich dabei fühlte? Mein Herz erstarrte zu kaltem Stein. Ich fühlte mich wie tot. Nein, das stimmt nicht ganz. Der Tote war eindeutig Richie. Aber es war nicht seine völlige Reglosigkeit, die mich veranlaßte, seinen Namen immer und immer wieder zu kreischen, sondern daß er so lebendig aussah. Jeden Moment würde er an sich herunterblicken, angesichts dieser Hausfrauentheatralik die Stirn runzeln und sich das Messer aus der Brust reißen. Nur daß er es nicht tat.

Das Blut auf seinem Rumpf bildete eine dreiblättrige rote Blüte, in der der schwarze Messergriff ein riesenhaftes Staubgefäß darstellte. Gräßlich. Mir wurde schrecklich schwindelig, deswegen legte ich mir die Hände über Mund und Nase, um ein paar Züge Kohlendioxid einzuatmen. Erst jetzt kam mir die Erkenntnis: Was mich da anstarrte, war keine von eigener Hand zugefügte Wunde. Hätte man mir das empfindlichste Mikrofon der Welt an den T-Shirt-Kragen geklemmt, es hätte mein Flüstern aufgefangen: »Mord!«

Richie war tot, weil ihn jemand ermordet hatte.

Ich zwang mich, ihn anzusehen. Sein Körper lag quer über das dunkle Parkett ausgestreckt. Seine Hände waren zu losen Fäusten geballt, das rechte Handgelenk angewinkelt, und sein Daumen wies nach oben. Unter diesen Umständen wirkte die Geste schauderhaft geschmacklos. Es kribbelte mir in den Fingern, dem abzuhelfen.

Aber ich hatte bereits das Messer angefaßt, und mir war klar, daß die Polizei darüber nicht begeistert sein würde. In Mordsachen war ich nämlich nicht ganz unerfahren, hatte ich doch mehr Krimis gelesen, als mir guttat. »Detektivschinken« nannte meine beste Freundin Cass, Fachrespizientin der englischen Abteilung an meiner High-School, das Genre abfällig. Doch ich hatte in meinem Leben so viele Kriminalromane und Verbrecherfilme verschlungen, daß ich den Tatort selbst in diesem furchtbaren Moment nicht hätte verfälschen dürfen. Wenn ich nun die Fingerabdrücke des Mörders verschmiert hatte? Oder einen wichtigen Hautfetzen abgewischt, den die Cops zur DNS-Analyse schicken wollten?

Ganz vorsichtig wich ich zurück, um mich umzusehen und alles ganz objektiv aufzunehmen. Na schön, so ganz objektiv dann doch nicht, denn als erstes fiel mir ein, daß Jessica seine Kleidung ausgesucht hatte: Designermode. Noch nie hatte ich einen richtigen Mann gesehen, der so schick war. Basketballstiefel, aber keine schäbigen, grau-schwarz abgescheuerten, wie er sie in der High-School immer zum Sport getragen hatte, sondern pechschwarze, modisch-elegante. Bestimmt hatten sie mehr gekostet als eine ganze Monatsmiete für unsere erste Wohnung. Gewollt schlabbrige, dunkelgraue Kattunhose, an den Aufschlägen gerafft. Figurbetonter Pullover.

Ich versuchte zu erspähen, was ihn umgab: auf dem Küchenboden lag Erde – eine unregelmäßige Spur dunkler Lehmklumpen von der Küchentür her. Mein Magen schlug Kobolz; ich konnte nicht mehr. Entsetzensgeheul steckte in meiner Kehle und drohte mich zu ersticken. Aber ich mußte einfach hinsehen; der Lehm könnte ein Anhaltspunkt sein. Ich schöpfte tief und zitternd Atem und ging in weitem Bogen um Richie herum. Und wirklich steckte auch in den Rillen seiner Turnschuhsohlen Erde, vor allem am linken Fuß. Offensichtlich hatte er den Dreck hereingeschleppt.

Das war alles. Mehr Beweismaterial konnte ich nicht entdekken. Aber die Mordkommission würde bestimmt noch etwas finden. Ich wandte Richie den Rücken zu und wartete in der Stille darauf, daß die Polizei hereingestürmt käme. Einzugestehen, daß ich das Messer berührt hatte, würde schlimm werden. Wo blieben sie nur?

Endlich dämmerte mir, warum ich warten mußte. Es waren nur Richie und ich im Haus – und er hatte bestimmt nicht den Notruf gewählt. Also tat ich es. Eine Frau mit hispanischem Akzent meldete sich: »Polizei – Notruf.« Darauf sagte ich: »Ich möchte einen Mord melden.« Und redete wie ein Wasserfall: Hier gibt es keine Hausnummer, aber wenn Sie bis zum Ende der Hill Road fahren, die Anchorage Lane lang und den Kiesweg rechts hoch – da, wo »Privatweg« dransteht –, kommen Sie direkt nach Gulls' Haven. Schließlich fügte ich hinzu: »Ach, und das Opfer . . .« Sie wartete gespannt. Ich bekam kein Wort heraus, hypnotisiert von einer Kupferkasserole, die am Topfhalter baumelte. Darin spiegelte sich winzig klein und weit entfernt, fast wie ein Bild, Richies Leiche. »Das Opfer, ja?« drängte sie. Also klärte ich sie auf: ». . . ist mein Mann.«

Ich habe die Literatur dem wirklichen Leben immer vorgezogen, weil sie mir logischer erschien. Außerdem war sie meist weniger langweilig. In den Detektivromanen, die in englischen Landhäusern angesiedelt sind, findet zum Beispiel jemand die Leiche und ruft: »Potzblitz, der Pfarrer!« Man muß sich nicht mühsam durch weitere sechzig Seiten ackern, bis die Polizei endlich kommt. Da gibt es keine öde Warterei: Das Kapitel ist zu Ende, und das nächste beginnt sofort. Gleich im ersten Satz schenkt schon jemand dem Konstabler eine Tasse Tee ein. Auch im Film Noir wird nicht lange gefackelt: Ein Schnitt führt die Kamera von einem schreiverzerrten Mund direkt zur Kippe zwischen den Lippen des zynischen Privatdetektivs.

Es wäre normal gewesen, nun unverzüglich das Heulen einer Sirene und das beruhigende Knirschen auf dem Kies zu hören, wenn die Streifenwagen zum Haus heraufpreschten. Aber nachdem ich den Hörer aufgelegt hatte, war ich wieder allein. Die Stille war gespenstisch. In einem finsteren, spinnwebenverhangenen Winkel meines Gehirns hatte ich die Vision, wie ein durchsichtiger Richie seine sterbliche Hülle verließ, die Mühsal alles Irdischen hinter sich lassend über der Anrichte in der Küchenmitte schwebte und sich spiralförmig um den Messing-Kronleuchter über dem Eßtisch wand, bis sein Geist schließlich – mit einem höllischen *Wuuusch* – durch das Lüftungsgitter an der Scheuerleiste gesogen wurde. Ich hörte mich sagen: »Junge, das gefällt mir nicht.«

Aber dann bekam ich es richtig mit der Angst zu tun. Woher sollte ich denn wissen, wie lange er schon tot war, ehe ich über ihn stolperte? Fünf Stunden? Zehn Minuten? Vorsichtshalber rief ich laut: »Die Polizei ist unterwegs!« Meiner Stimme fehlte aber jegliche Überzeugungskraft. Sie war ganz zitterig, wie bei Marilyn Monroe.

Reine Nervensache, sagte ich mir. Schön ruhig bleiben! Als ich die Augen schloß, um einen tiefen, befreienden Atemzug nach Lamaze zu machen, flatterten mir allerdings die Lider. Irgend etwas stimmte nicht. Aber was? Ich sah mich forschend in der Küche um. Oben auf der weiß gekachelten Anrichte, zwischen dem zweiten Herd für große Partys und der kleinen Obst- und Gemüsespüle, fand ich es – ein weiteres Indiz: den Messerblock aus Eiche. Ein Schlitz war leer, und zwar der für das große Fleischmesser, das jetzt in meinem Gatten steckte.

Himmel, wurde mir schwindelig!

Hör auf mit deinen Hirngespinsten, befahl ich mir. Und fang ja nicht wieder mit dieser Geistergeschichte an. Denk nach! War es vielleicht ein Einbrecher, der zur nächstbesten Waffe griff, als er von Richie überrascht wurde? Oder eher jemand, der Richie ins Haus begleitet hatte? Moment mal! Wieso war Richie überhaupt zurückgekommen? Honi Goldfeder, meine Anwältin – eine Frau, die ganze Sofakissen als Schulterpolster zu benutzen schien –, hatte darauf bestanden, daß ich den Sicherungscode der Alarmanlage änderte, damit Richie nicht mehr hereinkonnte. »Wechseln Sie den Code, Schätzchen, und sagen Sie ihm Bescheid. Und erzählen Sie mir ja nicht, er hätte kein Interesse mehr, ins Haus zu kommen, *man weiß nämlich nie*. Und *wenn* er sich tatsächlich mal reinschleicht, dann bestimmt nicht, um Ihnen wieder Hoffnung zu machen, *nur damit wir uns richtig verstehen.*« Ich wollte es nicht wahrhaben: »Männer ändern manchmal ihre Meinung. Richie soll doch nicht denken, ich hätte ihn ausgesperrt.« Sie hatte mit einem ewig langen, knallroten Fingernagel in meine Richtung gezeigt und bestimmt: »Sie können es sich nicht leisten, rührselig zu sein!« Das war ich aber.

Doch was hatte Richie nun tatsächlich hergeführt?

Die Glocke am Eingang ließ ihren protestantischen Vierklang-Essenssegen ertönen. Ich hastete zur Haustür. Die Kälte des Marmorfußbodens in der Diele stieg durch meine Pan-Am-Socken; meine Oberschenkel waren mit einer Gänsehaut überzogen. Ich sprintete in die Gästegarderobe und griff mir einen Trenchcoat, einen der drei sündhaft teuren Burberrys, die Richie in seinem ersten Anfall von Anglophilie erstand, nachdem er das große Los gezogen hatte.

Dann knipste ich die Außenbeleuchtung an. Unter den drei Bögen, die das Säulenportal von Gulls' Haven bildeten, standen sechs uniformierte Polizisten. Als ich die Tür öffnete, trat einer von ihnen, der etwas älter aussah als die anderen und auch einen dickeren Schnurrbart trug, vor und fragte: »Mrs. Meyers?« Ich bat sie herein und schaltete die Dielenbeleuchtung ein. Gewissenhaft taxierten sie die Wandleuchter, die Stuckverzierungen und den grün-weißen Marmor im Schachbrettmuster, als wären sie zu einer nächtlichen Leistungsschau der Inneneinrichter vorbeigekommen.

»Mrs. Meyers?« Der Beamte war viel größer als ich. Er stand dicht vor mir, und als ich den Blick hob, erkannte ich, daß er seine Nasenhaare über den Schnurrbart gekämmt trug. »Mrs. Meyers, wir haben einen Anruf betreffs Ihres Ehemannes erhalten. Könnten Sie uns bitte zu ihm führen, Ma'am?«

Ich konnte mir bildhaft vorstellen, wie sich das Blut auf Richies Hemd braun verfärbte und um das Messer herum langsam rissig verkrustete.

»Mrs. Meyers, wir sind da, um Ihnen zu helfen.«

Mir kamen einige Zeilen aus *Othello* in den Sinn, die ich einmal, nach einer langen Liebesnacht, Richie vorgetragen hatte. Damals waren wir beide verwundert und fast böse gewesen, daß der Tag anbrach. »Verdammnis meiner Seele / Lieb ich dich nicht! und wenn ich dich nicht liebe, / Dann kehrt das Chaos wieder.«

»Mrs. Meyers!« Die Stimme des Polizisten dröhnte viel zu laut.

Dabei muß ich wohl in Ohnmacht gefallen sein.

2

Ohne sein Gesicht wäre Sergeant Carl Gevinski von der Mordkommission von Nassau County vielleicht ein ganz gutaussehender Mann gewesen. Er hatte freundliche blonde Wuschelhaare, die schon grau wurden und die er sich ständig aus der Stirn streichen mußte, zudem Falten um die Augen wie Walter Cronkite und einen gutmütigen dicken Bauch. Doch sein Gesicht war kreisrund, mit einer Knollennase wie ein Clown, die Art, auf die man immer drücken möchte, damit sie einen lauten Hupton von sich gibt. Aber gleichzeitig war sie wohl bei einem Unfall oder einem Boxkampf so plattgedrückt worden, daß sie kaum noch aus seinen Wangen hervorragte. Direkt von vorn wirkte sein Gesicht so flach, als wäre es zweidimensional wie der Mond.

»Alles klar?« erkundigte er sich.

»Mir geht es bestens. Ich bin nur mal kurz umgekippt.«

Die Polizisten mußten mich irgendwie in die Bibliothek geführt oder getragen haben. In der Zwischenzeit waren noch mehrere Streifenwagen dazugekommen. Und etwa zwanzig Minuten später waren dann Gevinski und seine Mordspezialisten eingetroffen.

Ich wollte Richies Trenchcoat ausziehen. Doch als ich versuchte, mir eine Erklärung auszudenken, warum ich mich umziehen wollte, ohne frivol zu erscheinen, fingen meine Beine so heftig an zu zittern, als schlüge ich die Knie in einer krampfhaften Aerobic-Übung mit Absicht gegeneinander. Ich packte mir den nächsten Stuhl am Lesetisch und sank darauf nieder. Mit diesem Tisch und den Stühlen hatte Richie seine Sammlung englischer Antiquitäten begonnen. Die Tischschubladen hatten Messing-Intarsien, alle Buchstaben des Alphabets. Eine Zeitlang hatte er immer zu unseren Besuchern gesagt: »Ulkig, nicht? Den haben wir in London bei einer Auktion ersteigert.« Doch dann hatte ihn einmal seine Cousine Sylvia, deren Gewerbe künstliche Fingernägel waren, ausgelacht; danach hatte er statt »ulkig« immer »originell« gesagt. Und Sylvia flog ein für allemal von der Gästeliste.

Gevinski setzte sich mir gegenüber. »Ich möchte nicht drängen, aber bei unseren Ermittlungen spielt die Zeit eine wesentliche Rolle«, sagte er.

»Ich weiß. Bevor wir uns unterhalten, muß ich Ihnen aber noch sagen, daß ich einen Fehler gemacht habe.«

Er nickte aufmunternd. »Mir können Sie alles sagen«, ermutigte er mich verständnisvoll und nachsichtig – ein weltlicher Beichtvater, der sich auf das grausigste aller Geständnisse gefaßt machte.

»Verstehen Sie mich nicht falsch«, beruhigte ich ihn. »Ich habe nur möglicherweise Ihren Tatort verändert.«

»Was haben Sie denn gemacht?«

»Ich dachte einen Moment lang, Richie sei vielleicht noch am Leben, deswegen habe ich . . .«

»Deswegen haben Sie . . . ?«

»Ich habe versucht, ihm das Messer aus der Brust zu ziehen.« Er brüllte nicht, er fauchte mich nicht an. Er sagte überhaupt nichts. »Ich weiß, das hätte ich nicht tun dürfen, es war unvernünftig. Ich dachte mir: Er ist so ruhig, aber vielleicht lebt er ja noch. Ich muß nur das Messer rausziehen, und dann tut er einen großen, erleichterten Schnaufer. Verzeihung, Sergeant Gevinski, ich bereue es aufrichtig.«

»Woran haben Sie denn erkannt, daß er wirklich tot war?«

»Ich weiß nicht genau. Vermutlich habe ich es gleich gewußt, aber einen Moment lang hatte ich diese irrationale Hoffnung . . .«

»Das verstehe ich. Darf ich Ihnen jetzt ein paar Fragen stellen?«

»Natürlich.« Mein Kopf war klar. Ich war weder hysterisch noch von Trauer überwältigt. Meine Hände zitterten nicht. Nur als ich versuchte, die Beine übereinanderzuschlagen, fehlte mir die Kraft dazu.

Gevinski sah auf seine Uhr. Das Zifferblatt war ein gelbes Smiley-Gesicht, mit zwei Punktaugen und einem hochgezogenen Halbkreis als Grinsen.

Ich hatte schon viel über polizeiliche Ermittlungsverfahren gelesen: Zeit spielt eine wesentliche Rolle. Auch die 72-Stunden-Regel war mir geläufig: Wenn die Polizei in einem Mordfall den Täter nicht innerhalb von drei Tagen gefaßt hat, werden die Chancen, den Mörder noch zu finden, verschwindend gering.

»Könnten Sie mir den ganzen Namen sagen?« Gevinski sprach mich so überraschend an, daß ich zusammenzuckte.

»Rose –« Du liebe Güte, wie sollte ich das nur Ben beibringen? Und Alex? Richie und er waren einander spinnefeind gewesen. Und wie um alles in der Welt konnte ich es meiner Mutter erklären?

»Den Namen des Verstorbenen, bitte.«

»Richard Elliot Meyers.«

Er sah nicht aus wie der klassische Krimiheld, der Cop voll ungelinderter Trauer über die Condition Humaine, der üblicherweise von tragischen Schauspielern wie Dana Andrews oder Tom Berenger dargestellt wurde. Nein, Gevinski war eine andere Charge – der dickliche, geschlechtslose, doughnutsfutternde Partnertyp.

»Beruf?«

»Er war Generaldirektor einer Firma namens Data Associates.«

Gevinskis Blick schweifte durch die Bibliothek, einen riesigen, holzgetäfelten Raum mit drei Sofas und Gott weiß wie vielen Stühlen, Ottomanen und Beistelltischchen. Einer Palme, die meine Nachbarin in ihrem Gewächshaus gezüchtet hatte. Zwei Kronleuchtern. Büchern natürlich auch. Als Richie sich entschloß, für Gulls' Haven mitzubieten, hatte ich ihn provoziert: Das Haus ist eine Nummer zu groß für uns, Richie, und das weißt du auch. Sein Gesichtsausdruck hatte sich dabei kaum geändert; etwas in der Richtung hatte er von mir schon erwartet. Ich stichelte weiter: Wir brauchen ja eine ganze Generation, um den Weg vom Weinkeller zurückzufinden. Und was stellen wir bloß in die Bibliothek? Deine *Einführung in die Differentialrechnung?* Mein *Shakespeares Gesamtwerk in einem Band?* Meine Krimi-Taschenbücher? Der Raum eignet sich doch nur für gebundene Ausgaben – aber vielleicht stiftet uns deine Mutter ja ihre Reader's-Digest-Sammelbände. Er konterte mit: *Meine* Mutter liest immerhin.

Doch der Vorbesitzer von Gulls' Haven, Produktionsleiter einer abgesetzten Seifenoper (der das Anwesen aus der Konkursmasse des spielsüchtigen Urenkels eines Erzkapitalisten ersteigert hatte), war ganz begeistert, Richie die Bibliothek einschließlich des

Bücherbestandes verkaufen zu können; er hatte die Bücher von einer Firma bezogen, die sich ›Literatur am laufenden Meter‹ nannte. Das gab natürlich Streit. Wahrscheinlich brach ich ihn vom Zaun, als ich Richie als Parvenü bezeichnete. Es endete damit, daß Richie dunkelrot anlief und brüllte, ich hätte kein Recht, ihn als Snob darzustellen, nur weil er schöne Dinge zu schätzen wisse.

Also hatte er das Herrenhaus gekauft, das nicht seine Kragenweite war. Und ich bekam ein ledergebundenes Antiquariat über Luft- und Raumfahrt, katholische Heilige, die spanische Geschichte (auf spanisch) und Numismatik. Nur ausgesprochenen Flachatmern konnte der Modergeruch entgehen, der den Bänden entströmte. Aber solange man nicht unbedingt etwas lesen wollte, machte die Bibliothek einiges her.

»Stammte das Vermögen aus der Firma oder aus der Familie?« wollte Gevinski wissen.

»Er hat die Firma mit einem Partner gegründet. Meine einzige Hoffnung war damals, daß sie vielleicht genug abwerfen würde, um die Jungens auf ein gutes College zu schicken und die Küche zu renovieren. Wer hätte denn mit so was gerechnet?«

»Was treibt diese Firma?«

»Recherchen. Die kriegen alles raus, was irgend jemand über irgend etwas wissen will. Ihr Motto heißt ›Wissen ist Macht‹. Das steht auch groß auf dem Firmen-Briefpapier. In Anführungsstrichen, aber ohne Quellenangabe.« Gevinski schwieg weiter, daher vermutete ich, daß die fehlende Namensnennung ihn nicht so sehr störte. Ergänzend erklärte ich: »Francis Bacon. *Meditationes Sacrae*.«

»Machen die irgendwas Geheimes?«

»Nein. Nur gründliche Nachforschungen. Angefangen hat die Firma mit Computerrecherchen, aber dann hat sie expandiert. Heute sind dort vierhundert hauptberufliche Rechercheure angestellt, die in öffentlichen Büchereien auf der ganzen Welt arbeiten, und dazu noch hundert, die Datenbanken abfragen.«

»Mit Recherche läßt sich soviel Geld verdienen?«

»Zu den Kunden zählen Fortune-500-Firmen, Anwaltskanzleien, Anwärter auf politische Ämter. Lauter gebildete Leute, von denen aber keiner in der Lage zu sein scheint, selbst in einer Kartei zu blättern.« Plötzlich rutschte mein Ellenbogen von der Armlehne, ich kippte schräg zur Seite. Als ich mich wieder aufrichtete, merkte ich, daß mir Arme und Schultern schlotterten. Meine Beine fingen auch wieder an gegeneinanderzuschlagen. »Ich würde mir gern was holen«, sagte ich zu Gevinski. Sein Gesicht blieb ausdruckslos. »Ich brauche ein Beruhigungsmittel.«

»Nur noch eine Frage, Mrs. Meyers. Waren Sie die ganze Nacht wach?«

»Nein. Ich war gerade aufgestanden und nach unten gegangen. Ich hatte Hunger.«

»Wann sind Sie zu Bett gegangen?«

»Relativ früh. Ich war müde. Etwa um halb zehn, zehn.«

»Und wann sind Sie wieder aufgestanden?«

»So gegen halb vier.«

»Haben Sie etwas gehört?« Ich schüttelte den Kopf. »Kann es sein, daß Sie von einem Geräusch aufgeweckt wurden?«

»Ich glaube nicht, aber hundertprozentig sicher bin ich mir auch nicht.«

»Vielleicht haben Sie einen Streit gehört. Es ist ja Geschirr zu Bruch gegangen.«

»Nein, das war auch meine Schuld. Entschuldigen Sie – ich habe vergessen, Ihnen das zu sagen. Als ich Richie sah, bin ich wohl ein bißchen durchgedreht und rumgerannt, weil ich nicht wußte, was ich tun sollte. Dabei bin ich gegen den Geschirrschrank geknallt. Ein Servierteller und eine Terrine sind runtergefallen.«

»Und war außer Ihnen sonst noch jemand im Haus?«

»Nein. Unsere Kinder sind schon erwachsen. Früher hatten wir mal ein Haushälterpaar, das im Haus wohnte, aber die arbeiten jetzt für meinen Mann in der Stadt.« Er nickte. »Zweimal die Woche kommt eine Frau, die mir hilft.« Ich erwartete, daß er einen typischen Bullenscherz abließ, im Sinne von »Wahrscheinlich braucht man in der Bude hier schon zum Staubsaugen allein mehr als zwei Tage«; aber er verkniff es sich. »Wir haben eine ziemlich ausgeklügelte Alarmanlage«, fuhr ich fort. Gevinski saß da und hörte zu, strich sich gelegentlich über die Krawatte, deren Dunkelgrau durch kleine Ahornblätter aufgelockert wurde. »Als ich mich hingelegt hatte, war die Alarmanlage an«, sagte ich. »Da bin ich ganz sicher. Aber Richie kannte den Code.«

»Warum sollte er ihn nicht kennen?«

»Er wohnt nicht mehr hier.«

Er hörte auf, mit seiner Krawatte zu spielen. »Wo wohnt er denn?«

»In der Stadt.«

»Sind Sie geschieden?«

»Getrennt. Die Scheidung ist beinahe durch; unsere Anwälte haben gerade die Scheidungsvereinbarungen ausgehandelt. Aber er ist Ende Juni ausgezogen.«

Gevinski zählte die Monate an den Fingern ab: eins, zwei, drei, vier – Oktober! »Haben Sie ihn rausgeschmissen?« Hätte ich bejaht, dann hätte er bestimmt geantwortet: »Das war auch richtig so!«, so mitfühlend klang er.

»Nein. Er hat mich verlassen. Wegen einer anderen.«

Er langte in die Innentasche seines Jacketts und zog ein Notizbuch mit Spiralbindung hervor. »Das ist vermutlich eine lange Geschichte«, bemerkte er freundlich.

»Richtig.«

»Wissen Sie, wie sie heißt?« Ich gab ihm Jessicas Namen, die Adresse ihrer Maisonettewohnung und ihre Telefonnummer; die kannte ich, weil Richie dort gelebt hatte, während die zwei sich nach »Etwas, wo wir uns richtig ausbreiten können«, wie er es bezeichnete, umsahen. Im Interesse einer umfassenden Aufklärung sagte ich Gevinski auch, daß Richie vorhatte, sie zu ehelichen, sobald unsere Scheidung rechtskräftig war. Da er nicht danach fragte, ich aber wußte, daß es zur Polizeiroutine gehörte, nannte ich ihm noch meinen Namen, mein Alter und meinen Beruf. Er dankte mir und notierte sich alles. »Würden Sie einen Augenblick hier warten?« fragte Gevinski. Ich versprach es. »Ich bin Ihnen sehr dankbar für Ihre Mithilfe.« Damit ging er aus dem Raum.

Ich trommelte mit den Fingerkuppen auf dem Tisch, doch das alte polierte Holz dämpfte das Geräusch. Dann durchquerte ich die Bibliothek. Die Perserteppiche schluckten meine Schritte. Jedes Zimmer in Gulls' Haven war auf das raffinierteste durchgestylt. Ich weiß noch, wie Richie strahlte, als die Innenarchitektin ihm mit ihrer nasalen Oberschichtstimme sagte, die Lieferung eines der Möbelstoffe – ballenweise Chintz mit Zentifoliendruck – könne »ein ganz klein wenig länger dauern als üblich«; er werde speziell in Teeküpen eingefärbt, damit er vergilbt und etwas abgenutzt aussähe. Nach altem Geld eben.

Doch als der Stoff dann ankam, fand Richie ihn abscheulich. Zudem verachtete er mittlerweile die Innenarchitektin zutiefst und erklärte mir, sie wolle bloß neues Geld nach altem Geld aussehen lassen, um typischen Neureichen zu gefallen. Er nannte sie eine eingebildete Ziege und verlangte: »Schmeiß sie raus!« Das hätte ich nur zu gern getan, aber sie hatte große, mißbilligende Faye-Dunaway-Nasenlöcher und jagte mir Angst ein; daher sagte ich ihm, er solle das bitte selbst erledigen. »Mit Vergnügen«, behauptete Richie. Doch dazu kam er nie, und wir haben noch ein kleines Vermögen für Damastvorhänge und Adam-Kaminsimse ausgegeben, bis sie endlich abzog.

Zur Hölle mit diesem ganzen Theater, dachte ich. Erst mal muß ich mich anziehen und ruhigstellen. Deshalb hastete ich zur Tür, doch als ich hinausgehen wollte, hob ein uniformierter Polizist gebieterisch die Hand, als wollte er mir bedeuten: Halt! Schulkinder!

»Ich muß mich umziehen«, erklärte ich. Er schüttelte den Kopf. »Warum nicht?« Er zuckte die Achseln. Sein Gesicht war absolut ausdrucksleer. »Bitte! Ich gehe doch nur nach oben.«

»Da muß ich erst Sergeant Gevinski fragen.« Allerdings rührte er sich dabei nicht von der Stelle.

Ich stapfte zurück in die Bibliothek und bemühte mich, nicht an Richie zu denken. Es klappte nicht. Jemand hatte ihn *umgebracht*. Hatte er dem Mörder bei seinem letzten Atemzug, seinem letzten Herzschlag ins Auge geblickt – oder hatte er noch gehofft, einen Ausweg zu finden? Ob es weh getan hatte, als die Messerspitze durch seine Haut stieß, durch seine Muskeln schnitt, in seine Knochen stach, oder war alles schnell vorbei gewesen? Hatte Richie noch Zeit gehabt zu begreifen, daß er starb? In meiner Kehle pochte ein panischer Puls.

Warum stellte sich dieser Cop so stoffelig an? Und Sergeant Gevinski – er hatte die Information, daß ich das Messer angefaßt hatte, so gleichmütig hingenommen. War er wirklich so verständnisvoll? Betrachtete er meine Handlung als üblichen Hausfrauenreflex, so wie man das Fleischthermometer herauszieht, wenn der Braten fertig ist?

Keine Minute länger hielt ich es im Trenchcoat eines Toten aus. Daher ging ich zu dem Menschenaffen an der Tür zurück. »Haben Sie Sergeant Gevinski gefragt, ob ich nach oben darf?« stellte ich ihn zur Rede.

»Noch nicht. Er hat gesagt, er kommt bald wieder. Sie können in aller Ruhe auf ihn warten.«

Zu verstört, um mich durchzusetzen, zog ich mich zurück. Warum hätte ich auch nicht verstört sein sollen? Mein Mann war tot, hatte ein Tranchiermesser von Williams-Sonoma im Brustkasten. Mein Messer, zumindest fast. Nach dem Scheidungsvertrag, den uns die Rechtsanwälte für das kommende Wochenende zur Unterzeichnung versprochen hatten, sollten Richie und ich uns den Erlös aus dem Verkauf von Gulls' Haven teilen. Mir sollte die Einrichtung des Hauses zugesprochen werden, worunter sich zufällig auch ein wunderbarer Messersatz befand. Und, und, und. Sein Anwalt hatte eine Abfindungssumme angeboten, die meine Anwältin als Frechheit bezeichnete – zwei Millionen Dollar. Statt jedoch gekränkt zu reagieren, hatte Honi mir mitgeteilt, sie habe den anderen Anwalt einfach ausgelacht – und acht Millionen gefordert, anderenfalls komme man nicht ins Geschäft. Sie erklärte mir, das bedeute, daß sie sich bis Freitag in der Mitte treffen würden.

Zwei Abende zuvor hatte ich meine letzten Worte mit Richie gewechselt. Er hatte durchs Telefon gebrüllt: »Jessica war fassungslos, als sie hörte, was deine Anwältin fordert! Willst du wissen, was sie gesagt hat?« Ich sagte nein, aber natürlich erzählte er es mir trotzdem: »Sie meinte, das einzige, was sie je an dir bewundert hat, wäre, daß du dich immer mit dem begnügt hättest, was du bist!«

»Richie, beruhige dich doch!«

»Für wen hältst du dich, daß du mir Befehle erteilen willst?« Sein Keifen schlug ins Falsett um. Seine letzten Worte an mich waren: »Was hast du denn je geleistet, was mehrere Millionen Dollar wert wäre?« Und nun lag er in unserer Küche, und eine Horde öffentlich Bediensteter von Nassau County vermaß ihn und fuhr ihm mit der Pinzette unter die Fingernägel.

Was ging hier eigentlich vor? Was waren das für Polizisten? Gevinski hatte doch gesehen, daß ich einen Tatterich hatte; eigentlich sollte er Mitgefühl haben. Er hätte rufen sollen: He, hol mal jemand ihren Hausarzt an den Apparat, aber schnell! Arme Frau, man sollte ihr was zur Beruhigung geben. Statt dessen war er nur indifferent höflich.

Gevinski kam zurück, schlich lautlos in seinen schwarzen Gesundheitsschuhen, die mit dem orthopädischem Fußbett, in denen jeder Zehe eine Spezialbehandlung widerfährt. »Pardon. Ich mußte den Fall kurz mit dem Staatsanwalt besprechen.«

»Gibt's was Neues?«

»Was könnte es denn Neues geben?« Er sah auf die Uhr. »Hatte Mr. Meyers Feinde?« Sein Notizbuch steckte wieder in seinem Jackett; anscheinend erwartete er keine sensationellen Enthüllungen mehr.

»Nein.«

»Hat er in letzter Zeit Zorn oder Verärgerung über jemanden geäußert?«

»Wir haben nicht mehr viel miteinander geredet. Soweit ich weiß, war ich die einzige, über die er sich geärgert hat.«

Gevinskis Augenbrauen entsprangen als winzige Haarbüschel zu beiden Seiten seines Nasenrückens und endeten als lange, aufschießenden Linien; sie sahen aus wie blonde Buchhalterhaken. Er hob sie um den Bruchteil eines Zentimeters. »Wie sehr hat er sich denn geärgert?«

Gevinski, so beschloß ich, interessierte sich nicht für die Feinheiten zwischenmenschlicher Beziehungen. Nachdem Richie gleich auf der anderen Seite der Diele quasi auf dem Bratspieß steckte und ich auch noch das Messer berührt hatte, spürte ich, daß ich meine Antwort lieber etwas vorsichtig formulieren sollte. »Er war zwar sauer, aber es war die ganz normale Feindseligkeit wie bei jeder Scheidung. Unsere Anwälte haben noch über die letzten Einzelheiten der Abfindung verhandelt, deswegen war nicht alles eitel Sonnenschein.« Ich bot ihm ein mattes Witwenlächeln. »Und ob er noch jemand anderem böse war, kann ich nicht sagen. Er hat mir nichts mehr anvertraut.«

Nicht, daß Gevinski nicht zurückgelächelt hätte; das tat er. Aber es machte mir zu schaffen, daß er mich über sein automatisches Lächeln hinaus eindeutig nicht – ich versuchte, den treffenden Ausdruck zu finden – sympathisch fand? Oder attraktiv? Eben: Er fand mich weder sympathisch noch attraktiv. Und da war noch etwas. Er nahm alles, was ich sagte, zur Kenntnis – Aha. Ja. Verstehe –, schien es aber nicht zu glauben.

Extremer Streß, wie zum Beispiel dadurch, daß man von einem Beamten der Mordkommission in seiner Glaubwürdigkeit angezweifelt wird, wirkt als Stichwort für jedes einzelne Symptom der Menopause: Dein Auftritt! Plötzlich fühlte ich mich benommen und schläfrig, und ich biß die Kiefer zusammen, um ein Gähnen zu unterdrücken. Gleichzeitig bekam ich eine Hitzewallung.

Einen Augenblick später schwitzte ich wie ein Marathonläufer und klammerte mich an einer Stuhllehne fest. Mit meinem Ärmel wischte ich mir die Stirn, bis mir auffiel, daß es gar nicht mein Ärmel war; es war der Ärmel von Richies Burberry, und der war imprägniert. Gevinski ließ mich nicht aus den Augen.

»Mal überlegen. Hatte Richie irgendwelche Feinde . . .«, nahm ich den Faden wieder auf, in der Hoffnung, mir würde etwas einfallen, womit ich ihn zufriedenstellen konnte. Nicht, daß Richie nicht sympathisch gewesen wäre. Netter Kerl, das hatten alle immer gefunden. *Reizend!* Er hatte keine Feinde.

Aber auch keine Freunde. Schon in unseren ersten Jahren in Shorehaven, wo die Häuser so dicht beieinanderstanden, daß wir den Nachbarn ins Küchenfenster schauen und erkennen konnten, welche Marke Tiefkühlwaffeln es bei ihnen zum Frühstück gab; wo die Vertrautheit miteinander überschwengliche, uramerikanische Wir-haben-keine-Geheimnisse-voreinander-Freundschaften stiftete; wo die Nachbarn aus Gewohnheit hereinschneiten, um sich Estragonsenf oder den Schneeräumer zu borgen, gehörte Richie nicht dazu.

Nicht, daß man ihn geächtet hätte. Er war der Mann, an den man sich wandte, wenn einem jemand ausrechnen sollte, wie viele Quadratmeter mexikanische Fliesen man beim Renovieren des unteren Badezimmers brauchte, und ganz entschieden derjenige, mit dem man sich über Sport unterhalten konnte – wer sonst konnte schon die ausgefallensten Baseballergebnisse der Brooklyn Dodgers aus dem Jahr 1947 nennen und dabei noch unterhaltend sein? Alle sagten: Kein Wunder, daß er ein so guter Lehrer ist. Er ist nicht nur gut in Mathe, sondern er kann auch *hervorragend* mit Leuten umgehen. Und das stimmte. Ein guter Entertainer beim Strandpicknick, bei jeder Party im Einsatz. Aber in all den Jahren, die wir gemeinsam verbrachten, hatte ihn meines Wissens niemals irgendein Mann gebeten, mit ihm zur Holzhandlung zu fahren, oder ihm von einer nörgeligen Ehefrau, einem schwierigen Kind erzählt.

Damals, bevor bedeutende Leute wie Carter Tillotson ihm auch nur an der Bohrspitzenauslage im Eisenwarenladen zunickten, geschweige denn mit ihm Tennis spielen wollten, hatte Richie nicht einmal einen richtigen Partner unter den regelmäßigen Spielern gehabt; er sprang auf den öffentlichen Tennisplätzen in Shorehaven Park für die Kranken und Lahmen ein. Manchmal schaute ich ihm zu, wenn er den Wagen wusch oder den Rasen mähte, und machte mir Sorgen, warum er nicht beliebter war. Beliebtheit war etwas, von dem die Kids in meiner Schule geradezu besessen waren, und ich schämte mich über mich selbst, daß ich mir wünschte, Richie wäre mehr wie die Männer in unserer Straße, die sich ohne weiteres Grillschürzen mit albernen, aufgestickten Sprüchen umbanden.

Einmal fragte ich ihn, wer sein bester Freund sei. Leichthin antwortete er: Du. Also sagte ich: Aber Richie! Und wenn du mal mit mir ein ernsthaftes Problem hast? Mit wem kannst du dann reden? Er grinste. Sein unwiderstehliches schiefes Grinsen. Dann würde ich trotzdem mit dir reden. Jetzt hör schon auf, Rosie. Du weißt doch, daß Männer nicht solche Freundschaften haben wie Frauen – und erzähl mir nicht diesen Quatsch über Furcht vor Intimität. Er zog mich an sich und legte meine Hand auf seine Intimität. Richie war unter Männern nie der Kumpeltyp gewesen.

»Ich weiß nicht, ob man ihn als Feind bezeichnen kann, aber Richies früherer Partner war ihm sehr böse. Er heißt Mitchell Gruen.«

»Weiter«, forderte Gevinski, eher bedauernd als wirklich neugierig, da er nun für seinen Bericht noch eine weitere Seite tippen mußte.

»Ende der Sechziger haben wir alle an einer High-School in Queens unterrichtet. Richie war Lehrer geworden, um sich vor Vietnam zu drücken. Er hatte sein Examen in Mathematik und Sozialkunde gemacht. Mitch gab Mathe, und er war ein absoluter Computernarr.« Gevinski kreuzte die Arme vor dem Bauch und blickte wieder auf seine Smiley-Uhr. Ich redete schneller. »Jedenfalls waren wir nach dem ersten Kind knapp bei Kasse. Ich nahm ein Jahr Mutterschaftsurlaub, und Richie mußte sich einen Nebenjob suchen. Mitch hatte schon einen: er machte Hausbesuche und führte Heimcomputer vor. Wenn ein Kunde einen kaufte, dann kam einmal in der Woche ein Lehrer vorbei, bis er damit umgehen konnte.«

»Und?« fragte Gevinski.

»Mitch war ein schrecklich schlechter Verkäufer. Er liebte Computer, aber mit den Leuten kam er nicht so gut klar. Die Firma drohte, wenn er nicht bald anfinge, etwas zu verkaufen, würde er entlassen. Er brauchte das Geld aber dringend, um seine Computersucht zu stillen, und deshalb bat er Richie, ihn bei den Hausbesuchen zu begleiten und sein Partner zu werden.«

»Ich dränge ja nur ungern, Mrs. Meyers, aber die Zeit spielt eine Rolle.«

Gevinski war nicht unbedingt barsch, aber meinen Ausführungen gegenüber völlig gleichgültig. Ich sagte mir, es sei dumm, derart nervös zu werden. Allerdings muß man wissen, daß in der amerikanischen Kriminalliteratur der Hauptverdacht meist auf die Ehefrau fällt, insbesondere natürlich auf die verlassene Ehefrau. Noch dazu, wenn der Mord auch noch im eigenen Haus geschieht, mit einem Teil des Familienbestecks als Waffe. Und wenn auf der Waffe auch noch die Fingerabdrücke der Ehefrau sind? Keine Frage!

Nicht, daß ich angenommen hätte, Gevinski hielte mich tatsächlich für verdächtig, ohne daß er mehr über Richies Leben wußte. Ich wünschte mir nur, er würde sich etwas augenfälliger dafür interessieren, wer es denn nun wirklich war.

»Richie stieg bei Mitch ein«, rasselte ich weiter. »Vier Abende in der Woche arbeiteten sie bis zehn, elf Uhr. Nach etwa einem halben Jahr waren sie sehr erfolgreich. Die Firma wies ihnen ein größeres Gebiet zu. Aber noch ein Jahr später war Richie klar, daß das große Geld nicht in der Hardware zu holen war, geschweige denn im Kundentraining.«

»Wo war es denn zu holen?«

»Im Informationsdienst. Einer ihrer Kunden war Textilunternehmer. Er fragte Richie und Mitch, ob sie nicht einige Recherchen für ihn tätigen könnten; er interessierte sich für eine Designfirma in Kalifornien. Um es kurz zu machen: Mitch rief die Datenbanken ab, ich ging in die Bibliotheken. Ich habe auch den Bericht verfaßt. Richie konnte sich zwar gut ausdrücken, aber er schrieb nicht gern, und Mitch hatte noch nie was für ganze Sätze übriggehabt.«

»Und was tat Mr. Meyers?«

»Er war der Kontaktmann; das machte er ganz toll. Mit vollkommen Fremden ... Er rief Leute in Kalifornien an, deren Namen bei der Nachforschung aufgetaucht waren, und am Schluß erzählten sie Richie ihr ganzes Leben. Und er wußte auch den Kunden hervorragend zu nehmen, ließ hier und da mal einen besonderen Leckerbissen fallen, den Mitch oder ich ausgegraben hatten, damit er schrecklich neugierig wurde und noch mehr wissen wollte. Verstehen Sie, Richie war der geborene Verführer: Er wußte genau, was man in den Bericht schreiben mußte, um den Kunden zu packen. Kurze, flotte Sätze. Keine großen, einschüchternden Worte. Computerjargon, damit das Ganze wissenschaftlich klang. Manchmal hat er mir verboten, in der Fußnote eine Referenz anzugeben; dann mußte ich schreiben: ›Wie uns unsere Quellen informieren ...‹ Und das funktionierte! Statt ihnen die versprochenen fünfhundert Dollar Honorar zu geben, stellte der Kunde einen Scheck über tausend aus. Er engagierte Richie und Mitch, irgendein neues Vergleichsverfahren für Karostoffe zu untersuchen, *und* empfahl sie zudem in seinem Country-Club – jemandem, der sie dann seinerseits weiterempfahl. Die Kunden kamen immer wieder und wollten etwas Neues wissen. Bis 1977 verdienten sie zwanzigtausend pro Mann pro Jahr zusätzlich. 1979 konnte Richie Mitch endlich überzeugen, den Schuldienst ganz aufzugeben. Sie gründeten Data Associates.«

»Und dieser Mitchell Gruen war quasi im Innendienst und Mr. Meyers der Mann im Außendienst?«

»Ja, genau. Einige Jahre später machte die Firma einen Jahresumsatz von circa zehn Millionen Dollar brutto. Mitte der achtziger Jahre waren es zwanzig Millionen. Da betrieb Mitch immer noch die gleichen Recherchen, die er immer schon betrieben hatte – und bekam die Hälfte des Gewinns. Das war vermutlich Richie gegenüber unfair. Die Firma beschäftigte mittlerweile rund hundert Lehrer, und die machten haargenau dieselbe Arbeit wie Mitch.«

»Also hat Ihr Mann ihn rausgedrängt?«

»Ja. Ich glaube, es war im folgenden Jahr. Er beauftragte eine Spezialistin von einer Investitionsbank, und die erstellte eine Firmenanalyse. Eine geniale Arbeit. Richie ging damit zu Mitch und sagte: ›Also, entweder kaufe ich dir die Firma ab – oder ich verkaufe sie dir. So oder so – der Preis beträgt sieben Millionen Dollar. Aber wir können keine Partner bleiben.‹ Na ja, Data Associates war für Mitch zum Lebensinhalt geworden. Er hatte Zugriff auf alle Technik, die er sich nur erträumen konnte, und dazu war er noch reich. Er hatte sogar angefangen, sich in einer Limousine herumkutschieren zu lassen. Armer Mitch, er hatte so ein schönes Leben.

Nun, Richie zahlte ihn aus, und Mitch machte seine eigene Firma auf. Die ging bankrott. Dann tätigte er ein paar Fehlinvestitionen. Im großen Stil. Er war der typische Versager, geschäftlich eine völlige Niete. Er hat die ganzen sieben Millionen auf den Kopf gehauen und ist vermutlich durchgedreht. Die Schuld an all seinen Problemen gab er Richie. Dann, ungefähr drei Jahre ist das her, zapfte er den Zentralcomputer an und bekam das neue Paßwort für das gesamte Netz von Data Associates. Er löschte ihr komplettes Datenarchiv. Für Mitch war es wahrscheinlich nur ein mieser kleiner Trick, aber es kostete die Firma ein halbes Jahr und rund zwei Millionen Dollar, den Schaden zu beheben.«

»Hat Mr. Meyers die Polizei alarmiert?«

»Ja.«

»Und ist dieser Mitch eingebuchtet worden?«

»Nein, aber er wurde zu hunderttausend Dollar Strafe verurteilt – und die hatte er nicht. Nachdem er in der Berufung verloren hatte, rief er Richie an und sagte: ›Ich hab' dir dein Leben geschenkt, und du hast mir meins genommen.‹ Allein für die Anzahlung der Strafe mußte er einen Großteil seiner Computer verramschen.«

Endlich holte Gevinksi seinen Block hervor: »Buchstabieren Sie mal den Namen von dem Kerl.« Das tat ich. »Wo ist er jetzt?«

»Ich weiß es nicht genau. Er wohnt in der Stadt. Ach, ich weiß aber, wer da weiterhelfen könnte: Jane Berger, die Pressesprecherin von Data Associates. Die kennt Mitch besser als irgend jemand sonst. Ganz interessant: Sie ist zwar die umtriebigste Frau von New York, aber irgendwie schafft sie es immer noch, mit ihm in Kontakt zu bleiben – per Modem. Die Freundschaft zwischen den beiden habe ich nie ganz verstanden. Jane ist vollkommen normal; Mitch ist Lichtjahre über das Exzentrische raus. Wie dem auch sei, sie hat Richie erzählt, Mitch wäre ein Einsiedler geworden. Er hat immer die Jalousien zu und geht monatelang nicht aus der Wohnung. Und er bestellt sogar sein Essen per Fax, damit er nicht telefonieren muß.«

»Hat er jemals Ihren Mann bedroht oder irgendwelche Gesten?« Ich ließ nur selten jemanden in Grammatik durchfallen, aber für diesen Satz hätte ich Gevinski gern gerügt.

»Nicht daß ich wüßte.«

Wortlos erhob sich Gevinski und ging zur Tür. Gestehe ihm das Prinzip »Im Zweifel für den Angeklagten« zu, ermahnte ich mich, während ich ihm nachsah. Vielleicht löste er jetzt eine Ringfahndung nach Mitch aus.

Ich rief: »Er müßte eigentlich im Telefonbuch von Manhattan stehen!« Gevinskis Mundwinkel hoben sich zu seinem automatischen Lächeln. »Ich hab' noch was vergessen«, fügte ich noch lauter hinzu. Er nickte, ich solle sprechen, blieb jedoch stehen, wo er war. »Die Spezialistin von der Investitionsbank, die die Analyse über Data Associates angefertigt hat, das war Jessica Stevenson. Die Frau, wegen der er mich verlassen hat. Richie war so davon angetan, wie sie das Problem mit Mitch gelöst hat, daß er sie ein ganzes Jahr lang umwarb, bis sie ihre Firma verließ und zu Data Associates kam.«

»Fassen Sie sich in Geduld«, rief er mir als Antwort zu.

Also faßte ich mich in Geduld – geschlagene zwei Minuten lang. Ich musterte ein paar Bücherregale. Dann fixierte ich das Telefon. Ich wußte, daß ich mich dem Anruf bei den Jungen stellen mußte. Bei den Jungen? Nun ja, in Herzensdingen betrachtete ich meine Söhne immer noch genauso wie meine Schüler: als große, interessante, geschlechtlich aktive Kinder. Wie soll man also einem Kind erklären, daß sein Vater ermordet wurde?

Ben studierte im vierten Jahr Medizin an der University of Pennsylvania. Ich wählte seine Privatnummer, doch wußte ich, daß er um halb sechs Uhr morgens auch im Krankenhaus sein konnte. Trotzdem tröstete mich der Gedanke an sein sonores, beruhigendes Hallo. Als sich seine Freundin meldete, der Alex den Spitznamen »Verdachterregende Speisen« gegeben hatte, hätte ich beinahe aufgelegt. Doch dann sagte ich: »Hier ist Rose Meyers. Ich möchte mit Ben sprechen.«

Normalerweise gelang es mir, ein einigermaßen herzliches »Wie geht's?« an »Verdachterregende Speisen« zu richten. Gelegentlich erkundigte ich mich sogar nach dem aktuellen Stand des Pollenflugs. Das sprühte zwar nicht gerade vor Schlagfertigkeit, aber worüber sollte ich sonst mit einer fünfunddreißigjährigen, bodenlos langweiligen Allergologin sprechen, die mit meinem vierundzwanzigjährigen Sohn zusammenlebte und ihn heiraten wollte?

»Mom?« Ben kam fast sofort an den Apparat.

»Ben . . .«

Er wußte gleich, daß es etwas Schlimmes war. »Was ist denn?«

»Daddy«, sagte ich, und erst da merkte ich, daß ich hätte sagen sollen: Dein Vater.

»Ist er verletzt?« Meine Antwort wartete er nicht ab; er flüsterte: »Tot?« Ich nickte. »Mom?«

»Es tut mir so leid, Benjy.«

»Was ist passiert?« Es klang sachlich, klinisch, als erwarte er einen Bericht über einen Patienten, der die Nacht nicht überlebt hat.

»Er ist umgekommen, Liebling.«

Zuerst konnte er nichts sagen. Als er seine Stimme wiederfand, quietschte sie. »Ein Unfall?«

Ich schilderte ihm in knappen Worten, was geschehen war. Er erkundigte sich nach dem Messer. An welcher Stelle es eingedrungen sei und wie tief? Ob ich wüßte, in welchem Winkel? Ich konnte Ben verstehen. Es war keine ärztliche Besessenheit von blutrünstigen Details; er mußte sich nur vergewissern, daß seinem Vater nicht mehr zu helfen gewesen war. »Wie es klingt, hat das Messer die Aorta durchtrennt«, stellte Ben fest. »Er hätte keine Chance gehabt.« Dann fragte er: »Mom, wie geht es dir?«

»Was weiß ich. Die ganze Zeit habe ich das Gefühl, ich müßte vor lauter Grauen gleich überschnappen. Aber dann fühle ich mich wieder so unbeteiligt, fast als würde ich eine von diesen True-Crime-Schundstorys im *New York Magazine* lesen, wo sie mit Worten wie ›Hybris‹ bloß so um sich schmeißen.«

»Mom, beruhige dich!«

»Zum Donnerwetter, ich bin ja ruhig! Aber ich wollte runter, um einen Joghurt zu essen, und dann bin ich gestolpert – Ach, entschuldige, es tut mir ja so leid!«

»Schon gut. Hast du Alex angerufen?«

»Noch nicht.« Wenn irgendeine Aussage von mir Bens Schmerz lindern konnte, so war es diese.

»Gibt es einen Verdacht, wer es gewesen sein könnte?«

»Ich glaube nicht. Dazu ist es noch zu früh. Ach, Ben, er ist noch da drin! In der Küche.«

Eine ganze Weile konnte keiner von uns beiden etwas sagen. Endlich fand Ben die Kraft, das Schweigen zu brechen. »Hör zu, Mom. Ich ziehe mich jetzt an und steige sofort ins Auto. Ehe du dich versiehst, bin ich da. Okay? Du brauchst nicht allein zu sein. Dann sind wir alle zusammen.«

Was tröstlich klang, nur daß ich den Verdacht hatte, Ben meinte damit nicht Mom und ihre Jungens, einander Trost spendend, sondern eher eine traute Dreisamkeit aus ihm, mir und ... ich konnte mir nie ihren Namen merken. Melissa? Marissa? Miranda? Einmal hatte sie Alex, nachdem er dreimal geniest hatte, ins Gebet genommen: »Etwas in deinem Essen. Keine faulen Ausreden: Schreib mir eine Liste aller verdachterregenden Speisen.« Deshalb nannte Alex sie hinter ihrem Rücken »Verdachterregende Speisen« und nieste weiter. Ich hatte auch schon in ihrem Beisein geniest, aber mir hatte sie nie aufgetragen, eine Liste zusammenzustellen.

Sie brachte es fertig, bei einem Familientreffen jede Stimmung abzutöten, indem sie verkündete: »Ihr würdet euch wundern, wie viele Getreideprodukte ich in der Durchschnittskost eines Normalbürgers finden kann.« Ben behauptete, sie zu lieben.

Ich rief bei Alex an, aber er war natürlich nicht zu Hause. Mit einundzwanzig hatte er sich von der University of Massachusetts beurlauben lassen, um seinen Lebensunterhalt als Gitarrist und Leadsänger einer Gruppe namens Cold Water Wash – Kaltwaschgang – zu verdienen, die sich, wie er beteuerte, in den alternativen Musikkreisen New Englands langsam einen Namen machte. Die Botschaft auf seinem Anrufbeantworter lautete lakonisch: »Sag schon!«

Was sollte ich schon sagen? »Wollte dir nur mitteilen, daß du nächsten Juni kein Vatertagsgeschenk zu kaufen brauchst«? In Wahrheit war ich so entnervt von dem elektronischen »Sprechen Sie jetzt«-Gepiepe seiner Maschine, daß ich nur etwas in der Richtung von »Ruf zu Hause an« stammeln konnte. Es wunderte mich nicht, daß Alex beim einzigen Mal, als ich ihn um halb sechs Uhr früh erreichen wollte, nicht aufzutreiben war.

Vielleicht war auch ihm etwas Furchtbares zugestoßen.

Um Viertel vor sechs kam Gevinski in die Bibliothek zurück. Er nippte geräuschvoll an einem Zeug im Pappbecher, das wie verkochter Automatenkaffee roch. Ich lächelte huldvoll und, wie ich hoffte, hilfsbereit. »Ich hätte Ihnen gern einen Kaffee aufgestellt oder einen Tee aufgebrüht.«

»Halten Sie es für klug, wenn ich Sie noch mal am Tatort rumpfuschen lasse?« scherzte er. »Die Küche *ist* nämlich ein Tatort, müssen Sie wissen.«

»Ich habe mich schon entschuldigt.«

»Klar. Keine Ursache.« Das klang wenig überzeugend. Er holte seinen Block hervor und blätterte so eifrig darin herum, daß er eine Seite herausriß. »Ihr Mann hat Sie also wegen Jessica Stevenson verlassen?«

»Ja«, sagte ich. »Haben Sie schon mit ihr gesprochen?«

»Lassen Sie uns erst mal hiermit zu Ende kommen, wenn Sie nichts dagegen haben.«

»Gern.«

»Danke. Sie sagten, Mr. Meyers sei Ende Juni ausgezogen?«

»Richtig.«

»Was haben Sie seitdem getan?«

»Ich bin gleich nach Labor Day, als die Ferien vorüber waren, wieder in die Schule gegangen.«

»Und was haben Sie den ganzen Sommer über gemacht?«

»Also, für Juli hatten Richie und ich einen Törn in der Ägäis geplant, und im August wollte ich noch einmal ein paar Sachbücher lesen.« Ich nannte ein paar Titel und hatte wohl gehofft, daß Gevinski sie sich notieren würde, denn als er es unterließ, war ich enttäuscht. »Ich wollte wenigstens eins davon in den Lehrplan aufnehmen.«

»Und was taten Sie statt dessen?«

»Ich habe zwei Monate lang auf der Treppe zum Strand gesessen und aufs Wasser gestarrt. Ich war völlig fertig.«

»Ihr Mann war also komplett hier ausgezogen?«

»Seine Kleidung und fast alles andere, was ihm gehörte, hat er dagelassen, aber er war weg.«

»Ja, aber war es denn *komplett*? Ist er nach seinem Auszug nicht zurückgekommen – eine Nacht Sie, die nächste Jessica?«

»Nein.«

»Haben Sie ihn nach seinem Auszug wiedergesehen?«

»Einmal, bei meiner Anwältin. In Begleitung seines Anwalts.«

»Und sonst nicht?«

»Nein. Er meinte, es wäre für uns beide weniger belastend, wenn wir das, was es noch zu bereden gab, am Telefon abwickelten.«

»Eines verstehe ich noch nicht ganz, Mrs. Meyers.«

»Was denn?«

»Helfen Sie mir, das zu begreifen. Wenn Mr. Meyers komplett ausgezogen war, wie kommt es dann, daß er gestern abend unangemeldet hereinschneite – noch dazu gerade zur rechten Zeit, um sich ermorden zu lassen?«

3

Kurz nach halb sieben kam einer von Gevinskis Männern in etwas, was ich noch nie gesehen hatte – einem rotbraunen Anzug –, in die Bibliothek zurück. Er sagte, wenn ich jetzt ein Weilchen nach oben gehen wollte, könne ich das tun. Erst als ich dem Trommeln des Wasserstrahls auf meiner Duschhaube lauschte, dämmerte mir, daß die Polizisten wahrscheinlich jetzt ein Weilchen in der Bibliothek herumschnüffeln wollten. Aber was gab es da zu schnüffeln? Sechs Bände mit Goldschnitt und Ledereinband über das Leben des heiligen Bruno von Querfurt? Familienfotos aus glücklicheren Zeiten, auf denen wir vier glotzäugig aus Schnorchelmasken grinsen? Die Streichholzbriefchen aus Restaurants, die Richie gesammelt hatte, bis ihm aufging, daß nur Proleten Streichholzbriefchen sammelten? Ich hatte immer befürchtet, daß sie sich eines Tages unerwartet selbst entzünden könnten und Gulls' Haven wie Thornfield enden würde.

Ich zog mir meine Schulkleidung an – karierte Hose, gelbe Seidenbluse und Pullover –, nahm eine Xanax und steckte mir eine weitere in die Hosentasche. Es war mir zuwider, so eine verwöhnte Obere-Mittelstands-Tussi zu sein, die Beruhigungstabletten schluckte, statt sich gelegentlich einen Whiskey zu genehmigen, aber ich war nicht mehr stabil genug für Schnaps.

Als der amerikanische Traum für Richie und mich in Erfüllung ging, hörten wir auf, aufrechte Amerikaner zu sein und wurden Schoßhündchen in Menschengestalt. Es fing damit an, daß andere Leute unser Haus putzten. Dann kochten sie unser Essen, banden unsere Blumen, düngten unsere Tomaten. Immer mehr Leute kamen dazu; sie führten unsere Haushaltsbücher, saugten unseren Swimmingpool, zahlten unsere Steuern, investierten unser Geld. Wir hatten einen französischen Hauslehrer für Ben, einen Psychiater für Alex, einen privaten Fitneßtrainer für Richie, eine Maniküre auf Hausbesuch für mich und einen Familientherapeuten für uns alle zusammen. Unter meiner Schlaflosigkeit litt ich auf ägyptischen Baumwollaken und von einer Waschfrau handgebügelten Kopfkissenbezügen.

Ich hatte mir keine Vorstellung davon gemacht, wie sehr Geld das Leben kompliziert. Von den Steuererklärungen im Format von Trollope-Romanen einmal abgesehen, verloren wir langsam den Bezug zur wirklichen Welt und landeten schließlich im Duftkerzen-Universum anderer reicher Leute.

Das ging folgendermaßen vor sich: Als unsere früheren Freunde einen Chauffeur den Familien-Mercedes steuern oder die Köchin einen Thunfischsalat anrichten sahen, bekamen sie einen Lachanfall und riefen: »Das darf ja wohl nicht wahr sein!« Das ärgerte Richie, und mir war es peinlich. Deshalb fingen wir an, mehr Zeit mit anderen Leuten mit Chauffeur und Köchin zu verbringen, Leuten, die auch in Zwanzig-Zimmer-Häusern oder Dreißigzimmer-Eigentumswohnungen lebten. Langsam, aber sicher stießen wir die alten Freunde ab, was überraschend problemlos vonstatten ging. Wir bekräftigten uns gegenseitig, wie unangenehm der Umgang mit ihnen sei, weil sie uns den Erfolg neideten oder weil sie nicht einsehen wollten, daß wir trotz des vielen Geldes immer noch der alte Richie und die alte Rosie waren.

Statt am Samstag abend für ein paar Nachbarn im Garten ein Huhn zu grillen, besuchten wir eine Wohltätigkeitsveranstaltung in einem Zelt in East Hampton. Jemand, den wir dort trafen, ein Mann aus Athens, Georgia, der ein Vermögen mit Einkaufszentren gemacht hatte, lud uns zu einem Mittelmeertörn auf seine Yacht ein. Also fuhren wir nicht wie gewohnt auf die Hütte in den Adirondacks, wo wir seit fünfzehn Jahren jeden Sommer zum Angeln gewesen waren. Benommen von zuviel Sonne und Tabletten gegen die Seekrankheit, gammelten wir in Gesellschaft von einem Dutzend Fremden in weißen Leinenhosen auf einem großen Schiff herum. Ich kam nicht dazu, *Die Flügel der Taube* von Henry James zu lesen. Mir fehlte einfach die Zeit; ich mußte mich durch einen Skandalreport über die Machenschaften eines widerwärtigen Arbitragehändlers kämpfen, den die anderen alle lasen, damit ich mich beim Dinner über einer unzureichenden Portion in Pergament gebackenen Barschs an der Unterhaltung beteiligen konnte.

Gulls' Haven, unser Traumhaus, stand auf einer Klippe, die ein klitzekleines Stück über den Long-Island-Sund hinausragte. Wenn man morgens rechtzeitig zum Sonnenaufgang im Elternschlafzimmer erwachte – beim Geschrei der Möwen, die ihre erste Flugrunde nutzten, um unser Dach zu düngen, schafften es nur wirklich hartnäckige Murmeltiere ungestört durch die Dämmerung –, konnte man den Blick durch die hinteren Fenster, zum Rasen hin, nach Westen über das blaugraue Wasser schweifen lassen und sah in der Ferne Manhattan wie eine goldene Stadt in der Morgensonne leuchten. Wachte man dagegen im Zimmer von Ben oder Alex auf, im Ostflügel also, dann konnte man die grünsamtenen Anlagen der Seegrundstücke von Westchester County betrachten.

Wenn man die hintere Hälfte von Gulls' Haven nie verlassen würde, konnte man sich sein ganzes Leben lang in dem Glauben wiegen, Amerika sei ein wunderschönes Land.

Aber nach vorne hinaus war es im Moment nicht ganz so schön. Ich preßte meine Nase an eines der hohen Fenster am obersten Treppenabsatz. Senkrecht unter mir erkannte ich mehrere Streifenwagen, einen Bus der Spurensicherung und einen Krankenwagen; außerdem schoß gerade ein Übertragungswagen von WCBS-TV die Einfahrt hinauf. Zwei uniformierte Cops trabten hin, um ihn mit Kopfschütteln und Ihr-habt-hier-nichts-zu-suchen-Daumenzeigen zu begrüßen, und nachdem er widerstrebend auf einem Azaleen-Dickicht gewendet hatte, verschwand er wieder die Auffahrt hinunter.

Ich stapfte in die Bibliothek zurück, in der Absicht, Gevinski zur Rede zu stellen: Wer hat die Presse informiert? Was ist hier eigentlich los? Er war nicht da.

Dafür aber zum Glück meine Freundin Cass. »Woher weißt du, was passiert ist?« fragte ich sie.

»Rosie«, fing sie an, »das ist ja fürchterlich!« Cass war ganz Grande Dame. Zwar gewiß nicht, was ihre Körperlänge anging, obwohl sie mit ihrem Edelstahlkreuz größer wirkte als ihre stämmigen ein Meter sechzig. Ihre Gesichtszüge waren jedoch so fein gemeißelt, daß selten jemandem auffiel, daß ihr wie eine exquisite Yoruba-Schnitzerei modellierter Ebenholzkopf auf einem Buddha-Körper saß. Und ihre Worte: die waren ganz entschieden groß. »Wir wollten dich um sechs Uhr fünfundvierzig unten an der Straße zum Morgenmarsch abholen. Als du nicht erschienst, beschlossen wir, hier hochzutraben und Felsbrocken gegen dein

Fenster zu schleudern.« Cassandra Higbee sprach auf diese schleppende, nur auf angesehenen geisteswissenschaftlichen Colleges zu erlernende Weise und ging einfach davon aus, alle Welt würde warten, bis sie ihre Gedanken ausformuliert hatte, was alle Welt auch bereitwillig zu tun schien.

Cass war vielleicht keine echte Aristokratin, doch sie war schon vornehm zur Welt gekommen. Mochte auch unser morgendlicher Dreimeilenmarsch ausgefallen sein, mochten in ebendiesem Moment zwei vierschrötige Kerle in blauen Jacken mit der Aufschrift »Gerichtsmedizin« an der offenen Tür zur Bibliothek vorübergetrampelt kommen und eine Bahre vor sich herkarren: Cass packte mich mit stoischer Ruhe an den Schultern, drehte mich um und leitete mich zur Couch. Fast wäre es ihr gelungen, mir den Blick auf einen dritten Mann zu versperren, der einen schwarzen Plastiksack in der Hand hielt.

»Ein Leichensack«, stellte ich fest.

»Ruhig, Rosie!«

»Aber es *ist* doch ein Leichensack!«

»Hättest du mehr Edith Wharton gelesen statt dieser grauenhaften Geschichten, in denen der trunksüchtige Detektiv seiner alten Liebe einen Abschiedskuß auf die verwesenden Lippen drückt, dann besäßest du jetzt nicht solch schmerzliche Kenntnisse.«

»Edith Wharton war eine antisemitische alte Kuh.«

»Das sagtest du bereits«, besänftigte sie mich. »Also, ich bin da, um dir zu helfen. Was darf ich dir bringen? Einen Frühmorgen-Cognac?«

»Ich hatte schon eine Frühmorgen-Xanax.«

»Dann setz dich. Wenn du möchtest, können wir uns unterhalten, ansonsten leiste ich dir schlicht Gesellschaft.«

Die beiden anderen Frauen, die immer mit uns marschierten, Stephanie und Madeline, wären niemals so beherrscht geblieben. Stephanie Tillotson war zwar die perfekte Gattin, hätte aber die Fassung gerade lange genug bewahrt, um zwei bis drei Patés herzurichten oder ein halbes Dutzend Baguettes zu backen für den Fall, daß vor der Autopsie noch Gäste hereinschneiten und etwas zu knabbern wünschten. Madeline Berkowitz dagegen hätte sich wahrscheinlich drei Wochen lang eingeschlossen und wäre dann mit einem weiteren ihrer vorgeblichen Kunstwerke wieder hervorgekommen – etwas mit einem Titel wie »Ihnmord: Ode an die Exekution eines Ehebrechers«.

Cass blieb gelassen, obwohl der Anblick des Leichensacks einen leichten Graustich in ihrer Haut zum Vorschein brachte – wie ein schwarzer Mensch eben erblaßt. Doch sie stellte anmutig einen Nike-bekleideten Fuß hinter den anderen und ließ sich auf der Couch nieder. Trotz ihrer marineblauen Trainingshosen und ihres roten Rollkragenpullovers wirkte sie wie gewohnt selbstbeherrscht und durch und durch korrekt, als würden gleich von irgendwoher livrierte Diener erscheinen und auf einem Servierwagen Tee herbeibringen. Sie raunte: »Stell dir vor: Oben an der Einfahrt hat uns ein gelbes Plastikband mit dem Aufdruck ›Tatort‹ gestoppt.«

Aus der Küche hörte ich Gevinski und seine Männer. Sie hielten eine Art Einsatzbesprechung ab, doch war ihr Gemurmel so leise, daß ich nicht mitbekam, welche Richtung ihre Unterhaltung nahm. »Und die Cops haben nicht versucht, dich aufzuhalten?«

Cass illustrierte die Schwierigkeiten, die ihr die Polizei von Nassau County bereitet hatte, indem sie eine imaginäre Stechmücke beiseite schnippte. Dann tätschelte sie das Kissen neben sich. Ich setzte mich. Sie nahm meine Hand und hielt sie fest. »Es tut mir leid, Rosie.«

»Und ich dachte, daß er mich verlassen hat, wäre das Schlimmste, was mir im Leben passieren kann!« Cass faßte in ihren Ärmel und zog ein Stofftaschentuch heraus; sie hielt nichts von Papiertüchern. Ich preßte es mir fest auf die Augen, aber es gelang mir nicht zu weinen.

»Es ist wirklich fürchterlich«, sagte sie. »Aber du wirst es überleben. Und wenn du mal denkst, du schaffst es nicht, dann eile ich an deine Seite.«

Ich hatte mich nur einmal bei Cass ausgeweint, an dem Sonntag, als Richie gegangen war, aber das war ein guter Test gewesen: Wenn man sich mal ausheulen mußte, war sie die Beste von der Welt. Sie schniefte nicht vor Mitleid, erging sich nicht in aufmunternden Floskeln, wollte keinen Verdruß über meinen ethnisch bedingten Fassungsverlust loswerden und drückte mich auch nicht an ihren Busen, um mich zur Ehrenschwarzen zu ernennen. Sie hatte einfach bei mir gesessen.

Nun nahm sie sich ihr Taschentuch zurück, das in meinen verschwitzten Händen verwelkt war. »Nein«, sagte sie, noch ehe ich ein Wort hervorbrachte, »ich möchte nicht, daß du es in die Wäsche gibst, aber danke.« Dann steckte sie es wieder in ihren Ärmel. »Ach, ich vergaß ganz zu erwähnen: Madeline und Stephanie lassen ihr Beileid bestellen.«

»Sind sie hier?« fragte ich, vermutlich voll dunkler Vorahnungen in der Stimme.

»Natürlich nicht. Madeline hat behauptet, sie müsse nach Hause. Sicher will sie mit ihrer inneren Kindfrau Verbindung aufnehmen, um Kultur zu schaffen. Gibt es eigentlich niemanden, der sie bremsen kann?« Die frostige, überdeutliche Privatschulaussprache der Ostküsten-Oberschicht wurde bei Cass durch einen leichten Hauch von Bedford-Stuyvesant-Akzent erwärmt; in diesem Slum von Brooklyn hatte sie ihre ersten vierzehn Jahre verbracht. »Und Stephanie –« Allein beim Gedanken an Stephanies Vitalität seufzte sie erschöpft. »Noch während wir uns hier unterhalten, liest sie wahrscheinlich schon ein Fachbuch über jüdische Trauerriten.«

»Und pökelt dabei Lachs. Kannst du dir das Riesentablett vorstellen, das sie demnächst hier anschleppen wird?« Stephanie hatte eine Karriere als Prozeßanwältin aufgegeben, um eine mustergültige Vorstadtgattin zu werden.

»Rosie, bitte sage mir, was ich für dich tun kann. Allerdings möchte ich hoffen, daß es kein koscherer Lachs sein muß, der fällt nämlich nicht in mein Ressort«, bot sich Cass an.

»Kannst du das mit der Schule regeln, damit ich in den nächsten . . .« Langsam dämmerte mir die Ungeheuerlichkeit des Vorfalls in meiner Küche.

»Du brauchst mindestens zwei bis drei Wochen«, ordnete Cass an. »Vielleicht sogar bis zum Ende des Halbjahrs. Es wäre auch denkbar, daß es das ganze Schuljahr dauert.« Wenn die liebste Freundin gleichzeitig die Vorgesetzte ist, kann es problematisch werden. In den zehn Jahren, die wir schon gemeinsam unterrichteten, hatte ich Cass allerdings noch nie um einen Gefallen gebeten. »Nimm dir alle Zeit, die du brauchst. Falls dem irgendwelche Vorschriften im Wege stehen, werde ich sie umgehen.«

Cass' Hand war groß und warm und tröstlich. Plötzlich merkte ich, daß ich sie immer noch umklammert hielt. Ich ließ sie los. »Cass?«

»Ja?«

»Es wäre möglich, daß ich Schwierigkeiten bekomme.«

Sie stellte ihre Fähigkeit zur Schau, eine Augenbraue einzeln hochzuziehen. »Mit wem?«

»Mit dem Sergeant, der den Fall betreut. Ich habe den Verdacht, er glaubt mir nicht.«

Cass reckte den Hals und hob ihr Doppelkinn, als lauschte sie wichtigen Informationen, die auf einer für das menschliche Ohr nicht wahrnehmbaren Frequenz übertragen wurden. Als sie genug gehört hatte, blickte sie mir in die Augen. »Wenn ich dich an eines erinnern dürfte, Rosie: Dies ist das wirkliche Leben, kein Detektivschinken.«

»Ich weiß schon, aber ich spüre doch, daß es nicht gut läuft.«

»Warum hast du das Gefühl, mit ihm Schwierigkeiten zu bekommen?«

»Er findet es bemerkenswert, daß Richie gerade rechtzeitig hier eingetroffen ist, um sich umbringen zu lassen.«

»An sich noch keine gänzlich lachhafte Beobachtung.«

»Könntest du eventuell etwas weniger ironischen Abstand wahren? Wie wär's mit etwas mehr Mitleid?«

»Immerhin entbehrt seine Bemerkung nicht einer gewissen Berechtigung. Was aber noch lange nicht heißt, daß er dich jeden Moment in eine kleine Zelle führen und mit einem Gummischlauch prügeln wird. Was *wollte* Richie denn hier?«

»Woher soll ich das wissen?«

»Du hast ihn nicht hergebeten? Nicht mal ein schüchternes ›Schau doch mal rein, wenn du in der Nähe bist‹?«

»Nein. Er wußte doch, daß er keine Einladung brauchte. Aber wieso ist er mitten in der Nacht hier aufgekreuzt?«

Cass kaute sich von innen auf einer Backe herum. Sie war zum Kauen geboren; ihr Gehirn funktionierte besser, wenn sich ihr Kiefer bewegte. Kaugummi war für sie tabu, doch verließ sie selten das Haus ohne einen Toffee in der Handtasche.

»Magst du eine Brezel oder so was?« fragte ich.

»Im Moment genügt mir meine Backe, danke. Erkläre mir, was Richie wohl in deinem Haus wollte?«

»Vielleicht wollte er mich besuchen.«

»Mitten in der Nacht?«

Die Worte sprudelten nur so. »Hör mal, wenn Richie aus irgendeinem Grund beschlossen hatte, zu mir zurückzukommen, dann möchte ich nicht ausschließen, daß er hochgeschlichen und direkt ins Bett geschlüpft wäre. Er war . . . dramatisch, erregend. Schau dich nur mal um in Shorehaven! Du weißt doch, wie anders er war als die übrigen Männer in seinem Alter. Neunzig Prozent Eunuchen mit tiefer Stimme. Geschlechtslos. Grau.«

»Theodore ist genaugenommen beige.« Cass' Mann gab eine konservative Zeitschrift mit dem Titel *Standards* heraus. »Und geschlechtslos ist er auch nicht, auch wenn er leider den Mythos von der sexuellen Überlegenheit schwarzer Männer widerlegt.«

»Aber Richie war anders. Er war –«

Cass sprach sanft. »Als wir letzte Woche bei dem neuen Japaner essen waren, hast du behauptet, du hättest endlich begriffen, daß er dich nicht mehr liebt, daß er jetzt Jessica liebt und daß er sie heiraten wird.«

»Vielleicht habe ich mich ja letzte Woche auch geirrt. Vielleicht hatte er sie schon satt.«

»Warum denn?«

»Du darfst aber nicht lachen.«

»Ich werde versuchen, mich zu zügeln.«

»Sie ist im Grunde kein warmer Mensch.«

»Hat sein Anwalt bei deiner Anwältin angerufen und angedeutet, daß sich Richie mit dir versöhnen wollte, weil ihm deine menschliche Wärme fehlte?« Cass wußte ganz genau, daß meine Anwältin mich erst am Tag zuvor angerufen und kichernd berichtet hatte, Richie brenne dermaßen darauf, Jessica zu heiraten, daß er jetzt bereit sei, bei fast allen unseren Forderungen nachzugeben. »Ist es wahrscheinlich, daß er hergekommen ist, um dich zu schänden und dir damit seine Liebe zu erklären?«

»Eher unwahrscheinlich.«

»Und was sagt uns das?« bohrte Cass weiter. Mir gelang ein mattes Achselzucken. »Rosie, Passivität kannst du dir beim derzeitigen Stand der Dinge nicht leisten. Überlege! Denk an deine Schnüffler! Was würde . . . wie heißt diese Lusche in dem Roman von Dorothy Sayers noch mal, den du mich zu lesen gezwungen hast?«

»Lord Peter, und er ist überhaupt keine Lusche!«

»Diese Schinken haben deine Hirnmasse zu pappigem Brei verwandelt! Also los, was würde Lord Peter an deiner Stelle tun?«

»Er würde versuchen herauszufinden, was Richie hier wollte. Vermutlich würde ihn interessieren, ob Richie jemanden mitgebracht . . . Oh, Cass! Vielleicht war er mit Jessica da!«

»Warum denn das?«

»Woher soll ich das wissen?«

»Um auf deinem Küchentisch irgendwelche perversen Sexualpraktiken zu pflegen? Um mit ihr über deine Platzdeckchen zu lästern?«

»Ich habe einen ausgezeichneten Geschmack bei Sets.«

»Die bestickten mit dem Obstmuster? Ich bitte dich! Also,

zurück zu deinem Problem: Richie hätte Jessica niemals mit hierhergebracht. Das weißt du, das weiß ich, und die Polizei weiß es zweifellos auch.«

Ich stützte mein Gesicht in die Hände, massierte mir die Stirn und murmelte: »Vielleicht hat er sie ja nicht mitgebracht. Vielleicht ist sie ihm *gefolgt*.« Ich spähte zwischen meinen Fingern hindurch. Diese Hypothese schien Cass auch nicht mehr zu begeistern als meine vorigen. »Stell es dir nur mal bildlich vor: Richie erklärt Jessica, er hätte sich geirrt; er sei nach wie vor in mich verliebt. Oder aber er konnte den Gedanken nicht ertragen, einen großen Teil seines Vermögens abzugeben. Jedenfalls kommt er zu mir zurück. Also folgt sie ihm und bringt ihn um!«

»Und warum?«

»*Warum?*«

»Die Frau ist im Grunde ihres Wesens berechnend. Ihr Jahresgehalt beträgt...«

»Eine halbe Million.«

»Danke. Woanders könnte sie mit Leichtigkeit dasselbe verdienen, wenn nicht mehr. Stimmt's? Warum sollte eine Frau ihres Kalibers einen Mann ermorden, nur weil er zu seiner Frau zurück will?«

»Vielleicht ist sie ja durchgedreht –«, vor Eifersucht, wollte ich sagen, aber ich wußte, daß das nicht sein konnte. Jessica mochte vielleicht in Richies Geld verliebt, von seiner Vitalität angetan und von seiner Begabung im Bett begeistert sein. Aber wenn er sie tatsächlich verlassen hätte... dann wäre sie bestimmt nicht am Boden zerstört, davon war ich überzeugt. Sie würde sich sicher aufregen, unter Umständen ein paar Tage lang nichts essen und dabei fünf Pfund abnehmen. »Na gut, vielleicht würde sie nicht durchdrehen. Aber sie wäre bestimmt stinksauer.«

»Meine Liebe, wer in diesen Kreisen stinksauer ist, ersticht doch keinen. Wer da stinksauer ist, läßt seine Anwälte eine Abfindung zu den allergünstigsten Konditionen aushandeln.«

Nachdem Cass gegangen war, um sich für die Schule umzuziehen, wartete ich auf Gevinskis Rückkehr. Er kam nicht. Da aber diesmal keine Kolosse in Uniform versuchten, mich in der Bibliothek festzuhalten, ging ich in mein Arbeitszimmer im Obergeschoß. Für Gulls' Haven war es ein relativ behaglicher Raum, auch wenn nach objektiven Maßstäben seine Quadratmeterzahl ausreichte, um die komplette Produktion von *Aida* zu beherbergen. In der edwardianischen Blütezeit des Anwesens hatte sich hier das Ankleidezimmer der Hausherrin befunden. Nun standen darin nur ein altes Schreibpult mit Stuhl und eine karminrote Couch, die eher zu einer abgekämpften Nutte paßte als zu einer anständigen Frau. Ich legte mich hin. Keine zwölf Stunden zuvor hatte ich noch am Pult gesessen, aufputschenden Zitronentee geschlürft und die letzten Aufsätze über »Die Liebe – ein Thema mit Variationen in Jane Austens *Stolz und Vorurteil*« korrigiert.

Aus dem gegenüberliegenden Fenster, zur Seite hinaus, sah ich das niedrige Feldsteinmäuerchen, das Gulls' Haven vom höhergelegenen Emerald Point – Smaragdspitze – der Tillotsons abtrennte, das dichte Wäldchen zwischen den beiden Grundstücken und die stattlichen Linden entlang eines unbefestigten Weges bis zur Klippe hinauf. Die Bäume schirmten den Tennisplatz der Tillotsons von allem ab, wovor Tennisplätze eben abgeschirmt werden müssen. Das Haus lag so weit vom Platz entfernt, daß ich nur einen schmalen Streifen des blaugrauen Schieferdaches ausmachen konnte.

Es war ein vertrauter, tröstlicher Anblick. Doch vor den herbstlich gefärbten Bäumen bewegte sich etwas. Wie ein Blitz fuhr ich von der Couch hoch. Am Waldrand, im Niemandsland zwischen den beiden Grundstücken, gleich an der Straße, knieten zwei Männer in orangeblauen Windjacken. Neben ihnen erhob sich eine mächtige Blautanne. Ich konnte nicht erkennen, was sie machten, deshalb flitzte ich quer durchs Haus in Bens Zimmer, suchte sein Bar-Mitzwa-Fernglas und raste zurück in mein Arbeitszimmer.

Die orangeblaue Jacke erwies sich als ein besonders häßliches

Stück behördlicher Herrenoberbekleidung. Ich stellte das Fernglas scharf. Ein Schwarzer schmierte irgendeine weiße Glibbermasse auf etwas, das aussah wie Abdrücke von Reifenprofilen; die Aufgabe des anderen Mannes schien darin zu bestehen, auf den Glibberschmierer einzureden. So geräuschlos es ging, öffnete ich das Fenster; aber ich konnte nichts hören.

Eigentlich konnte ich auch nichts sehen, zumindest nichts von Bedeutung. Wahrscheinlich verschwendete der Glibbermann bloß seine Zeit. Das Wäldchen würde wohl kaum Hinweise bergen, da fast alle, die mit Stephanie Tillotson oder ihrem Mann Carter Tennis spielten, an dieser Stelle parkten – weil es von dort näher zum Tennisplatz war als vom Haus aus. Stephanie, die dank ihrer Herkunft alles über altes Geld wußte, behauptete immer, die Erbauer der Herrensitze an der Nordküste seien der leidenschaftlichen Überzeugung gewesen, wenn man das *Plopp* der Bälle beim Auftreffen auf dem Schläger höre, liege der Platz zu nahe am Haus.

Dann verstellte ich die Brennweite wieder. Was ich zunächst für einen dieser großen schwarzen Kästen für den Kabelanschluß gehalten hatte, gleich an der Straße, halb von den Ästen der Tanne verdeckt, war in Wirklichkeit der Kotflügel eines Wagens. Eines Sportwagens. Ich rannte in den Nebenraum, mein Badezimmer, um einen besseren Blick darauf zu bekommen. Da stand er: tiefgelegt und aerodynamisch, eigentlich nichts als ein schwarzes schiefwinkeliges Dreieck. Zugegeben, ich kannte bei Sportwagen nicht einmal den Unterschied zwischen Schuhcreme und Scheiße, trotzdem wußte ich, daß dies ein Lamborghini Diablo sein mußte. Richie hatte mir einmal anvertraut, der Diablo sei sein Traumauto, aber er sei so teuer, daß es über reine Maßlosigkeit weit hinausginge. Einen zu kaufen sei moralisch verwerflich, hatte er erklärt. Ein 239 000-Dollar-Frevel. Vielleicht hatte er ein Schnäppchen gemacht.

Ich dachte noch eine Weile darüber nach, was der Reichtum bei Richie und mir angerichtet hatte. Deswegen hörte ich das schlurfende Geräusch aus dem Erdgeschoß erst, als ich mich auf der breiten, geschwungenen Steintreppe nach unten begeben wollte. Ich lehnte mich gerade rechtzeitig über das Geländer, um die Gefolgsmänner der Gerichtsmedizin dabei zu ertappen, wie sie die Überreste meines Ehemannes hinauskarrten, zum Transport in einen Leichensack verpackt. Ein uniformierter Polizist hechtete nach vorn, um ihnen die Tür aufzuhalten.

In Filmen sind Leichensäcke immer vorteilhaft geschnitten und haben einen dicken Reißverschluß, der auf der Tonspur brutal ratscht. Das ist aber nur in Hollywood so. Wir waren auf Long Island. Von meinem Beobachtungsposten aus sah ich keinen Reißverschluß; es schien mir eher, als benutzte die Polizei von Nassau County Frischhaltebeutel. Richie wäre empört gewesen, auf diese Weise aus dem Haus gekarrt zu werden. Was für ein unwürdiger Abgang für so einen eleganten Mann! Der uniformierte Cop hielt Wacht, während die Leute von der Gerichtsmedizin die Bahre zum Krankenwagen schoben. Ich machte einen langen Hals. Die hinteren Türen des Fahrzeugs standen offen, bereit, die Leiche aufzunehmen.

Ich strengte meine Augen an. Etwas Bekanntes . . . gleich hinter der gelben Tatortabsperrung, aber ganz weit zur Seite. Verspiegelte Sonnenbrille. Schwarze Lycra-Beine. Schwarze Gore-Tex-Windjacke und schwarze Motorradkappe. Madeline Berkowitz. Ihr Zornige-Dichterinnen-Look wurde durch rosa Angora-Ohrpuschel etwas unterhöhlt. Sie hatte Cass gesagt, sie wolle nach Hause, doch nun stand sie da und nahm jede einzelne Sekunde von Richie Meyers' letztem Gang auf Gulls' Haven in sich auf. Als die Türen des Krankenwagens zufielen, zuckte sie zusammen, dann machte sie eine Kehrtwendung und rannte – schneller und immer schneller werdend – die Auffahrt hinunter. Der Kies spritzte unter ihren Füßen hoch.

Das Telefon klingelte. Eine Stimme sagte: »Hey.«

Alex hätte natürlich niemals etwas so Schlichtes oder Direktes geäußert wie zum Beispiel »Hallo« oder »In deiner Nachricht auf meinem Band hast du gesagt, es sei dringend, und nun mache ich mir schreckliche Sorgen, also sag mir bitte auf der Stelle, was passiert ist«.

»Alex?« fragte ich. Dabei war bei dieser Stimme keine Verwechslung möglich, einem vollen Bariton mit einem ganz leichten Anflug von Heiserkeit. Eine tolle Rock 'n' Roll-Stimme. Wenn er jemals ein berühmter Rockstar würde, dann wüßten die Fans, wenn sie das Radio andrehten, schon beim ersten Ton: »Alex Meyers!«

»Was'n los?«

»Wo warst du nur, zum Teufel? Es ist schon acht Uhr!« Schweigen. »Alex, hör mal zu. Etwas Schreckliches ist passiert.«

»Wie, wem?«

»Erst mal wem: Deinem Vater.«

»Was denn zum Beispiel?« Geheucheltes Desinteresse. Ein Gast in einem glanzlosen Lokal, der die Vorspeisenauswahl zu hören wünscht: Herzschlag, Verkehrsunfall, Straßenkriminalität. Die angestrengte Beziehung zwischen Alex und Richie hatte sich seit seiner High-School-Zeit, als Alex eines Nachts um drei sturzbesoffen von der Polizei heimgebracht wurde, zugespitzt. Richie hatte ihm Hausarrest verpaßt. Daraufhin stopfte Alex Kissen und Sweatshirts unter seine Bettdecke, zog die Rettungsleiter Marke Sav-Ur-Life unter seinem Bett hervor und holte zu mitternächtlicher Stunde sein Sozialleben mit seinem baßspielenden, drogenhandelnden Freund Danny Reese und den anderen Typen von seiner Band nach. Wir bekamen Wind von seinen Exkursionen, als uns der Hausmeister eines Morgens nach einer regnerischen Nacht auf eine matschige Fußspur auf Alex' Fensterbrett aufmerksam machte. Also installierte Richie Sensoren an seinem Fenster; wenn er sie geöffnet hätte, wären markerschütternde Sirenen losgegangen. Alex zahlte es ihm heim, indem er die Sensoren mit einer selbsterfundenen Magnetkonstruktion austrickste.

Wie durch ein Wunder hatte Alex nicht nur die High-School abgeschlossen, sondern war auch von der University of Massachusetts angenommen worden – wo er dreimal auf Bewährung beurlaubt wurde. Er behauptete, bei seinem dritten Verweis habe es sich um eine himmelschreiende Ungerechtigkeit gehandelt. Um sich an der »U Mass« zu rächen, war er von Amherst fortgezogen in ein Elendsviertel bei Cambridge und hatte dem Studentensprecher mitgeteilt, er nehme ein Freisemester. Er rief Richie an, um ihn darüber zu informieren, daß er ab sofort Berufsmusiker sei. Richie drückte seine Einstellung dazu durch die Entscheidung aus, Alex die American-Express-Karte zu sperren. Alex wiederum drückte seine Meinung aus, indem er Richies Platinkarte stahl – er sagte »lieh« – und sie mit einem neuen Verstärker sowie einem Dinner in Boston einschließlich einer Flasche Chateau Margaux für 250 Dollar belastete; und das von einem Jungen, dessen Geschmack in Wahrheit zu Fusel mit Namen wie »Strawberry Spittle« – eine Art Erdbeersekt – hin tendierte. Daraufhin schickte Richie ihm ein Einschreiben des Inhalts, Alex solle sich gefälligst zusammenreißen, sonst werde er enterbt.

Ich berichtete Alex, was seinem Vater zugestoßen war. Kein »O mein Gott«. Nicht einmal ein kleiner Laut des Erstaunens.

»Ich möchte, daß du nach Hause kommst«, teilte ich ihm mit. Schweigen. »Alex, ich möchte, daß du heute noch heimkommst.« Nichts. »Hast du verstanden?«

»Hm.«

»Soll ich dir telegrafisch Geld überweisen, damit du kommen kannst?«

»Nein.«

»Hast du genug für ein Ticket?«

»Ja. Aber ich muß erst nach Boston zurück.«

»Wo bist du denn jetzt?«

»Wo? In New Hampshire.«

»Hattet Ihr da einen Gig?« Keine Antwort. »Komm so bald wie –« Ich kam nicht dazu, den Satz zu beenden. Alex hatte den Hörer aufgeknallt.

An wen sollte ich mich wenden? Den ganzen Sommer über

hatte ich ebenso gierig die »Überleben-Sie-die-Scheidung«-Ratgeber verschlungen wie früher Shakespeares *Sturm*. Aber sie brachten alle denselben weisen Spruch: Schätzchen, jetzt sind Sie allein! Das war ich aber seit meinem zweiundzwanzigsten Lebensjahr nicht mehr gewesen. Richie hatte sich immer um mich gekümmert: um mein Sozialleben, mein Familienleben, mein Sexualleben, mein finanzielles Wohlergehen. Er war es auch, den ich einmal im Jahr angerufen hatte, um zu jubeln: He, die Mammografie war ohne Befund!

Ich mußte den Ratgebern recht geben: Ich war auf mich allein gestellt, eine eigenständige Persönlichkeit. Mir blieb nichts anderes übrig. Doch auch nach seinem Auszug, sobald sich der Scheidungsschock gelegt hätte, wäre Richie derjenige gewesen, den ich angerufen hätte, wenn es auf dem Aktienmarkt – oder bei der Mammografie – zum Schlimmsten gekommen wäre. Ich machte mir nichts vor; wahrscheinlich hätte er hoch über dem Gracie Square die Augen verdreht und Jessica – die auf seinem Schoß saß, während er mit mir telefonierte, und ihm zur Aufmunterung kleine Küßchen gab – ein gelangweiltes »Rosie« zugeflüstert, aber letztendlich hätte er mir doch geholfen. Na gut, er hätte mir nicht mehr persönlich unter die Arme gegriffen, sondern irgendeine zweiunddreißigjährige Betriebswirtin mit meinem Fall betraut. Aber binnen weniger Stunden wäre ein Buchhalterteam zusammengetrommelt oder ganze Krankenhausbelegschaften herbeizitiert gewesen. Diese Frau braucht Hilfe! Tut etwas!

Wer konnte mir jetzt helfen? Ich hatte einen Sohn mit Pferdeschwanz und Gitarre, der es witzig fand, »Schuß« auf »Erguß« zu reimen. Ich hatte einen weiteren Sohn, der eine zehn Jahre ältere Frau mit falschen Wimpern anhimmelte, während sie beim Familienmittagessen eine halbe Stunde lang die fünfzehnminütige Konsultation eines Patienten mit pustelübersätem Hals zum besten gab.

Mein Vater konnte mir nicht helfen. Er war seit fünfzehn Jahren tot. Meine Mutter lebte noch, aber ihr Verstand schied rapide dahin. An der gefürchteten Alzheimer-Krankheit litt sie allerdings nicht, nur an simplem Altersschwachsinn. Wenn sie sich überhaupt an meinen gattenlosen Zustand erinnerte, wurde sie wütend auf mich, weil sie überzeugt war, ich hätte Richie sitzengelassen – wegen einer heißen Affäre mit einem Mann, den sie Lover Boy nannte. So brüllte sie einmal völlig unvermittelt durch die Wäscheabteilung bei Lord & Taylor, wohin ich sie geschleppt hatte, um ihr einen neuen Bademantel zu kaufen: »Was hat dieser Lover Boy eigentlich, was dein Mann nicht hat?«

Richies Schwester Carol war nicht nur meine Schwägerin, sondern auch meine Freundin gewesen. Wir hatten gemeinsam unsere erste Babyausstattung eingekauft. Eine Woche nachdem Richie mich verlassen hatte, führte sie mich in der Stadt zum Essen aus, wo sie mir bei Engelshai mit Babyspargel und Pygmäenauberginen empfahl, ich solle mit Würde loslassen. Um meines Seelenfriedens willen. Das sei kein Flirt. Richie sei in Jessica verliebt. Wahnsinnig verliebt. Unheilbar verliebt. Bis über beide Ohren – da stand ich auf und ging aus dem Restaurant. Seitdem hatte ich nichts mehr von ihr gehört.

Sollte ich mich an Richies Geschäftspartner wenden? Nach all den Dinnerpartys, nach Hunderten von gegenseitig aufgenötigten, gummiartigen Coqs au Vin, hatte seit dem Tag, als Richie ging, kein Mensch von Data Associates – und kein Ehegespons – mehr angerufen. Um die Wahrheit zu sagen, war das keine große Überraschung gewesen und auch kein großer Verlust.

Wenn Richie in seinem Leben überhaupt jemals so etwas wie eine Freundschaft gepflegt hatte, dann war das seine Beziehung zu Joan, der Frau seines größten Auftraggebers, Tom Driscoll, gewesen, die ihm seit sieben oder acht Jahren eine Art Kumpel gewesen war. Ich hatte die beiden miteinander bekannt gemacht. Vor vielen Jahren, damals in Brooklyn, ehe er erst zum Ivy-League-Snob und dann zum kältesten Fisch von Manhattan wurde, war Tom einer der nettesten Jungen der Welt gewesen. In der Grundschule waren wir die dicksten Freunde, doch dann verloren wir uns aus den

Augen. Im Abschlußjahr an der High-School fanden wir noch einmal zusammen und waren – ganz kurz nur – ein Paar.

Joan Driscoll war dürr, durchtrieben und kalt, erfüllte somit alle Voraussetzungen für gesellschaftlichen Erfolg in New York. Bei ihrem ersten Besuch in Gulls' Haven nannte sie Richie »Squire Meyers«. Statt sie in hohem Bogen rauszuschmeißen, daß sie auf ihr knochiges Hinterteil krachte, lachte Richie über diese Betitelung als Junker und Galan nur. Er hielt Joan für den Inbegriff der Kultiviertheit. Vielleicht war sie das auch. Nachdem er mich verlassen hatte, rief ich sie an und beschwor sie, doch bitte ein gutes Wort für die Ehe einzulegen. Sie war seit ewigen Zeiten mit Tom verheiratet; vielleicht konnte sie Richie überreden, es zumindest noch mal mit mir zu probieren – vielleicht mit mir zur Eheberatung zu gehen. Sie sagte: »Auf die Gefahr hin, grob zu klingen, Liebste: das *letzte*, was Richie jetzt braucht, ist eine Eheberatung. Der Mann ist rundum glücklich.«

Und meine alten Freunde? Meine beste Freundin vom Brooklyn College war jetzt Großhändlerin für Gymnastikgeräte in San Diego. Die zweitbeste war in den letzten beiden Jahren mit einer heißen Liebesaffäre, einer Scheidung, einer Neuheirat und einem Lebensveränderungsbaby ziemlich ausgelastet gewesen und erholte sich zur Zeit in einem Ashram in den Berkshires, wo es kein Telefon gab, von den Folgen eines Nervenzusammenbruchs.

Da war natürlich Cass, aber was konnte ich schon von einer Frau mit einer Ganztagsstelle, einem Mann und drei Kindern verlangen, die zwar vorgeblich in verschiedenen Internaten untergebracht waren, trotzdem aber ununterbrochen anwesend schienen, vor lauter Halbjahres-, Prüfungsvorbereitungs-, Weihnachts-, Winter- und Frühlingsferien?

Ich hatte meine Kollegen, doch im Unterschied zu Cass und mir hatten sie kein Personal, das für sie kochte, putzte, bügelte, Kinder betreute und zum Supermarkt fuhr. Vor nicht allzu langer Zeit war mein Leben wie ihres gewesen; ich wußte, sie hatten maximal eine halbe Stunde Freizeit am Tag.

Dann gab es noch meine anderen beiden Morgenmarschfreundinnen. Stephanie hatte juristische Schriftsätze gegen Häkelspitzen eingetauscht. Ihr neuestes Vorhaben war ein Bettvorleger mit einer Umrandung aus Symbolpflanzen, von Osterlilien bis zu Valentinstagsröschen, die ein Jahr im Leben der Tillotsons darstellten. Stephanie und ich buken jeden Freitag nachmittag zusammen, und wir fuhren zusammen zum Einkaufen. Aber das einzige Geheimnis, das sie mir je anvertraut hatte, war, daß ihre Mutter sich geweigert habe, ihr ihren Goldzobel zu leihen, was sie aber überhaupt nicht gewundert habe, da ihre Mutter schon immer lieblos, manisch egoistisch und oberflächlich gewesen sei.

Oder sollte ich mich an Madeline, die Dichterin, wenden, die mich zwei Tage nach Richies Verschwinden gefragt hatte: »Allein / Im Kingsize-Kosmos / Des wirbelsäulenstützenden Lamellenrostbetts / Warum?«

Sergeant Gevinski war momentan der einzige Mensch in meiner Nähe. Er mußte etwas gegessen haben: seine Krawatte steckte im Hemd, nur noch der Knoten war zu sehen. Brötchen oder Bagel, entschied ich, als er näher kam; er trug eine Spur Mohn am Kinn. Ob ich mich an Sergeant Gevinski wenden konnte?

»Mrs. Meyers.«

»Ja?«

»Ich wäre Ihnen dankbar, wenn Sie sich in den nächsten Tagen nicht allzuweit vom Haus entfernen würden. Nicht, daß wir annehmen, Sie wollten fort, aber manchmal kommen einem ja die unmöglichsten Ideen. Sie wissen ja, wie das ist. Eventuell haben wir noch weitere Fragen.«

»Ich werde hier sein«, versprach ich ihm.

»Gut«, sagte er. »Wir wollen ja nicht, daß Sie uns weglaufen.« Er zwinkerte: ein Scherz. Keiner von uns lachte.

4

Eigentlich hätte ich jetzt zu Unterrichtsbeginn mit meiner Klasse den Fahneneid schwören sollen. Statt dessen bat ich Sergeant Gevinski um die Erlaubnis, meine Nachbarin zu besuchen. Keine zwei Sekunden später zischte ich los, wie meine Schüler so schön sagen.

Luftlinie war die Entfernung zwischen Emerald Point und Gulls' Haven gar nicht so groß, obwohl das Anwesen der Tillotsons noch weiter oben auf der Landspitze lag. Aber selbst wenn man sich nicht von Schlingpflanzen und Generationen umgestürzter Bäume zu Fall bringen ließ, war das Wäldchen zwischen unseren Grundstücken so mit Brennesseln und Giftsumach zugewuchert, daß man schon von einem Schritt ins Unterholz einen Ausschlag bekommen konnte. Insofern war dieser Weg keine Abkürzung im eigentlichen Sinne. Die leichteste Strecke führte über die Holztreppe am hinteren Ende unseres Rasens hinunter zum Strand und durch den Sand bis zur Steintreppe am Hintereingang der Tillotsons – eine Strafe, wenn einer von uns mal der Ketchup ausging. Stephanie und ich fuhren meist mit dem Auto. Aber diesmal nahm ich den langen Weg, unsere fast eine Viertelmeile lange Einfahrt hinunter zur Anchorage Lane und dann die Hill Road hinauf nach Emerald Point, zu Fuß. Ich mußte mal an die Luft. Ob ich nach Ablenkung oder nach Anhaltspunkten suchte, wußte ich selbst nicht genau.

Vor meinem Haus nichts Fesselndes, bloß Trauben von uniformierten Polizisten und vereinzelt herumschlendernder Zivilkriminaler. Ihre nahezu ungebrochene Blässe gab einen eindeutigen Hinweis darauf, daß die Polizei von Nassau County zwar einige Erfahrung beim Rekrutieren gutaussehender blauäugiger Männer aufbieten konnte, jedoch noch weit davon entfernt war, am Martin-Luther-King-Tag irgendwelche Preise einzuheimsen.

Der Bus der Spurensicherung, der vom Haus aus so verheißungsvoll ausgesehen hatte, verbarg seine Geheimnisse hinter dunkelgetönten Fensterscheiben; der Cop im rotbraunen Anzug, der mir schon vorher aufgefallen war, schob die Wagentür gerade weit genug auf, um hineinzuschlüpfen; dann schloß er sie mit einem Ruck.

Der Glibberschmierer auf der Hill Road war nicht ganz so heimlichtuerisch. Als ich bei ihm angekommen war, trug er gerade mit einer Kelle den letzten Rest von dem weißen Zeug auf. Dann machte sich der Mann, der ihm bisher nur Gesellschaft geleistet hatte, ans Werk. Wie sich herausstellte, war er Fotograf. Er wirkte ganz fasziniert von seinem Motiv: bückte sich, streckte sich, doch statt die tiefen Rottöne, das Goldgelb und das satte Orange der Wälder aufzunehmen, schoß er aus jedem Blickwinkel ein Bild von den breiten weißen Streifen und ihrer Umgebung. Ich kniff die Augen zusammen: Reifenprofile, tatsächlich. Es machte mich ein bißchen nervös, hier herumzulungern und noch mehr Verdacht zu erregen, als mir bisher schon zu erregen gelungen war, aber die beiden schienen an Publikum gewöhnt. Shorehaven Estates mit seiner Bevölkerungsdichte von einer geschmackvollen Person auf jeden geschmackvollen Hektar war für sie vermutlich ziemlich reizlos. Sie nickten – wohlwollende Gastgeber. Ich nickte zurück – wohlerzogener Gast – und besah mir ihre Arbeit. Außer Richies Reifenabdrücken gab es noch weitere. Ein Paar kam mir ebenso auffällig vor wie Richies. Die Spuren drückten sich etwa genauso tief in die Erde und waren ungefähr gleich breit, nicht von Wind oder Herbstregen abgetragen.

»Woher wissen Sie denn, auf welche Spuren Sie das Zeug auftragen müssen?« erkundigte ich mich.

»Wir machen alle«, sagte der Photograph.

»Genau«, meinte der andere, »alle.« Beide glucksten. Es mußte sich um einen Insiderscherz der Spurensicherung handeln. »Aber die hier sind Numero uno«, ergänzte er und zeigte auf die Spuren, die direkt zu den Rädern des Lamborghini führten.

Alles wies darauf hin, daß Richie einfach von der Straße hierher abgebogen war und hinter der ersten Baumreihe geparkt hatte. Kein geniales Versteck zwar, aber ausreichend. Nachdem Richie tausendmal mit Carter Tennis gespielt hatte, konnte man davon ausgehen, daß er den Platz gleich an der Straße kannte, von wo aus man nicht durch die Brennesseln laufen mußte, um über den Trampelpfad zum Tennisplatz hinaufzugelangen – und wo gleichzeitig das Auto nicht zu sehen war. Nicht, daß die Tennispartner der Tillotsons etwas zu verbergen gehabt hätten. Sie wollten nur mit ihrem flamingoroten neuen Jaguar keinen streunenden Autodieb in Versuchung führen oder ein Strafmandat wegen Parkens auf der Straße riskieren, was hier in der Gegend als Merkmal der unteren Mittelschicht galt und daher verboten war.

Die Reifenmänner packten Glibber und Kameras zusammen und zogen weiter. Ich auch. Weiter und höher – die Straße nach Emerald Point war noch nie so steil gewesen. Obwohl ich jeden Tag einen strammen Dreimeilenmarsch zurücklegte, brannten meine Waden bei jedem Schritt, ächzte meine Brust bei jedem Atemzug. Die Straße zum Haus kam mir unendlich lang vor, ein Gang außerhalb von Zeit und Raum, ohne Ziel und Zweck.

Keuchend und ein wenig verängstigt erblickte ich schließlich das Haus. Nachdem ich die hohe Steintreppe am Eingang erklommen hatte, lehnte ich mich gegen die mächtige Mahagonitür. Das Tillotson-Haus, ein Tudorhaus, war höllisch solide gebaut; das tiefe *Bong* der Türglocke gab innen ein Echo. Es faszinierte mich immer wieder, wie sich die Halbgebildeten von diesem Glockenschlag veranlaßt sahen, ihr Wissen zu produzieren: »*Frage nicht, wem die Stunde schlägt . . .*«, trugen sie vor, während sie darauf warteten, daß der letzte in der langen Reihe der Tillotson-Bediensteten die Tür aufmachte.

Ich kam nicht wieder zu Puste, und daß ich einen stechenden Schmerz in der Brust spürte, war mir auch keine Hilfe. Ich versuchte gerade verzweifelt, mich zu erinnern, was ich im Lifestyle-Teil der *New York Times* über die ersten Anzeichen des herannahenden Todes gelesen hatte, als die männliche Hälfte des neuesten Haushälterpaares der Tillotsons die Tür öffnete. Laut Stephanie war er genaugenommen kein Butler, sondern eher das, was in den Gesellschaftsromanen als japanisches Faktotum bezeichnet wird. Mit dem Unterschied, daß er Norweger war: Gunnar, ein sehniger Mann im weißen Jackett. Offenbar entstammte er dem winzigen Flecken in Skandinavien, wo die Leute nicht Englisch als zweite Muttersprache lernen.

»*Ja?*«

»Stephanie?« fragte ich, um die Situation nicht unnötig zu komplizieren. Doch da kam Stephanie schon persönlich aus dem hinteren Teil des Hauses herbeigeeilt. Sie war aus ihrer üblichen Marschbekleidung – Lycrahose, T-Shirt von der University of Michigan, Juristische Fakultät, und Windjacke – in einen rosa Rolli sowie ihre Jeans-Gärtnerlatzhose mit vielen Taschen geschlüpft. Offensichtlich hatte sie wieder fremdbestäubt; ihre Nasenspitze war pudrig-gelb. Sie konnte Stunden in ihrem Gewächshaus zubringen und mit Vergrößerungsglas und Wattestäbchen das botanische Gegenstück zur künstlichen Befruchtung vollziehen, während ein Bediensteter Klein Astor bei Laune hielt, indem er Herrenhäuser aus pädagogisch wertvollen Bauklötzchen errichtete.

Aus Stephanies Taschen ragten Gartenschere, Q-Tips, ein Minispaten sowie ein klauenbewehrtes Gerät, das wie ein Finger aus einem Känguruhbeutel herauslugte. »Rosie!« Sie warf die Arme um mich. Mir blieb gerade noch Zeit, mich zur Seite zu drehen, um nicht von dem Fingerding aufgespießt zu werden. Stephanie war jung, erst zweiunddreißig. Und sie war schön bis an die Grenze der Makellosigkeit, ein einsachtundsiebzig Meter großes Frauenwunder. Ein Wunder aus gutem Hause noch dazu, ein Long-Island-Blaublut. Ihr Vater, Verwandter zweiten Grades von John Foster Dulles, galt an der Wall Street als »Mister Effektenrecht«. Ihre Mutter, Sproß aus einer unbedeutenden Linie der Astors und einem mittelschweren Whitney-Zweig, war eine Tennisspielerin von Rang sowie 1957 Debütantin des Jahres gewesen. Da Stephanie so wunderschön und privilegiert war, erwartete niemand von ihr, zu normalen menschlichen Regungen fähig zu sein. Das war sie aber. Ich wurde von einer überraschend herzlichen Umarmung getröstet, die allerdings bei dieser kräftigen Sportlerin ans Zermalmen grenzte.

Als sie mich losließ, sagte sie: »Danke, Gunnar.« Der Haushälter verflüchtigte sich. »Ein Alptraum«, murmelte sie. Diesmal schien sie den Mord zu meinen, nicht ihr Dienstbotenproblem. »Komm mit, wir gehen ins Musikzimmer. Ich habe Brioches im Ofen, nur für dich. Ein absoluter Alptraum! Inger soll sie uns bringen. Mit Cappuccino? Kaffee? Tee?«

Das Musikzimmer war in den Tagen entworfen worden, als man unter Hausmusik noch fünfzig Gäste zu Schuberts Forellen-Quintett verstand. Der neueste Kauf der Tillotsons, ein überdimensionaler Flügel, hätte aus einem Puppenhaus stammen können, so wenig Platz nahm er ein. Im Gegensatz zu Richie, der wirklich stinkreich geworden war, war Doktor Carter Tillotson, im zarten Alter von dreiunddreißig Jahren bereits der drittbegehrteste plastische Chirurg Manhattans, lediglich wohlhabend. Er stammte aus einer Familie, die sich im Jahr 1697 auf Long Island angesiedelt hatte. Unglücklicherweise hatten die Tillotsons, die über Nacht zu einer der ersten Familien von Shorehaven avanciert waren, beim Börsenkrach von 1893 ihren Viehfuttergroßhandel verloren – und sechsunddreißig Jahre später in der Weltwirtschaftskrise den Rest ihres kleinen Vermögens. Stephanie hatte mir einmal anvertraut, Carter sei in solch entsetzlicher Armut geboren worden, daß seine Eltern es sich nicht leisten konnten, ihn auf ein Internat zu schicken. Zum Glück hatte das nicht sein gesellschaftliches Aus bedeutet. In Stephanie hatte genügend Rebellenblut pulsiert, um einen Mann zu heiraten, der sein Medizinstudium nur mit Hilfe eines Stipendiums absolvieren konnte. Sehr zum Verdruß von Stephanies Familie und zur großen Freude der Tillotsons schienen sowohl die Ehe als auch Carter selbst ein großer Erfolg – auch wenn er sich immer noch abmühte, seine vierte Million zu scheffeln.

Um ihre vorübergehenden Engpässe auf dem Möbelsektor zu kaschieren, hatte Stephanie das Musikzimmer – wie auch den Rest des Hauses – mit eingetopften Bäumen vollgestellt. Ihr war bewußt, daß man so kein Haus dekorierte, das ihre Mutter als »ordentliches Heim« bezeichnen würde, doch baute sie fest darauf, daß es nur noch wenige hundert Schönheitskorrekturen brauchte, bis Carter es ihr ermöglichen würde, auf einem sechsstelligen Einkaufsbummel noch Vitrinen und Sofas, Kronleuchter und Stühlchen zu besorgen. Aber auch diese Möbel würden in der gähnenden Geräumigkeit von Emerald Point untergehen.

Dafür, daß sie in einem Herrenhaus lebte, herrschte bei Stephanie eine einigermaßen anheimelnde Atmosphäre. Wir setzten uns inmitten eines Regenwaldes aus chinesischen Fächerpalmen, Zwergpalmen und Sagopalmen auf farblich abgestimmte Rohseide-Clubsessel. Der blaß-moosgrüne Teppich unter unseren Füßen war so dick und wohltuend, als wäre er direkt aus dem Boden gewachsen.

»Willst du darüber reden?« fragte Stephanie. Nach High-School-Maßstäben wäre Stephanie als sehr gute Freundin einzuordnen: Wir buken nicht nur gemeinsam, sondern gingen auch in Antiquitätenläden, besuchten Flohmärkte und fuhren zusammen nach Manhattan, um uns mit unseren Gatten zu treffen. Aber ich wollte mit ihr nicht über Richie reden, hauptsächlich aus dem Grund, weil sie nur selten etwas Aufschlußreiches zu sagen hatte. Allerdings wollte ich ihre Gesellschaft. Vor allem aber brauchte ich eine Portion ihres Collegesportlerinnen-Brust-raus-Kopf-hoch-Nichts-kann-uns-was-anhaben-Oberklasse-Selbstvertrauens.

»Stimmt es, daß du ihn gefunden hast, Rosie?« Ich nickte. Ich konnte gar nicht sprechen; meine Kehle hatte dichtgemacht. Und Stephanie war auch nicht in Form. Ausnahmsweise kam sie nicht mit irgendwelchen Hurra-uns-kann-nichts-erschüttern-Sprüchen daher. »Ich bin so . . . so *bestürzt*«, sagte sie. Als wollte sie es beweisen, begann sie zu weinen. Dicke Tränen rollten über ihre hohen Wangenknochen und strömten im Zickzack über ihr Gesicht. »Es tut mir leid, daß ich mich so aufführe«, entschuldigte sie sich. »Eigentlich müßtest doch du weinen.«

»Schon gut, Stephanie.«

»Ich weiß ja, wie sehr sich Richie in letzter Zeit verändert hatte«, räumte sie ein. »Aber vorher war er . . . einfach super.«

»Das war er«, stieß ich hervor.

Stephanie wühlte in ihren fünf Zillionen Taschen und förderte schließlich einen Lappen zutage, mit dem sie vermutlich sonst ihre Tontöpfe abwischte. Sie setzte an, sich damit die Augen zu trocknen, doch ich riß ihn ihr aus der Hand.

»Der ist doch dreckig! Davon kriegst du diese Rote-Triefaugen-Krankheit.«

Sie starrte das Tuch an und stopfte es wieder in die Tasche. Dann wischte sie die letzten Tränen mit dem Handrücken weg. Immer noch schniefend beugte sie sich vor und zwickte ein braunrandiges Blatt aus einem ihrer Pots-de-fleur, einer Keramikschale mit Grünpflanzen und einer schmalen Orchideenröhre, in der eine einzelne Blüte vor dem dunklen Laub leuchtete. »Entschuldige, daß ich einfach losgeplärrt habe, Rosie.«

»Ich wollte, ich könnte weinen. Ich habe wohl einen Schock.«

»Wahrscheinlich. Hast du irgendeine Vorstellung, wie es passiert sein kann?«

»Ich dachte immer, Richie kriegt eines Tages einen Herzinfarkt und fällt tot um«, sinnierte ich, um ihrer Frage auszuweichen. Ich erzählte ihr nicht, mit welcher Inbrunst ich ihm das gewünscht hatte. Beim Sex mit Jessica sollte es passieren. »Oooh!« hätte er geschrien, und sie hätte irgend etwas Jugendlich-Frisches erwidert wie »Leg los, Rick« – nur daß er nicht gekonnt hätte. Oder daß er sich beim Joggen auf der Promenade am East River oder beim Tennis in den Hamptons an die Brust faßte. Oder beim Skifahren in den Rockies auf einmal Fischmäuler risse, in dem vergeblichen Bemühen, der dünnen Luft mehr Sauerstoff zu entringen.

»Aber natürlich stehst du unter Schock«, bestätigte Stephanie. »Wer täte das nicht? Aber dir geht's bald wieder besser, glaub mir.« Das half ein bißchen, aber ich war nicht bloß für diese Art oberflächlichen Oberklasse-Trost nach Emerald Point hinaufgewandert – obwohl ich weiß Gott allen Trost der Welt nötig hatte. Ich brauchte einen Rat.

Ehe sie sich darauf verlegt hatte, ihr Leben ausschließlich dem Einstellen und Feuern von Bediensteten zu widmen, darauf, die zweijährige Astor zu ihren Spielkameraden zu chauffieren, in ihrem Gewächshaus Palmen, Bromelien und Zitronenbäume zu züchten, Nadelspitze und Stickereien anzufertigen, ihr selbstgepreßtes Olivenöl zu würzen und sich für mißhandelte Frauen und das Grundwasser einzusetzen, war Stephanie Prozeßanwältin in einer jener gigantischen New Yorker Kanzleien gewesen, die voller Stolz und mit großem Eifer petrochemische Konzerne gegen die Klagen krebszerfressener ehemaliger Angestellter verteidigten.

»Ich glaube, ich brauche juristischen Rat«, erklärte ich und setzte sie über Sergeant Gevinski ins Bild.

Mehrere Male rief sie »Pfui!« und einmal »Unerhört!«. Als ich fertig war, meinte sie: »Vor dem wäre ich aber auf der Hut.«

Das war mir eine große Erleichterung: Ich litt nicht unter Verfolgungswahn. Ich hatte recht. »Findest du wirklich?«

Sie rieb mit dem Zeigefinger ihre perfekte, doch um gängigen Schönheitsidealen zu genügen etwas zu volle Oberlippe. Ein Fremder mochte vielleicht denken, Carter hätte ihr ein paar Spritzen Collagen hineingejagt, nur um ihr ein interessantes Gesicht zu verpassen, doch der Fremde hätte sich geirrt. Im ganzen Haus standen Hunderte gerahmter Fotografien von Carter und Stephanie in allen Lebensphasen außer *in utero*. Carter war ein gutaussehender Mann vom Schlag der ausdruckslosen, blonden, kurzhaarigen Dressmen in der Cadillac-Werbung.

Aber Stephanie war anders. Von ihrem Klassenfoto aus Greenvale angefangen, über ihr Foto aus Miss Porters Hockeyteam und den Schnappschuß von ihr in einer Toga auf irgendeiner College-Party, bis hin zu ihrem Verlobungsbild, besaß sie eine vollkommene natürliche Schönheit. Schön schon, hatte Richie beigepflichtet, aber kein bißchen sexy. Ich hatte ihm nicht widersprochen. Die Männer bestaunten Stephanie von ferne, näherten sich ihr aber selten, wie sie es bei weniger umwerfenden, weniger unerreichbaren Frauen versucht hätten.

Stephanie unternahm nichts, um ihre Schönheit hochzuspielen. Sie war zu sportlich, um mit kunstvollen Frisuren Zeit zu vergeuden. Morgens marschierte sie mit uns, nachmittags spielte sie Tennis oder ging auf einen nahegelegenen Reiterhof, und in der Abenddämmerung trimmte sie sich auf dem Stepmaster. Eine Zeitlang hatte sie sogar abends eine reflektierende Weste übergezogen und war mit einer befreundeten Anwältin namens Mandy, die in der Stadt arbeitete, noch joggen gegangen. Doch dann hatte sie selbst eingesehen, daß das übertrieben war. Stephanie war immer schlicht gekleidet. Auch in Gesellschaft des Jetsets, dem Carters Patientinnen entstammten, takelte sie sich nie auf, sondern trug nur ihr kleines Schwarzes und die Perlen ihrer Großmutter oder ein Paar schlichte, aber sehr große Diamantohrringe. Sie trug nie, wirklich niemals Make-up, und das machte ihre Schönheit noch einschüchternder. Jeder einzelne ihrer Gesichtszüge war perfekt. Cass und ich hatten schon überlegt, ob Carter sie nur geheiratet hatte, damit er sie morgens über den Frühstückstisch hinweg anstarren und jede Partie an ihr auswendig lernen konnte, um zu sich zu sagen: *So* und nicht anders sollte ein Kinn aussehen. Oder ob er sie geheiratet hatte, um potentielle Patientinnen zu werben: Ach Gott, würden sie innerlich stöhnen, ob er mir auch so ein Aussehen verschaffen kann?

Doch Stephanie war nicht nur schön, sie war auch klug.

»Ja«, sagte sie. »Ich meine, dieser Mann von der Mordkommission ist nicht ganz dicht, wenn er dich auch nur wegen *irgendwas* verdächtigt. Aber *ich* kenne dich.«

»Soll ich mir einen Anwalt nehmen?«

»Ich weiß nicht, was ich dir raten soll, Rosie. Ich war ja im Zivilrecht tätig. Wir haben uns *nie* mit solchen Fällen befaßt.«

»Stephanie, ich brauche Hilfe.«

Sie fing wieder mit der Lippenmassage an, diesmal heftiger. »Na ja, aber dann könnte dieser Gevinski denken, du hättest wirklich was zu verbergen ... Beruhige dich. Laß mich erst mal ausreden. Du bist schließlich eine Frau mit Geld und mit Ansehen. Und du bist es nicht gewöhnt, dich von der Polizei herumschubsen zu lassen. Nachdem er sich ja wirklich ekelhaft benimmt, als hätte er einen schwerwiegenderen Verdacht gegen dich, solltest du vielleicht doch lieber jemanden haben, der deine Rechte wahrt, jemand, der es mit ihm aufnehmen kann – weißt du, der fordert, mit dem Lieutenant oder dem Captain zu sprechen, mit jemand, der wirklich kompetent ist.« Nervös schrubbte sie mit den Händen an den Latzhosenbeinen auf und ab. »Es könnte ein Problem werden, daß du versucht hast, das Messer rauszuziehen.«

»Vielleicht sollte ich mir einen Privatdetektiv suchen.«

»Wozu denn?«

»Um rauszukriegen, wer es wirklich war.«

»Rosie, weißt du, was Detektive im wirklichen Leben machen? Sie fotografieren Ehebrecher in flagranti oder suchen weggelaufene Ehemänner.« Sie muß gespürt haben, wie mutlos ich wurde, denn sie fügte hinzu: »Vielleicht irre ich mich auch. Ich strecke mal die Fühler aus. Vielleicht gibt es ja einen Sherlock Holmes für dich.«

»Muß ich mir Sorgen machen, Stephanie?«

»Ich würde so gern rundheraus nein sagen. Aber ich habe keine Ahnung, was diesem Polizisten im Kopf rumgeht. Gibt es irgendwelche Indizien, die dich mit Richie in Verbindung bringen?«

»Natürlich nicht.« Dann überlegte ich. »Außer dem Messer.«

Ein Schauder überlief sie. »Ich will gar nicht wissen, was du alles gesehen hast. Das muß ja supertraumatisch gewesen sein, du willst es bestimmt nicht noch mal durchleben.« Stephanie drängte nicht, aber das hatte sie auch nicht nötig. Wer würde nicht versuchen, ihr alle Wünsche zu erfüllen? Ihr Gesicht war ein klassisches Oval. Ihre Augen waren leuchtend blaugrau, groß mit einem beständigen Schimmern, so daß sie immer aussah, als hätte sie gerade aufgehört zu lachen oder zu weinen. Ihr glänzendes dunkelbraunes Haar (im selben schulterlangen stumpfen Schnitt, den sie schon auf ihren Kleinkindfotos getragen hatte) umrahmte ihr makelloses Gesicht. Obwohl sie viel zu gut erzogen war, um aufdringlich zu sein, zog Stephanie Geständnisse förmlich an, weil alle Menschen nach ihrem Beifall lechzten. Glücklicherweise ging sie damit immer sehr freigebig um. Auf der ganzen Welt konnte ich mir keinen Menschen vorstellen, der sich *nicht* für sie auf den Kopf gestellt hätte. Außer Carter. Er behandelte sie zuvorkommend und kaufte ihr schönen Schmuck, allerdings, wie Stephanie mir einmal verriet, während wir schwarze Walnüsse knackten, keinen *wichtigen* Schmuck.

Doch Cass und ich waren uns einig, daß Carter nicht hingerissen wirkte. Vielleicht, so räumte Cass ein, war er ja einfach kein demonstrativer Typ. Doch nachdem Richie mich verlassen hatte, war mir einmal der Gedanke gekommen, daß auch Carter verdächtig lange Arbeitsstunden hatte. Aber wer weiß? In der Großstadt Karriere zu machen war schließlich kein Routinejob; womöglich empfingen in Manhattan alle plastischen Chirurgen ihre allerwichtigsten Patientinnen abends um zehn.

Stephanie beschwerte sich nie. Im Gegenteil, sie bereitete stundenlang erlesene kleine Soupers für Carter zu, mit drei bis vier leichten Gängen, um ihn auch noch um Viertel nach elf, wenn er durch die Tür trat, in Versuchung zu führen. »Das Messer ist unterhalb der Rippen in Richies Bauch eingedrungen«, erläuterte ich ihr. Ich berührte den Mittelpunkt meines Rumpfes. »Ben meint, das Messer muß die Aorta getroffen haben und er wäre verblutet.«

»Was hatte er denn bei dir im Haus zu suchen?«

Ich bekam es langsam satt, immer dasselbe gefragt zu werden, deshalb fiel meine Antwort etwas heftiger aus. »Woher soll ich das wissen?«

»Natürlich. Entschuldige die Frage.« Sie machte eine Pause und schaltete dann auf ihren Enthusiasmus um. »Ich kann mir vorstellen, daß du sehr belastet bist, Rosie. Überbelastet. Soll ich nicht etwas backen, wenn ihr vom Friedhof zurückkommt? Jüdische Bäckerei macht Spaß: Babka, Rugelach –« Bevor ich den Rest der Speisekarte erfahren konnte, brachte Inger – die andere Hälfte des Norwegerpaares – ein Tablett mit Brioches, Marmelade und Kaffee herein. »Danke, Inger«, sagte Stephanie. Inger, eine winzige, silberhaarige Frau, die an eine Sardine erinnerte, nickte so kurz, daß es an Unhöflichkeit grenzte; dann verschwand sie wieder. Stephanies zarte Nasenflügel blähten sich um zwei Millimeter. Ich konnte nicht erkennen, ob das eine Reaktion auf die schnippische Art ihrer Haushälterin war oder ob Inger irgendeine Greueltat an der Oberschicht begangen hatte, wie zum Beispiel die Servietten zum Morgenkaffee zu Rechtecken zu falten, anstatt sie in Ringe zu stecken. »Ich rufe mal den Seniorpartner in der Kanzlei an und lasse mir einen Strafverteidiger in Nassau County empfehlen. Einer aus der Gegend wäre wahrscheinlich am besten geeignet. Jemand mit Beziehungen zur Staatsanwaltschaft.«

Ich muß wohl nach Luft geschnappt haben.

»Tut mir leid«, sagte Stephanie. »Wie gedankenlos. Was ich sagen wollte: Du brauchst jemanden, der zum Telefon greift und die richtigen Anrufe tätigt. Jemanden, der diesen Sergeant Gevinski davon abhält, dich zu verfolgen. Der ihn auf die richtige Fährte setzt.«

»Aber zu wem führt die denn?«

Mit einer silbernen Zange hob Stephanie eine Brioche auf einen Teller. Ich brach ein Stückchen davon ab. Sie war frisch aus dem Backofen, heiß und duftend. »Das Ziel ist jeder außer dir, Rosie.«

Ich brauchte Trost – jede Menge Trost – und hoffte, Ben würde schon da sein, wenn ich nach Hause kam. Aber ich stieß auf kein einziges tröstliches Gesicht. Vielmehr war das erste, was mir auffiel, als ich ins Haus hineinkam, daß sich alle Polizistengesichter plötzlich nach rechts, nach links, nach oben oder nach unten wandten: in alle verdammten Richtungen, bloß um Blickkontakt mit mir zu vermeiden. Ich spürte dieses Schmetterlingsgeflatter im Bauch, das der offenen Panik vorausgeht. Ich versuchte, es wegzuwünschen: Kein Wunder, daß sie das Gesicht abwandten. Mittlerweile hatten sie erfahren, daß Richie mich verlassen hatte. Welches Beileid konnten sie schon bekunden? Ist auch besser, daß er tot ist, Lady. Oder können Sie sich vorstellen, wie Sie in einem Jahr überlegt hätten, ob Sie ein Geschenk zur Geburt des kleinen Stevenson Meyers kaufen sollen?

Doch dann, noch ehe Sergeant Gevinski seinen Zeigefinger krümmte und mir damit bedeutete, in den Speisesaal zu kommen, erfaßte ich den wahren Grund, warum die Cops mich nicht ansahen. Für sie stellte sich bei Richies Mord nicht mehr die Frage, wer es getan hatte. Für sie hatte ich es getan.

Ich trat ein und dachte ausnahmsweise daran, nicht über den rot-blauen Saruk zu stolpern, der am Tag vor unserer Silberhochzeit endlich geliefert worden war. Noch bevor Gevinski Gelegenheit hatte, mir einen Stuhl anzubieten und damit seine Autorität zur Schau zu stellen, packte ich mir den Stuhl am Kopf der Tafel.

»Nur noch einige Dinge, die ich gerne geklärt hätte, Mrs. Meyers. Sie haben sich gestern also zwischen halb zehn und zehn Uhr schlafen gelegt?«

»Ungefähr, ja.«

»Und sind um halb vier aufgewacht?« Wäre dies eine Dinnerparty gewesen, hätte er vier Gäste von mir entfernt gesessen. Nicht weit genug.

»Ja.«

»Sie haben seit Beginn der Scheidungsverhandlungen nicht mehr so gut geschlafen?«

Ich hatte genügend Krimis gelesen, in denen vollkommen unschuldige Menschen in die größten Schwierigkeiten gerieten, nur weil sie zu viel mit einem phantasielosen Polizisten plauderten. Im letzten Kapitel wurde ihre Unschuld zwar immer bewiesen, aber – daran mußte ich mich stets erinnern – dies war das wirkliche Leben. Also Vorsicht!

Doch was für Schlüsse Gevinski auch ziehen mochte, in ein paar Stunden würde ich den Namen eines Anwalts wissen, der Gevinskis Vorgesetzte zwingen würde, ihn anzuhalten, sich gefälligst auf seine eigentliche Aufgabe zu besinnen – nämlich einen Mörder zu schnappen. Ich redete mir ein, es sei ganz in Ordnung, eine gewisse Zuversicht zu hegen. Gegen mich lag nichts vor, aus dem einfachen Grunde, weil ich nichts getan hatte.

Doch in der Zwischenzeit mußte ich mit einem trockenen Mund fertigwerden, mit einem Punchingball als Herz – und mit Gevinski. »Ich fragte, ob Sie Schlafstörungen haben«, mahnte er.

»Ich nehme an, daß ich um zehn schon eingeschlafen war. Ich weiß nicht, wann ich aufgewacht bin.«

»Verstehe. Als Sie wach waren, haben Sie nichts gehört. Was ich nicht ganz verstehe, ist, warum Sie sich schlafen legen und dann, wie durch Zauber, Ihr Ex – na gut, Ihr Fast-Ex – reinschneit.« Darauf fielen mir mehrere Antworten ein: kluge, neunmalkluge und richtiggehend garstige. Aber ich hielt den Mund. »Sind Sie sicher, daß die Alarmanlage an war?«

»Ja. Fast hundert Prozent sicher.«

»Wie erklären Sie sich, daß es Sie nicht aus dem Bett hob, als sie losging?«

»Richie kannte den Code.«

»Sie haben ihn nicht verändert, nachdem er fort war?«

»Nein.«

Er blickte zur Decke, dann auf sein Spiegelbild auf dem Tisch. »Ach, übrigens«, erwähnte er beiläufig. »Die Jungs im Labor haben einen flüchtigen Blick auf das Messer geworfen, da sind anscheinend Ihre Fingerabdrücke drauf.« Er sah interessiert zu, wie ich mich abmühte, mich nicht zu verkrampfen.

»Das habe ich doch heute nacht schon erklärt.«

»Ja, richtig. Wissen Sie, jeder ist versucht, das Messer aus einer Leiche zu ziehen – vor allem der Leiche von jemandem, für den man Gefühle hatte. Aber das entscheidende Wort ist ›versucht‹. Sie haben es getan. Das ist ein Problem, Mrs. Meyers. Und dann gibt es da noch ein Problem.«

»Welches denn?«

»Ihre Scheidungsvereinbarung.«

»Was ist denn damit?«

»Nach Aussage von Miss Jessica Stevenson war geplant, daß Sie und Mr. Meyers am Wochenende die Vereinbarung unterzeichnen. Stimmt's? Sie schwört – und notfalls können wir dem nachgehen –, Sie und Ihr Fast-Ex hätten eine mündliche Abmachung getroffen, daß Mr. Meyers sein Testament erst dann abändern würde, wenn Sie die Vereinbarung unterzeichnet hätten. Habe ich recht? Sie beide hatten Streit, weil er Ihre Söhne im Testament unterschiedlich behandeln wollte, weil einer von ihnen« – er zog seinen Block hervor und blätterte durch seine Notizen – »Alexander, ein Problemkind war. Sie verlangten, daß Mr. Meyers Alexander und Benjamin zu gleichen Teilen berücksichtigte. Also bestand ein Großteil der Verhandlungen zwischen Ihrer Anwältin und seinem Anwalt darin, Mr. Meyers zu dieser Einwilligung zu bewegen. Daß sie zum Beispiel im selben Alter an das treuhänderisch verwaltete Vermögen könnten, daß sie den gleichen Anteil an seinem Erbe bekämen. Sobald das geschehen wäre, würden Sie einwilligen, ab sofort auf Ihre Erbansprüche zu verzichten. Ist das richtig?«

»Ja. Richie und Alex kamen nicht sehr gut miteinander aus, aber ich wußte, das würde sich legen. Aber wenn Richie in der Zwischenzeit etwas zugestoßen wäre, hätte es Alex entsetzlich hart getroffen und die Beziehung der Jungen untereinander gestört.«

Wie ein Kindergartenkind vor dem Mittagsschlaf stützte Gevinski seine Unterarme auf den Tisch und legte seinen Kopf darauf. Ich hatte gute Lust, ihm auf seine matschige Nase zu boxen. »Ich interessiere mich aber eher für Sie, okay? Sobald Sie die Vereinbarung unterzeichnet hätten, wären Sie völlig aus dem Rennen gewesen.«

»Mit etwa fünf Millionen Dollar.« So viel Geld! Mir war fast schlecht geworden, als ich das hörte. Wenn es nicht ausgerechnet um mich gegangen wäre, hätte ich dasselbe gesagt, was einige unserer ehemaligen Nachbarn und einige von meinen Lehrerkollegen sagen würden: Arme Rosie! Auf dem ganzen Weg zur Bank wird sie weinen. Oder: Wenigstens kann sie sich jetzt einen schönen Urlaub leisten, um ihre Sorgen zu vergessen. Haha, *tausend* schöne Urlaube.

»Nun, Mrs. Meyers?«

»Nun was?«

Er setzte sich auf. »Statt nach dem kommenden Wochenende nur einen *Teil* von Richard Meyers' Vermögen zu erben, kriegen Sie jetzt alles. Und ›alles‹ ist sehr, sehr viel Geld. Sicher können Sie verstehen, daß da manch einer die Stirn runzelt.« Ich dachte: Mach es ihm bloß nicht zu leicht! Wie die vereinzelten Rotzgören in der Schule hatte Gevinski das Geschick, mich dermaßen in Rage zu bringen, daß ich befürchtete, gleich das zu tun, was er von mir erwartete: die Beherrschung zu verlieren. »Können Sie mir etwas erzählen, was diese Stirnen wieder glätten würde, Mrs. Meyers?« Ich antwortete nicht. Er zeigte auf seine Smiley-Uhr. »Mr. Meyers befindet sich im Moment in der Autopsie. Dort holen sie das Messer mit Ihren Fingerabdrücken heraus. Und zwar ganz, ganz vorsichtig.«

»Was wollen Sie eigentlich von mir?«

»Eine bessere Erklärung für das, was vorgefallen ist, als bisher. Nicht für mich. Ich bin auf Ihrer Seite. Wirklich! Für meine Vorgesetzten bei der Polizei und für den Staatsanwalt. Die kaufen Ihre Geschichte nämlich nicht. Also sprechen Sie mit mir, Mrs. Meyers. Seien Sie ganz offen. Ich will Ihnen doch helfen.«

5

Ich hatte mich damals für eine natürliche Geburt entschieden, und so war ich hellwach, als man mir einen kleinen Jungen mit blassem Flaum auf dem Kopf und einer Knopfnase im Gesicht in die Arme legte. Und obwohl er aussah wie ein Südstaaten-Baptist, wußte ich, daß Benjamin mein Kind war. Von Geburt an war er entzükkend. Noch heute wollten ihm die Frauen immerzu in die Backe kneifen, bloß war diese Backe mittlerweile schwer zu erreichen. Ben hatte das Format eines kleinen Alpenberges. Einen Meter achtundneunzig groß. Hundert Kilo schwer. Von Richie hatte er nur die gefühlvollen schwarzen Augen geerbt, aber zumindest war damit die Vaterschaft einwandfrei erwiesen. »Mom!« Seine Stimme war tief und sanft. »Bitte beruhige dich.«

»Klar. Es ist immer besser, einer Zukunft im Hochsicherheitstrakt ruhig ins Auge zu blicken.«

Ich hatte den größten Teil des Vormittags damit verbracht, in Schränken und Schubladen zu stöbern, unter Sesselkissen zu spähen, alle Taschen in allen Kleidungsstücken in Richies Schränken umzukehren, um das zu finden, was er gesucht hatte. Neben seiner gesamten Garderobe hatte er nur ein Jahrbuch der US-Baseballmeisterschaft von 1969 zurückgelassen sowie einen Schnappschuß von uns beiden, den er vor Jahren in seiner Brieftasche getragen hatte. Darauf hielten wir uns umarmt, und zu unseren Füßen lag unsere Angelausrüstung. Das Foto war in einem Sommer an den Finger Lakes aufgenommen worden, irgendwann in den siebziger Jahren. Richie trug einen Walroßschnurrbart und ich Jeans mit Schlag und eine Bluse mit riesigen Gänseblümchen. Wir sahen beide schrecklich häßlich und ausgesprochen glücklich aus.

Inzwischen war es Mittag geworden. Eine halbherzige Sonne warf staubiges weißes Licht durch die Fenster der Bibliothek.

»Verdachterregende Speisen« kam mit leeren Händen aus der Küche zurück. Ihr Versuch, Gevinski zu verführen, damit sie drei Diät-Colas für uns aus dem Kühlschrank holen konnte, war gescheitert. »Er sagt, es wäre alles Beweismaterial vom Tatort«, entschuldigte sie sich.

»Recht hat er«, stimmte ich zu, »da könnten ja Fingerabdrücke auf dem Brokkoli sein.«

Ben blitzte der Verdachterregenden ein Lächeln zu, das heißen sollte: Sei tolerant. Immer wenn er lächelte, kräuselten sich seine Augenpartien und wurden selbst zu kleinen Lächlern. Ich versuchte zu ergründen, was so besonders an ihr war, daß er ständig lächeln mußte. Auf mich wirkte sie absolut mittelmäßig, mit dünnem braunem Haar, ganz normalen Augen, Durchschnittsfigur und einem faden Mittelschichtakzent. Ihre einzige Reverenz ans Lebendigsein war ihr Make-up, das so grell war, als hätte sie am Estée-Lauder-Stand die Beherrschung verloren: Blaubeerlider und Himbeerwangen auf Vanillegesicht. Endlich hörte Ben auf zu lächeln und liebevoll zu schauen und besann sich auf das Mittagessen. Er hatte beim Delikateß-Expreß im Ort angehalten, einem Lokal, das aus unerfindlichen Gründen den Niedergang der Yuppie-Kultur überlebt hatte. Nun knotete er ein rotes Band an einer braunen Papiertüte auf, die über und über mit der Aufschrift »Recyclingpapier!« bedruckt war, und holte umweltneutrale Behälter mit Couscous, Weizenkeimsalat sowie einem Gericht hervor, das aussah wie Selleriestreifen in einer seltsamen gelben Soße mit braunen Sprenkeln. Während er die Sandwiches auswickelte, las er vor, was auf den Etiketten stand: »Hühnchen mit Grillgemüse. Mal sehen . . . Thailändischer Thunfischsalat. Und Mozzarella mit Tomaten und Basilikum. Welches magst du, Mom?«

Mein Magen fühlte sich an, als hätte ich einen schmutzigen Schwamm verschluckt. Abgesehen davon war mir nicht entgangen, daß die Verdachterregende ein Auge auf das Hühnchen-Sandwich geworfen hatte. Ich fand es passend, egoistisch zu sein. »Ich habe nicht vor, die großzügige Gastgeberin zu spielen. Kann sein, daß mir Gevinski in ein paar Stunden nicht mehr im Nacken hockt, aber im Moment schwebe ich noch in Gefahr, den Rest meines Lebens in der Gesellschaft von Frauen zu verbringen, die sich einen Dreck um Jane Austen scheren. Ich will das Hühnchen-Sandwich.«

»Ich finde es fantastisch, daß Sie sich unter diesen Umständen noch Ihren Humor bewahren«, lobte die Verdachterregende. Einen nach dem anderen hielt sie die Salate ans Licht – auf ihrer nimmermüden Suche nach verborgenen Allergenen.

»Mom«, sagte Ben geduldig. »Es wird alles gut. Das ist sicher nur die übliche Vorgehensweise, um Leute ins Wanken zu bringen, falls sie was verheimlichen wollen.«

»Nein. Die normale Vorgehensweise der Polizei besteht ganz entschieden *nicht* darin, sich so auf einen Verdächtigen zu kaprizieren; das drängt die Leute in die Defensive. Er sollte mich wie eine trauernde Witwe behandeln.«

»Aber er tut es nicht. Das ist doch gut.«

»Nein, das ist schlecht. Das bedeutet, daß er keine Zweifel hat.«

»Liebling«, sagte die Verdachterregende zu Ben, »wenn du mir die Autoschlüssel gibst, fahr' ich in die Stadt und hol' ein paar Flaschen Quellwasser.«

»Gerne, Liebling«, antwortete er.

»Keine Ursache, es macht mir nichts aus!«

»Gute Idee!« mischte ich mich ein und trug ihr eine Getränkeliste einschließlich Snapple French Cherry, Diet Mandarin Orange Slice und Schweppes Bitter Lemon auf. »Vielen herzlichen Dank.« Mit etwas Glück würde ich meinen Sohn eine Stunde lang für mich haben.

»Du machst dir wohl Sorgen über den Altersunterschied«, bemerkte Ben, sobald sie den Raum verlassen hatte. »Und vielleicht auch über den Glaubensunterschied.«

»Ben, nicht jetzt!«

»Wenn du ihr nur einmal eine Chance geben würdest!«

»Ich bin überzeugt, daß sie ganz zauberhafte Eigenschaften

besitzt, aber die kümmern mich im Moment nicht. Könntest du bitte Prioritäten setzen!«

»Und welche zum Beispiel?«

»Zum Beispiel, daß dein Vater ermordet wurde und die Cops deine Mutter im Verdacht haben.«

»Mom, findest du dich nicht ein bißchen melodramatisch?«

»Nein, finde ich nicht. Aber selbst wenn es so wäre, möchte ich um Nachsicht bitten.«

»Gut.«

»Sei bitte ehrlich zu mir.«

»Das bin ich doch immer.« Fast immer. Ben war im Grunde der ehrlichste Mensch unter der Sonne. Außerdem hatte er eine so helle Haut, daß er bei seinen seltenen Versuchen zu lügen knallrote Wangen bekam.

»Wann hast du zum letzten Mal mit deinem Vater gesprochen?«

»Letzten Sonntag.«

»Wer hat da wen angerufen?«

»Er ruft mich jeden Sonntag an.« Damit stand er auf und federte einige Male auf den Fußballen auf und ab. Er wirkte wie ein Sportler auf dem Sprung, der ständig mit einem überraschenden Spielzug rechnet.

»Hat er irgendwas erwähnt, was im entferntesten mit dem Haus zu tun hatte?«

»Nein.«

»Ich werde nicht fragen, was er über mich gesagt hat . . . außer wenn du meinst, es gehört zur Sache.« Ben setzte sich nicht wieder zu mir auf die Couch, sondern verzog sich in die schützende Umarmung eines großen gelben Ohrensessels. »Es ist ganz wichtig, daß wir offen miteinander sind. Wir müssen herauskriegen, was in Daddys Leben vor sich ging. Wir wollen doch der Polizei helfen, den Mörder zu finden. Und wir wollen meine Haut retten. Stimmt's?«

»Stimmt. Dad hat mir gesagt, daß ihr euch wegen dem Geld in

den Haaren liegt, aber er meinte, das wäre einfach deine Art zu versuchen, ihn zu halten.«

»Das ist doch vollkommener Bockmist!«

»Ich hab' gewußt, daß du das sagen würdest!«

»Benjy, ich hatte einen Anspruch auf eine saftige Abfindung. Immerhin hab' ich ihm geholfen, Data Associates aufzuziehen. In den ersten drei Jahren hab' ich alle wichtigen Berichte für sie verfaßt, und danach habe ich alle wichtigen korrigiert. Die Kundenbroschüren und das Handbuch ›Data Associates stellt sich vor‹, das an die neuen Angestellten verteilt wird, stammen auch von mir. Und ich habe ihm seinen ersten großen Kunden an Land gezogen.«

»Ich weiß.« Er hatte die Geschichte erst fünfhundertmal gehört. »Tom Driscoll.«

Ich kannte Tom Driscoll seit frühester Kindheit. Wir waren im selben Apartmentblock in Brooklyn aufgewachsen; er hatte direkt über mir gewohnt. Als Kinder waren wir die besten Freunde gewesen. Einmal hatten wir eine Telefonverbindung aus Orangensaftbüchsen und Bindfaden gebastelt und nachts miteinander telefoniert. Wir waren geblendet von unserem technischen Wunderwerk und ließen dabei ganz außer acht, daß unser Telefon gar nicht funktionierte und wir uns nur hören konnten, weil wir am geöffneten Fenster in die Dosen schrien.

Aber nachdem wir auf zwei unterschiedliche High-Schools gekommen waren, drifteten Tom und ich auseinander. Na ja, ganz auseinander nicht. Im Abschlußjahr kamen wir uns wieder näher. Doch als Tom mit einem Sportstipendium nach Dartmouth ging und ich aufs Brooklyn College kam, verloren wir uns ganz aus den Augen. Im Laufe der Jahre brachte mich allerdings meine Mutter mit berechnender Beiläufigkeit immer auf den neuesten Stand: Tom hat geheiratet, Tom ist stellvertretender Direktor einer sehr vornehmen Privatbank geworden. Tom ist Bankdirektor. Tom hat sich selbständig gemacht, spekuliert jetzt an der Börse. Daher wußte ich, daß er es geschafft hatte. Er war groß rausgekommen.

Keine Ahnung, woher ich die Courage nahm, aber als Richie und Mitch anfingen, Data Associates hauptberuflich zu betreiben, beschloß ich, Tom anzurufen; es dauerte nur noch ein halbes Jahr, bis ich den Mut aufbrachte, ihn zum Lunch einzuladen. Ich nahm mir einen Tag frei und investierte zwölf Dollar in eine Fönfrisur. Und ich konnte ihm Data Associates schmackhaft machen. »Weißt du«, erzählte ich Ben, »Tom hat mir gleich in dem Restaurant, wo wir gegessen haben, einen Jahresvorschuß angeboten. Und weißt du, was ich da gesagt habe?«

»Du hast gesagt, kommt nicht in Frage, und er soll Dads Firma erst mal ausprobieren.«

»Ach, das hab' ich dir auch schon erzählt?«

»Ja.«

»Dein Vater hätte einen Anfall gekriegt, aber ich wußte, daß Tom darauf anbeißt; und es bedeutete, daß ich nicht um Almosen bettelte, sondern daß ich an Dad und Mitch glaubte. Er hat uns tatsächlich ausprobiert. Er wurde der größte Kunde von Data, und sein Name hat andere große Firmen angezogen. Insofern habe ich tatsächlich einen wichtigen Beitrag für die Firma geleistet. Natürlich nicht entfernt soviel wie dein Vater, aber ohne mich hätte er es nicht geschafft – zumindest nicht in dem Ausmaß.«

»Ruhig, Mom.« Ich merkte, daß ich eine Haltung eingenommen hatte, die beides, Kampf und Flucht, ermöglichte: vorgeschobene Schultern, zusammengepreßte Kiefer, vorgestreckter Kopf. Ich schloß die Augen und holte fünfmal tief Luft zur Entspannung.

»Verzeih, Schatz, daß ich mich erzürnte«, fügte ich hinzu. Mir war schwindelig von zuviel Sauerstoff. »Aber mir war einfach danach. Und entschuldige auch, daß ich mich nicht – du weißt schon – mütterlicher gebe. Mein Gott, du hast doch deinen Vater verloren. Es tut mir so leid. Aber ich bin völlig außer mir. Ich weiß im Moment gar nicht, wer ich bin.«

»Kein Problem«, versicherte Ben.

»Sag mir, worüber du sonst noch mit Daddy geredet hast.«

»Dann hat er noch gesagt, daß du den Tatsachen ins Auge sehen mußt und daß er hofft, daß du klarkommst im Leben. Und dann – mal sehen –, daß er mich nicht zwingen will, eine Beziehung zu Jessica aufzubauen, daß er aber überzeugt wäre, daß ich sie mögen würde. Und dann haben wir uns noch über das Giants-Eagles-Spiel unterhalten. Willst du das auch wissen?«

»Selbstverständlich nicht.«

»Dann war's das.« Er drapierte seine endlos langen Beine über die Lehne des Ohrensessels und klappte seine Turnschuhe Größe 14 aneinander, um zu signalisieren, daß er die Unterhaltung als beendet betrachtete. Sie war aber noch nicht beendet.

»Hat er irgendwas über Data gesagt? Neue Kunden, alte Kunden?«

»Nein.«

»Neue Spannungen, alte Spannungen?«

»Nichts, was er erwähnt hätte. Er hat aber sowieso nie übers Geschäft gesprochen.«

»Irgendwas von Mitch Gruen?«

»Nein. Den hat er seit Urzeiten nicht mehr erwähnt.«

»Hat er sich über irgendwas geärgert oder aufgeregt?«

»Bloß über dich«, antwortete Ben leise. »Tut mir leid, Mom.«

Etwa fünf Minuten später bat mich Gevinski, als wolle er mich von dem Vorwurf der Melodramatik freisprechen, ihn ins Polizeipräsidium zu begleiten. »Bat« ist übertrieben. Er drückte es so aus: »Sie kommen jetzt mit aufs Präsidium.« Ich wollte noch abwarten und erst mit einem Anwalt sprechen, sagte ich und fragte, ob er mich nicht nach der Miranda-Vorschrift über meine Rechte aufklären müsse. Er fragte zurück: »Woher wissen Sie über Miranda Bescheid?« Als ich ihm erklärte, ich sei ein großer Krimifan und wisse daher natürlich alles über die Miranda-Vorschrift, schien er aber nicht zuzuhören. Er beschied mir, Miranda sei in diesem Falle nicht anzuwenden und ich müsse mit ihm ins Präsidium kommen. Auf der Stelle. Und mein Sohn Ben könne nicht mitkommen, nein.

Im Vernehmungsraum des Polizeipräsidiums baumelte zwar keine Glühbirne von der Decke, die mich blendete, aber die in zwei Grüntönen gehaltenen Wände, der graue Stahltisch, die grauen Metallstühle mit Kunstledersitzfläche und der große, schmutzige schwarze Abfalleimer waren schon abschreckend genug.

»Machen Sie es sich doch nicht so schwer«, sagte Gevinski.

»Dasselbe könnte ich Ihnen raten«, erwiderte ich. »Allem Anschein nach handelt es sich hier um einen publicityträchtigen Fall. Wenn Sie die falsche Person festnehmen, stehen einige Karrieren auf dem Spiel.«

»Das ist mir bewußt, Mrs. Meyers. Meinen Sie, wir hätten das nicht bedacht?« Seine Krawatte steckte immer noch in seinem Hemd. Ich hoffte inständig, im nächsten Moment würde ein Lieutenant der Mordkommission, der wie Harrison Ford aussah, zur Tür hereinkommen und sagen: Sergeant, ich übernehme den Fall. Aber die Tür blieb geschlossen.

»Mir ist aufgefallen, daß Sie Schwierigkeiten mit diesem schicksalhaften Zufall haben«, sagte ich. »Ich meine, daß Richie ins Haus kam und dort ermordet wurde.«

»Richtig.«

»Aber das Leben steckt voller Zufälle.«

»Bedaure. Hier steckt es mir ein wenig zu voll.«

Ich hätte aus der Haut fahren sollen, aber ich hatte zu große Angst. Daher versuchte ich zu schlucken, um weitersprechen zu können, aber meine Kehle war wie zugeschnürt. Als es mir endlich gelang, gab ich einen Laut von mir, der in Comics immer mit »Würg!« wiedergegeben wird. »Ist Ihnen schon mal der Gedanke gekommen, mein Mann könnte beschattet worden sein?«

»Wir haben den Gedanken erwogen und wieder verworfen. Es gibt keinerlei Anhaltspunkte in dieser Richtung.«

»Bitte, denken Sie doch noch einmal darüber nach! Vielleicht wollte ihm jemand an den Kragen –«

»Und hat ihn bis nach Long Island verfolgt, um ihn in Ihrer Küche umzulegen?«

»Und wenn dieser Jemand wußte, daß er zu mir ins Haus wollte? Das ist doch eine gute Gelegenheit! Richie dort umzubringen. Ich werde beschuldigt, und er kommt davon.«

Er lehnte sich zurück, verschränkte die Finger und legte die Hände auf seinen Bauch. »Ganz ruhig, Mrs. Meyers. Ich bin doch kein schlechter Mensch. Alles, was ich weiß, ist: Sie haben ein Problem. Vielleicht gibt es für alles eine Erklärung. Vielleicht hat er Ihnen eine geklebt. Sie bedroht. War es nicht in gewisser Weise Notwehr?«

Es war sicher besser, den Mund zu halten. Ich hatte Ben beauftragt, Stephanie auf Trab zu bringen, daß sie endlich einen Anwalt ermittelte. Jeden Augenblick konnte jemand mit einem Aktenkoffer durch die Tür spazieren und sagen: Von jetzt an sprechen Sie mit *mir*, Sergeant. Schade nur, daß das meine letzte Chance war, Gevinski zu überzeugen. Oder zumindest die Saat des Zweifels in sein Hirn zu legen.

»Da war doch mehr als ein Reifensatz.«

»Was?«

»Ich habe gesehen, wie Ihre Leute eine weiße Paste in die Reifenabdrücke von meinem Mann geschmiert haben. Aber das waren nicht die einzigen Reifenspuren an der Stelle.«

»Da parkt doch ständig jemand, um bei Ihren Nachbarn Tennis zu spielen.«

»Aber da war eine Spur, die sah genauso frisch aus wie die von Richie. Ich bin nämlich an der Stelle vorbeigekommen und habe mich gefragt, warum Ihre Leute wegen diesen anderen Reifenspuren nicht genauso einen Aufstand machen. Sie haben vermutlich nur Abgüsse davon genommen, weil es Vorschrift ist.«

Seine Brust hob sich mit einem langsamen Ich-bin-ganz-geduldig-Atemzug. »Diese Spuren können auch früher entstanden sein, vor einigen Tagen schon.« Er war so desinteressiert! »Und selbst wenn gestern abend jemand kurz dort angehalten hätte – na und? Der Wagen Ihres Mannes stand in einem Winkel, daß jeder, der den Hügel hochgefahren kam, den Heckreflektor blinken sehen konnte. Wäre ich im Streifenwagen da langgekommen, hätte ich das überprüft. Aber ich hätte auch nur gesehen, daß es ein teures Auto ist, abgeschlossen, keiner drin. Ich hätte gedacht, einer der Anwohner hat Ärger mit dem Wagen und läßt ihn über Nacht da stehen. Dann hätte ich das Kennzeichen durchgegeben und Bescheid bekommen, daß es auf Meyers angemeldet ist, also hätte ich mir gedacht: Keine große Sache, und hätte mich wieder auf den Weg gemacht. Und dasselbe gilt auch für die anderen Reifenspuren: Keine große Sache.«

Wenn einem die Kopfhaut kribbelt, das Herz einen Schlag lang aussetzt und die Hände zu zittern anfangen, dann hat man eine neue Ebene der Panik erreicht, auf der man gar nichts mehr spürt.

»Irgend jemand *muß* das Ganze geplant haben«, erklärte ich ihm.

»Jetzt erzählen Sie mir gleich, es wäre seine Freundin gewesen, ja? Sie hätte gewußt, daß er zu Ihnen fährt. Womöglich hätte sie ihn noch dazu angestiftet. Dann wäre sie ihm nachgefahren, hätte Ihr Fleischmesser gepackt und ihn abgestochen, und damit es besser aussieht, hätte sie zum Abschluß noch ein bißchen mit Tellern um sich geworfen.«

»Ich habe Ihnen doch gesagt, daß ich das Geschirr zerbrochen habe.«

»Verzeihung, ich vergaß. Auf alle Fälle, sie hat ihn umgebracht.«

»Ich habe nicht behauptet, daß sie es war.«

»Wissen Sie, da bin ich ganz Ihrer Meinung. Ich glaube auch nicht, daß sie es war. Sie sind doch kein Dummerchen. Sie kennen sich gut aus. Und Sie lesen gern Krimis. Dann wissen Sie ja alles über Motive. Was hätte sie denn für ein Motiv gehabt? Sie verliert einen Multimillionär als Geliebten, der verrückt nach ihr ist. Und die vielen Millionen kriegen *Sie*.« Er kämmte sich die Haare mit den Fingern zurück. »Also, was könnte denn, aus Ihrer Sicht, *Ihr* Motiv gewesen sein? Er ist mit einer Jüngeren durchgebrannt. Er wollte Ihnen eine satte Abfindung zahlen, aber womöglich hatten Sie ja das Gefühl, Ihnen stünde alles zu.«

»Sie denken überhaupt nicht nach! Ich bin tatsächlich eine Frau mit Köpfchen. Wenn ich ihn umbringen wollte, warum hätte ich es in meinem eigenen Haus tun sollen?«

»Weil Ihre Tat nichts mit Köpfchen zu tun hatte, Mrs. Meyers. Ich glaube nicht, daß Sie monatelang dagesessen und den perfekten Mord geplant haben. Sie entdeckten ihn bei sich im Haus, verloren die Beherrschung und brachten ihn um.« Er äußerte ein Zeichen des Bedauerns für das, was ich gerade durchmachte, einen traurigen Seufzer. »Glauben Sie mir, ich kenne das Leben. Es ist nicht nur schwarz und weiß. Es hat viele Graustufen. Vielleicht haben Sie sogar eine vollkommen einleuchtende Begründung. Deshalb bitte ich Sie: Erzählen Sie es mir jetzt, dann kann ich eventuell etwas für Sie tun. Wenn Sie es mir erst später erzählen, läuft nix mehr.«

»Da gibt es nichts zu erzählen.«

Er stand auf und wartete darauf, daß ich mich erhob. »Heute nachmittag wird die Leiche freigegeben. Also sehen wir uns wohl das nächste Mal bei der Beerdigung.« Er schlurfte zur Tür und hielt sie auf. »Schade, daß wir uns nicht einigen konnten, Mrs. Meyers.«

6

»Auf der Heimfahrt haben mich die Cops beschattet!« Ich gab mir gar nicht erst Mühe, das Kreischen in meiner Stimme zu unterdrücken. Ben faßte mich tröstend um die Schultern, aber seine Lippen waren weiß wie damals im Kindergarten, als er Magen-Darm-Grippe bekam und ständig kurz davor war, sich zu übergeben. »Zwei Typen in einem grauen Auto!« Armer Junge: Mütter müssen milde sein, die warme Milch der Menschheit, doch ich krakeelte und zitterte.

Die Verdachterregende schien zu einem Wortbeitrag anzusetzen, überlegte es sich dann aber kurzfristig anders; vermutlich war das, was sie sagen wollte, nicht langweilig genug. Da kam Alex hereinspaziert.

Abgesehen von seinem schulterlangen Haar, dem dunklen Dreitagebart, den zerfetzten, ausgebleichten Jeans und den dreckigen, brüchigen Lederstiefeln sah Alex mit seinen schwarzen, zusammengekniffenen Augen und den tiefen Falten um den Mund Richie dermaßen ähnlich, daß ich mich einen Moment abwenden mußte. Als ich wieder hinsah, erkannte ich meinen Sohn, dessen wilde Rockstarfrisur seine abstehenden Ohren verdeckte. Zärtlich legte er seine Gitarre auf den Tisch in der Bibliothek und ließ dann Rucksack und Lederjacke auf den Fußboden fallen. Ich umarmte ihn stürmisch.

»Das ist ein Alptraum, Alex!«

»Ich weiß, Mom.«

Er wollte mich in die Arme schließen, glaube ich. Weil aber sein großer Bruder mit im Raum war, klopfte er mir nur auf den Rücken wie einem Baby, das ein Bäuerchen machen soll.

Dann widmeten sich Alex und Ben dem gegenseitigen Armboxen auf Männerart, gefolgt von einem flüchtigen Wangenkuß.

»Hey, Alex!«

»Big Ben.«

»Ist das zu glauben?«

»Nein«, bekräftigte Alex, »nicht zu glauben.«

»Das letzte Mal, als ich mit ihm gesprochen hab'«, sagte Ben, »hab' ich ihn um Geld angehauen. Für so 'n Fernseh-Video-Turm mit Stereo. Dabei brauch' ich den Scheiß überhaupt nicht. Teufel, wer hat schon Zeit zum Fernsehen?«

Alex' rechte Mundhälfte schob sich zu einem halben Grinsen nach oben – genau wie bei Richie. »Ich hab' ihm beim letzten Mal gesagt, fahr zur Hölle.« Sein Grinsen schlug in ein nervöses Zucken um.

Ben legte die Arme um Alex und hüllte ihn förmlich ein. Ich konnte es nicht fassen, wie unterschiedlich meine Söhne waren. Groß – klein. Hell – dunkel. Muskulös – drahtig. Offen – verschlossen. Sie hätten ebensogut zwei verschiedenen Gattungen angehören können.

Während Alex kurz in der Umarmung seines großen Bruders verweilte, warf ich »Verdachterregende Speisen« einen Blick zu, der heißen sollte: Familiensache, strikt privat. Sie klimperte nur mit ihren aufgeklebten Pelzwimpern. Daher sagte ich: »Wenn Sie nichts dagegen haben, wäre ich gern mit meinen Söhnen allein.« Sie schien mich zu verstehen, denn sie murmelte etwas von einem Anruf bei einem Mann mit Ausschlag in den Achselhöhlen und verzog sich.

Ich faßte die Jungen bei den Händen. Bens Hand war eine riesiggroße, starke Pranke, und seine Haut war rissig vom vielen Händewaschen im Krankenhaus. Alex' Hand war kleiner und zarter. An den Fingerkuppen hatte er Schwielen vom Gitarrespielen. Ich musterte ihn von Kopf bis Fuß. Er trug ein schmuddeliges Unterhemd; durch zwei Risse lugte sein lockiges Brusthaar hervor. »Alex«, sagte ich.

»Hm?«

»Ich möchte, daß du dir zur Beerdigung Jackett und Krawatte anziehst, was auch passiert.«

»Was auch passiert? Was soll denn noch passieren?«

»Mom hat ein kleines Problem«, fing Ben an.

Ich fiel ihm ins Wort: »Mom hat ein großes Problem.« Dann klärte ich die beiden über die Vorkommnisse in Gevinskis Büro auf. Alex senkte den Kopf und starrte auf seine Stiefel. Ben plumpste auf eine Couch und verbarg sein Gesicht in den Händen. Als seine Schultern anfingen zu beben, merkte ich, daß er weinte. Ich setzte mich neben ihn, nahm ihn in den Arm und glättete sein weiches Haar. »Ganz ruhig, Benjy.«

»Ach Mom! Was willst du denn jetzt machen?« fragte er.

Ich warf einen raschen Blick zu Alex. Er kam herüber und setzte sich an meine andere Seite. »Ich weiß auch nicht, was ich machen soll.« Wir schwiegen eine lange Zeit. »Ich kann das alles gar nicht glauben«, erklärte ich ihnen dann. »Erst mal muß ich mit dem Anwalt sprechen. Wenn sich nur Stephanie endlich in Bewegung setzen würde!«

»Wie können die dich denn verhaften?« wollte Alex wissen. »Das ist verdammt noch mal das Blödeste, was ich in meinem ganzen Leben gehört hab'!« Er zwinkerte ununterbrochen. Vielleicht versuchte er, seine Tränen zurückzuhalten. Vielleicht stand er auch unter Drogeneinfluß. Es war schwierig, Alex zu durchschauen.

Da war mehr als nur eine körperliche Ähnlichkeit mit Richie; Alex benahm sich auch genau wie sein Vater. Wie bei Richie war zu spüren, daß Alex intensive Gefühle bewegten. Da er aber nie in Betracht zog, sich jemandem anzuvertrauen, hatte man keine Ahnung, welche Gefühle das sein mochten. Der einzige Mensch, der ihn wirklich verstanden hatte, war Richie gewesen – und der hatte immer gesagt, Alex sei ein durchtriebenes kleines Aas. Wie der Vater, so der Sohn: geborene Spielernaturen, Verführer, Charmeure und augenscheinlich beides Männer, die nicht von einem allzu strengen Gewissen geplagt wurden. Eines aber hatte Richie nie begriffen, nämlich wie sehr Alex ihn liebte. Und hier, so beteuerte ich mir, endete die Ähnlichkeit der beiden. Richies erhabenstes Gefühl war Leidenschaft; Alex besaß ein liebendes Herz.

Natürlich hatte auch Ben seinen Vater geliebt. Doch obwohl er Richie mit seinen sportlichen und schulischen Leistungen erfreut hatte, war er immer ein viel zu netter Mensch gewesen, als daß sein Vater sich ernsthaft für ihn interessiert hätte.

»Alex, was deine letzte Unterhaltung mit Daddy angeht . . .«, begann ich. »Wann war das?«

»Als er mir wegen seiner Amex-Karte den Arsch aufgerieben hat; ist 'n paar Monate her.«

»Hat er dir keine Briefe geschickt?«

»Bloß den einen, für den ich unterschreiben mußte. Da stand drin, wenn ich nicht mit dem Scheiß –«

»Mußt du unbedingt so reden?«

»Du kennst das Wort doch auch, Ma.«

»Natürlich kenne ich das Wort. Aber du sollst es nicht vor mir in den Mund nehmen.«

»Sehr wohl, Mutter. Also, da stand drin, wenn ich mich nicht zusammenreiße, würde er mir nicht nur die Zahlungen einstellen, sondern mich außerdem enterben.« Dann, als sei es ihm eben erst eingefallen, erkundigte er sich: »Hat er?«

»Nein. Jetzt hört mal zu, ihr beiden. Ich will euch nicht unnötig aufregen, aber ihr müßt über alles Bescheid wissen.« Die Jungen nickten. »Ich hoffe, es versteht sich von selbst, daß ich euren Vater nicht umgebracht habe.«

»Sei doch nicht albern«, sagte Ben.

Alex wickelte sich eine seiner langen Locken um einen Finger. »Ma, anscheinend kapierst du nicht.«

»Was kapiere ich nicht?«

»So lange dich dieser Gevinski für die Mörderin hält, sucht er nicht nach dem, der's wirklich war.«

»Ihr könnt mir glauben, daß ich nur zu gut kapiere.«

»Dann bleibt der Fall ein für allemal geschlossen!« stöhnte Ben.

Ich schickte die Jungen nach oben, damit sie Richies Schwester, Carol die Kaschmirkönigin, anriefen und die Bestattungsfeierlichkeiten mit ihr planten. Ich blieb so still sitzen, daß ich meinen Puls im ganzen Körper klopfen hörte, und lauschte der Standuhr, wie sie die Viertelstunden schlug.

Kurz vor sieben brachten Cass, Stephanie und Madeline das Abendessen. Stephanie hatte natürlich alles zubereitet, aber Cass half ihr, die Tabletts hereinzutragen. Madeline faltete Servietten zusammen und wieder auseinander. Eine rollte sie zu einer Walze und hielt sie so vor sich hin, daß sie schlaff herabhing. »Das männliche Geschlecht!«

»Wie originell«, murmelte Cass. Vor Jahren hatte sie mit Madeline demselben Bibliotheksausschuß angehört. Sie hatte sie zwar nicht gut gekannt, aber in Erinnerung behalten, daß sie eine Leseratte war. Daher hatten wir alle drei zugestimmt, als Madeline bei ihr anfragte, ob sie bei unserem Morgenmarsch mitmachen dürfe: Ein heller Kopf wäre uns gute Gesellschaft. Zudem war sie aufmerksam und schnitt Buchkritiken für uns aus oder rief an, wenn auf irgendeinem obskuren Kabelkanal einer unserer Lieblingsautoren interviewt wurde. Andererseits blieb sie manchmal, gerade wenn wir in zügigem Tempo daherschnauften, abrupt stehen, weil sie von der Muse geküßt wurde. Während wir auf der Stelle weitertrabten, deklamierte sie frei nach Emily Dickinson: *Keine Fregatte ist wie ein Buch* ... Nach ihrer Scheidung vor zwei Jahren war sie allerdings selbst feministische Kulturschaffende geworden und rezitierte nun eigene Lyrik.

»›Meine Ehe‹«, verkündete sie plötzlich.

»Ist das eins von deinen Gedichten?« erkundigte ich mich, bemüht, Furcht und Abscheu aus meiner Stimme zu verbannen.

»Ja. Aber es handelt nicht nur von *meiner* Ehe.«

»Was ihm eine gewisse Allgemeingültigkeit verleiht«, wandte Cass träge ein.

»Ja!« Madeline warf mir einen schnellen Blick zu und biß sich auf die Lippe. »Pardon. Vielleicht ist jetzt der falsche Augenblick dafür.«

»Aber nein, nein«, wehrte ich ab. »Mach nur.« Sie gab ein derartiges Bild des Jammers ab mit ihrer schwarzen Hose, dem schwarzen Pullover und ihrer Hell's-Angels-Lederweste. Aber keine von uns hätte es übers Herz gebracht, ihr zu sagen, sie solle es lieber lassen.

Madeline räusperte sich. »Vor Furcht, meine Seele / Explodiert / Von der Leere darin / wagte ich nicht zu atmen.«

Ich wartete, bis mir klarwurde, daß das Gedicht zu Ende war. »Sehr gut«, lobte ich.

»Und warum hat der *New Yorker* es dann abgelehnt?«

»Die sind da schrecklich konventionell«, erklärte ich.

Madeline war nie sonderlich humorvoll gewesen, geschweige denn auch nur ansatzweise amüsant, aber sie hatte früher ein freundliches Wesen besessen. Dann hatte ihr Mann sie verlassen, nicht wegen einer anderen Frau, sondern wegen anderer Frauen, und zwar vielen. Das hatte sie verbittert. Ich kann nicht beurteilen, ob ihr Schicksal mehr oder weniger schmerzhaft war als das, was Richie mir angetan hatte. Auf alle Fälle war Myron Michael Berkowitz, seines Zeichens Kieferchirurg, in eine Junggesellen-Eigentumswohnung umgesiedelt, die als besondere Attraktion einen Swimmingpool mit eingebautem Wasserfall aufwies. Madelines Arbeit, das Verfassen von Kreuzworträtseln, war nie eine hauptberufliche Tätigkeit gewesen, doch anstatt nun weiter Rätsel zu erfinden, um ihren plötzlichen finanziellen Einbruch wettzumachen, hatte sie die Arbeit an den Nagel gehängt und war Ganztagspoetin auf Unterhaltsbasis geworden.

Von der verkniffenen Madeline mit ihrer fleckigen Haut sah ich zu Stephanie und ihrem Pfirsich-mit-Sahne-Teint hinüber. Sie hatte das ganze Essen auf dem Tisch im Eßzimmer ausgestellt und holte gerade ein Kräuternetz aus ihrer Jute-Einkaufstasche. Aus einem Kressekarton rupfte sie einzelne Keime, die sie kreisförmig um das eingelegte Grillgemüse anordnete. Sie streute willkürlich Dillzweiglein über den pochierten Lachs und pflanzte nach kurzem Überlegen eine regelrechte Rosmarintanne mitten in die Schüssel mit rotem Kartoffelsalat. »Danke!« hauchte ich, während sie in einem Weidenkorb Sauerteigstangen und selbstgebackene Siebenkornbrötchen auslegte.

»Mir brauchst du nicht zu danken. Ich habe sämtliche Menüs durchgeplant, damit du dich in deiner Trauerwoche nicht ums Kochen kümmern mußt. Es ist wirklich ein sehr vernünftiger Brauch.« Sie steckte mir einen Zettel mit dem Namen eines Anwalts in Manhattan zu und erklärte, niemand aus ihrem Bekanntenkreis habe ihr einen guten Strafverteidiger auf Long Island nennen können. Aber sie habe sich gedacht, ich bräuchte umgehend einen Rechtsbeistand. »Er ist der Seniorpartner meiner alten Firma«, bekannte sie. »Persönlich habe ich nie mit ihm zusammengearbeitet, aber er hat einen Superruf.«

Ich konnte nicht umhin, mich zu fragen, ob Stephanie es nicht manchmal bereute, ihre Anwaltskarriere zugunsten von Blätterteig aufgegeben zu haben. Nicht zum ersten Mal tat sie mir leid, weil ihre Schönheit nicht gebührend gewürdigt wurde und weil sie diesen desinteressierten Ehemann hatte. Aber dem Mitleid sind Grenzen gesetzt. Nach ihrer Bemerkung über die Trauerzeit mußte ich damit rechnen, daß sie jeden Moment zu einem ihrer prosemitischen Monologe anheben würde: Was-für-*tolle*-Juden-ich-kenne-und-mit-jedem-von-denen-kann-man-sich-unbedingt-sehen-lassen. Ich überlegte, ob ich es wagen konnte, einen Teller Lachs in mein Zimmer zu entführen.

Zum Glück kamen in diesem Augenblick Alex und Ben – mit der Verdachterregenden – ins Zimmer. Erstaunlicherweise hatte sich Alex nicht nur rasiert, sondern sich auch das Haar mit einem ganzen Liter Gel aus der Stirn gestrichen, was seine Ähnlichkeit mit Richie noch frappierender machte. Sogar Cass, die ihn am besten kannte, mußte zweimal hinsehen. Madeline klatschte sich verwundert mit dem Handrücken vor die Stirn. »Das glatte Ebenbild deines Vaters!« Und Stephanies Kiefer sank schlaff herab; sie sah aus, als hätte man ihren Intelligenzquotienten auf einen Schlag um hundert Punkte gekappt. »O du meine Güte!« keuchte sie.

»Wie geht's, wie steht's, die Damen?« fragte Alex in die Runde. Irgendwo mußte er einen typischen Rock 'n' Roller-Akzent aufgeschnappt haben, der klang, als wäre er in einem Bordell in New Orleans aufgewachsen.

»Danke, Alexander, prima«, antwortete Stephanie, unfähig, sich von seinem Anblick loszureißen. Schön, Cass hatte schon immer die Theorie vertreten, Stephanie müsse mal in Richie verschossen gewesen sein. Ich hatte widersprochen: Niemand aus unserem Bekanntenkreis hätte Stephanie als Frau mit sexuellen

Interessen bezeichnet. Allerdings war mir einmal beim gemischten Doppel mit unseren Gatten aufgefallen, daß sie die Gewalt über ihre Rückhand verlor, als ihr Blick auf die Wölbung in Richies Tennisshorts fiel.

Mittlerweile gab es für Madeline kein Halten mehr. »Ich hoffe nur, du schlägst ihm in deinem Umgang mit Frauen nicht nach«, ermahnte sie Alex.

»Madeline!« rief Cass dazwischen. »Darf ich dir einen Maulkorb anbieten?«

Die Angesprochene rümpfte die Nase über Cass und wandte sich an mich. »Erinnerst du dich noch an ›*Männ*schliches Wesen‹? Das hab' ich letztes Jahr geschrieben: ›Du gingst / Nicht leise / Sondern in schreiender Böswilligkeit. / Du kamst nicht wieder / Und nahmst nicht wahr / Das Loch, das sich in meinem Herz breitmachte.‹«

»Ich erinnere mich«, gab ich zu. »Sehr bewegend.«

Cass stöhnte entnervt und ging zu den Jungen, um sie zu küssen. Ben schien ihr Anblick wirklich aufzumuntern. Sie hatte die Verdachterregende bereits früher kennengelernt und schüttelte ihr nun, etwas zu überschwenglich für meinen Geschmack, die Hand. Alex begegnete Cass mit gemischten Gefühlen. Vor vier Jahren hatte sie den Mut aufgebracht, der seinen anderen Lehrern fehlte, und ihn aus ihrem ›Förderunterricht Englisch‹ geschmissen mit der Bemerkung, ihre Kollegen hätten sich geirrt. Er sei kein Leistungsverweigerer, sondern ein Esel.

Wir sieben setzten uns zu Tisch. Einige unerträgliche Augenblicke lang konnten wir die Kronleuchterkristalle von unserem Atem klimpern hören, während wir unbehaglich auf den Stühlen hin und her rutschten. Niemand wußte etwas zu sagen. Zu guter Letzt befragte Cass Ben nach seinen Plänen für das Praktikum und Alex, welches Publikum »Cold Water Wash« ansprechen wolle. Das Klimpern ging in der Unterhaltung unter. Allmählich wurde es fast ein normales Abendessen.

Ganz normal konnte man es natürlich nicht nennen, da Madeline Cass aus Versehen Stephanies Dill-Joghurt-Dressing auf den Schoß kleckerte und kurz darauf forderte: »Ruhe bitte! Ich brauche absolute Ruhe!« – vermutlich um ihrer Muse zu lauschen. Aber wenigstens konnte sie mit vollem Mund nicht rezitieren.

Cass behauptete immer, hinter Madelines Boheme-Fassade brodele es, seit sie ihrem Gatten Myron nicht mehr vorwerfen könne, er habe mit seinem Spott über ihre künstlerischen Ambitionen ihre dreißigjährige Schreibblockade verursacht. Jetzt, nach der Scheidung, müsse sie die Karten auf den Tisch legen, und ihre Werke seien derartig mies, daß nicht einmal der denkbar tolerante *Shorehaven Sentinel* sie veröffentlichen wolle.

Meine Theorie war, Madeline hätte so viele Jahre als Mrs. Berkowitz gelebt, daß sie nun Schwierigkeiten habe, aus dieser Rolle auszubrechen. Nach dem Abgang von Myron und seinem blendenden, verblendeten Gebiß sei sie verzweifelt bemüht, ihre Identität zu finden. Ob es denn so schlimm sei, wenn sie sich als Dichterin empfand? Doch zwei Jahre nach der großen Zurückweisung durch M. M. B., seines Zeichens Kieferchirurg, bestand ihr Gesamtwerk nur aus einem Stapel Ablehnungen von Verlagen.

Ich schob eine Auberginenscheibe auf meinem Teller herum. Sie hatte schwarze Grillstreifen. Wie Gitterstäbe, dachte ich. Oder Sträflingsstreifen. Ich konnte nichts essen. Ich wußte nicht, wie mir geschah.

»Ich hab' sie nur mit ganz wenig Öl gebraten«, sagte Stephanie, um mir Mut zu machen. »Kaltgepreßtem Olivenöl.«

»Vielleicht bist du doch ein ganz klein wenig egozentrisch«, gab Madeline zu bedenken. »Vermutlich läßt sich das bei jemandem wie dir auch nicht vermeiden. Aber es liegt nicht an deinem Essen; Rosie kriegt einfach nichts runter. Habt ihr mal *Sexismus und Rassismus* von Angela Davis gelesen?« Sie erwartete, daß wir zugaben, es nicht zu kennen.

»Ja«, antwortete Cass. »Aber was hat das damit zu tun, daß Rosie Stephanies Gemüse nicht ißt?«

»Das solltest gerade du verstehen«, erwiderte Madeline.

»Tu ich ja auch!« bellte Cass.

»Ich bin außer mir«, gab ich ruhig zu bedenken und beendete damit ihren Streit.

»Ach Rosie!« gab Cass zurück. »Verzeih uns unser gedankenloses Geplänkel.«

Stephanie sah aus, als sehnte sie sich danach, in ihrem Gewächshaus Kompost zu schaufeln.

Madeline schüttelte den Kopf vor Gram über die *Condition humaine.* »Würde es eventuell deinen Schmerz lindern, wenn ich dich daran erinnere, was für ein Mistkerl er war?« fragte sie mich.

»Er war der Vater meiner Söhne, Madeline, die zufällig mit uns am Tisch sitzen.«

»Die sind doch keine Kinder mehr!« verteidigte sie sich. Ben starrte auf seinen Teller. Alex wog abschätzend den Kartoffelsalat in der Hand, während er zu überlegen schien, ob er Madeline die Schüssel über den Kopf stülpen sollte. Sie sah ihn und beeilte sich hinzuzufügen: »Hoffentlich denkt jetzt keiner von euch, ich hätte gemeint, daß er es verdient hätte, umgebracht zu werden.«

»Gibt's was Neues von der Polizei?« Stephanie klang um einiges zu vergnügt, aber fairneßhalber muß gesagt werden, daß sie vielleicht nur Madeline von einem potentiellen Haiku abhalten wollte.

Ich schüttelte den Kopf: nichts Neues. Die Sache mit Gevinski konnte ich ihnen nicht erzählen. Ich hielt mich nicht für widerstandsfähig genug, ihr Mitgefühl zu ertragen.

»Wen haben die denn im Verdacht?« erkundigte sich Madeline. »Dieses Weib von ihm?« Wieder schüttelte ich den Kopf. »Wen denn dann?«

»Sie haben eine Verdächtige«, teilte ich leise mit.

»Meinen die das wirklich ernst?« Stephanie wirkte erschüttert.

»Verdammt ernst.«

»Alex«, mahnte die Verdachterregende, »würdest du bitte deinem Bruder den Kartoffelsalat reichen?«

»*Was* meinen die ernst?« verlangte Madeline zu wissen.

»Die glauben, ich wär's gewesen«, brachte ich hervor.

»So was von meschugge«, befand Ben, der auf seiner Gabel eine rote Pepperonischote balancierte.

»Was du auch getan hast, dich würde keine Frau auf der Welt schuldig sprechen!« urteilte Madeline. »Der hat dich betrogen. Weißt du noch, das Gedicht, das ich an dem Tag geschrieben habe, als er dich verlassen hat – nach dieser Farce von einer Silberhochzeit? ›Silberjubiläum / Eine Liebesnacht / Ja, Liebe und goldenes Lachen / Bis zum bleiernen Tag / Da der eiserne Mann / Eisern –«

»Mrs. Berkowitz«, sagte Alex mit seinem Heldenbariton.

Sie ärgerte sich über die Unterbrechung. »Was ist?«

»Halten Sie verdammt noch mal Ihr saublödes Maul!«

Ich erstarrte. Madeline erstarrte. Wir alle erstarrten. Dann stieß sich Madeline mit solcher Wucht vom Tisch hoch, daß ihr Stuhl zu Boden krachte. Sie stemmte die Hände in die Hüften und wartete. Eine Sekunde, zwei Sekunden, drei Sekunden. Sie starrte Alex an. Er funkelte zurück, bis sie den Blick abwandte und mich anstarrte. Ich schwieg. Madeline stürmte hinaus.

Stephanie sprang auf, fand zu ihrem schwungvollen Na-dann-woll'n-wir-mal-Tonfall zurück und fragte, ob die Polizei die Küche wieder zur Benutzung freigegeben habe. Als ich bejahte, machte sie sich eifrig ans Werk, den Tisch abzuräumen. Mir fiel auf, daß Alex ihr jedesmal, wenn sie hereinkam, um weiteres Geschirr zu holen, heimliche Blicke zuwarf. Was er so unwiderstehlich fand, war nicht Stephanies schönes Gesicht allein; er war scharf darauf herauszufinden, was sich unter ihrem schlabbrigen blauen Twinset und ihrer ausgebeulten Tweedhose versteckte. Irgendwann bot er sich sogar an, ihr zu helfen, doch sie sagte: »Bitte, keine Umstände!« Er blickte ihr in die großen, strahlenden Augen. Für den Bruchteil einer Sekunde starrte Stephanie fasziniert zurück. Dann zog sie sich verwirrt und schamrot in die Sicherheit der Küche zurück, um den Lachs in Frischhaltefolie zu wickeln. Natürlich nahm Ben überhaupt keine Notiz von ihr; er hielt unter dem Tisch mit der Verdachterregenden Händchen.

»Ich hab' draußen ein paar Männer gesehen«, flüsterte Cass mir zu. »Unten an der Einfahrt, in einem grauen Auto. Und zwei vor dem Haus.«

»Was? Vorhin, als ihr gekommen seid?«

»Ja. Lungern die dort regelmäßig herum?«

»Ich werde rund um die Uhr bewacht.«

»Diese Vollidioten!«

»Hast du denn gar keine Zweifel, Cass?«

»Woran?«

»Ob ich es nicht doch gewesen bin.«

»Nicht den leisesten, Rosie.«

In dieser Nacht regnete es. Es war ein kalter Herbstplatzregen, der auf dem trockenen Laub wie ein Trommelwirbel klang. Meine letzten Gedanken, bevor ich in einen Schlaf fiel, der eher einer Ohnmacht glich, waren, daß die Nachtluft gut roch und daß ich den Cops, die draußen im Regen standen und mich überwachten, eine Kanne Kaffee hätte bringen sollen.

Forrest Newel, Esquire, von Johnston, Plumley & Whitbred, sah aus wie der pompöse Anwalt des Establishments aus den Detektivromanen von Ross MacDonald, der von jedem seiner Mandanten ein unappetitliches Geheimnis kennt. Seine altmodische Nickelbrille schwankte bedenklich auf seiner hochangesetzten Nase. Aus der Weste seines Nadelstreifenanzugs baumelte eine goldene Uhrkette. Ich trug ein Kostüm – mein einziges: das graubraune Ding, der letzte Schrei vom letzten Jahr. Es kratzte.

Hinter Forrest Newel rahmte ein Fenster die Türme und Türmchen der Skyline von Manhattan, als sei sie ein Gemälde in seinem Besitz. Zu einem Stundensatz von vierhundert Dollar hörte er sich meine Geschichte an, räusperte sich dann ausgiebig, um etwas Großes und Feuchtes in seinem Hals zu lösen, und verkündete: »Mir scheint, Sie sitzen ganz schön in der Tinte, Mrs. Meyers.«

Für gewöhnlich bin ich nicht der rationale, logisch denkende Frauentyp, der aus dem Nacheinander von A, B und C auf das zwingende Folgen von D schließt. Auch bin ich nicht der Typ, der in ganzen Sätzen denkt. Doch gleich nach Forrest Newels Worten schoß mir ein rationaler Gedanke durch den Kopf, der zugleich ein vollständiger Satz war: Wenn ich ins Kittchen muß, komme ich erst als alte Frau wieder raus.

Nur die Ruhe bewahren, warnte ich mich. Jetzt ist nicht der richtige Zeitpunkt, um dramatisch zu werden. »Die können mich also einfach festnehmen?«

»Vermutlich nicht vor der Beerdigung, und natürlich wäre ein Haftbefehl erforderlich.«

»Ist der schwer zu kriegen?«

»In Ihrem Fall leider nicht. Wegen dieses« – er fing sich gerade noch rechtzeitig, bevor ihm vor einer Dame ein Fluch herausrutschte – »dieses Messers mit Ihren Fingerabdrücken. Das macht die Sache kritisch.« Es wäre mir lieb gewesen, er hätte angesichts meiner mißlichen Lage die Stirn gerunzelt oder die Hände gerungen, aber er saß vollkommen gefaßt auf seinem Thron aus braunem Leder, die Hände locker vor sich verschränkt. Nein, weit gefehlt: Forrest Newel war so unerschütterlich gelassen, daß er sich überhaupt nicht rührte. Die Worte schlüpften ihm beim Sprechen durch die kaum geöffneten Lippen. Ich hatte Mühe, ihn überhaupt zu verstehen. »Ich würde nicht ausschließen, daß ich mir gelegentlich den Staatsanwalt zur Brust nehme, aber eine Festnahme ist zumindest wahrscheinlich, wenn nicht unvermeidlich.«

»Aber es sind doch alles nur Indizienbeweise! Er wurde mit meinem Messer in meinem Haus erstochen. Mehr nicht.«

»Mehr nicht? Auf der Mordwaffe befanden sich Ihre Fingerabdrücke.«

»Ich hab' Ihnen doch schon gesagt –«

»Mrs. Meyers, das Problem ist, daß es keinerlei Hinweis auf die Anwesenheit einer weiteren Person in Ihrem Hause gibt.«

»Da *muß* aber jemand gewesen sein, verdammt noch mal!« brüllte ich. Forrest Newels Kopf zuckte nach hinten. »Der Mörder war *da*!«

»Mrs. Meyers, ich bitte Sie, fassen Sie sich.« Ich mußte mich nach vorn beugen, um ihn zu verstehen. »Wenn sich in Ihrem Haus ein Mörder befand, dann wird die Polizei das früher oder später feststellen. Sie dürfen nicht vergessen, daß der Autopsiebericht noch aussteht, ganz zu schweigen von den anderen forensischen Untersuchungen. Vielleicht steht ja in einem der Berichte: ›Das Messer wurde *post mortem* bewegt.‹ Wäre das nicht herrlich?« Herrlich? dachte ich. Dieser eingebildete Schnösel hat doch in seinem ganzen Leben noch keine Strafsache verhandelt!

»Haben Sie viel mit Mordfällen zu tun?« fragte ich.

»In letzter Zeit nicht mehr. Aber ich habe drei Jahre als Unterstaatsanwalt bei Frank Hogan hinter mir, hier in Manhattan, damals in den fünfziger Jahren.« Meine Gesichtsfarbe muß von einem kranken Weiß zu einem noch kränkeren Grün gewechselt haben, denn er fügte hinzu: »Mord, Insiderspekulationen, Steuerhinterziehung ... für einen Prozeßanwalt ist das alles eins. Prinzipien der Jurisprudenz und so weiter. Wollen die Daumen drükken, daß diese anderen Tests glattlaufen – aber lassen Sie uns auch nicht gleich übertrieben optimistisch werden.«

Ich versuchte, mir selbst eine enthusiastische Fürsprecherin zu sein. »Die Untersuchungen ergeben bestimmt, daß die Reifenabdrücke um Richies Wagen herum von mehreren Autos stammen.« Hätten Forrest Newels Augen nicht offengestanden, ich hätte schwören können, daß er eingeschlafen war. Seine Westenbrust hob und senkte sich regelmäßig. Er war vollkommen entspannt. Daher hob ich mit aller Inbrunst, die ich aufbieten konnte, an: »*Bitte!* Da lag Erde auf dem Küchenboden. Ich denke mir folgendes: Richies Auto stand gleich an der Straße. Warum sollte er soviel Matsch an den Schuhen gehabt haben? Es hatte doch nicht geregnet. Machen die bei so was keine Tests?«

»Zunächst zu den Reifenabdrücken«, sagte Forrest Newel. »Wie Sie mir selbst sagten, wird der betreffende Parkplatz häufig von Leuten benutzt, die bei Ihren Nachbarn Tennis spielen. Und was den Matsch anbelangt, den Sie offenbar als Entlastungsmaterial betrachten, so wird die Polizei behaupten, Ihr Gatte habe ihn hereingetragen.«

»Sie denken, ich hätte meinen Mann umgebracht.«

»Wie ich allen meinen Mandanten sage, spielt es keine Rolle, was ich denke. Entscheidend ist, was das *Gericht* denkt.«

»Ich habe ihn nicht ermordet!«

»Kein Grund zur Aufregung, Mrs. Meyers. Das ist noch nicht das Ende. Es ist nur der Beginn eines langen Weges.«

»Meinen Sie, ich muß ins Gefängnis?«

»Das will ich doch nicht hoffen.«

»Halten Sie es denn für wahrscheinlich?«

»Sollten wir irgendeinen Anhaltspunkt finden, daß Sie nichts mit dem Tod Ihres Mannes zu tun haben, oder die Polizei überzeugen können, daß ein anderer Verdächtiger mehr Aufmerksamkeit verdient, dann wären Sie gewissermaßen aus dem Schneider. Anderenfalls müßte ich Ihnen raten, sich schuldig zu bekennen, um so eine Strafminderung zu erwirken. In diesem Falle, das muß ich Ihnen leider mitteilen, kämen Sie für eine gewisse Zeit hinter Gitter.«

Als ich wieder sprechen konnte, fragte ich: »Was heißt ›eine gewisse Zeit‹?«

»In der schlechtesten aller Welten?« Er schmunzelte, fing sich aber rasch wieder und setzte seine Pessimistenmiene auf. »Nicht länger als zwölf bis fünfzehn Jahre.« Ich erhob mich. »Aber das ist eher unwahrscheinlich. Ich bin sicher, daß es weniger wird.«

Wir verabschiedeten uns. Mir war flau im Magen. Mein Frühstücks-Bagel und der fettarme Frischkäse schienen in meiner Luftröhre festzusitzen, was allein mich daran hinderte, den bitteren Satz meines Morgenkaffees über den glänzenden schwarzen Granitfußboden im Foyer von Johnston, Plumley & Whitbred zu speien. Mein Spiegelbild – eine ganz normale Frau in einem zu schicken Kostüm – war im Granit gefangen.

Das letzte Ruckeln des Aufzugs vor dem Öffnen der Tür gab mir den Rest. Ich trat auf die Park Avenue hinaus. Sie schien ausschließlich von bedeutenden Karrierefrauen bevölkert – austauschbaren, armreifbehängten Frauen mit ausgemergelten Habichtgesichtern und glänzendem Haar. Sie trugen keine graubraunen Kostüme. Nicht in dieser Saison. Sie wußten, daß karierte Kostüme angesagt waren, deren lange Röcke bis zur Hälfte ihrer dunkel bestrumpften Waden hinabreichten. Ich zwängte mich durch die Menge, und – man höre und staune – diese Frauen wußten auch, daß es angesagt war, mir Platz zu machen. Achtung! telegrafierten sie einander zu. Hyperventilierende Vorstädterin!

Aber ich konnte mich nicht über den Randstein beugen und würgen, nicht mit diesen trefflichen Weibsbildern als Zeuginnen. Ihre konturierten Lippen preßten sich vor Ekel zusammen, als ich ein Ächzen ausstieß. Mir war so übel. Wenn ich mich erbräche, würden sie die Nasen rümpfen, den Kopf abwenden und voneinander zu wissen verlangen: »Ist es denn zu *fassen*, wie viel sie gefrühstückt hat?« Ich schluckte die Säure in meinem Rachen herunter und holte tief Luft. Laß das, befahl ich meinem Körper. Das wäre ja, als würde ich mich vor Hunderten von Jessicas übergeben.

Jessica: Ich lehnte mich gegen die Straßenlaterne. Denk nach! War Jessica mit Richie ins Haus gekommen? Hatte sie gewußt, daß er dorthin gefahren war? Ich fing an zu laufen. Meine Beine wußten schon zwei Häuserblocks vor mir, wo ich hinwollte.

Ich saß in meinem kratzenden Kostüm auf einem klebrigen Taxisitz. Ungefähr um dieselbe Zeit, als Richie sein Leben zu hassen begann, vermutlich noch an dem Abend, als Joan Driscoll über Gulls' Haven gespottet und ihn Squire Meyers genannt hatte, fing er an, Schickeria-Wissen über Manhattan zusammenzutragen. Zum Beispiel, daß die guten Adressen am Beekman Place und Sutton Place die mit den ungeraden Hausnummern sind, weil man von dort Aussicht auf den Fluß hat. Oder daß es elegante kleine Sträßchen wie Sniffen Court und Henderson Place und Gracie Square gibt, und daß andere schicke Leute, wenn man eine dieser Adressen sein eigen nennt, ausrufen: »Fan*ta*stisch!«

Er war an den Gracie Square gezogen, in ein Haus, das ebenso lang und schmal und elegant war wie Jessica. Sie besaß dort eine kleine Maisonettewohnung mit Blick auf den East River. Damals, als sie bei Data Associates nur eine von vielen Managern war (zumindest aus meiner Sicht), pflegte sie sogenannte »kleine Dinners« für dreißig Personen zu geben. Dann stand ich beim Cocktail in ihrem Wohnzimmer und versuchte, mit einem ihrer untadelig höflichen Bekannten zu plaudern, von denen die meisten instruiert worden waren, mich zu fragen: Was geht eigentlich zur Zeit in den amerikanischen High-Schools vor sich? Sie waren auch angewiesen, gefesselt zu wirken, ganz gleich wie meine Antwort lautete, da ich die Gattin des Generaldirektors war. Ich bemühte mich, so zu tun, als merkte ich nicht, daß sie mich öde fanden. Ich strengte mich an, mich nicht von dem spektakulären Panorama von Schleppern und Kähnen verführen zu lassen, die vor Jessicas Fenstern auf dem East River vorüberglitten. Statt dessen zwang ich mich, angeregt Konversation zu treiben. Und ich maß meinen gesellschaftlichen Erfolg daran, ob Richie mit mir schlief, wenn wir nach Hause kamen. Das tat er nie.

Ich stieg aus dem Taxi und ging an das eiserne Tor vor dem Gebäude. Der Portier kalkulierte, ob mein Kostüm teuer genug war. Ich sagte »Guten Morgen«, weil ich mir einbildete, das klänge städtischer als »Hallo«. Er trug eine marineblaue Uniform mit Epauletten, die an riesige, auf dem Kopf stehende goldene Zahnbürsten erinnerten.

»Kann ich Ihnen behilflich sein?« erkundigte er sich.

»Zu Miss Stevenson, bitte.« Seine buschigen weißen Augenbrauen stiegen in die Höhe; offensichtlich wußte er über Richie Bescheid. Mein Herz begann zu pochen. Was wäre, wenn sich gerade in diesem Moment Gevinski oben bei Jessica befände? Was, wenn sie die Polizei riefe und . . . »Mein Name ist Mrs. Meyers.« Dem Portier klappte seine kantige Kinnlade herab. »Die *Schwester* von Mr. Meyers«, vertraute ich ihm an. Seine Gesichtsfarbe erblaßte von tiefrot zu einem weniger lebensgefährlichen Rosa.

»Mein Beileid«, murmelte er. Er zog das Tor auf und führte mich ins Haus. Während er den Telefonhörer aufnahm, bedankte ich mich bei ihm. »Miss Stevenson, ich habe hier die Schwester von Mr. Meyers.« Bei Jessicas Antwort nickte er ehrerbietig.

Zum Glück war der Fahrstuhlführer schon wieder hinuntergefahren. So hörte er Jessica nicht schreien, nachdem sie mit dem Ausruf »Carol!« die Tür geöffnet und dann mich erblickt hatte. Sie stieß ein *Iiii!* aus, wie eine Frau beim Anblick einer Maus, und schrie noch, als sie schon versuchte, mir die Tür vor der Nase zuzuschlagen. Es kann nur Verzweiflung gewesen sein – in Kombination mit dem Anblick ihrer Trauerkleidung, einem weißen Bodystocking aus Kaschmir, dessen Reißverschluß bis zur Hälfte ihres Brustkorbs offenstand –, die mich veranlaßte, mich mit aller Kraft gegen die Tür zu werfen. Der Schmerz schoß durch meine Schulter und trieb mir Tränen in die Augen. Aber ich war drin.

»Raus!« Sie hatte aufgehört, *Iiii!* zu schreien. Ihr Ton war schneiden und hätte einen durchschnittlichen mittleren Manager in Tränen ausbrechen lassen. Doch ich merkte plötzlich, daß ich die Oberhand hatte. Sie fürchtete sich vor mir!

»Ich kann gar nicht glauben, daß Sie sich vor mir fürchten.« Jessica gab keine Antwort. Mir fiel keine Rötung oder Schwellung um ihre Augen auf. Sollte sie nach Richies Tod zusammengebrochen sein, so war es ihr vollauf gelungen, sich wieder zu sammeln. »Sie können doch nicht ernsthaft annehmen, *ich* wäre es gewesen«, fuhr ich fort. Aber sie verhielt sich so, als nehme sie es durchaus an, denn ihre Blicke schweiften durch das marmorverkleidete Galerievestibül und suchten Hilfe von allen Seiten. Dort gab es nichts außer einem hochmodernen Metalltisch, einem Bild mit schwarzen Kritzeln und einer monumentalen Skulptur, die an ein bronzenes Skrotum gemahnte.

»Sie glauben, ich war's«, sagte ich. »Wissen Sie, was das Komische ist? Ich glaube nämlich, *Sie* waren es.«

Ihre schlimmsten Befürchtungen wichen der Empörung. Sie stemmte die Hände in die Hüften. Ich bemerkte, daß ihre Taille so schmal war, daß ihre Finger sich vorn beinahe berührten. Außerdem bemerkte ich einen Diamanten im Smaragdschliff an ihrem linken Ringfinger, der von einem Knöchel zum anderen reichte. »*Ich* soll es gewesen sein?« faßte sie nach. »Sie leiden wohl an hysterischen Zuständen?«

»Spielen Sie sich nicht als Wiener Psychiaterin auf, Sie sind auch bloß aus Ohio!« Eigentlich wollte ich noch hinzufügen: »Sie Schlampe«, aber ich konnte mir vorstellen, daß sie das gegen mich aufgebracht hätte.

»Raus!« Ihre Augen sprühten Funken. Ich gab es nur ungern zu, aber sie sah selbst im Zorn umwerfend aus. Bestimmt hatte Richie ihr gesagt: Ich finde es erregend, wenn du rasend bist. Daraufhin hätte ich ihn wahrscheinlich korrigiert, das richtige Wort sei »wütend«, nicht »rasend«. So etwas kommt vor nach fünfundzwanzig Jahren Ehe und siebenundzwanzig Jahren als Lehrerin – was seine Hinwendung zu einer schönen jungen Ätsch-ich-kann-einen-Bodystocking-ohne-was-drunter-tragen-Investmentbankerin, die von Diktion keinen blassen Schimmer hatte, vielleicht teilweise verständlich machte.

»Schlampe« hatte ich mir verkniffen. Aber wie wäre es mit »Mörderin«? Ja, Jessica hatte Angst vor mir. Hieß das, daß sie mich für die Täterin hielt? Oder bedeutete es im Gegenteil, daß sie mich für eine unversöhnliche Furie hielt, die nicht ruhen wollte, bis das Verbrechen des Mordes gesühnt wäre – oder ihre andere Sünde, der Ehebruch.

»Sagen Sie mir, was er bei mir im Haus wollte.«

»Ich rufe die Polizei.« Ich hatte das Gefühl, sie hätte einen Schritt rückwärts gemacht. Es war schwer zu sagen, weil sie ganz in Weiß gekleidet war und der Fußboden und die Wände ebenfalls strahlend weiß leuchteten. Vielleicht klingt es übertrieben theatralisch, aber leider war die Wohnung relativ schlicht eingerichtet, karg, um nicht zu sagen überwältigend. Vornehm, aber überhaupt nicht protzig. Raffiniert. Elegant. All diese wunderbaren, erstklassigen Attribute, die sich Richie mit seinem ganzen georgianischen Silber und seinen Chippendale-Stühlen nicht hatte kaufen können.

»Jessica, *bitte*! Man will mich wegen eines Verbrechens festnehmen, das ich nicht begangen habe. Ich brauche Hilfe.«

»Das können Sie aber laut sagen.«

»Warum wollen Sie mir nicht verraten, was er in meinem Haus gesucht hat?« Sie gab vor, mit der Ausrichtung ihres tiefen V-Ausschnitts beschäftigt zu sein. Was hatte sie zu verstecken? »Wußten Sie gar nicht, daß Richie zu mir wollte? Weil er Ihnen nichts anvertraut hat?« Sie schüttelte den Kopf, als wollte sie sagen: Es ist hoffnungslos mit Ihnen. Aber vielleicht wollte sie nur vertuschen, daß Richie auch ihr gegenüber nicht ehrlich gewesen war. »Seit ein paar Jahren«, sagte ich sanft, »hat er mir nicht mehr verraten, was ihn bewegte. Wenn er bei Ihnen auch nie mit der Sprache rausgerückt ist –«

Wenn sie nicht so höhnisch gelacht hätte, wäre es nicht passiert. Ich hätte niemals ausgeholt und sie geschlagen. Aber sie lachte nun einmal. *Wumm!* verpaßte ich ihr eine saftige Ohrfeige. Ihr Kopf schlenkerte hin und her, als hätte sie eine Sprungfeder im Genick. *Boing, boing, boing.* Dann kreischte sie – und zwar laut.

Plötzlich tauchte aus dem Inneren ihrer Wohnung ein Mann auf. Er war barfuß und band sich noch im Laufen die Schärpe an seinem Bademantel zu. »Jessica?« rief er.

»O Gott!« wimmerte sie. Er nahm sie in den Arm. Sie schmiegte sich an ihn, legte ihre Hände an seine Brust und verbarg ihren Kopf in seiner Achselhöhle.

»Was geht hier vor?« verlangte er zu wissen. Er war wesentlich älter als sie, Ende Fünfzig, Anfang Sechzig, und hatte dicke Tränensäcke unter den Augen, die wie kleine Geldbeutel aussahen. Seine Haare waren so dicht und weiß, daß man nicht umhin konnte, eine Perücke dahinter zu vermuten. »Jessica, wer ist diese Frau?« Er war groß. Der Bademantel ließ seine Knie bloß.

»Sie hat mich geschlagen!«

Dann dämmerte es mir. Sein Bademantel war so kurz, weil er einmal Richie gehört hatte. Das war der Grund. »Sie verplempern aber auch keine Zeit, was, Jessica?«

Sie entzog sich der Umarmung des Mannes. Ich dachte, gleich würde sie mir ins Gesicht spucken. Ihre linke Gesichtshälfte war feuerrot. Ich war erleichtert und gleichzeitig enttäuscht, daß kein Handabdruck zu sehen war. »Das ist mein *Vater*«, sagte sie. Sie nahm seine Hand und erklärte ihm: »Das ist Ricks frühere Frau.«

»Von wegen ›frühere‹«, gab ich zurück.

»Was wollen Sie hier?« herrschte mich der Mann an. Trotz seiner nackten blassen Beine hatte er die gebieterische Stimme eines Vorsitzenden der vereinigten Stabchefs.

»Bitte, ich stecke in einem schrecklichen Schlamassel.« Ich hoffte, sein besseres Ich würde darauf reagieren, daß ich eine Jungfer in Nöten war, aber er zog sich nur Jessicas Hand fest an die Brust.

»Guck mal«, klagte Jessica und zeigte ihm ihre peinlicherweise immer noch rote Wange.

Das war zuviel für den guten alten Daddy. Und auch für mich. Er ließ ihre Hand fahren und packte mich blitzartig an den Krägen von Jacke und Bluse, so fest, daß ich keine Luft mehr bekam. Dann setzte er mich vor die Tür.

7

»Cassandra, ich habe den Stein ins Rollen gebracht«, sagte ihr Gatte. »Jetzt warte ich auf den Rückruf.«

Cass, die geradlinigste aller Geradlinigen, starrte ihn unverhohlen an. »Hoffentlich gelingt es dir, die Mühlen der Justiz aufzuhalten, Theodore. Rosie steckt nämlich in Schwierigkeiten.«

Theodore Tuttle Higbee III. blickte zu mir herüber. »Was meinen Sie, wird man Sie wirklich festnehmen?«

»Nicht sofort nach der Bestattungsfeier. Vermutlich erst heute abend oder morgen.« Trotz allem kam ich ganz gut zurecht. Oder? Obwohl ich von zwei Cops verfolgt wurde, diesmal in einem weißen Auto, war es mir gelungen, rechtzeitig zu Cass zu fahren, um mir für die Beerdigung einen ihrer Kirchgangshüte auszuleihen, eine kleine schwarze Untertasse mit kurzem Schleier. Ich hatte es sogar geschafft, im Wintergarten des weitläufigen Ranchhauses der Higbees zu sitzen, zu plaudern und Kaffee zu trinken. Doch ich war ein Roboter mit dem Namen Rosie Meyers, eine Maschine ohne Empfindungen.

»Hoffentlich kannst du einen deiner Knallköpfe von Politikerfreunden in ihrem Sinne beeinflussen«, riet Cass ihrem Mann.

»Cassandra, ich bemühe mich.«

»Bemühe dich intensiver. Willst du etwa zulassen, daß sie in Handschellen gelegt und abgeführt wird? Mit wem soll ich dann bitte reden? Wen soll ich Mitte Oktober denn dazu bewegen, den Shakespeare-Leistungskurs zu unterrichten?«

»Der Oberstaatsanwalt ist Demokrat«, erläuterte er.

»Theodore, das ist mir bekannt. Allerdings hätte ich gedacht, dein Einfluß sei grenzübergreifend.«

»Mir wurde berichtet, Forrest Newel sei ein guter Mann«, sagte er abwehrend. »Sicher befindet sich Rosie bei ihm in guten Händen.«

»Der ist ein Tölpel. Und du bist ein Einfaltspinsel«, berichtigte Cass.

Aber einer mit guten Beziehungen. Theodore III., der zwar auf einer Dinnerparty ganz unterhaltsam sein mochte, ließ sich beileibe nicht als tiefsinniger Denker bezeichnen – wenn überhaupt als Denker. Mußte man aber dringend irgendwo auf der Welt einen x-beliebigen Reaktionär erreichen, dann machte er es möglich. »1984 war Newel eine ganz große Nummer in Reagans New Yorker Finanzkomitee«, sinnierte er. »Wie ich höre, hat der Kerl ganz brauchbare Ansichten.« Aus der Sprache der Rechten zurückübersetzt hieß das, daß Forrest Newel ebenso wie Theodore jegliche Regierungsunterstützung für Programme ablehnte, die unter Umständen den Armen, den Kranken, den Alten, den Jungen, den Obdachlosen oder den Hilflosen zugute kommen konnten; und jegliche Strategie befürwortete, die gewaltige Ausgaben für Massenvernichtungswaffen vorsah. »Forrest war in Harvard, wissen Sie.« Wie Theodore.

»Natürlich«, bemerkte Cass. »Die überschätzteste Institution von ganz Amerika.« Sie kreuzte die Arme vor ihrem üppigen Busen. »Ist er wenigstens ein guter Strafverteidiger?«

»Das möchte ich doch annehmen.« Theodore strich seinen Schnäuzer glatt, der wie ein auf seiner Oberlippe festgeklebter Strang Lakritze aussah. »Warum denn nicht?«

»Ich habe nicht die blasseste Ahnung, wieso ich ihn überhaupt noch nach seiner Meinung frage«, bemerkte Cass nebenbei, während sie mir Kaffee nachschenkte. »Der Mann hat von nichts eine Ahnung.«

Theodore lächelte seine Frau nachsichtig über das rot-weiße Gingham-Tischtuch an. »Cassandra hat eine so spitze Zunge«, bekundete er mit offensichtlichem Wohlgefallen. Beide hatten es sich zur Gewohnheit gemacht, offen über ihre Ehe zu diskutieren, als sei der jeweils andere gerade nicht im Raum. »Schnippisch und streitbar.«

Cass, die wieder einmal eine ihrer Diäten machte, die nie länger als drei Tage dauerten, nahm einen Schluck heiße Zitrone. »Ich finde es schwer zu glauben«, sagte sie zu mir, »daß im letzten Jahrzehnt des ausklingenden zwanzigsten Jahrhunderts ein schwarzer Amerikaner mit Ivy-League-Bildung so selbstgefällig und so begriffsstutzig zugleich sein kann, aber Theodore schafft es, das zu vereinbaren.«

Theodore, eine hellbraune Ausgabe von Fred Astaire, distinguiert, schlank und elegant, strahlte seine Frau an. Der Erbe des großväterlichen Zeitschriftenverlags hatte Cass in dem Jahr, als sie nach einem dreijährigen Schafft-die-Jugend-aus-dem-Ghetto-Vollstipendium aufs College nach Goucher gekommen war, auf einer Weihnachtsfeier kennengelernt. Unter Mißachtung der Realität, ohne Rücksicht auf ihre ungeheuren Herkunfts-, Stil-, Intellekt- und Temperamentsunterschiede sowie unter Ausschluß des gesunden Menschenverstandes hatte er ihr die Rolle seiner rundlichen Ginger Rogers zugewiesen, ihr nachgestellt und sie am Tag nach ihrer Examensfeier geheiratet. »In Wahrheit ist sie verrückt nach mir«, teilte er mir mit.

»Siehst du?« rief Cass. »Er unterhält sich nicht; er plänkelt nur. Und ich bin *überhaupt* nicht verrückt nach ihm. In Wahrheit hat er nämlich mich gebraucht, als Beweis, daß er sich nicht schämt, ein Schwarzer zu sein. Und dafür braucht er mich heute noch. Und ich war von seinem Geld und seiner gesellschaftlichen Stellung angetan, weil ich noch ein dummes Ding war, damals, als ich seinen Antrag annahm.«

»Das behauptet sie immer wieder, aber warum ist sie dann mit mir verheiratet geblieben?«

»Theodore«, sagte Cass und überhörte seine Frage, »würdest du bitte herausfinden, was für einen Ruf Forrest Newel hat. Wie es klingt, muß er ein ziemlicher Gipskopf sein.«

Sonst hatten wir nichts zu besprechen. Das einzige Geräusch im Wintergarten kam von Theodores Messer, mit dem er überschüssige Pfirsichmarmelade von seinem Englischen Muffin schabte. Dann hörte ich aus der Tiefe des Hauses ein wiederholtes zartes

Ping wie von einem Triangel. Theodore sprang von seinem Stuhl und eilte hinein. »Seine Privatleitung«, erläuterte Cass. »Die hat er sich legen lassen, damit er allen sagen kann, sie sollen ihn unter seiner Privatnummer anrufen. Das ist der Anruf, auf den er gewartet hat. Wenn sich in deiner Sache irgendwelche Fäden ziehen lassen, wird er sie ziehen. Die Partei steht nämlich in seiner Schuld.«

»Weswegen?«

»Dafür, daß er all die Jahre ihr Vorzeigeneger war.«

Draußen vor den Fensterwänden wirbelte ein frischer Wind braunes Herbstlaub gegen den Stamm einer dicken Eiche.

»Du fragst dich, warum ich seine Frau bleibe.«

»Du bist glücklicher dran, als du meinst.«

»Meine Liebe«, erklärte sie langsam und betont, »die einzigen, die wahrhaft glücklich dran sind, sind Menschen, die wir nicht kennen.« Ich starrte auf den durchscheinenden Porzellanteller mit den Krümeln meines Preiselbeer-Kleie-Muffins. »Vielleicht gibt es ja Ausnahmen«, räumte sie ein.

»Das sagst du nur, um mir Mut zu machen.«

»Ja.«

»Tut es aber nicht.«

Cass seufzte und langte dann zu Theodores Teller hinüber, nahm sich seinen Englischen Muffin und löffelte unter Mißachtung ihrer Diät ein Häufchen Marmelade darauf. Nachdenklich biß sie einen großen Happen ab. »Vielleicht können wir die Polizei überlisten.«

»Wie denn?«

»Keine Ahnung.« Sie nahm noch einen Bissen. »Wie wäre es mit Brandstiftung? Wir könnten dein Haus abfackeln! Dann glauben sie vielleicht, du wärst in den Flammen umgekommen.«

»Und was soll ich dann mit dem Rest meines Lebens anfangen?« Sie legte den halbverspeisten Muffin auf ihren Teller. Ich packte ihn und stopfte ihn mir in den Mund, ehe sie ihn zurückholen konnte. »Soll ich vielleicht in einem Truckstop in Sioux City Kellnerin spielen?«

»Laß mal überlegen. Ah! Du könntest dir eine Perücke besorgen und blaue Kontaktlinsen, und wenn sie dich holen wollen . . .« Ihre Stimme wurde leiser. Sie hatte auch nicht mehr berechtigte Hoffnung als ich. »Wir beide sollten zusammen einen ruchlosen Plan aushecken. Wir unterhalten uns nach der Beerdigung.«

»Da sitze ich womöglich schon im Knast.«

Sie nahm die karierte Serviette ab, die sie als Latz umgebunden hatte, um ihr Beerdigungskleid, ein marineblaues Strickkleid mit weißem Schalkragen, zu schonen. Sie sah ausgesprochen proper aus. »Hast du Zugang zu größeren Geldern?«

»Ich weiß nicht genau. Der letzte Stand war, daß sich unsere Anwälte wegen irgendwelcher Vermögensumschichtungen in den Haaren lagen, die Richie in dem Monat vorgenommen hat, ehe er mich sitzenließ. Aber wozu soll ich größere Gelder brauchen? Für ein ganzes Geschwader von Strafverteidigern?«

»Nein. Zum Schmieren.«

»Cass, du kennst dich vielleicht mit George Eliot aus, aber nicht mit Bestechung.«

»Aber du doch! Du liest doch solche Bücher.«

»Aber ich lebe nicht in einer Mickey-Spillane-Welt. Oder kannst du dir vorstellen, wie ich Gevinski in der Herrentoilette ein Bündel Hunderter zustecke?«

Wir hörten Theodores leichte Schritte auf den Fliesen der Diele vor dem Wintergarten. Eilig verabredeten wir, wie wir uns verständigen wollten: mit dem alten Trick der halben Lehrerschaft in Shorehaven, wenn sie private Anrufe während der Unterrichtszeit empfingen und zum Beispiel am Telefon der englischen Abteilung nicht mit ihrem Frauenarzt über eine Pilzinfektion plaudern wollten. Wenn ich an ein Telefon käme, sollte ich in der Schule eine Nachricht für Cass hinterlassen, die Praxis Dr. Sowieso habe angerufen, um den Termin, sagen wir elf Uhr, zu bestätigen. Um elf würde sie dann vor einem der Münzfernsprecher in der Schule – wir einigten uns auf den vor der Cafeteria – auf meinen Anruf warten.

»Rosie«, sagte Theodore, ehe er sich setzte. So unterkühlt, wie er meinen Namen aussprach, wußte ich gleich, daß es aussichtslos war.

»Wie steht's?« fragte Cass ihn.

»Mein Bekannter hat mir zugesichert, daß weder Staatsanwaltschaft noch Polizei die Medien verständigen. Und daß Rosie nicht in Handschellen abgeführt wird. Forrest Newel soll sie morgen abend hinbringen, bei Dunkelheit, damit er sie durch die Garage hinausschmuggeln und sie in ihrem Wagen hinfahren kann, falls Photographen das Haus belagern. Mehr konnte ich nicht erreichen.«

»Ist das *alles*?« rief Cass vorwurfsvoll. »Bei deinen Verbindungen hätte ich doch gedacht –«

Theodore blickte ausschließlich seine Frau an. Ich gehörte bereits der Vergangenheit an. »Inzwischen liegen die Ergebnisse der Spurensicherung vor, Cassandra. Es gibt nicht den geringsten Anhaltspunkt, daß vorgestern nacht jemand im Haus war – außer Richie und Rosie.«

Die Polizisten, die mir zu Cass gefolgt waren, hielten sich auf dem Rückweg dicht hinter mir. Erst nachdem ich das offene Eisentor zu Emerald Point passiert hatte, hielten sie an und parkten am Straßenrand. Die Torflügel waren mit einer Art Wappen verziert, einem Löwen und einem Büschel Blättern. Der Löwe hatte im Profil eine grazile Stupsschnauze – ein dezenter Wink an Carter Tillotsons reiche, arrivierte, assimilierte Nachbarn, daß er der Nasenkönig von New York war.

Vor Stephanies hochherrschaftlichem Tudorhaus blieb ich im Wagen sitzen. Ich war vom Rand der Erde gepurzelt und in einer neuen Welt gelandet, in der eine Gefälligkeit unter Nachbarn nicht mehr im Ausborgen von Unkrautvertilger bestand, sondern darin, einen ultrakonservativen Politiker zu überzeugen, ein gutes Wort für mich einzulegen, damit ich bei meiner Verhaftung wegen Mordes nicht in Handschellen photographiert wurde.

Ich überlegte, wer aus dem Lehrerkollegium wohl das Stinktier sein würde, das in der Sendung »Augenzeugenbericht« aussagte, daß sich hinter meiner heiteren Fassade eine kochende Wut verbarg. Ich fragte mich, welcher meiner Schüler wohl am meisten unter meiner Verhaftung und meiner Schmach leiden würde. Joey aus der zweiten Jahrgangsstufe in meinem Kurs »Kreatives Schreiben«? Er war so empfindlich. Mit ihm hatte ich nach dem Unterricht immer extra geübt, damit er nicht zurückfiel – und damit er, wie der Schulpsychologe es ausdrückte, ein Ventil fand, um Dampf abzulassen, sowie ein Projekt, das ihn zu sehr in Anspruch nahm, um weiter seinen Selbstmordgedanken nachhängen zu können. Dann versuchte ich mir vorzustellen, welcher Schüler sich am schlimmsten hintergangen fühlen würde. Elena aus Guatemala, in meinem Leistungskurs der Abschlußklasse? Sie hatte immer noch einen starken spanischen Akzent, so daß ich sie manchmal nicht verstehen konnte, aber ihre Arbeiten! Das Mädchen war zur Shakespeare-Spezialistin geboren. Und selbstverständlich wußte ich genau, welcher Scherzbold das erste »Was sagte Mrs. Meyers, bevor sie ihren Mann erstach?«-Rätsel in Umlauf bringen würde.

In der Stadt verbrannte jemand Laub. Die Luft war beißend und kalt, eine Zumutung für den Hals, aber unwiderstehlich. Ich holte tief Luft. Mir fiel wieder ein, wie ich als Acht- oder Neunjährige einmal auf dem Heimweg von der städtischen Grundschule Nr. 197 Eicheln aus einem Laubhaufen geklaubt hatte, um Tom Driscoll und die anderen katholischen Jungen, die von St. Aloysius nach Hause gingen, damit zu bewerfen. Früher war ich ein gescheites, putzmunteres kleines Mädchen gewesen, das wußte, wie sie einen Knaben auf sich aufmerksam machen konnte.

Ich überlegte, ob die Geschworenen mich ansehen würden, wenn sie in den Gerichtssaal zurückkamen, und wie wohl dieser schreckliche Moment ausfiele zwischen der Frage des Richters: »Meine Damen und Herren der Jury, haben Sie ein Urteil gefällt?« und ihrer Antwort. Und ob es den Gefangenen des Hochsicherheitstraktes wohl gestattet war, im Tagesraum Besuch zu empfangen, oder ob sich zwischen mir und meinen Söhnen, mir und meinen Enkelkindern Gitterstäbe befinden würden.

Ich läutete an Stephanies Portal. Dann wartete ich. Ich klingelte noch einmal. Schließlich riß sie atemlos und mit roten Wangen die Tür auf. Sie trug einen hellgelben Bademantel mit blauen Paspeln. Ihr nasses Haar war mit einem hellgelben Handtuch umwickelt. »Entschuldige. Ich war gerade oben und hab' mich fertiggemacht.« Sie zitterte. Der Wind war stärker geworden und pfiff jetzt in einer einzigen langen, kalten Bö. Ich erinnerte mich an unseren ersten Morgen in Gulls' Haven, als Richie auf die hintere Terrasse hinausgegangen war. Damals war der Wind vom Sund hochgeweht und hatte an seinen Boxershorts gerüttelt. Er hatte zu mir hochgebrüllt: He, Rosie! Alles meins!

»Wieso gehen dann Hänsel und Gretel nicht an die Tür?« fragte ich Stephanie. »Hast du *die* etwa auch rausgeschmissen?«

»Gunnar und Inger. *Die* haben gekündigt. Sie haben eine Anstellung in Arizona gefunden, wo sie doppelt soviel verdienen wie bei uns. Ich bin froh, daß wir sie los sind, aber Carter ist sauer. Er meint, er will keine Paare mehr. Bloß ein Hausmädchen und ein Kindermädchen für Astor.« Sie hielt inne und sah mich an. Ich muß fürchterlich ausgesehen haben, denn plötzlich entwich ihrer schwungvollen Art alle Luft. Ihre Stimme wurde dumpf, belegt, ängstlich. »Es läuft nicht gut, oder?«

»Ich werde in den nächsten Tagen verhaftet.«

»O Gott. O Rosie! Komm doch rein.«

»Ich kann nicht. Ich muß nach Hause und mich für die Beerdigung umziehen. Bitte, Stephanie, du mußt mir helfen.«

Sie zurrte den Gürtel ihres Bademantels so fest, daß sie ihn wieder lockern mußte, um weiteratmen zu können. »Aber natürlich. Ich möchte dir gern helfen. Du brauchst nur zu sagen, was ich für dich tun kann.«

»Besorge mir einen anderen Anwalt. Mit Forrest Newel komme ich nicht weit –«

»Ich weiß, er ist ein bißchen altmodisch, aber er gilt als der beste.«

»Er hält mich für schuldig. Er unternimmt nicht einmal den Versuch, sie zu veranlassen, nach dem wahren Mörder zu suchen. Der will nur einen guten Handel für mich rausschlagen.«

»Rosie, dafür sind Anwälte doch da!«

»Schön, und ich komme rechtzeitig aus dem Knast, um mich im Jahr 2025 für die Wahl zur Miß Osteoporose zu bewerben. Bitte, Stephanie, du mußt mir einen anderen suchen.«

»Das werde ich. Versprochen. Jetzt atme erst mal tief durch. Du mußt dich unbedingt wieder beruhigen.«

Die Trauerfeier für Richie fand etwa eine Viertelstunde von unserem Haus entfernt statt, bei Eventide East in Manhasset, einem Bestattungsinstitut, dessen Äußeres der Jefferson-Residenz in Monticello nachempfunden schien – nur daß der dritte Präsident einen Vetter im Aluminiumverkleidungsgewerbe gehabt haben müßte. Es war eine jener fürchterlichen, nicht konfessionsgebundenen Stätten mit vielen kleinen Nebenräumen, in hellem Furnier getäfelt und mit imitierten bleiverglasten Fenstern in unverbindlichem Blumenmuster versehen, damit sich keiner der trauernden Hinterbliebenen durch einen unziemlichen Chanukka-Leuchter oder ein unangemessenes Kreuz gezwungen sah, noch hysterischer zu werden als ohnehin schon.

Natürlich war es ein Alptraum. Ich bekam Streit mit Ben, weil ich ihm zu erklären versuchte, die Verdachterregende könne nicht bei der Familie sitzen, und zwar aus dem einfachen Grund, weil sie kein Familienmitglied sei. Er, sonst der vernünftigste und höflichste aller jungen Männer, warf mir vor, zickig zu sein. Ich legte ihm nahe, sich die Verdachterregende zu schnappen und sich zu Jessica zu setzen; da die beiden fast im selben Alter seien, hätten sie sicher eine Menge zu beschwatzen. Daraufhin ließ er mich wissen, die Verdachterregende, er, Jessica und Dad hätten sich in der Tat gelegentlich getroffen und die beiden Frauen hätten sich wirklich gut verstanden. Zu guter Letzt stand er im Empfangsraum zwar neben mir, nahm aber keine Kenntnis von meiner Anwesenheit. Alex hingegen lehnte sich bei mir an. Allerdings war er entweder so high oder aber so low von irgendeinem Rauschmittel, daß er sich nicht mehr ohne Stütze auf den Beinen halten konnte. Meine Mutter – eine kurzwüchsige Frau mit tiefgelegenem Schwerpunkt, wie eins dieser aufblasbaren Spielzeuge, die man umschubst, nur damit sie gleich wieder hochfedern – legte sämtliche Symptome des Altersschwachsinns an den Tag, inklusive Inkontinenz auf ihre eigenen Schuhe. Nicht ganz sotto voce bestand sie darauf zu erfahren: »Wer ist denn gestorben?«

»Richie.«

»Richie?«

Früher war sie temperamentvoll und gutmütig gewesen, mit Knopfnase und frohen nußbraunen Augen, und hatte alle Männer um den Finger gewickelt. Sie war nicht intellektuell gewesen, nicht einmal sonderlich intelligent, aber gewitzt genug, um bei Kartenspielen immer zu gewinnen. Hätte es bei der Olympiade die Disziplin Canasta gegeben, dann hätte Pearl Bernstein sicherlich Gold nach Hause gebracht. Auch war sie eine Modenärrin und leidenschaftliche Kinogängerin gewesen, die detailliert jedes einzelne Kleidungsstück von Bette Davis in *Reise aus der Vergangenheit* beschreiben konnte. Mein Vater, Lehrer der Landeskunde, blieb ihr bis zum Tage seines Todes verfallen. Oft kaufte er ihr völlig ohne Anlaß Parfüm oder eine riesige Schachtel Barton's Konfekt. Obwohl sich meine Mutter auf ihr gutes Aussehen nichts einbildete, so genoß sie es doch, und sie pflegte immer zu sagen: Rosie, weißt du, was ein wahres Verbrechen ist? Sich gehenzulassen. Ich schminke mich jeden Tag und lege Wimperntusche auf, auch wenn ich nirgends hingehe außer zum Müllofen.

»Richie war mein Mann, Mutter.«

»Du glaubst wohl, ich weiß nicht, wer Richie ist?«

Carol, Richies Schwester, offenbar in ein Wickeltuch aus Trauerflor gehüllt, küßte demonstrativ die Jungen. Mich küßte sie nicht nur nicht; sie blickte mich erst gar nicht an. »Sieht ja aus, als ob sie zu 'ner Beerdigung will«, röhrte meine Mutter mit einer Stimme, die bestimmt bis Miami Beach zu hören war. »Wer ist die denn?«

»Richies Schwester«, flüsterte ich. »Carol. Ihr Mann war Richies Steuerberater.« Ich bemühte mich, über die Köpfe zu spähen. Jessica konnte ich nicht ausmachen. Aber ich meinte, aus dem Augenwinkel Tom Driscoll erkannt zu haben. Fünf Minuten beherrschte ich mich, dann warf ich einen Blick hinüber zu der Stelle, wo ich ihn gesehen hatte. Er war nicht mehr da.

Ein paar Freunde und Nachbarn kamen zu uns. Sie murmelten: Was soll man dazu sagen? Ich bin fassungslos. Entsetzlich. Was das über unsere Gesellschaft doch aussagt! Doch zuerst schauten sie prüfend in die Runde, um sicherzugehen, daß niemand hersah, und dann murmelten sie hastig vor sich hin. Sie wollten nicht dabei ertappt werden, wie sie mit mir sprachen. Oder mich gar küßten. Stürmisch umarmten sie Ben und drückten Alex die schlaffe Hand. Doch nur wenige gaben mir soviel wie einen flüchtigen, förmlichen Kuß. Bis auf Cass und Stephanie sah mir kaum jemand in die Augen.

Ein Angestellter von Eventide mit schwarzem Anzug und spitzer Nase trieb die Besucherschar in die Kapelle. Während alle in einer Reihe aus dem Empfangsraum schritten, plärrte meine Mutter: »Wo bleibt denn Richie?«

»Er ist da drin, Mutter. Jetzt komm. Wir wollen auch reingehen.«

»Warum ist er denn nicht mitgekommen? Ist er beim Tennisspielen?«

Ben nahm ihre Hand. »Großmutter, er ist tot.«

»Wer ist tot?«

»Mein Vater. Richie.«

»Nein!« Sie schüttelte so heftig den Kopf, daß ihre Hängebakken schlackerten. »O du mein Gott!« kreischte sie. »O Gott! Richie ist tot!«

Als wir zu einem schaurigen Flüsterchor die Kapelle betraten, war Mutter immer noch untröstlich. Inzwischen stammelte sie jedoch »Charlie, Charlie« und schien der Meinung zu sein, wir befänden uns auf der Beerdigung meines Vaters.

Ich habe keine Erinnerung mehr an die Worte des Rabbiners. Er war noch ein Kind, nicht viel älter als Ben, und sah aus wie ein Beach Boy mit Jarmulke. Vage nahm er auf »all jene, die Richard liebten« Bezug und schloß durch diese Nichtfestlegung nicht nur Jessica ein, sondern umschiffte auch geschickt die Richie-Rick-Kontroverse.

Endlich bekam ich sie zu Gesicht. In einer Wolke aus melancholisch-grauer Seide saß sie ganz hinten, allein. Ein brillanter Schachzug, dort isoliert, bezaubernd, einsam und jung dazusitzen. Der Rabbi war so gerührt, daß er sofort sein Mischehen-Warnsystem ausschaltete und die Grabrede ausschließlich Jessica vortrug. Ständig wendeten sich Köpfe, jeder Blick war auf sie gerichtet – und auf die Tränen, die ihr in Schlangenlinien über das Gesicht rannen.

In der Limousine, die uns zum Friedhof brachte, schluckte Alex ohne Wasser noch eine Pille, worin er offenbar einige Übung besaß. Dann weigerte er sich zuzugeben, daß er etwas genommen hatte. Ben murmelte, es täte ihm leid, ich sei doch nicht zickig, sondern immer eine wunderbare Mutter gewesen, liebevoll, anregend, lustig. Wir hätten doch viel Spaß zusammen gehabt damals, als ich ihm das Radfahren beibrachte, als wir in die Stadt fuhren, um uns Shakespeare im Park anzusehen, als wir nach dem geeigneten College gesucht hatten. Auch wenn seine Entschuldigung von Herzen kam, so klang sie doch zu sehr wie die grobe Skizze seines ersten Briefes, den ich beim Postappell in meinem Zellenblock erhalten würde. Ich fragte ihn, auf was für Pillen Alex sei. Er meinte, wahrscheinlich sei es eine Designerdroge im Stil der Sechziger oder Siebziger, etwas Ähnliches wie Quaalude, und ich solle mir keine Sorgen machen; Alex mache nicht den Eindruck, als stünde er kurz vor der Überdosis. Meine Mutter weinte fast die ganze Fahrt lang und brach dann über die Pointe eines Witzes, den nur sie allein hörte, in schallendes Gelächter aus. Während der Fahrer und ich ihr auf dem Friedhof aus dem Wagen halfen, ordnete sie an: »Du darfst dich nicht gehenlassen, jetzt, wo er tot ist. Du mußt dir einen neuen Freund zulegen.«

»Hör auf!« Ich blickte mich rasch um. Gottlob schien es niemand gehört zu haben.

»Du hast doch *immer* irgendwelche Jungs gehabt.« Sie lachte gackernd. »Meinst du vielleicht, das hätte ich nicht gewußt? Meinst du, es hätte nicht die ganze Welt gewußt, wie wüst du es treibst?«

Ben blickte leidend. »Altersdebilität«, erklärte ich ihm. Er nickte mechanisch. »Na komm, Benjy. Du kennst mich doch. Glaubst du wirklich, ich hätte deinen Vater betrogen?«

Es kam noch schlimmer. Zwischen Bestattungsinstitut und Friedhof mußten sich die Geschworenen zur Beratung zurückgezogen und mich für schuldig im Sinne der Anklage befunden haben. Alex, Ben, die Verdachterregende, meine Mutter und ich standen einsam zur Linken des Sarges, zusammen mit Cass und Theodore, meinen Verwandten, einigen Lehrern und zwei alten Bekannten von meiner Collegezeitung.

Auf der anderen Seite des Sarges, in einem tröstenden Halbkreis um Jessica aufgestellt, waren Richies Schickeriafreunde aus der Stadt. So viele! Da ging mir auf, daß Richie mich schon lange vor seinem tatsächlichen Auszug verlassen hatte; er hatte ein ganzes Leben gehabt, von dem ich nichts wußte. Mitchell Gruen war natürlich nicht dabei. Hinter diesen zweihundert prunkvoll gekleideten Leuten standen all seine Geschäftspartner – und noch weiter dahinter, mit den Füßen scharrend, schniefend, flüsternd und das Manhattaner Styling begutachtend, unsere Nachbarn und Bekannten.

Der Rabbi hob den Kopf. Sein sonnengebleichtes Haar fiel ihm über ein Auge. Er strich es sich aus dem Gesicht und erklärte, das Kaddisch sei eigentlich ein Gebet für die Hinterbliebenen, nicht für die Verstorbenen – die er als »jene, die vor uns gegangen sind« bezeichnete. Ich spähte zu Jessica. Sie war nicht richtig schön, nicht auf die reine, unantastbare Weise wie Stephanie Tillotson. Ihre Stirn war zu hoch, ihr Kinn zu klein, ihre Arme und Beine zu lang. Aber mit ihrem ranken Körper, ihrer Strähnchenmähne und ihren aufsehenerregenden Aquamarinaugen war sie mehr als nur schön. Sie war faszinierend; jeder Mann bekäme Haßgefühle gegen alles, was ihn daran hinderte, sie anzusehen.

Aus Achtung vor einem Vierteljahrhundert Ehe hätte ich nun mit dem Rabbiner beten sollen. Ich schloß die Augen, doch es gelang mir nicht, Jessicas Bild aus meinem Kopf zu vertreiben. Ich versuchte mir einen Grund auszudenken, warum Richie sie hätte verlassen wollen, um zu mir zurückzukehren; ich fand keinen. Auch konnte ich mir keinen Grund vorstellen, warum Jessica Richie zu meinem Haus hätte folgen, ein Fleischmesser aus dem großen Eichenblock ziehen und ihm eine tödliche Stichwunde zufügen sollen.

Ben hatte den Arm um die Verdachterregende gelegt. Alex war vollauf damit beschäftigt, nicht zu schwanken. Mir blieb nichts anderes übrig, als die kalte, trockene Hand meiner Mutter zu halten. Sie hob sie ans Gesicht und wischte sich Augen und Nase damit ab. »Traurig!« verkündete sie.

Ben legte den Zeigefinger an die Lippen. »Psst, Großmutter!«

»Selber psst!, du Großmaul, Großfuß, wer du auch sein magst.«

»Ich bin Benjamin.«

Sie schenkte ihm eines ihrer bewährten, koketten Lächeln. »Und ich bin Pearl.«

»Gott von Abraham, Isaak und Jakob«, stimmte der Rabbiner an. Der Sarg ruhte auf einem Metallgestell über dem frisch ausgehobenen Grab. Ich versuchte mich zu einem Rückblick über die vergangenen Monate hinaus zu zwingen und mich darauf zu besinnen, daß in diesem Kiefernholzkasten der Mensch lag, der fünfundzwanzig Jahre lang der Mittelpunkt meines Lebens gewesen war. Doch ich konnte mich nicht konzentrieren: im hinteren Teil des Halbkreises, hinter einem dichtgedrängten Pulk Sekretärinnen von Data Associates, stand Sergeant Gevinski und neben ihm ein junger, stämmiger Kriminalbeamter mit einem Freier-Blick-auf-rosa-Kopfhaut-Bürstenschnitt. Sie waren zu meiner Bewachung hier. Der junge hatte seinen Körper in der Hüfte abgeknickt, einen Fuß hinter dem anderen zum Spurt bereit für den Fall, daß ich das tat, was sie offenbar von mir erwarteten: das Weite suchen.

Was zum Teufel dachten die eigentlich, was ich vorhatte? Sollte ich eine Handgranate zücken, die Flucht ergreifen und mich dann in der Familiengruft der Feinbergs versteckt halten, bis die Luft rein war?

Gevinski bemerkte, daß ich ihn ansah, und sandte mir zur Erwiderung ein Nicken herüber. Mein Herz raste. Ich hatte solche Angst, war so wütend auf Richie. Er hatte durch seine Untreue mein Leben zerstört, dann hatte er mich verlassen, und als wäre das noch nicht genug, hatte er jemanden so rasend gemacht, daß er ihn umbrachte.

»Laßt uns Abschied nehmen«, tönte der Rabbi.

Der Täter mußte ein Motiv gehabt haben. Ich konnte nicht gelten lassen, daß es ein Einbrecher war, der hinter einer Platane auf der Lauer lag und sich mit einem stillen »Au fein!« die Hände rieb, als er Richie ins Haus schleichen sah. Welcher Einbrecher bricht nicht ein?

Gevinski hatte eine Empfangsbescheinigung über Wertsachen eines Verbrechensopfers neben dem Grillofen in der Küche hinterlassen. Richie hatte eine Cartier-Uhr getragen. Außer seinen Kreditkarten, einem Foto von ihm, »eine Frau umarmend« und seinem Führerschein war auch seine Brieftasche aufgeführt, mit dreihundertvierzig Dollar in Scheinen, lauter Zwanzigern. Außerdem hatten sich in seinen Hosentaschen sein Schlüsselbund, Kleingeld in Höhe von sechsundneunzig Cent und zuckerfreie Certs-Atembonbons gefunden.

»Rose!« rief meine Mutter, obwohl ich unmittelbar neben ihr stand. »Wer ist denn dieses Klappergestell da drüben, das so flennt?«

»Die Frau eines Auftraggebers«, raunte ich, aber mittlerweile waren natürlich schon alle dem Blick meiner Mutter gefolgt und blickten auf Joan Driscoll, Richies teure Freundin.

»Schau dir mal diese X-Beine an!«

»Mutter, wir sind doch bei einer Beerdigung. Du mußt leise sein.«

Es gab nichts, was man einem menschlichen Wesen hätte antun können, das Joan Driscoll sich nicht schon selbst angetan hatte. Die Dauerwelle in ihrem glatten Haar war gerade so stark, daß es sich kurz vor dem Auftreffen auf der Schulter leicht nach außen wellte. Zudem war es in einem Blauschwarz gefärbt, das noch an keinem lebenden Menschen natürlich gewirkt hat. Sie sah aus, als wäre Veronica, das reiche Mädchen in den Archie-Cartoons, inzwischen zu bulimischem mittlerem Alter herangereift. Ihre Nase war verfeinert worden, ihr Kinn neu festgelegt und gespalten, ihr Oberschenkelfett abgesaugt, und als neuestes waren anscheinend, ihrem allzeit tiefen Ausschnitt nach zu urteilen, brandneue Brüste dazugekommen. Zwei hautfarbene Objekte in Volleyballgröße wölbten sich unter der Jacke ihres modisch kurzen schwarzen Ripsseidekostüms.

Auch Alex hatte sie entdeckt. Seine Augen weiteten sich. Er versuchte, seinen Bruder mit dem Ellenbogen in die Seite zu stoßen, verfehlte ihn jedoch. »He«, sagte er schleppend zu Ben, »hast du schon Hojos neue Titten gesehen?« In seiner rauschbedingten Seelenruhe schien Alex nur sporadisch zu erfassen, daß er an der Beerdigung seines Vaters teilnahm. Ich drehte mich um, um ihm einen warnenden Blick zuzuwerfen – gerade rechtzeitig, um festzustellen, daß er versuchte, Joan Driscolls Aufmerksamkeit zu erringen, indem er sich in spöttischer Sinnlichkeit über die Lippen leckte. »Hojo«, sagte Alex, aber seine Stimme war fast lautlos, um nicht zu sagen verschliffen.

Hojo war Alex' Spitzname für sie. Jo hieß Joan. Ho stand für »whore« – Hure. So nannte er sie, seitdem sie einmal abends in tiefdekolletiertem Kleid zu uns zum Dinner gekommen war und Ben und ihn damit begrüßt hatte, daß sie ihnen mit der Seite ihres Zeigefingers das Kinn anhob und sie leicht auf die Lippen küßte. Ich hätte sie damals am liebsten k. o. geschlagen.

Richie hatte es lustig gefunden. Er war ja tolerant. Joans kleine Spielchen. Harmlose Neckereien. Die Jungen seien doch keine Kinder mehr. Seine teure Freundin Joan. »Teure Freundin« hatte er von ihr aufgeschnappt. So was von kultiviert! In New York war man entweder eine Null oder eine »teure Freundin«.

Joan weinte zu heftig, um Alex zu bemerken. Ihrem Mann, Tom, entging dagegen fast nichts. Aber ihm schien nichts etwas anhaben zu können. Weder ein stinkbedröhnter Rocker, der sich über die sexuellen Reize seiner Frau lustig machte, noch meine Anwesenheit. Noch Richies Tod.

Er sah alles: den Rabbi, Jessica, die Geschworenen, die ihren Schuldspruch getroffen hatten, mich, meine Mutter. Er sah auch den Grand Canyon, der den Brustansatz seiner Frau darstellte. Wie hätte es ihm auch entgehen können? Wie konnte der Junge, den ich einst gekannt hatte, als Mann so ein Leben führen? Wie hielt er das nur aus?

Aber Toms Arm lag um Joans Rücken und wackelte leicht bei jedem ihrer Schluchzer. Ansonsten stand er absolut ruhig da. Keine Empfindung zeichnete sein hageres Gesicht. Er hatte die Augen eines Toten.

Der Rabbiner sang ein langgezogenes Amen. Durch die Trauergemeinde ging ein Ruck. Alle erwarteten, jetzt von ihm entlassen zu werden, was er dann auch mit einem Nicken tat, wodurch seine Surferfrisur wieder abstürzte. In diesem Augenblick, während Hojo den Kopf hob und Tom seinen Arm senkte, hatte meine Mutter einen ihrer seltenen lichten Momente. Ihr Blick wanderte von Hojos weißem, alters- und faltenlos geliftetem Gesicht zu dem Mann daneben. Sie blinzelte. Sie gaffte. Sie grinste.

»Tommy Driscoll!« schrie sie quer über das Grab. »Seinem Vater wie aus dem Gesicht geschnitten.«

»Nicht, Mutter!«

»Genau dieselbe Nase«, johlte sie. »Ganz schöner Zinken für 'n Iren. Bei uns im Haus hat es immer geheißen, die haben bestimmt Italienerblut.« Dann brüllte sie noch lauter: »Tommy!« Die Menge erstarrte zu Eis.

»Mutter, gib doch bitte Ruhe.«

»Still, Mädel«, antwortete sie und riß sich los. Mit den Händen formte sie einen Schalltrichter und donnerte über das offene Grab hinweg: »Tommy!«

Ich lief ihr nach und faßte sie am Arm. »Mutter, heute brauchst du dich nicht mit ihm zu unterhalten. Du hast doch erst auf unserer Silberhochzeit mit ihm geredet. In dem großen Zelt. Weißt du nicht mehr? Daher kennst du ihn. Ich hab' euch einander vorgestellt. Da hat er gesagt, daß er sich freut, dich wiederzusehen, und du hast gesagt, du würdest ihn im Leben nie vergessen.«

Aber es gelang mir nicht, sie abzulenken. »Tommy!« Tom erwiderte leider nicht meinen Blick, sondern ihren. »Tommy, ich bin's! Mrs. Bernstein!« Er nickte. Sein Mundwinkel zuckte. Meine Mutter faßte das als Lächeln auf. »Siehst du!« triumphierte sie. »Das ist er.« Ehe Ben und ich sie packen konnten, trippelte sie um das Grab herum und begann zu drängeln und andere Trauergäste zur Seite zu schubsen, um sich einen Weg zu Thomas Driscoll, Börsenspekulant und Coverboy von *Business Week*, zu bahnen. Als Ben und ich sie eingeholt hatten, grölte sie gerade: »Tommy! Ist deine Mutter gestorben?«

Ben bekam ihren Arm zu fassen. »Großmutter, geht es dir gut?« Er drückte sie fest an sich und verdeckte ihr damit die Sicht auf Tom Driscoll. Das war auch gut, denn so konnte fast niemand – weder Gevinski noch Cass noch Stephanie noch Jessica noch Hojo noch Tom – sie hören.

Nur Ben und ich vernahmen sie deutlich. »Rose«, trompetete

sie, schallgedämpft von Bens massiver Brust. »Wie alt warst du damals? Siebzehn? Achtzehn? Oj, ich dachte, mich trifft der Schlag, wie ich dich und Tommy Driscoll da erwischt hab', splitterfasernackt!«

8

Die Tennissaison war vorüber: Carter Tillotsons helle Haut hatte ihre sommerliche Scharlachröte verloren und wieder ihre normale wächserne Unfarbe angenommen. Wäre ihm noch ein Docht aus dem Kopf gewachsen, hätte er eine schöne Plastische-Chirurgen-Kerze abgegeben.

Ich hätte angenommen, daß sich Carter dessen, was die gesellschaftlichen Konventionen von ihm verlangten, bewußt war und er in einem Trauerhaus einen Ton gesagt hätte. Doch hatte er sich in den letzten fünf Minuten in aggressives Schweigen gehüllt. Schließlich platzte es aus ihm heraus: »Häßlich. Richie. Und noch dazu, wenn du in den Bau kommst . . .« Da ich die Augen niedergeschlagen hatte, um Stephanies Strafverteidigerliste zu überfliegen, konnte ich mitverfolgen, wie ihr schwarzer Eidechs-Pump mit einem sanften Tritt Carters korduanlederne Golfmuster-Schuhkappen streifte. Ich hörte auf zu lesen und beobachtete Füße. Carter drehte die Fußspitze nach innen, sprach aber nicht weiter. Mit dem nächsten Tritt traf Stephanie ihn am Knöchel, worauf er sagte: »Keine zwei Minuten nachdem wir von der Beerdigung zurück waren, hat die Polizei bei uns angeklopft. Ein Sergeant und ein Detective. Sie sind gerade gegangen.«

»Carter, um Himmels willen!« mahnte Stephanie.

»Schon gut«, beschwichtigte ich sie. Die Tillotsons waren mit einer Flasche Rotwein und einem Teller Ziegenkäse und Gebäck herübergekommen, um mich wissen zu lassen, daß sie auf meiner Seite standen. Allerdings war schon in dem Moment, als er durch die Türe trat, klar, daß Carter mir nur zur Seite stand, weil er dorthin gezerrt wurde. »War die Polizei nicht schon vorher bei euch?« erkundigte ich mich.

»Am – hm – Morgen danach«, antwortete Carter. Angeblich waren die Frauen verrückt nach ihm, aber ehrlich gesagt hatte ich das nie begriffen. Er war unfaßbar nichtssagend, als wäre er ohne Persönlichkeit zur Welt gekommen. Seine Leblosigkeit war so durchdringend, daß er nie, buchstäblich niemals daraus aufwachte, nicht einmal, wenn er von seiner großen Leidenschaft sprach: dem Nasenflügelformen. Im Lauf der Jahre hatte ich ihn oft genug in Tennisshorts oder Badehosen gesehen, um beurteilen zu können, daß es auch auf körperlichem Gebiet nichts Nennenswertes gab, was für seine monumentale Saftlosigkeit entschädigt hätte. Cass meinte, ebendiese Ausdruckslosigkeit sei das Ausschlaggebende: Sein Vorname sei Doktor, und er sei einen Meter dreiundachtzig groß. Die Frauen sähen in ihm eine leere Leinwand, auf die sie jeden beliebigen begehrten Mann projizieren könnten.

»Die Polizisten haben wieder und wieder gefragt, ob wir etwas gesehen oder gehört hätten, was wir natürlich nicht haben«, ergänzte Stephanie.

Ich war mit den Tillotsons allein. Die Verdachterregende war mit dem Zug nach Philadelphia zurückgefahren. Ben und meine Mutter hatten sich mit einigen Verwandten, die vorbeigekommen waren, um ihr Beileid zu bekunden, in die Bibliothek verzogen. Alex war auch dort, aber als ich mich entschuldigt hatte, um mit Stephanie über Anwälte zu sprechen, lag er quer über einem Clubsessel und einer Ottomane, das Kinn auf der Brust, und hing seinen Quaalude-Träumen nach.

Das Wohnzimmer war ein riesiger, steifer Raum, den zu benötigen uns die Innenarchitektin überzeugt hatte. Sie hatte gesagt: Sie brauchen ein feierliches Ambiente für förmliche Anlässe. Was zum Teufel meint die mit »förmlich«? hatte ich Richie gefragt. Wollen uns deine Tante Bea und dein Onkel Murray ihre Visitenkarten jetzt auf einem Silbertablett überreichen? Letztlich hatten wir natürlich eingewilligt, und die Innenarchitektin hatte ein Ambiente geschaffen, das George III. sein eigen hätte nennen können. Englische Stilmöbel. Mit beigefarbener Seide und beigefarbenem Damast bezogene Sofas und Stühle. Vergoldete Bilderrahmen um höchst unbedeutende holländische Stilleben. Das einzig Lebendige waren die schwankenden Bäume hinter den mit seidenen Raffgardinen behängten Fenstern.

»Ihr habt in der Nacht überhaupt nichts mitbekommen?« hakte ich nach. Stephanie schüttelte den Kopf. »Nichts gesehen? Gar nichts, Stephanie? Ich meine jetzt nicht nur mitten in der Nacht. Sondern ab halb zehn.«

»Nein.«

»Ist einem von euch vielleicht irgendwas aufgefallen, was ungewöhnlich gewesen wäre oder auch nur ein kleines bißchen anders?« Keiner der beiden antwortete. Sie waren sprachlos, daß ich sie vernehmen wollte. Carters tadellose Haltung straffte sich; Stephanie bekam einen Blinzelanfall: blinzel, blinzel, blinzel, blinzel, als traute sie ihren Augen nicht. Aber sie waren zu wohlerzogen, um sich zu wehren. Und ich war nicht wohlerzogen genug, um Ruhe zu geben. »Carter, um welche Zeit bist du an dem Abend nach Hause gekommen?«

Ich glaubte eine gewisse Zurückhaltung zu spüren, als er mir mit zusammengebissenen Zähnen antwortete. »Etwa zehn nach elf. Ich hab' nichts gesehen. Und nichts gehört.«

»Warst du den ganzen Abend daheim, Stephanie?«

»Nein. Ich habe bei der Versammlung im Club der Gartenfreunde über Zimmerpflanzen referiert. Weißt du nicht mehr?«

»Doch, stimmt.«

»Ich muß so gegen zehn, halb elf nach Hause gekommen sein. Aber mir ist nichts aufgefallen. Tut mir leid, Rosie.«

»Schon gut. Und wie seid ihr beiden nach Hause gefahren?«

»Im Auto«, antworteten sie nicht ganz einstimmig.

»Ich meine, seid ihr die Lighthouse Point Lane entlanggefahren und dann die Hill Road hoch?«

»Das ist die direkteste Strecke«, sagte Carter, noch immer durch die Zähne.

»Als ihr an der Stelle vorbeikamt, wo alle parken, die bei euch Tennis spielen, sind euch da irgendwelche Autos aufgefallen?«

Carter schüttelte den Kopf. Stephanie wußte: »Da haben sie doch Richies Wagen gefunden.«

»Genau. Aber als ich zu Fuß zu euch rüberging, haben die Cops einen Abguß von den Reifenabdrücken gemacht. Und *ich* meine, daß da vielleicht noch ein anderer Wagen war.«

»Was hält denn die Polizei davon?« fragte sie.

»Dort denken sie, die Abdrücke müßten früher entstanden sein. Oder sie stammten von jemandem, der den Rückstrahler von Richies Auto bemerkt hat und mal nachsehen wollte – vielleicht sogar ein Streifenwagen.«

»Mir ist nichts aufgefallen«, sagte Stephanie. »Tut mir leid. Wenn ich doch bloß aufmerksamer gewesen wäre!«

»Auf so was achtet man ja normalerweise auch nicht. Bitte, Stephanie, reg dich nicht auf.« Sie rutschte auf ihrem Stuhl ganz nach hinten. »Also weiter. Was wollten die Polizisten heute?«

Carter warf Stephanie einen wütenden Blick zu. Gott, hatte der es eilig, wegzukommen. Nun gut, er war Richies bester Freund gewesen – was bedeutete, daß sie bei den Basketballturnieren der New York Knickerbockers nebeneinandergesessen hatten. Richie hatte erzählt, daß sie manchmal ganz gute Gespräche geführt hätten. Wie ich die beiden kannte, hieß das wahrscheinlich, daß sie ihre intimsten Empfindungen über die Finanzplanung in der Ära nach den Steuerbegünstigungen ausgetauscht hatten. Dennoch schien Carter Richie auf seine Weise gemocht zu haben.

Außerdem schien er davon auszugehen, ich hätte Richie ermordet. Er konnte es kaum abwarten, wieder zu gehen. Seine Hände lagen auf seinen Beinen, kurz über den Knien, bereit, ihn hoch- und hinauszustemmen. Er hatte kurze Hände mit Wurstfingern,

Hände, von denen man statt komplizierter chirurgischer Eingriffe eher Fingermalerei erwarten würde.

»Die Polizei hat sich nach Richie und dir erkundigt«, sagte Stephanie. »Ob ihr mal großen Krach hattet. Die suchen nach einer Vorgeschichte physischer Gewalt – deinerseits oder seinerseits –, die als Motiv in Frage käme. Stimmt's, Carter?« Er nickte. Kaum merklich. »Also, Rosie«, fuhr sie fort, »während sie Carter ausfragten, habe ich ihnen gesagt, ich müßte noch Teig fertigkneten, was ich auch getan habe. Aber außerdem habe ich mich ans Telefon gehängt, ein paar Anrufe getätigt und diese Liste aufgestellt. Ich hab' zu allen Anwälten, mit denen ich gesprochen habe, gesagt: ›Summa summarum: Wer ist der beste?‹«

Es war nach sieben und schon dunkel draußen. »Morgen rufe ich sie an«, sagte ich. »Mal sehen, wie die Chemie mit jedem stimmt.«

»Vertraue auf deinen Instinkt, Rosie! Du hast doch immer einen guten Riecher.« Stephanie setzte ihre Wir-können-gewinnen-Hockeyteam-Mannschaftsführer-Stimme ein. Nach kurzem Zögern fügte sie hinzu: »Warte mal. Ich sollte lieber dabeisein, wenn du anrufst . . . Nein, weißt du, was noch besser wäre? Wenn ich mit dir hinginge –« Doch Stephanie kam nicht mehr dazu, ihren Satz zu beenden.

Carter packte sie am Arm und zerrte sie mit solcher Kraft vom Stuhl, daß er den Ärmel ihres kleinen Schwarzen abriß. Während sie durch die geplatzte Naht auf ihre nackte Schulter starrte, nahm ihr apartes Gesicht einen belämmerten Ausdruck an. »Komm, wir gehen«, polterte er und zog sie zur Tür. War sie zu schockiert, um zu widersprechen? Oder war sie dankbar, fortgezogen zu werden, fort von meiner häßlichen, bösen Geschichte, fort von mir?

»Stephanie!« rief ich.

»Vergiß es!« brüllte mich Carter an, dann waren sie draußen. »Ruf uns nie wieder an, und komm ja nie wieder in unsere Nähe!«

Eigentlich hätte ich zerknirscht sein müssen. Nur war ich es nicht. Meine Verzweiflung war so groß, mein Schrecken saß so tief, daß es mir nicht die Bohne ausmachte, von einem aalglatten Niemand – der sein Leben der Neugestaltung der Gesichter im Großraum New York widmete, so daß sie alle episkopalisch aussahen – wie der Leibhaftige persönlich behandelt zu werden. Na schön, vielleicht eine halbe Bohne, aber ich vergaß ihn vollkommen, als Ben ins Zimmer geschlurft kam.

»Wir müssen uns unterhalten«, sagte ich.

»Ich wollte nur gute Nacht sagen.«

»Es ist doch nicht mal acht.«

»Mom, ich bin völlig erledigt.« Seine Blicke waren überall, nur nicht bei mir.

»Ben, jetzt hör mal zu. Bitte glaub mir das mit Großmutter. Mit welchem medizinischen Ausdruck du ihre Krankheit auch belegen willst, sie hat einfach einen Hau. Das weißt du doch.«

Er zuckte mit bemühter Nonchalance die Achseln. »Und die Sache mit Mr. Driscoll?«

»Ist längst Geschichte. Wir sind zusammen aufgewachsen. Wir haben im selben Haus gewohnt. Als Kinder waren wir gute Freunde, aber bis wir in die High-School kamen, hatten wir kaum noch miteinander zu tun.« Er wartete. Ich holte tief Luft. Da stand noch die Frage der Nacktheit aus. »Im Abschlußjahr sind wir uns vor der Bibliothek wieder über den Weg gelaufen. Und haben uns unterhalten.« Ich suchte die Zimmerdecke nach einer mütterlich korrekten Antwort ab. Dort fand ich keine. »Ben, du bist doch schon vierundzwanzig.«

»Na und?«

»Also kannst du es vertragen. Mr. Driscoll und ich haben uns damals ineinander verknallt. Wir hatten Sex.«

»Und Großmutter hat euch dabei ertappt?« Einen kurzen Moment lang lächelte er. Erfreut. Entzückt.

»Einmal hat sie uns erwischt. Danach waren wir viel vorsichtiger. Jedenfalls hatten wir eine nette Beziehung, bis er ins College ging, und das war's. Keine große Affäre.« Tom Driscoll hatte mir das Herz gebrochen. »Kein Groll. In den Ferien sagten wir hallo, wie geht's, aber wir gingen getrennte Wege. Und dann hab' ich ihn nicht mehr wiedergesehen, bis er ganz oben war. Er war bei irgendeiner Privatbank zu Geld gekommen. Dann hörte er dort auf und fing an, in marode Firmen zu investieren. Er möbelte sie wieder auf und verkaufte sie für Unsummen weiter. Und da hab' ich ihn dann angerufen und zum Essen ausgeführt.«

»Du hast ihn einfach aus heiterem Himmel angerufen?«

»Was hatte ich denn zu verlieren? Wir waren beide verheiratet. Viel Spaß hat's nicht gemacht, weil er sich von einem brauchbaren Menschen zu einem prüden Langweiler verwandelt hatte. Aber er wurde Kunde. Gelegentlich verkehrten wir vier auf gesellschaftlicher Ebene miteinander, aber die Vergangenheit hat er nie erwähnt. Er benahm sich, als wäre ich die Frau eines Geschäftspartners aus der Vorstadt, was ich ja auch war. Etwas mehr als höflich, etwas weniger als freundlich.«

»Wußte Dad über dich und Mr. Driscoll Bescheid?«

»Er wußte, daß wir als Kinder befreundet waren. Mehr brauchte er nicht zu wissen.«

»Und was war mit Dad und Mrs. Driscoll?«

»Sie sind gute Freunde geworden. Hauptsächlich am Telefon. Ich glaube, sie haben fast täglich miteinander telefoniert, und nein, ich glaube nicht, daß Dad mit ihr geschlafen hat. Sie war seine Mentorin. Sie hat ihn in New York in ein neues Leben eingeführt.«

Bens Lächeln hatte sich verflüchtigt. Seine athletischen Schultern sackten herab. »Ich dachte immer, wir wären eine glückliche Familie«, sagte er.

»Das waren wir auch. Bis auf die letzten Monate, da –«

»Mom! Glaubst du, er ist am Tag nach eurer Silberhochzeit wach geworden und hat spontan beschlossen, er müßte raus?«

»Wieso bin ich daran schuld?«

»Ich bin müde.« Er machte sich auf den Weg ins Bett.

»Es war nicht meine Schuld, verdammt noch mal! Alle sagen: ›Es gehören immer zwei dazu‹ und was es sonst noch für schlaue

Sprüche über sitzengelassene Frauen gibt, aber was kann ich dafür, daß er fremdgegangen ist, daß er mich verlassen hat?« Ben ging weiter. Ich rannte ihm durch den allzu großen Raum hinterher. »Ben, sag du es mir. Was hab' ich Böses getan, daß mein Leben jetzt eine einzige Scheiße ist und ich ins Gefängnis muß?«

Ganz leise sagte er jetzt: »Was weiß ich, was du getan hast, Mom.« Er kehrte mir den Rücken zu und ging.

Bisher war alles Schlechte, was mir im Leben widerfahren war – eine Fehlgeburt zwei Jahre nach Alex' Geburt, der Krebstod meines Vaters, sogar Richies Auszug – zumindest nicht unbegreiflich gewesen. Embryos gehen eben ab, Eltern sterben eben, Ehemänner gehen eben. Mir war klar, daß es keine Schutzimpfung gegen Kummer gab. Aber in längstens achtundvierzig Stunden würde ich in einer zwei mal drei Meter großen Zelle hocken. Keine Ahnung, warum, aber ich beschwor vor meinem inneren Auge keine vergitterten Fenster und nicht einmal eine psychotische Zellengenossin herauf; bloß eine dreckige Toilette ohne Klobrille. Dieses Bild machte mich so schwach, daß ich in mein Bett wollte, mich unter den Decken verkriechen und nie wieder aufstehen. Ehrlich gesagt wollte ich sterben. Ich überlegte, wie viele Xanax noch im Glas waren. Aber ich war innerlich schon so abgestorben, daß ich einfach nicht mehr die Kraft hatte, mich nach oben zu schleppen, um mir eine Überdosis zuzuführen.

Mein Leben war ein Alptraum. Und was alles noch schrecklicher machte, war die Tatsache, daß mit Ausnahme meiner besten Freundin niemand meinen Alptraum unannehmbar, entehrend, widersinnig oder auch nur im geringsten Maße unbillig fand. Niemand wollte mir helfen. Mein eigener Sohn! Mein weichherziger Junge, Fleisch von meinem Fleische, sagt mir: »Was weiß ich, was du getan hast, Mom.«

Keine absolute Anschuldigung, aber bei Gott ein Zweifel. Wie konnte er nur? Waren wir alle imstande, einen Mord zu begehen, so daß wir bereitwillig die Vorstellung akzeptierten, jeder von uns könne zum Messer greifen und unseren noch vor kurzem geliebten und geschätzten Nächsten durchbohren? Oder war es meine Schuld? Wies meine Persönlichkeitsstruktur irgendein besonderes Merkmal auf, das mein eigenes Kind, meine Kollegen, mit denen ich seit achtzehn Jahren zusammenarbeitete, meine Nachbarn glauben machte, ich könnte jemandem das Leben rauben?

Oder waren die Indizienbeweise gegen mich so schlüssig, daß sie jedem vernünftigen Menschen glaubwürdig erscheinen mußten?

Ich beugte mich vor und barg mein Gesicht in den Händen, sicherlich eine angemessene Geste der Existenzangst, doch dann fiel mir ein, daß ich Alex schlummernd in der Bibliothek zurückgelassen hatte. Ich wollte mich überzeugen, daß er nicht in einem allzu tiefen, chemisch erzeugten Schlaf lag. Um ganz ehrlich zu sein, benahm ich mich wie eine nervöse Mutter mit ihrem Neugeborenen. Ich wollte nur mal nachsehen, ob er noch atmete.

Er atmete noch. Seine Wange war warm. Eine schwarze Strähne hing ihm über das Gesicht. Ich schob sie zurück. Zwinkernd schlug er die Augen auf und sagte: »Hallo, Ma.«

»Geht's dir gut, Alex?«

»Super«, sagte er, was mit seinem Rocker-Einschlag wie »Suppe« klang.

»Die sind alle weg. Willst du dich nicht oben ins Bett legen?«

»Ich find's gut hier.« Noch ehe der Satz beendet war, schloß er seine Augen wieder.

»Alex, ich hab' dich lieb.«

»Ich dich auch, Ma«, murmelte er noch.

Was würde mit ihm geschehen, wenn ich nicht mehr da wäre? Dann stellte ich mir die Frage konkreter: Wie würde Alex den Mord an seinem Vater und die Verurteilung und Inhaftierung seiner Mutter verkraften? Denn als ich die große Freitreppe hinaufstieg, um ins Bett zu gehen, schien es mir wenn schon nicht unumgänglich, so doch zumindest verflucht wahrscheinlich, daß ich ins Kittchen kommen würde. Wie hatte ich nur annehmen können, daß mich ein ganzes Schwurgericht freisprechen sollte, wenn ich mir an einem Finger abzählen konnte, wer mir wirklich glaubte: Cass.

Gott weiß, warum, aber es zog mich in Alex' Loch von einem Zimmer. Unterhosen, Hemden, Socken, Bücher, zerquetschte Softdrinkdosen, zwei leere Cheddar-Popcorn-Tüten, Zeitungen mit reißerischen Berichten über den Mord an Richie, ein braun angelaufener Apfelbutzen und einzelne Bögen Notenpapier verschandelten den Boden. Seine Gitarre, in seinen alten Verstärker gestöpselt, lag auf dem Bett. Ich durchstöberte seinen Gitarrenkasten und seinen Rucksack. Nichts. Schließlich fand ich ein Glas großer weißer Tabletten in den Jeans, in denen er nach Hause gekommen war. Es war ein braunes Glas wie die für Vitaminpillen, natürlich ohne Etikett. Noch ehe ich mir vorhalten konnte, daß er jetzt einundzwanzig war und somit alt genug, seine eigenen Fehler zu machen, war ich schon in sein Badezimmer gegangen, hatte die Tabletten in die Toilette geschüttet und abgezogen.

Ich zweifelte nicht daran, daß Alex etwas anderes finden würde, um seinen Schmerz, welcher Art der auch sein mochte, zu lindern. Aber wenn wir uns verabschiedeten, wünschte ich mir, daß er etwas spürte. Angst. Zorn. Ich wollte nicht, daß er einen dissonanten Song etwa im Wortlaut von »Pa hat ein Messer im Bauch, und Ma stempelt die Rückgabetermine in der Gefängnisbücherei« schrieb. Ich wollte, daß Alex irgendeine Regung zeigte. Ich wollte in dem Bewußtsein weggehen, daß er gefühlsmäßig nicht völlig abgestorben war.

Ich hätte nie gedacht, daß ich mich einmal voller Zärtlichkeit an seine High-School-Zeit zurückerinnern würde. Zornig. Zielbewußt, wenn auch nur aus Trotz gegen Autorität – wie er Richies ausgeklügelte Magnetsensoren am Fenster überlistet hatte und die Sav-Ur-Life-Leiter hinuntergeklettert war, um mit seinem Freund Danny und den anderen aus seiner Band über die Stränge zu schlagen. Ich hätte einen zornigen jungen Mann an meiner

Seite gebraucht, einen Mann, der ebenso gewitzt war wie sein Vater früher, den geborenen Manipulator.

Doch dann besah ich mir Alex' Schweinestall auf dem Fußboden, die hingeworfenen Kleider, den Nagelclip und das Haargel auf seinem Stuhl – das Chaos, das er in nur vierundzwanzig Stunden aus der Ordnung geschaffen hatte. Ich mußte aufhören, in einem Roman zu leben. Er war mein Sohn und nicht mein Heldendetektiv.

Ich schob sein dreckiges T-Shirt und ein paar Popcorn von einer Ecke seines Bettes und setzte mich. Was als nächstes geschah? Ich weiß es nicht mehr. Vielleicht betete ich und wurde erhört. Vielleicht saß ich nur ein Weilchen da und spann mir noch einen Roman zusammen. Aber als ich aufstand, spürte ich im Grunde meines Herzens, daß Alex – in einer Woche oder einem Jahr oder einem Jahrzehnt – wieder in Ordnung kommen würde.

Das erleichterte mich dermaßen, daß ich auf sein Bett zurücksank. Ich schaute aus dem Fenster. Der Mond war nur eine schmale Sichel, doch die Sterne blinkten mir zu.

Mein Fuß irrte auf seinem Bettvorleger hin und her, dann unter sein Bett. Da lag sie noch: die sechs Meter lange Rettungsleiter Marke Sav-Ur-Life.

Und plötzlich war mir klar, daß ich mich retten mußte.

9

Ein Plan. Ich brauchte einen Fluchtplan.

Ich schüttelte den Kopf: Lächerlich. Ein Witz! Jemand wie ich auf der Flucht!

Geld. Ohne Bargeld würde ich nicht weit kommen; ich brauchte eine Bleibe, Reisekasse, Essen. Aus den Reißverschlußtaschen aller meiner Handtaschen förderte ich rund dreißig Dollar in Scheinen und etwas Kleingeld zutage. Die zählte ich zu den achtzig aus meiner Geldbörse dazu. Und meine Geldautomatenkarte. Mein Sparbuch allerdings nicht, denn wenn bei der Polizei nicht samt und sonders tumbe Toren arbeiteten, wären bei Öffnung der Banken am Morgen alle meine Konten im Computer mit einem Sperrvermerk versehen. Desgleichen die Kreditkarten.

Aber Richie hatte mir zum letzten Geburtstag einen Ring geschenkt: der Saphir hatte die Größe einer kleinen Pflaume. In den harten Männerkrimis bieten die naiven Dummchen immer an, etwas ins Pfandhaus zu tragen, um dem Privatdetektiv das Honorar zahlen zu können – und der winkt dann lässig ab: Laß gut sein, Kleine. So ist das Leben zu achtzehnjährigen Blondinen. Aber wenn die ihren Familienschmuck versetzen konnten, warum dann nicht ich?

Dann fragte ich mich: Was erhoffst du dir eigentlich davon, wenn du die Biege machst?

Meine Antwort hieß: Vielleicht gar nichts. Vielleicht ist das so eine Art armseliges Ablenkungsmanöver, eine Fluchtphantasie für eine, die nicht entkommen kann.

Unterwäsche zum Wechseln. Meinen Filofax. Etwas Make-up. Xanax: Ich umklammerte das Glas und preßte es mir fest vor die Brust – der Balsam der Verzweifelten. Aber meinen Seelenfrieden mußte ich mir schon selbst beschaffen, und zwar ohne Nebenwirkungen. Und wenn noch die geringste Hoffnung bestand, meinen Hals aus der Schlinge zu ziehen, mußte ich stark sein; ich konnte mir nicht erlauben, mich der Verzweiflung hinzugeben, falls die Lage unangenehm wurde.

Meine Souveränität in jeder Lebenslage währt ungefähr drei Sekunden, aber in dieser kurzen Zeit gelang es mir, die zweite Tablettenration dieses Abends ins Klo zu kippen.

Während ich auf der Suche nach meiner Reisezahnbürste in meinem Schlafzimmer herumsauste, sagte ich mir: Ist das ein hirnrissiger Plan! Vergiß es. Schlaf dich aus. In Anbetracht meiner amoklaufenden Ängste und der Tatsache, daß sich sämtliche Sedativa im Haus in der Sickergrube auflösten, konnte sich das allerdings als etwas schwierig gestalten. Ich verlangte: Keine Ausflüchte mehr. Präzise Aussagen. Was kannst du deiner Meinung nach mit Weglaufen erreichen?

Ich antwortete mir: Der Mord an Richie war schließlich kein zufälliger Willkürakt. Davon bin ich überzeugt. Um mich von dem Verdacht zu befreien, muß ich herausfinden, wer es wirklich war. Aber wir sind hier nicht in einem John-Dickson-Carr-Krimi, wo im vorletzten Kapitel eine clever kombinierte Auflösung geboten wird. Wenn schon die Ergreifung des Mörders wenig realistisch ist, kann ich ja wenigstens in Erfahrung bringen, was sich in den letzten paar Lebensjahren meines Mannes zugetragen hat. Vor allem muß ich Gevinski eine Alternative anbieten können. Und die einzige Möglichkeit dazu ist rauszukriegen, was Richie getan, gesehen, gedacht hat. Und weil er schon in die Stadt gezogen ist, lange bevor er wirklich in die Stadt umzog, muß ich ihm dorthin folgen.

Der Wind heulte wie ein Soundeffekt in einem billigen Horrorstreifen – *huuuh-huuuh* – und rüttelte an den Fenstern. Ein kalter Abend, der erste Vorbote des Winters. Ich überlegte: Wie kleidet sich ein Gesetzesflüchtiger? Vor meinem geistigen Auge blitzten Jeans und ein schwarzer Rollkragenpulli auf. Aber in Richies Welt, dachte ich, würden sich Flüchtige kleiden wie alle anderen – teuer. Also ging ich wieder in meine Kleiderkammer und wählte eine anthrazitgraue Tweedhose von einem französischen Modeschöpfer. Sie saß so eng im Schritt, daß ich beim Niesen bestimmt Lustgefühle bekommen würde. Trotzdem war sie für meine Verhältnisse geradezu schockierend schick. Dazu ein siebenundneunzigfach gezwirnter Kaschmirpulli mit Kapuzenkragen und eine blaßgraue Strickjacke, die ich beim Einkaufsbummel mit meiner Schwägerin, Carol von den glasierten Haaren, erstanden hatte. Als ich mir das Teil überstreifte, hatte sie erklärt: »Das schreit nicht ›Qualität‹, Rosie, das flüstert es nur.« Ein Paar flache Lederstiefel. Ich stopfte alles in eine unmoralische, aber wunderschöne Straußenleder-Schultertasche, ein weiches, voluminöses Ding, das ich einen Monat nach unserem Reichwerden gekauft hatte, also etwa zwei Jahre bevor ich von den Kids in der Schule tierschützerische Erörterungsaufsätze über schreiende Nerze einsammelte.

Dann schaltete ich das Dielenlicht aus. So leise ich konnte, huschte ich an Bens offener Tür vorbei. Mets-Wimpel und Regale voller Sportpokale wetteiferten mit Postern der Islanders und der Giants um den Platz an der Wand. In der High-School hatte er ein Plakat von *Einstein junior* dazugehängt. Keine Rockstars, keine Politslogans. Sein alter Lacrosse-Schläger lehnte immer noch in einer Ecke.

Ich schlich durch die Diele und blieb vor der Tür zu Alex' Zimmer stehen. Natürlich hatte ich die ganze Zeit schon gemerkt, daß ich Angst hatte. Aber erst als ich mein Keuchen hörte, wußte ich, daß ich mich im Zustand absoluter Panik befand.

Alex' Zimmer war nach wie vor leer. Mit etwas Glück würde er mittags in der Bibliothek aufwachen, vorausgesetzt, niemand schüttelte ihn heftig, um ihn auszufragen: Sag uns, wo deine Mutter ist! Ich schlüpfte hinein und setzte mich auf die harte Matratze seines schmalen Jugendbettes.

Ich ermahnte mich: Das ist doch zu gefährlich. Was ist, wenn Alex wach wird und hochkommt? Willst du ihn vor die Wahl zwischen dir und der Justiz stellen? Zwar war das Risiko nahe Null, aber um der Vorsicht Genüge zu tun, zählte ich Eins-Banane, Zwei-Banane, bis ich bei Dreihundert ankam. Man kann mir glauben, das ist die zweitlangweiligste Beschäftigung der Welt. Nummer eins ist ein Gespräch über Käseallergien mit »Verdachterregende Speisen«.

Alles blieb ruhig. Kein Alex. Ich hob das Rollo an, um hinauszuspähen. Keine Cops, so weit ich sehen konnte, aber ich wußte, daß mindestens zwei ums Haus kreisten und zwei weitere in dem Wagen unten vor der Einfahrt saßen. Dann zog ich die Leiter unter dem Bett hervor. O Gott! Die Ketten zwischen den Sprossen rasselten wie bei Marleys Geist. Ich wartete. Keine Rufe, keine Polizistenpfiffe. Daher schob ich zentimeterweise das Fenster hoch.

Ich warnte mich: Tu das nicht! Damit machst du alles nur noch schlimmer. Die werden sagen, du hättest dich abgeseilt, und das stimmt ja auch. Unschuldige flüchten nicht. Außerdem wirst du erwischt. Du weißt, daß sie dich kriegen.

Ich gab zurück: Na und, dann kriegen sie mich halt. Was können sie schon tun? Ein paar Jährchen aufs Urteil draufschlagen? Was sind schon ein, zwei Jahre mehr, wenn ich fünfundsechzig oder fünfundsiebzig bin? Bis dahin habe ich längst grüne Zähne, graues Schamhaar und keine Hoffnung mehr. Also los.

Ich wies mich zurecht: Das ist tollkühn. Du bist doch eine verantwortungsbewußte Staatsbürgerin.

Aber ich winkte ab: Die wollen mich ins Kittchen stecken. Nichts wie weg!

Ich schüttelte den Kopf: Nein, warte mal. Die Nacht war noch zu jung. All diese flotten dreißigjährigen, blauäugigen Cops auf Objektbeobachtung wippten vermutlich draußen immer noch auf den Fußballen und waren widerwärtig wachsam. Es würde noch ein, zwei Stunden dauern, bis sie müde wurden. Ich legte mich hin. Alex' Kissen roch nach seinem Haargel, Duftnote Wassermelone. Ich war entsetzlich müde, und ich wußte, daß mich diese Müdigkeit erledigen konnte. Viel zu erschöpft, um sie zu bekämpfen, würde ich mir ein Nickerchen gestatten – um schließlich im Morgengrauen wieder aufzuwachen. Deswegen zwang ich meine Augen, sperrangelweit offenzubleiben, ich hielt mich wach, indem ich mir – gleich zweimal – alle Gedichte aufsagte, die ich je auswendig gelernt hatte. Ich begann mit einem Dutzend Shakespeare-Sonetten. Dann überflog ich ein bißchen Donne, ein bißchen Adrienne Rich, anschließend ein paar Romantiker-Oden. Weiter ging es mit Yeats und T. S. Eliots »J. Alfred Prufrocks Liebesgesang.« Schließlich kam ich zu »Aus Nacht, die mich umfängt«.

»Strand von Dover« von Matthew Arnold jedoch ließ ich aus. Einmal, wenige Monate nach unserem Einzug in Gulls' Haven, hatten Richie und ich uns spätabends davon überzeugt, daß die Jungens schliefen, und uns aus dem Haus gestohlen. Dann liebten wir uns unten auf unserem Strand. Toller Sex verdient es, gebührend gefeiert zu werden: Ich rezitierte »Strand von Dover«. Klar, das ist purer Kitsch, aber es klappt, und bei »O Geliebte, laß uns einander treu sein!« weinte ich. Richie hielt mich in seinen sandigen Armen und streichelte mir übers Haar.

Um elf Uhr hakte ich die Metallanker am Fensterbrett fest und ließ die Leiter so vorsichtig hinunter wie nur möglich. Dennoch klirrte das Metall lauter auf den Backsteinen, als ich mir je hätte träumen lassen. Jedes Klirren verursachte neues Herzflattern, und daß in einiger Entfernung ein Hund heulte, war mir auch kein Trost. Aber endlich herrschte Ruhe.

Ich setzte mich aufs Fensterbrett. Langsam hob ich meine Beine nach draußen, bis sie vor dem Mauerwerk baumelten. Durch die Wollhose hindurch spürte ich die Kälte der Backsteine an meinen Waden. Ich klammerte mich so fest an den Fensterrahmen, daß sich sicher meine Fingerabdrücke im Holz eingegraben haben. Nicht nach unten sehen, befahl ich mir. Natürlich sah ich doch hinunter. Der Rasen war ein gähnender schwarzer Schlund, das Tor zur Hölle. Ich kniff die Augen zu und klammerte um mein Leben. Die Ketten klirrten im Wind. Mühsam konzentrierte ich mich auf die Leiter. Und ich fragte mich: Auch wenn ich wirklich abhauen wollte, wie käme ich überhaupt auf das Ding drauf?

Irgendwie schaffte ich es doch, mich umzudrehen und einen Fuß auf eine Sprosse zu setzen und dann noch einen. O Gott, das Ding war nicht stabil! Die Leiter pendelte hin und her, getrieben von ihrem eigenen bösen Willen. Ich schabte mir die Fingerknöchel an den Backsteinen wund. Selbst im Dunkeln konnte ich feststellen, daß sie bluteten. An blutenden Knöcheln ist noch niemand gestorben. Los, weiter, beweg dich. Noch eine Sprosse tiefer. Efeuranken langten nach meinen Handgelenken. Noch eine

Sprosse. Ich konnte nicht. Meine Arme zitterten. Wenn ich runterfiele ... Ich stellte mir meinen zerschmetterten Körper vor, meine gebrochenen Glieder, meinen geborstenen Schädel, der auslief wie ein Zweiminutenei.

Nein, ich konnte es nicht. Ich schickte mich an, wieder ins Haus zu klettern. Aber als ich mich eine Sprosse hochgezogen hatte, ruckten die Haken, an denen die Leiter hing, als wollten sie sich gleich aus Protest losmachen. Ich klammerte mich keuchend fest. Meine Finger wurden langsam taub. Wenn ich nicht mehr hochkäme, wohin sollte ich dann? Wieder begann der Abstieg. Ich wagte nicht hinunterzusehen vor Furcht, da stünden vier Polizisten mit gezückten Waffen.

Aber dann riskierte ich doch einen heimlichen Blick. Ich konnte es nicht fassen! Fast unten. Zwei Meter noch, vielleicht zweieinhalb: mehr nicht. Der schwarze Rasenschlund hatte sich in weiches Gras verwandelt.

In diesem letzten Moment dachte ich nicht an die Söhne, die ich zurückließ. Nicht an meine Mutter. Ich dachte an meine Schüler. Rasch und leise bat ich sie um Verzeihung und hoffte, jemand würde die zweiundzwanzig Aufsätze über »Die Liebe – ein Thema mit Variationen in Jane Austens *Stolz und Vorurteil*« – unter dem »Wissen ist Macht«-Briefbeschwerer von Data Associates auf meinem Schreibtisch finden und sie in die Schule bringen, damit Adam Gottfried erfuhr, daß er eine Eins minus bekommen hatte, und seine Kolitis nicht schlimmer wurde. Und dann berührte mein rechter Fuß den Boden.

Es war entweder der Hund von Baskerville oder ein deutscher Schäferhund der Polizei von Nassau County, auf jeden Fall flitzte ein riesiges Tier über den Rasen auf mich zu. Es bellte laut genug, um Tote zu erwecken – außer Richie natürlich. Und er sah so aus, als läge er am liebsten zusammengerollt zu Himmlers Füßen. Ob ich ihm davonrennen konnte? Als er so dicht herangekommen war, daß ich seine Fußtritte, genauer seine Pfoten, hörte, blieb ich stehen. »Guter Junge«, gurgelte ich hysterisch. Dann sah ich hinunter. »Gutes Mädchen.« Dafür, daß das Knurren ganz aus der Tiefe ihrer massigen Brust kam, war es sehr, sehr laut.

Beim Abrichten eines unserer Hunde, entweder Beagle Irving, der im August gestorben war, oder Blossom, einer begriffsstutzigen ungarischen Hirtenhündin, hatte ich gelesen, daß man still stehenbleiben soll, wenn ein Hund einen bedroht. Nicht laufen. Wenn sich allerdings der Hund bewegt, zum Beispiel um einem nach der Speiseröhre zu schnappen, dann muß man versuchen zu schreien – tunlichst noch bevor er einem die Speiseröhre zerfleischt.

»Jaws?« rief ein Mann. Seine Stimme schien von der Treppe zum Strand zu kommen, aber der Wind heulte immer noch, daher konnte ich die Richtung nicht genau bestimmen. »Jaws!« Der Wind übertönte seinen Pfiff, aber erst, nachdem Jaws ihn gehört und eine Antwort gebellt hatte.

»Gute Jaws«, flüsterte ich. Die Hündin hob herausfordernd den Kopf und starrte mich an. »So ein schöner Hund bist du. So ein braver Hund«, schmeichelte ich so leise wie möglich. »Schöööön. Braaaaav.« Ich betete, sie würde das Blut an meinen Knöcheln nicht riechen und Appetit auf einen Snack bekommen.

Trotz Jaws' beachtlicher Größe hatten ihre Beine diesen leichten Auswärtsschwung, als wäre sie gerade erst ihrer Welpenzeit entwachsen. Allein ihre Jugend – sie muß eine blutige Anfängerin in der Hundestaffel gewesen sein – konnte entschuldigen, daß sie zu bellen und zu beißen vergaß. »Na komm!« forderte ich sie mit dem wahnwitzigen Überenthusiasmus auf, den ich immer aufbot, wenn ich Haustieren oder Kindern etwas anpreisen wollte, was ihnen nicht gefiel. »Komm, wir gehen Gassi!« Ich machte die ersten beiden Schritte eines flotten Spaziergangs. Entweder würde Jaws jetzt ihre Zähne in meinem Schenkel versenken oder . . . Sie blieb bei Fuß! Nicht gerade begeistert, doch als der Wind einen weiteren »Jaws!«-Ruf verwehte, war mein Fleisch noch intakt.

Ich stürmte in das Wäldchen zwischen unserem Grundstück

und dem der Tillotsons. Es war durchwachsen. Gelinde gesagt. Ich stolperte über Steine und Schlingpflanzen und vertrat mir in einem Erdloch den Knöchel. Jaws blieb an meiner Seite. Es war so dunkel, daß ich geradewegs in eine hüfthohe Barrikade marschierte: ein umgestürzter Baum mit seinem Astwerk. Mit kleinen Schritten und zerschundenen Fingern tastete ich mich seitwärts, bis ich das Hindernis umrundet hatt.

Die Hündin kam nicht mit! Sie knurrte zwar bei jedem meiner Schritte, doch wollte sie nicht weiter als bis zu den Wurzeln des Baumes. »Komm her zu mir, Jaws!« flehte ich. »Du schaffst es!« Man muß wissen, daß ich eine begnadete Lehrerin und die perfekte Animateurin bin. Endlich wurde mir klar, daß Jaws sich nichts sehnlicher wünschte, als zu mir herzukommen. Ich sah zwar kaum die Hand vor Augen, aber mir schien, sie hatte sich bei dem Versuch drüberzuspringen mit einem Hinterlauf oder beiden in dem dichten Wurzelwerk verfangen. Sie reckte den Hals und stieß ein entrüstetes Geheul aus. Ich bekam so großes Mitleid mit ihr, daß ich fast zurückgegangen wäre. Doch ich tadelte mich: Du blöde Kuh, wir sind hier doch nicht in einem Rin-Tin-Tin-Film! Dann preschte ich los durch den Wald, hundelos durch die dunkle Nacht, ganz auf mich allein gestellt.

Während ich mir einen Weg bahnte, ängstigte ich mich vor tollwütigen Ratten, vor schießwütigen Cops, vor Giftsumach-Säften, die langsam durch meine Hose sickern würden. Eine rauhe, haarige Brennessel streifte mich am Hals und hinterließ einen geschwollenen Striemen. Eine weitere verhakte sich im groben Tweed meines Hosenaufschlags und riß mich zurück. Ich bekämpfte sie mit Fußtritten, vier-, fünf-, sechsmal, wie eine wahnsinnig gewordene Tanzmaus. Endlich kam ich frei.

Dort, wo ich sie verlassen hatte, hörte ich Jaws jetzt wütend bellen. Irgendwoher, vermutlich von dem Rasenstück zwischen Strand und Wäldchen, hörte ich Stimmen. Waren sie nur auf der Suche nach Jaws oder wußten sie inzwischen, daß ich ausgerückt war? Ich war losgerannt, ohne mich noch lang umzuschauen. Ich hatte keine Ahnung, ob die Sav-Ur-Life-Leiter von der Dunkelheit verhüllt wurde oder ob sie etwa im Sternenlicht vor der Backsteinwand glänzte. Zu spät, mir darüber Gedanken zu machen. Ich schleppte mich durch das Unterholz, durch glitschige Abschnitte mit vermoderndem Laub. Ich mußte weiter.

Aber ich hatte einfach keine Kraft mehr. Ich konnte nicht weiter. Ich lehnte mich an einen jungen, nicht allzu stabilen Baum. Ich war so verschwitzt, daß mein Pullover mir an Rücken und Bauch klebte. Mich fröstelte. Meine Finger pulsten nicht mehr; sie waren taub. Doch als ich mir gerade seufzend meine Niederlage eingestehen wollte, klärte sich mein Verstand. Ich bemerkte, daß zwei bedeutende Veränderungen eingetreten waren. Zum einen war Jaws verstummt. Vermutlich hatte sie sich befreit und sabberte in dieser Minute ihrem Herrchen die Hose voll. Kein Knurren mehr, kein Bellen, und was das beste war, keine Stimmen mehr. Und zum anderen war ich schon so weit gekommen! Gleich hinter dem Baum vor mir lag die Stelle, wo Richie seinen Wagen abgestellt hatte. Ich war nur noch zehn Meter von der Straße entfernt.

Meine langfristige Planung hatte vorgesehen, daß ich mich nach Manhattan durchschlug, dort eine Weile blieb und ein paar Nachforschungen anstellte. Nun merkte ich, daß ich mich für zu schlau gehalten hatte. Ich hatte nur einen provisorischen Plan gemacht.

Einen richtigen Fluchtplan hatte ich nicht. Wie sollte ich von hier fortkommen? Da beleuchteten plötzlich zwei Scheinwerferstrahlen die Straße zwischen meinem und Stephanies Grundstück. Ich ließ mich zu Boden fallen. Jetzt dreh nicht gleich durch, beruhigte ich mich. Das kann auch einer der Nachbarn sein, auf dem Heimweg von einem Dinner oder aus dem Theater. Aber es war schon – wie lange? – eine Viertelstunde her, seit Jaws und ich uns kennengelernt hatten. Zeit genug für die Polizisten, um zu merken, daß irgendwas im Busch war. Außerdem, das mußte ich einräumen, schienen sich die Scheinwerfer in einer Geschwindigkeit zu bewegen, mit der wahrscheinlich Cops nach einem flüchtigen Verbrecher fahndeten. Inzwischen konnten sie überall verteilt sein. Überall in ganz Shorehaven. Wo sollte ich nur hin? Was sollte ich tun? Die Scheinwerfer kamen näher.

Vorwärts konnte ich nicht; soviel war klar. Also kämpfte ich mich durch den Wald zurück. Diesmal hatte ich weniger Angst. Na gut, außer als ich die glühenden Teufelsaugen irgendeines wilden Tieres sah – eines Waschbären vielleicht oder einer Wildkatze.

Endlich war ich wieder zurück in Gulls' Haven. Ich schlich näher. Dann sah ich die Leiter. Ja, da war sie, sie hing hellsilbern aus Alex' Fenster.

Ich hielt mich hinter der ersten Baumreihe versteckt und umrundete das Haus und die Rasenflächen, bis ich vorn angelangt war. Alles war ruhig, unheimlich ruhig. Keine Cops, keine Streifenwagen. Und keine Jaws. Wo steckten sie bloß? Warteten sie darauf, mich mit Schüssen niederzustrecken, wenn ich aus dem Wäldchen auf die Kieseinfahrt trat? Nein, stellte ich fest. Sie waren nicht da. Sie waren, wo ich sie haben wollte: auf der Suche nach mir.

Woher ich das wußte? Also, um bei der Wahrheit zu bleiben, ich war keine Expertin. Bis auf meine Kenntnisse aus den Ed-McBain-Romanen und den True-Crime-Schmökern konnte man mich kaum als eine mit allen Wassern der lebensechten Polizeiverfahren gewaschene Frau bezeichnen. Trotzdem hatte ich genügend gelesen, um eines mit Sicherheit zu wissen: Selbst wenn ihnen klargeworden war, daß ich getürmt war, würden sie nicht überall nach mir suchen und das Haus unbewacht lassen. Mindestens ein Polizist mußte noch in der Nähe sein. Stand er hinten, in erreichbarer Nähe der Leiter? War er auf einem Rundgang ums Haus? Im Haus?

Nein, drinnen war er wohl nicht. Das Haus lag so dunkel, wie ich es verlassen hatte – es sei denn, sie benutzten solche Infrarotbrillen wie im *Schweigen der Lämmer*, was, wie ich beschloß, übertrieben cineastisch war, außerordentlich kostspielig und zudem im höchsten Grade unwahrscheinlich. Aber sicher würde sich bald wieder jemand mit einer Polizeiplakette vor dem Haus einfinden, und dann säße ich im Wäldchen fest – das heißt, bis sie anfingen, auch das Wäldchen zu durchkämmen.

Ich musterte Gulls' Haven so eindringlich wie nie zuvor in all den Jahren, die ich dort verlebt hatte. Was konnte es für mich tun? Ein schöner, anmutiger Backsteinkasten mit sanft geneigtem Schieferdach. Hier war keine Hilfe zu erwarten. Ein überdachter Laufgang aus den gleichen verwitterten Ziegeln wie das Haus selbst, mit drei kleinen Bögen, die das prächtigere Frontportal nachahmten. Kein Ort zum Verstecken. Aber der Laufgang führte über die linke Seite des Hauses, an der Küche vorbei, zu einer Seitentür der Dreifachgarage. Zur Garage! Ob das zu schaffen war? Wegzufahren? Gleich darauf rannte ich über die offene Rasenfläche.

Zugegeben, das hatte ich nicht geplant, aber als ich in der Garage Bens Jeep mit den Nummernschildern aus Pennsylvania sah, wußte ich gleich, daß das meine einzige Chance war. Mit Allradantrieb durch das Wäldchen, dann über den Strand! Was für ein Ausbruch! Nur hatte ich dummerweise keinen Schlüssel. Von Herzen bereute ich all die vielen Stunden, die ich mit Trigonometrie verschwendet hatte, nichts, was mit dem wirklichen Leben zu tun hatte, anstatt mich mit bösen, ungewaschenen Brooklyner Buben herumzutreiben und zu lernen, wie man eine Zündung kurzschließt. Nun blieb mir folgende Wahl: à la Vietcong durch die Blumenbeete von Shorehaven Estates und um die Kinderschaukeln und Gartengrills von Shorehaven Acres zu robben, mich durch die Main Street, an Dunkin' Donuts vorbei bis zum Bahnhof der Long Island Railway durchzuschlagen – oder aber meinen roten Saab zu nehmen, den die Polizisten schon so gut kannten, weil sie ihm ständig hinterhergefahren waren.

Auf die Plätze, fertig, los! Zeitgleich mit der Zündung des Saab betätigte ich den Schalter für das Garagentor. Das große Tor rollte in arthritischer Zeitlupe hoch. Zudem noch sehr laut. Ich setzte rückwärts heraus, schloß das Garagentor, kurbelte mein Fenster herunter und horchte. Nichts. Ich legte den Gang ein und rollte zu mißtönendem Kiesknirschen die Einfahrt hinunter.

Ich hatte genügend Kriminalfälle gesehen, um zu wissen, daß ich meine Scheinwerfer nicht einschalten durfte. Allerdings wird im Film gern verschwiegen, daß man ohne Licht erst merkt, wohin die Reise geht, wenn man das gräßliche Krachen des Kotflügels hört, der implodierend einem Gingko-Baum Platz bietet. Dieser Lärm! Wirksamer als eine Sirene, wenn es galt, die Polizei zu alarmieren.

Tatsächlich: In der Ferne erklang eine Stimme. Ich konnte nicht genau verstehen, was sie rief, aber es klang wie »Schlehenreiben!«, was ich allerdings nicht für sehr wahrscheinlich hielt. Ich legte den Rückwärtsgang ein. Der Wagen war willens, sich von dem Baum zu trennen, also beeilte ich mich wegzukommen und schaltete das Standlicht ein, damit ich mich bis zum Ende der Einfahrt orientieren konnte. »*Schlehenreiben!*« Die Stimme klang schwächer. Dann schaltete ich meine Scheinwerfer wieder aus und fuhr ins Dunkle.

Keine Cops auf der Anchorage Lane. Während ich auf der verwinkeltsten Strecke, die mir einfiel, aus Shorehaven Estates hinauszuckelte – Sandy Nook Drive hinunter, Zephyr Court hinauf, um das alte Whitney-Anwesen herum, die unbefestigte Nebenstrecke zur Schnellstraße hinter den Grundstücken der Wagners, der Changs und der Schaeffers entlang, über den kurzgeschorenen Krocketrasen der Gillespies, um ihr Badehaus am Pool herum und in ein kleines Gehölz hinein, bis ich schließlich auf dem Parkplatz der lutherischen Christ-Our-Savior-Kirche herauskam –, sah ich ständig Scheinwerfer auf den Parallelstraßen. Aber keine Cops.

Zehn Minuten vor Mitternacht fuhr ich an den Drive-in-Schalter der Marine Midland Bank und tippte in den Geldautomaten $300. Ein Streifenwagen schoß vorüber, blauweiß, mit einem riesigen Polizeiwappen an der Tür. Er hielt nicht an, um sich die Sache genauer anzusehen. Der Monitor des Geldautomaten blinkte: »Der Vorgang wird bearbeitet, ROSE MEYERS.« Offensichtlich wußte er noch nicht, daß Rose Meyers auf der Flucht war und bald die Fahndungs-Hitliste von Nassau County anführen würde. Denn nach einem kurzen Moment maschineller Magenbeschwerden spie er das Geld aus.

Liebend gern würde ich nun eine Verfolgungsjagd beschreiben, aber es fand keine statt. Nach der Bank drehte ich die Scheinwerfer an und fuhr auf Nebenstraßen aus Shorehaven hinaus. Doch hielt ich mich in östlicher Richtung, weg von Manhattan, auf der Uferstraße durch das Geschäftsviertel von Glen Cove und durch den zwei Häuserblocks langen Handelsbezirk von Port Adams. Es war fünf nach Mitternacht. Am nächsten Tag! Deshalb hielt ich an einer weiteren Drive-in-Bank und hob noch mal dreihundert Dollar ab. Und dann parkte ich am Stadtkai. Mit etwas Glück würde die Polizei glauben, ich wäre gesprungen, und in den nächsten ein, zwei Tagen die Bucht mit dem Schleppnetz absuchen.

Etwa zwei Minuten weiter fand ich in einer Bootswerft einen unabgeschlossenen Lieferwagen. Ich kletterte auf den Fahrersitz und befaßte mich mit meiner Zukunft.

Zunächst einmal mußte ich aufhören, mich als Englischlehrerin zu betrachten. Aber was war ich sonst? Da Mordverdächtige im allgemeinen als Pejorativ gilt und nicht als Stellenbezeichnung, mußte ich mich mit einer neuen Rolle vertraut machen: Detektivin. Das einzige Problem, dachte ich, während ich mich unter das Armaturenbrett duckte, weil irgend etwas – Polizeiwagen? Löschzug? Krankenwagen? – in der Ferne heulte, war, daß ich als Detektivin nur mich selbst als Klientin am Hals hatte.

Ich kam wieder hoch. Der Eigentümer hatte seine Kippen auf dem Fußboden ausgetreten und versucht, den Rauchgeruch zu verschleiern, indem er einen besonders übelriechenden Geruchsvertilger in Pinienform an seinen Rückspiegel gehängt hatte. Aber er war nicht nur ein Schlamper; er war auch ein schwachsinniger Sexist, der oben rechts an seiner Windschutzscheibe ein 3-D-Abziehbild von einer nackten Frau befestigt hatte. Wenn ich den Kopf drehte oder sonstwie bewegte, schienen die rosa schillernden Mammutbrüste des Abziehbilds vor- und zurückzuwippen.

Als zweites brauchte ich eine Liste von Verdächtigen. Ich versuchte, eine Liste im Stil Hercule Poirots aufzustellen, bestückt mit unverhohlen mörderischen Gestalten und echten Außenseitern, aber mir fielen nur zwei Namen ein: Mitchell Gruen, der wahrhaftig allen Grund hatte, Richie zu hassen, und Jessica Stevenson, die, soweit mir bekannt war, zwar keinen Grund hatte, aber ich schrieb sie auf meine Liste, einfach weil ich wollte, daß sie schuldig war.

Was Jessicas Befragung betraf, so stand ich vor einem kleinen Problem: mein letzter Auftritt am Gracie Square hatte mir nicht unbedingt stehende Ovationen eingetragen. Eine Zugabe konnte gefährlich werden. Außerdem würde ihr liebender Daddy höchstwahrscheinlich Leibwächter engagieren, sobald er gehört hatte, daß ich los war. Wenn ich auch nur einen Fuß in ihr Haus setzte, würde ich vermutlich Gevinski und seinem Kumpan im rotbraunen Anzug begegnen.

Und was war mit Mitch? Wie konnte ich einen Mann treffen, der so zurückgezogen lebte, daß er sein Abendessen per Fax orderte, damit er mit niemandem zu sprechen brauchte?

Mit wem konnte ich nur reden? Wer konnte wissen, was Richie so getrieben hatte? Hojo Driscoll natürlich. Tom? Nein. Für ihn war Richie bestimmt nur eine Geschäftsbekanntschaft unter vielen gewesen. Carter Tillotson? Vielleicht. Immerhin hatten Richie und er halbjährlich ihren Lunch zusammen eingenommen. Aber ich bezweifelte, daß er in Manhattan in irgendeiner Weise geneigter wäre, sich mit mir zu unterhalten, als in Shorehaven. Richies Schwester Carol, Unsere Liebe Frau vom Bikiniwachs? Vielleicht wüßte sie etwas, aber sicher nicht viel, und ich mußte mir meine Gesprächspartner sorgfältig aussuchen. Jeder, mit dem ich sprach, war ein potentielles Risiko. Selbst wenn mich niemand aufzuhalten versuchte, wäre meine Freiheit zunehmend bedrohter. Meine Fragen und die Antworten darauf würden den Cops verraten, wo ich als nächstes auftauchen würde.

Es wurde Zeit. Schließlich war ich nicht nach Port Adams gefahren, weil es ein malerischer kleiner Ort mit einem entzükkenden Fischrestaurant war. Ich war hier, weil es an einer anderen Linie der Long Island Railroad lag als Shorehaven. Die Shorehaven-Linie würde vor Polizisten nur so wimmeln. Aber die Port-Adams-Linie begann zwanzig Meilen weiter östlich, in Suffolk County, und führte auf älteren Gleisen durch Nassau County und Queens. Das war meine einzige Chance.

Doch als ich den Big-Mac-verschmierten Türgriff des Lieferwagens anpackte, erkannte ich, daß ich jeglichen Vorteil, den ich durch das Benutzen eines anderen Zuges erringen mochte, verspielen würde, wenn ich um halb zwei Uhr nachts durch eine Vorortstraße spazierte, auf einem Bahnhof wartete, dann in meiner schicken französischen Modellhose den 1:43-Zug bestieg und auf der ganzen Fahrt bis Penn Station der einzige Passagier wäre.

Die nächste halbe Stunde brachte ich damit zu, meinen Pullover abzuklopfen und Dornen und Zweiglein aus meiner Hose zu klauben. Ich gab auf und schlief ein wenig, fuhr aber beim Heulen von Sirenen mit einem gräßlichen Schrecken hoch. Diesmal hatten sie allerdings nur in meinem Traum geheult.

Am Bahnhof kaufte ich die *Times* und einen *Newsday* und stieg dann inmitten einer dichten Traube von Pendlern in den 6:32-Zug. Wie sie hielt ich den Kopf in die Zeitung gesenkt. Bloß lesen konnte ich nicht.

Seit dem Tag, an dem Richie mich verließ, hatte ich probiert zu ermitteln, wie sehr ich ihn geliebt hatte und wie sehr er mich geliebt hatte – falls überhaupt. Wie konnte er mich nur betrügen? Und selbst wenn er eine Affäre hatte, warum konnte er sie nicht heimlich betreiben? Danach wäre er, wie so viele Männer, nach Hause gekommen. Wir hätten zusammen alt werden können.

Wie war es möglich, ihn nach all den Jahren so schlecht zu kennen, daß ich dermaßen überrascht war, als er mir die Geschichte mit Jessica gestand? Hatte ich ihn jemals richtig gekannt? Oder hatte unsere Ehe nur aus heißem Sex, einer ganz leidlichen Partnerschaft und zwei gemeinsamen Interessen bestanden: Ben und Alex?

Mir fiel wieder Jessica bei der Beerdigung ein, in ihrem grauseidenen Nebel. Fantastisch. Traurig. Alle hatten sie für Richies Witwe gehalten, bloß weil sie dort ganz allein saß.

Allein? Moment mal! Wo war denn ihr Vater gewesen? Wie kam es, daß er nur zwei Tage vorher bei ihr war und in Richies Bademantel herumlungerte, in Gottes Namen? Zweifellos hatte er die ganze Nacht bei ihr verbracht. Und wie er sie in den Armen gehalten hatte: Er war ihr Beschützer. Wieso hatte er sich im traumatischsten Moment im Leben seiner Tochter, bei der Beerdigung ihres zukünftigen Gemahls, rar gemacht, statt ihr zur Seite zu stehen? Nicht besonders väterlich für so einen fürsorglichen Typen.

Es sei denn, er wäre gar nicht Daddy Stevenson. Und wenn nicht, wer zum Teufel war er dann?

10

MORDVERDÄCHTIGE RUTSCHT DIE SOZIALE LEITER HINAB. Ein guter Aufmacher inklusive Fensterdekoration. Vor der Backsteinwand von Gulls' Haven bildete die Sav-Ur-Life-Leiter einen hübschen Kontrast und machte sich ziemlich eindrucksvoll auf der Titelseite der *Daily News*. Mein Foto daneben wirkte etwas unscharf. Auch war mein Haar scheußlich kurz, eine Frisur, die ich im letzten Frühjahr ausprobiert hatte, als ich den

Fehler beging, natürlich aussehen zu wollen. Wahrscheinlich hatte nicht die Frisur Richie dazu bewegt, mich zu verlassen, aber zweifelsohne hatte sie ihn in seinem Entschluß bestärkt.

Für jemanden, der nach einer mutmaßlichen Mörderin Ausschau hielt, zeigte das Foto – Kinn hoch, Augen zusammengekniffen, mit einem so gekünstelten Lachen, daß mein Zäpfchen praktisch zur freien Beschau stand – allerdings eindeutig und unverkennbar mich. Und allein die Tatsache, daß ich auf der Titelseite eines Revolverblatts abgebildet war, ließ mich wie eine Psychopathin aussehen. Jemand von der *Daily News* hatte zügig gearbeitet und das verwünschte Ding im Jahrbuch der Schule gefunden. Ich war die Betreuerin von *Kaleidoscope*, der vorgeblichen Literaturzeitschrift der High-School. Damals hatte ich neben Sunshine Stankowitz gestanden, der Chefredakteurin, einer unangenehmen High-School-Intellektuellen, die ihre Tage hauptsächlich damit verbrachte, mit ihrem bürzellangen Haar in der Cafeteria zu sitzen und demonstrativ die Tagebücher von Virginia Woolf zu lesen. Der Fotograf hatte »Lachen!« gebellt. Ich hatte maßlos übertrieben.

Die Lüftung in der Penn Station war so unzulänglich, daß es kein Entrinnen aus der Schlacht zwischen Menschen- und Hot-dog-Düften gab. Doch was mich wirklich fertigmachte, waren nicht die Gerüche; es waren die Tausende und Abertausende von Pendlern, die sich mit ungebührlicher Freude auf die *News* zu stürzen schienen. »Mordverdächtige Flieht Aus Umstelltem Herrenhaus« schrie eine andere Schlagzeile. Meine Mitbürger waren ganz in ihren Bann geschlagen.

Angesichts meines zweiunddreißigzähnigen Lachens auf Seite eins war mir sofort klar, daß der Plan, den ich im Zug ausgebrütet hatte, geplatzt war. Dabei war es ein so schöner Plan gewesen: ein Hotelzimmer mieten, wo ich mich ausruhen, ein riesiges Frühstück zu mir nehmen und dann erquickt eine ordentliche Ermittlung einleiten konnte. Doch nach meiner Lektüre sämtlicher Rex-Stout-Romane war ich Expertin in Sachen New Yorker Polizei; sie würde mit der Polizei von Nassau County kooperieren. In dieser Minute konnte mein Steckbrief bereits zu allen Hotels, allen Flughäfen, ja sogar allen Bahnhöfen im Großraum New York unterwegs sein. Daher rannte ich, mit dem schnellsten Pendler, einem großen Mann, der ein *Wall Street Journal* festklammerte und aussah, als wollte er weinen, Schritt haltend, noch eine weitere Treppe hoch auf die Bürgersteige Manhattans.

Das Backblech in dem Frühstückscafé sah aus, als wäre es seit den frühen Tagen der Regierung Carter nicht mehr gescheuert worden. Daher begnügte ich mich mit einem Bagel. Nach all den Jahren des Reichseins, in denen ich mit Richie in den verschiedenen Vier Jahreszeiten und Ritz-Carltons der Welt logiert hatte, wo das Frühstück unvermeidlich aus einem minimalistischen Arrangement von Vollkornspeisen mit einer Garnitur juwelengleicher Beeren bestand, tat es gut, von der Bedienung mit Haarnetz einen abgepackten Keil Vollfett-Frischkäse auf den Teller geknallt zu bekommen.

Ich überflog meine geistige Liste der Leute, die ich interviewen mußte: Jessica war im Moment zu riskant. Dito Carol von den Pflanzengefärbten Wimpern. Ich mußte mich an Hojo wenden, an Mitchell Gruen. Vielleicht mit einem oder zwei der Data-Associates-Manager sprechen – denjenigen, deren Träume vom Ruhm durch Jessicas kometenhaften Aufstieg ein jähes Ende genommen hatten.

Im Waschraum der Imbißstube bürstete ich mir die Zähne und bemühte mich dabei vergebens, beim Anblick der schwarzen Haare und des braunen Rostflecks im Waschbecken den Würgereiz zu unterdrücken, von den Kakerlakenfallen in drei Ecken des Raumes ganz zu schweigen. Während ich mein Rouge erneuerte, kam mir plötzlich der Gedanke, ich sollte mich zuerst mit dem Menschen unterhalten, der mich als einziger nicht unbedingt der Polizei ausliefern würde: Mitchell Gruen.

Eine Viertelstunde und eine Taxifahrt später kam ich in Downtown Manhattan an, in einer ursprünglich gebliebenen Gegend am unmittelbaren Rand von SoHo, der es gelungen war, sich oberschichtfrei zu halten. Ohne Avantgardeläden für exklusiv beige Accessoires, ohne Restaurants mit neuen Gemüsekreationen. Fast ausnahmslos schlichte, häßliche, alte Backsteinbauten: Lagerhäuser, kleine Fabriken. Eine Ausnahme, vielleicht eine ehemalige Privatschule oder Bücherei, trug ein Basrelief mit den Musen – oder zumindest neun Frauen in schulterfreien Roben – über dem Doppelportal.

Mitchs Haus war, wie seine anderen Investitionen, ein Mißerfolg; in dreien der vier Stockwerke waren die Fenster mit Brettern vernagelt. Im zweiten Stock waren die Rolläden heruntergelassen. Rote Rollos. Ich stieg die Stufen zur Tür hinauf und drückte auf alle vier Klingeln. Keine Reaktion. Ich versuchte es wieder. Stille. Mitch mußte aber oben sein. Wenn er nicht schon auf einem Haufen Mikrochips verweste, ignorierte er das Läuten einfach. Ich klingelte weiter Sturm. Endlich herrschte mich eine blecherne, erboste Stimme durch die Sprechanlage an: »Was woll'n Sie?«

»Lieferung von«, ich überlegte rasch – »Digit-Tech.« Ich betete, das klänge halbwegs computermäßig.

»Hä?«

»Lieferung! Sieht aus wie irgendwas für 'n Computer.«

»Lassen Sie's vor der Tür.«

»Geht nicht. Sie müssen unterschreiben dafür.« Ein nasaler Summer brummte eine Sekunde oder zwei, aber mehr brauchte ich nicht. Ich war drin und stürmte in den zweiten Stock hinauf.

Mitchs Kopf mit seinem zerzausten grauen Heiligenschein ragte durch die schmale Öffnung der mit einer Kette gesicherten Tür. »Rosie?« fragte er ungläubig. Gleich darauf fügte er hinzu: »Mann o Mann, steckst du im Schlamassel!«

»Hallo, Mitch«, grüßte ich strahlend. Meine Glückssträhne hielt an. Er nahm die Kette ab und öffnete die Tür noch einen Spaltbreit, vermutlich um zu sehen, ob ich hinter meinem Rücken eine Uzi versteckt hatte. Ich stemmte meine Schulter gegen die Tür und stieß zu, fest. Ich wurde richtig gut darin; von der Wucht taumelte er rückwärts.

»Was willst du von mir?« fragte er, nicht einmal allzu unfreundlich, wenn man bedenkt, daß ich mir gerade gewaltsam Zutritt zu seiner Wohnung verschafft hatte. Außer daß er etwas grauer und wesentlich kahler geworden war, hatte sich Mitch seit der Zeit, als er Data Associates verließ, nicht sehr verändert.

Es stach regelrecht ins Auge, wie durchschnittlich seine Züge waren: die Nase weder breit noch schmal, weder Stups- noch Hakennase; kleine (aber nicht bemerkenswert kleine) Augen, die vielleicht grau, vielleicht aber auch braun sein konnten; der Mund so unscheinbar, daß man nur wußte, daß er einen Mund hatte, weil es aufgefallen wäre, wenn er keinen gehabt hätte.

»Mit dem Fleischmesser!« rief Mitch, während er einen Satz zur Tür machte, um sie zuzuschlagen und den Riegel vorzuschieben. Jetzt, im Alter von achtundfünfzig Jahren, befreit von den Anforderungen, die Schuldienst und Firmenleben an einen Erwachsenen stellen, trug er seinen Spielanzug: graue Trainingshosen und ein zu knappes Unterhemd. Auf Taillenhöhe lugte ein Stück behaarten Bauches hervor.

»Lang nicht mehr gesehen, Mitch. Wie geht's dir denn?«

»Ich lebe noch, im Gegensatz zu jemand anderem, der mir da einfällt.«

Mitchs Loft, die gesamte zweite Etage, war ein einziger riesiger Raum. Wände, Teppichboden, Couch und Sessel waren alle leuchtend rot. Mit seiner ersten Million von Data Associates hatte er sich das Gebäude gekauft und den ersten Stock ausgebaut. Der Raum verkörperte die Vorstellungen eines vorpubertären Jungen von einer Junggesellenbude; die einzige Erholung von dem schreienden Rot boten ein Rauchglas-Cocktailtisch auf zerbrechlich aussehenden, schmiedeeisernen Beinchen und natürlich Mitchs Bestand an fahlgrauen Computern. »Würdest du bitte wieder verschwinden, Rosie? Leg's nicht drauf an, daß ich grob werde. Ich hab' 'ne Menge zu tun.«

»Gleich.« Ich schlenderte durch den Loft und nahm vor einem seiner fünf Computer Platz, einem monströsen IBM. Mitch kam mir nach und stellte sich direkt neben mich. »Möchtest du nicht wissen, wie es mir geht?« fragte ich.

»Glaubst du, ich will in diesen Mordkram verwickelt werden?« Er drehte sich um und blickte sehnsüchtig zu einem kleineren Computer hinüber, auf dessen Monitor drei gezackte Linien zu sehen waren. Offenbar brannte er darauf, wieder dorthin zurückzukehren. »Ich hab' zu tun. Und wer es auch war, der Richie umgelegt hat, ich möchte gern der erste sein, der sagt« – er schmatzte einen lauten feuchten Kuß in die Luft – »herzlichen Dank auch!«

Seine bloßen Füße vollführten einen hektischen Mambo, während er darauf wartete, daß ich mich verflüchtigte.

»Mitch, ich stecke in Schwierigkeiten.«

»Sag bloß.«

»Ist die Polizei hiergewesen?« Er zuckte die Achseln. »Was wollten sie wissen?«

»Weißt du doch.«

»Sag's mir.«

»Wo ich war, als er ermordet wurde.«

»Und wo warst du?«

Er stieß einen raschen, humorlosen Lachlaut aus. »Na, hier.«

»Allein?«

»Allein.« Er beschäftigte sich damit, die Zugschnur an seiner Trainingshose neu zu knoten. Da er den Kopf gesenkt hielt, konnte ich sein Gesicht nicht erkennen.

»Weißt du, wer Richie umgebracht hat?«

»Natürlich nicht.« Er hob die rechte Hand in einer Ich-schwöre-bei-Gott-Geste.

»Hast du eine Idee, wer einen Haß auf ihn gehabt haben könnte?«

»Du!«

»Du auch«, konterte ich.

Er setzte sich auf einen Schreibtischstuhl mit kleinen Rädchen und rollte auf mich zu, bis sich unsere Knie berührten. Aber das kannte ich noch aus den alten Zeiten: Obwohl Mitch durchaus rudimentärer gesellschaftlicher Umgangsformen mächtig war – er wußte zum Beispiel, daß er sich in der Öffentlichkeit nicht in irgendeiner Körperöffnung bohren durfte –, war er noch nie in der Lage gewesen, soziale Distanz zu wahren. Er rückte einem immer viel zu dicht auf den Leib, wodurch jedem auf unbehagliche Weise klarwurde, daß dieses Wunderkind mittleren Alters zumindest leicht gestört war.

»Mitch, ich brauche deine Hilfe.«

»*Bitte* geh jetzt, Rosie. Ich hab' zu tun.«

»Muß ich dich daran erinnern, wie oft ich dir geholfen habe, als Richie anfing, dich rauszudrängen?« erkundigte ich mich.

»*Du* bist mir 'ne schöne Hilfe gewesen.« Er kicherte. Dann pflanzte er beide Füße auf den Boden, verschränkte die Arme vor der Brust und schaukelte mit dem Oberkörper vor und zurück. Bei jeder Bewegung gab der Stuhl einen Blählaut von sich, was Mitch offenbar großes Vergnügen bereitete. Ich erinnerte mich, wie dieser vergnügte Spinner in dem Versuch, Richies Firma zu vernichten, das gesamte Computerarchiv von Data Associates gelöscht hatte, und zwar vorsätzlich.

»Vielleicht ist es mir nicht gelungen, dir auf lange Sicht zu helfen, aber ich hab' mich verdammt ins Zeug gelegt«, rief ich ihm ins Gedächtnis.

»Aber klar doch. Und warum hat er mich dann abserviert?«

»Mich hat er auch abserviert.«

»Und jetzt hat jemand ihn abserviert. Aber nicht ich. ›Gesucht wird: Rose Meyers! Tot oder lebendig!‹ Du kommst ständig in der Glotze, weißt du das? Wetten, wenn ich die Bullen rufe, sind sie in Null Komma nix hier.«

»Aber dann müßtest du ja telefonieren. Das hast du noch nie gern getan – und wie ich höre, ist es noch schlimmer geworden.«

»Ach ja?«

»Ja.«

»Wo hörst du denn so was?«

»Richie hatte so seine Quellen.« Die Quelle war Jane Berger, Richies Pressesprecherin. Jane war immer viel zu wichtig und viel zu beschäftigt gewesen, um sich meinen Namen zu merken; wer nicht reich, wichtig oder mächtig war, wurde von ihr »Snooky« – Schnucki – genannt. Aus unerfindlichen Gründen hatte sie aber die Zeit erübrigt, eine Modembeziehung zu Mitch aufrechtzuerhalten. »Ich weiß, daß du dein Essen per Fax bestellst und oft monatelang nicht aus dem Haus gehst«, verriet ich ihm. »Willst du dich wirklich auf einen Dialog mit der Polizei einlassen? Dann müßtest du im Präsidium Anzeige erstatten. Und vor Gericht aussagen.«

Mitch runzelte die Stirn. Seine Blicke schossen von einem Computer zum anderen. Er sah wütend aus und ein bißchen plemplem, wie Nixon in seinen letzten Amtstagen. »Mach, daß du rauskommst, Rosie.«

»Mitch, ich habe Richie nicht umgebracht. Ich bin vor der Polizei abgehauen, weil ich eine Chance brauchte, das zu beweisen.«

»Wie willst du denn eine Negation beweisen?«

»Ich hab' ein paar brauchbare Spuren, die zum Mörder führen«, log ich.

»Ha, ha, ha. Erzähl mir 'n bessern Witz.«

»Hör mir mal zu. Sowie ich bewiesen habe, daß ich es nicht war, daß es folglich jemand anders gewesen sein muß« – hier legte ich um des Effekts willen eine Pause ein – »weißt du, wen sie sich dann vorknöpfen?«

»Quatsch!«

»Dann knöpfen sie sich den anderen Verdächtigen vor, der eine Wut auf Richie hatte. Und sobald ich aus dem Rennen bin« – ich bemühte mich, es so klingen zu lassen, als stünde dies unmittelbar zu erwarten – »dann stehst du nämlich im Brennpunkt des Interesses.«

»So schnell bist du nicht aus dem Rennen, Rosie, das weißt du so gut wie ich.«

Ich stand auf, wich aber keinen Schritt zurück. »Ich brauche nichts weiter, als daß du dich ein paar Minuten lang an deinen Computer setzt. Na komm schon. Um der alten Zeiten willen.«

»Nein.«

»Wenn du mir hilfst, dauert es nur eine halbe Stunde – höchstens.«

»Kommt nicht in Frage.«

»Na schön. Dann bleibe ich eben hier.«

Das zog. Er plumpste vor einem Laptop auf einen Stuhl, klappte den Deckel hoch und fragte: »Was willst du wissen?«

»Alle Manager von Data Associates führen ihren Terminkalender und ihre Hauspost auf dem Computer.«

»Und?«

»Und deshalb sollst du Richies Termine aus den letzten drei oder vier Wochen aufrufen. Geht das?«

»Seinen Kalender bei Data Associates? Die haben ein komplett neues Sicherheitssystem installiert, nachdem ich es geknackt hatte.« Bei der Erinnerung daran glühte seine bleiche Haut vor Freude.

»Du hast meine Frage nicht beantwortet. Kannst du das?« Statt einer Antwort hieb er in die Tasten, ein richtiger Zweifinger-Rachmaninow. Nach einer Weile füllte sich der Bildschirm mit Zahlen, wurde dann schwarz und füllte sich erneut. »Was ist das?« fragte ich.

»Psst. Ich arbeite«, sagte Mitch. »Hetz mich nicht.«

»Aber ich hab's eilig.«

»Dann geh doch.« Statt dessen wanderte ich eine Zeitlang im Loft umher und nickte schließlich in einem roten Sessel ein, der wie eine hohle Hand geformt war. Eine Stunde später wachte ich wieder auf, weil das Klicken der Computertasten aufgehört hatte. Mitch stand neben einem Drucker, der Papier ausspuckte. »Terminkalender *und* Telefonprotokolle«, verkündete er, riß die Seiten ab und drückte sie mir in die Hand. »War nicht einfach, aber ich hab's hingekriegt. Würdest du jetzt verschwinden?«

»Ich muß das erst studieren.«

»Studier es woanders.«

Ich überhörte seine freundliche Einladung und bewegte mich gute fünf Meter weiter, vom roten Handsessel zu den roten Couchelementen. Ich zog mir die Stiefel aus und fing an zu lesen. Eine Weile starrte Mitch zwischen mir und der Tür hin und her, doch dann gab er auf und setzte sich an den Computer mit den Zackenlinien. Bald war er in die Welt auf dem Monitor versunken.

Am Tag seiner Ermordung hatte Richie um 10:00 eine Besprechung mit der Chemical Bank gehabt, um 12:00 Anprobe bei S, was immer S heißen mochte, vielleicht Schneider, um 12:45 Lunch bei Michael's mit jemandem namens Joe Romano von InterAmerican Tool. Am Nachmittag standen keine Termine. Ich verglich den Kalender mit dem Telefonprotokoll. Nach 11:49 waren bei Richie keine abgehenden Gespräche mehr aufgeführt.

Dafür gab es am Nachmittag eine lange Liste ankommender Gespräche, Anrufe, die er nie mehr erwidern sollte. Einer, um 15:15, stammte von Hojo Driscoll. Neben einem von Carter Tillotson, um 17:23, stand die Anmerkung »RR«: Rückruf erbeten. Dahinter war eine mir unbekannte Nummer angegeben. Ich ging an Mitchs – selbstverständlich roten – Telefonapparat und wählte: »Guten Morgen, Praxis Dr. Tillotson«, antwortete eine Stimme, die bestimmt einen Rhetorikkurs besucht hatte. Gut, Carter und Richie waren immerhin Kumpel gewesen, wenn nicht sogar Freunde. Warum sollten sie einander nicht anrufen? Dennoch zog ich ihn gemäß der Immer-die-unwahrscheinlichste-Person-ist-der-Mörder-Theorie eine oder zwei Minuten lang in Erwägung, ließ dann aber wieder von ihm ab, weil es zu unwahrscheinlich war, als daß es irgendeinen Sinn ergeben hätte.

Keine Anrufe von Tom Driscoll an jenem Nachmittag, fiel mir auf. Zwei mit »RR« von Jane Berger. Mehrere interne Telefonate, aber keins von Jessica. Ich schloß daraus, daß Richie nach dem Lunch den Nachmittag mit ihr verbracht hatte, vermutlich beim Sex in einer Stellung, die er mit mir nie ausprobieren wollte.

Viele Anhaltspunkte waren es nicht; ich las einen ganzen Monat aus Richies Leben. Soweit ich es beurteilen konnte, wirkten Terminkalender und Telefonprotokoll für einen vielbeschäftigten, aber nicht überlasteten Firmenchef angemessen. Viele interne Telefonate mit Jessica. Ein Anruf am Tag – gewöhnlich nach der Mittagspause – von seiner teuren Freundin Hojo. Diese Gespräche dauerten zehn bis zwanzig Minuten. In der letzten Septemberwoche hatte er mit Hojo zu Mittag gegessen. Kein einziger Anruf von Tom und keine weiteren von Carter. Aber im Lauf des letzten Monats hatte es täglich zwei, drei oder vier Anrufe von Jane Berger, der Pressefrau, gegeben, alle mit »RR« versehen.

»Mitch«, rief ich, »hol noch mal die Telefonliste auf deinen Bildschirm!«

»Psst! Laß mich in Ruhe.«

Ich spazierte hinüber und stellte mich neben ihn. »Ruf die Liste auf, und ich bin in zehn Minuten weg.« Er verließ seine Zackenlinien und setzte sich wieder an den anderen Computer. Im Nu erschien das Telefonprotokoll. »Sag mir, wann Richie zum letzten Mal bei Jane Berger angerufen hat.«

Er tippte etwa vier Sekunden lang. »Vierter Neunter.«

»So was!« ächzte ich. »Verstehst du, was das bedeutet? Das Datum kann ich mir merken, weil da die Schule wieder angefangen hat, am Tag nach Labor Day. Sechs *Wochen* ehe er umgebracht wurde. Sie war doch seine Pressesprecherin. Und Richie war ein unwahrscheinlicher Öffentlichkeitsfan.«

»Na und«, murmelte er.

»Als du noch dabei warst, wie oft hat Richie da mit Jane Berger geredet?«

Er wirbelte herum und starrte mir ins Gesicht. »Keine Ahnung.«

»War sie oft bei ihm im Büro?«

Er langte zu seinem Fuß hinunter und zwirbelte das verstärkte Ende eines Schnürsenkels. »Was heißt oft? Paarmal pro Woche, schätze ich.«

»Sie hat ihn fast jeden Abend zu Hause angerufen. Da haben sie immer über die Vorhaben diskutiert, die sie tagsüber besprochen hatten.«

»Na und?«

»Also haben sie *oft* miteinander geredet. Wieso verfolgt sie Richie auf einmal? Und warum hat er ihre Anrufe nicht entgegengenommen?«

»Du hast doch gesagt, du gehst.«

»Ich gehe ja.« Dann machte ich eine Pause. »Wenn du mir eins versprichst.«

»Das ist unfair!«

»Ich weiß. Aber gestern abend hab' ich aufgehört, fair zu sein. Du mußt mir dein Wort geben, daß du die Polizei nicht verständigst.«

»Rosie ...«

»Gib mir dein Wort.«

»Na gut.«

Aber dann kam mir ein Gedanke. »Noch was. Du kannst mir einen großen Gefallen tun. Ruf Jane Bergers Sekretärin an.«

»Bist du wahnsinnig oder was? *Ich?*«

Während Mitch noch den Kopf schüttelte und »Nie im Leben!« und »Ich gehe nicht ans Telefon!« rief, schlug ich Janes Adresse nach. Dann schrieb ich auf ein Stück Computerpapier: »Hier ist der Hausmeister von Miss Berger. Bei uns ist ein schreckliches Durcheinander wegen einem Rohrbruch. Ich bin in der Wohnung unter ihr. Sagen Sie ihr, sie soll vor dem Haus auf den Klempner warten, er hat einen grünen Lieferwagen. Und ihn in ihre Wohnung raufbringen.« Nach weiteren fünf Minuten Kopfschütteln und Fußstampfen las Mitch der Sekretärin meinen Text vor. Sein Vortrag war zwar hölzern, aber er machte sich verständlich. Wie ich ihm eingeschärft hatte, legte er schnell auf, ehe Jane an den Apparat kommen konnte.

Bevor ich ging, fragte ich ihn: »Glaubst du, ich habe Richie umgebracht?«

»Ja.« Er grinste mich verlegen, fast jungenhaft an. »Nichts für ungut, Rosie.«

Ich kam circa neunzig Sekunden früher als Jane Berger in Central Park West an. Sie sprang aus einem Taxi und strebte auf den langen Baldachin vor ihrem Apartmenthaus zu. Jane war eine wandelnde Erfolgsstory der Weight Watchers, eine große und inzwischen verblüffend schlanke Frau mit einem knöchellangen orangen Rock, der nur für Farbenblinde oder modebewußt Farbenprächtige in Betracht kommen konnte. Mit der Grandezza einer spanischen Tänzerin schleuderte sie sich das Ende ihrer violetten Stola über die Schulter. Einen Moment lang blieb sie stehen, um nach einem grünen Lieferwagen Ausschau zu halten.

Da ich kein grüner Lieferwagen war, bemerkte sie mich nicht einmal, als ich an ihre Seite eilte. »Tag, Jane.«

»Tag, Snooky.« Erst als ich nicht weiterzog, sah sie mich an. Ihre Augen weiteten sich, bis ihre purpur schattierten Lider nicht mehr zu sehen waren. Und dann weitete sich ihr Mund. Sie setzte tatsächlich zu einem Schrei an, so daß ich sagen mußte: »Ich hab' 'ne Pistole.« Meine Hand steckte in der Tasche meiner Strickjacke. Jane starrte auf die Ausbuchtung, die mein Elisabeth-Arden-Bronzelamé-Lippenstift verursachte, dann in mein Gesicht. »Ich möchte Ihnen wirklich nichts tun, also legen Sie's nicht drauf an, Jane.« In geschlossener Formation marschierten wir an ihrem Portier vorüber, einem winzigen, alten, irisch aussehenden Mann, der vermutlich den Vergleich mit einem Gnom gründlich satt hatte. Er nickte automatisch, aber ganz lieb und koboldhaft.

Jane Berger selbst grenzte mittlerweile ans Gertenschlanke, doch alle Möbel in ihrer Wohnung hatten nach wie vor Übergröße. Sie setzte sich in etwas, das aussah wie eine Kreuzung zwischen Sessel und Flußpferd. Ich stand vor ihr auf einem Teppich, der so dick war, daß meine Knöchel darin versanken. »Sie müssen wissen«, tat sie kund, »daß ich einen *sehr* hohen Blutdruck habe.«

»Sobald ich die Informationen kriege, die ich haben will, gehe ich wieder«, sicherte ich ihr zu.

»Hundertfünfundfünfzig zu hundertzehn. Früher war's noch schlimmer.«

»Erzählen Sie mir von Mitchell Gruen.«

»Was gibt's da zu erzählen?«

»Sie sind mit ihm in Verbindung geblieben?«

»Wir haben uns alle paar Monate mal per Computer unterhalten.«

Sie machte sich daran, ihren Nagellack abzunagen, wobei sie an der Nagelhaut anfing und sich bis zur Spitze vorarbeitete.

»Waren Sie mit ihm befreundet?«

Sie gab die Vielbeschäftigte-Geschäftsfrauen-Version eines belustigten Lachens, ein abgehacktes »Ha«. Doch als ihr Blick auf meine Lippenstiftbeule fiel, wurde sie schnell wieder ernst. »Wenn ich einen Schlaganfall kriege und tot umfalle«, warnte sie, »wissen Sie ja, wer daran schuld ist.«

»Sie kriegen schon keinen Schlag. Erzählen Sie mir, warum Sie mit Mitch in Kontakt geblieben sind.«

»Aus Gefälligkeit – für Rick.« Ich wartete, daher fuhr sie fort. »Er wollte, daß jemand Mitchs Feindseligkeitspegel beobachtet.«

»Und, wie feindselig war er?«

»Wie meinen Sie das – ›wie feindselig‹? Wie feindselig wären Sie denn, wenn Ihr Partner Ihr Leben ruiniert hätte? Sehr feindselig.«

»Hat sich der Pegel denn verändert? Ich meine, schien Mitch mit der Zeit aggressiver zu werden? Oder war eher das Gegenteil der Fall: Benahm er sich, als wäre alles in bester Ordnung?«

»Nein, er hat Rick schlicht und einfach gehaßt. Aber wenn Sie glauben . . .« Sie lächelte ungefähr eine Millisekunde lang. Mir wäre es lieber gewesen, sie hätte etwas ängstlicher gewirkt. »Ich *bemühe* mich ja, offen und ehrlich zu Ihnen zu sein. Sie versuchen augenscheinlich, die Sache einem anderen anzuhängen, aber hier haben Sie es mit jemandem zu tun, der unter Agoraphobie leidet.

Glauben Sie im Ernst, man würde Ihnen abnehmen, daß Mitchell Gruen sein Haus verläßt und bis nach Long Island reist, um Ihren Exmann zu ermorden?«

Konnte Mitch es getan haben? fragte ich mich. Konnte sein Zorn seine Angst besiegt haben? Oder hatte es sich bei seiner Phobie womöglich um das ausgetüfelte Alibi eines Meisterprogrammierers, eines Meisterplaners gehandelt?

»Was war zwischen Ihnen und Richie?« wollte ich wissen.

»Nichts.« Sie betrachtete meine Jackentasche. Ihre Augen wurden schmaler. »Lassen Sie mich Ihre Waffe sehen.«

»Schluß jetzt!« Ich setzte meine harte Stimme ein, mit der ich sonst einen Ausflug zum Schuldirektor androhte. Jane erbleichte. »Technisch gesehen ist es übrigens keine Pistole«, teilte ich ihr mit. »Sondern ein Revolver. Also erzählen Sie mir von Richie und Ihnen.«

»Er hat mir adieu gesagt.«

»Sie entlassen?«

»Ja.«

»Wann?«

»Gleich nach Labor Day. Was kümmert Sie das?«

»Ich versuche, Richies Leben zu rekonstruieren.« Meine Stimme muß einen hysterischen Unterton gehabt haben. Jane wandte den Kopf ab, um nicht in die Augen einer Rasenden blicken zu müssen. Dummerweise verfing sich einer ihrer baumelnden Amethystohrringe im Gewebe ihrer Mohairstola, weswegen sie gezwungen war, mich anzusehen, während sie sich loshakte. »Ich hab' ihn nicht umgebracht«, erklärte ich ihr. »Ich suche eine Spur, wer es gewesen sein könnte.«

»Also *ich* hatte nichts damit zu schaffen.« Sie schaute auf ihre Armbanduhr. Ihr Schuh fing an, auf den Boden zu klopfen. Für eine, die sich mit vorgehaltener Waffe bedroht glaubte, war Jane Berger ganz schön ruppig.

»Das habe ich auch nicht behauptet. Erzählen Sie mir nur, warum er Sie entlassen hat.«

»Er sagte, mit sechs Monaten Budget hätte ich nur einmal ›Auf der Straße aufgeschnappt‹ und einen Auftritt im Kabelfernsehen vorzuweisen. Das war aber CNBC. Und ich kann Ihnen auch stapelweise Zeitungsausschnitte zeigen, ein Dutzend Vorschläge, die er abgelehnt hat. In Wirklichkeit hatte es nämlich mit *ihr* zu tun.«

»Mit Jessica?«

»Natürlich mit Jessica, Snooky. Ich bin die beste Wirtschaftspublizistin der Stadt. Ich habe seinen Ruf erst *gemacht*. Hat er Ihnen je was anderes erzählt?«

»Er fand Sie phantastisch. Sie haben ihm doch den netten Artikel in *Fortune* verschafft.« Sie nickte in Anerkennung des Lobes.

»Aber *sie* wollte« – Jane warf erbost ihre violette Stola ab und enthüllte eine Bauernbluse, die einen Landarbeiter seinen ganzen Lebenslohn gekostet hätte – »in die Kolumnen. *Sie* mußte *unbedingt* Liz Smith haben«, erläuterte sie. »Was hätte Liz Smith denn mit ihr anfangen sollen? Ach ja, und sie wollte eine Doppelseite in *Town & Country*! Ich bin Wirtschaftspublizistin, keine Magierin. Die dachte wohl, ich bräuchte bloß meinen Zauberstab zu schwenken und sie wäre schlagartig eine Berühmtheit! Was hat die denn je geleistet, was sich lohnt, in die Zeitung zu kommen?« Jane starrte auf ihre Uhr. »Ich *hatte* eine wichtige Verabredung zum Lunch«, merkte sie vorwurfsvoll an.

»Reden Sie weiter«, ermahnte ich sie.

Mit den Fingern kämmte sie die Fransen ihrer Stola. »Offenbar hat Jessica Rick das ganze Labor-Day-Wochenende bearbeitet, denn am Dienstag hat er mich gleich in der Frühe angerufen und mir *am Telefon* gekündigt!« Sie packte eine Faustvoll Fransen und zog so fest daran, daß sie beinahe abgerissen wären.

»Und Sie haben seitdem ständig versucht ihn umzustimmen, aber er hatte keine Interesse. Er hat nicht mal Ihre Anrufe beantwortet.«

»Was wollen Sie damit sagen, Snooky?« Sie ließ die Fransen fallen, beschäftigte sich dann aber damit, Mohairflusen von ihrem

Handteller zu entfernen und sie auf den Teppich zu schnippen. »Daß ich ihn umgebracht habe? Publizisten morden nicht. Wissen Sie, wer mordet? Ehefrauen morden.«

Langsam wurde sie mir zu unbekümmert, daher wackelte ich etwas mit dem Lippenstift in meiner Tasche. »Erzählen Sie mehr über Jessica.«

»Was soll ich Ihnen denn erzählen? Daß sie eine knallharte, eiskalte Schlange ist? Schön: Sie ist eine knallharte, eiskalte Schlange.«

»Ist ihre Arbeit gut?«

»Bisher schon. Wie sie Data neue Märkte erschlossen hat, war brillant. Sie spürte, daß der Umsatz wegen der hiesigen Wirtschaftslage stagnierte.«

»Hiesig?«

»In den Vereinigten Staaten«, präzisierte sie ungeduldig. »Sie drängte Rick, auf den internationalen Markt zu gehen.«

»Wollte er das?«

»Ja, das wollte er. Auch bei den hohen Anlaufkosten war es für die Firma eine sinnvolle Investition. Aber selbst wenn es vollkommen unsinnig gewesen wäre, hätte er es gemacht, weil *sie* es nämlich wollte.« Der üppige Teppich schluckte das Klopfen von Janes Schuh, aber ich sah ihren Fuß ungehalten zucken. »Der Mann war ihr verfallen.«

Mir wurde der Mund trocken. »Sie ihm auch?«

»Nein.«

»Sondern?«

»Sie war gelangweilt«, antwortete Jane, die selbst relativ angeödet klang.

»Das glaube ich nicht«, forderte ich sie heraus.

»Also bitte!«

»Woher wollen Sie das wissen?«

»Ich bin eine Frau. Ich weiß, wenn eine andere Frau eine Show abzieht, und Sie können mir glauben, die Schlange hatte die Nancy-Reagan-Nummer perfekt drauf – ihn bewundernd anschauen bis zum Schielen –, aber sie war ...« Jane hielt inne und biß sich gedankenverloren auf der Unterlippe herum. »Wissen Sie was? So langweilig war er nämlich gar nicht. Er war ihr nur nicht wichtig genug. Nachdem er Sie verlassen und sich die Wogen geglättet hätten, wollte sie was Größeres, Besseres haben.«

»Aber sie wollte doch nicht weg, oder?« fragte ich.

»'ne Pressemitteilung hat sie nicht rausgegeben.«

»Was soll das heißen?«

Während Jane meine Frage bedachte, begutachtete sie kritisch ein Fältchen in ihrer Strumpfhose; sie war kein Mensch, der Zeit vergeudet. Schließlich meinte sie: »Jessica hat sich nicht sonderlich bemüht, ihre Langeweile zu vertuschen – und das schon im Spätsommer, noch ehe er mich feuerte. Inzwischen ist es bestimmt noch deutlicher geworden.«

Sagte Jane mir die Wahrheit – oder redete sie mir nach dem Mund, um mich loszuwerden? Ich entschied mich für die Wahrheit. Wenn sie mich nur glücklich machen wollte, hätte sie mir bestimmt erzählt, Richie habe Jessica satt bekommen.

Ich versuchte mir auszudenken, wie ich aus Janes Wohnung entkommen konnte, ohne sie zu fesseln und zu knebeln und ihre Telefone aus der Wand zu reißen. Dabei fiel mir mein Abgang aus Jessicas Wohnung ein: von Daddyherz vor die Tür gesetzt. »Übrigens«, erkundigte ich mich, »wissen Sie irgendwas über Jessicas Eltern?«

»Woher sollte ich? Hören Sie, kann ich kurz in meinem Büro anrufen und fragen, ob irgendwelche Anrufe für mich gekommen sind?«

»Nein.« Aber was sollte ich mit Jane Berger anstellen? Sollte ich ihr eine Lampe – eine korinthische Säule mit Kulihut – über den Kopf ziehen, wegrennen und damit meine Liste von Verbrechen um Körperverletzung verlängern? Der Gedanke, ihr so lange auf den Kopf zu dreschen, bis das Wort »Snooky« ein für allemal aus ihrem Gedächtnis gelöscht wäre, war allzu verlockend. Während ich ihn noch auskostete, sprang Jane aus ihrem Sessel hoch. Sie rannte ans Telefon, drückte auf einen Knopf und kreischte: »*Hilfe!*«

»Lassen Sie das!« kreischte ich zurück und fuchtelte wieder mit meinem Lippenstift, obwohl mir klar war, daß das wenig bringen würde.

»Hilfe!« Junge, Junge, hatte die vielleicht Lungen!

Also rannte ich. Nicht zum Aufzug, beschloß ich spontan. Jane hatte nur einen Knopf gedrückt, folglich hatte sie entweder eine Standleitung zur Polizei – Moment mal, nein. Sie hatte sich nicht mit Namen gemeldet, daher diente der Knopf wahrscheinlich dazu, den Portier zu rufen. Auf seinem Pult war bestimmt ein Lämpchen aufgeleuchtet, dann hatte er den Hörer abgenommen, ihre Schreie gehört und würde mich beim Aussteigen aus dem Fahrstuhl in Empfang nehmen.

Ich entdeckte ein rotes Notausgangsschild, stürzte zum Treppenschacht und rannte zwei Treppenabsätze höher. Dort blieb ich schnaufend stehen und sah auf die Uhr. Okay: Die Polizei konnte frühestens in fünf Minuten eintreffen. Und der Portier? Würde er warten, bis die Cops kamen? Hatte er mich bemerkt, als ich mit ihr ins Haus kam? Ob er mich identifizieren konnte? Oder würde er nach oben sausen, um nachzusehen, ob er der unglücklichen Miss Berger beistehen konnte?

Noch drei Minuten. Ich raste ins Erdgeschoß hinunter. Dort holte ich einmal tief Luft, dann stürmte ich schreiend durch die Treppenhaustür ins Foyer. Da stand der Portier und hielt mit den Händen auf den Hüften vor dem Fahrstuhl Wache. »Miss!« rief er mir zu, mit einer sehr großen Stimme für so einen kleinen Mann. »Halt!«

»Bitte«, flehte ich. »Da hat eine Frau um Hilfe geschrien! Es war schrecklich!«

»Oh.« Meine Panik war überzeugend, weil sie echt war. »Ist ja gut, Schätzchen. Die Polizei ist schon unterwegs.«

Ich preßte mir die Hände aufs Herz. »Gott sei Dank!« Er

lächelte. Ich sagte auf Wiedersehen und schlenderte aus dem Haus bis zur Straßenecke. Sobald ich außer Sichtweite war, nahm ich die Beine in die Hand.

11

In der Hoffnung, mich in der Menge zu verlieren, lief ich nach Westen, vom Central Park fort. Aber um zwei Uhr nachmittags an einem Donnerstag bestand die Menge nur aus zwei Frauen in den Achtzigern, die ihre Einkaufswägelchen hinter sich herzerrten, und einer bunten, von einer Nonne angeführten Schar überwiegend hispanischer Dritt- oder Viertkläßler. Ich drosselte mein Tempo zu strammen Schritten, um den kläglichen Rest meines Deodorants zu retten.

Jemand blies in eine Trillerpfeife. In einem Augenblick vorstädtischer Dämlichkeit assoziierte ich den Ton mit Footballtraining und sah mich über die Schulter um, halb in der Erwartung, das puterrote Gesicht von Coach Kramer zu erblicken, der eins der Kids mit seinem Klemmbrett vertrimmen wollte. Statt dessen sah ich Janes Portier die 88. Straße entlangsprinten – oder eher versuchen zu sprinten –, und bei meiner Verfolgung schreien: »Stehenbleiben, im Namen des Gesetzes!« Mit dem bißchen Puste, das dem armen Alten noch geblieben war, stieß er in seine Taxipfeife, um die Polizei zu alarmieren.

Bei seinem Anblick fiel mir schlagartig ein, daß ich meine Handtasche in Janes Wohnung vergessen hatte. Ich bekam so einen gewaltigen Schrecken, daß ich nicht mehr geradeaus gucken konnte – und prompt gegen einen Haltet-New-York-Sauber-Abfalleimer rasselte, der die in Papierhandtuch verpackten Fäkalien jedes einzelnen Hundes der Upper West Side zu enthalten schien.

Inzwischen hatte sich der Portier auf einen neuen Schrei verlegt, der verdächtig nach »Mörder!« klang. Der winzige, weißhaarige Trillerpfeifenbläser war nun keinen halben Block mehr von mir entfernt.

Und der Abstand verringerte sich. Während er aufholte, konnte ich sogar seinen irischen Akzent ausmachen. Er brüllte tatsächlich »Mörderin«! Mein Zusammenstoß mit dem Abfalleimer verschlug mir vorübergehend den Atem, aber ich stürmte weiter, wobei ich mich bemühte, unbekümmert dreinzublicken – oder zumindest nicht marktschreierisch mordlustig.

Die Stimme des Portiers wurde schwächer. Ohne mir die Zeit zu gönnen, mich umzuschauen, wußte ich, daß ich meinen Vorsprung vergrößert haben mußte. Noch immer hörte ich seine Anschuldigungen, allerdings mit einer allmählich versagenden Froschstimme: »Mör . . .« Ich schickte ein Stoßgebet gen Himmel, das Herz des alten Mannes möge nicht versagen, denn wenn er stürbe, wäre es meine Schuld.

Allmächtiger Gott, was sollte ich nur ohne meine Handtasche anfangen? Meine gesamte Habe befand sich darin. Ich konnte ja schlecht bei Jane an die Tür pochen und die Tasche zurückfordern. Also eilte ich weiter, quer über die Columbus Avenue. Langsam kam ich wieder in Fahrt. Zurück durch die 89. Straße, an zerfallenden Brownstones mit den letzten Chrysanthemen dieses Jahres in steinernen Fensterbankkästen vorüber. Mit einer Grazie, die ich mir nie zugetraut hätte, umkurvte ich Müllbeutel aus Plastik und an Laternenpfählen festgekettete Fahrräder. Einige wenige Sekunden lang bewegte ich mich mit einer derart begeisternden Behendheit, daß ich aus purer Lust daran weiterrannte.

Ausgerechnet in dem überschwenglichen Moment, als ich mich in Jackie Joyner-Kersee verwandelte, mußte die Wirklichkeit in Gestalt eines Streifenwagens über mich hereinplatzen, der mit quietschenden Reifen an den Bordstein schwenkte. »Lady!« rief ein New Yorker Basso profundo, der zu einem hünenhaften Polizisten gehörte. »Was'n los?«

»Wie?«

»Ich hab gefragt, was'n los?« Ich mußte die Cops hier weglotsen. Jetzt konnte jederzeit wieder der Portier zu hören sein.

»Meine Handtasche!« japste ich. »So'n Kerl...« Ich legte mir eine Hand auf die Brust, um das Bummern darin zu beruhigen, und zeigte mit der anderen Da-ist-er-lang in Richtung Central Park. »Da war alles drin, was ich besitze!«

Der Cop sah seinen Partner an. Der Partner musterte mich; seine Blicke glitten an mir auf und nieder. Ihn fesselte nicht so sehr meine Pullifigur mittleren Alters – obwohl die auch nicht zu verachten war. Nein, er kaute auf seiner Daumenspitze herum und dachte zweifellos: Irgendwie kommt mir die Frau bekannt vor.

Plötzlich, ohne daß ein Wort zwischen ihnen gefallen wäre, stieg der hünenhafte Cop aus und öffnete den hinteren Wagenschlag. »Steigen Sie ein«, dröhnte er. Die Sitzbank hatte Aussicht auf ein Drahtgitter: eine mobile Zelle. »Machen Sie schon, Lady«, drängte er. Es ist doch bekannt, wie die Gestalten in Krimis immer vor Furcht gelähmt sind? Na, ich konnte mich wahrhaftig nicht von der Stelle rühren. »Soll mir recht sein«, knurrte er. Ich starrte zu ihm auf. »Aber wenn's gerade erst passiert ist, können wir den Kerl vielleicht noch schnappen.«

Meine Kehle schwoll zu, meine Augen wurden feucht. »Danke!« Als ich in den Wagen stieg, hätte ich vor Erleichterung beinahe geweint.

Er faßte meine Gemütswallung als Dankbarkeit auf. »Dafür sind wir doch da, Lady.« Dann preschten wir davon wie der Blitz.

Hätte ich nicht am Rande eines hysterischen Anfalls balanciert, wäre die Fahrt im Streifenwagen bestimmt ein vollendetes Vergnügen geworden, eine Verfolgungsjagd mit den Guten und voll aufgedrehter Sirene. Bloß war ich mittlerweile ein reines Nervenbündel. Ich hatte die entrüstete, aber dankbare Bürgerin zu spielen, während ich mich nicht nur von meinem knappen Entrinnen bei Jane Berger erholen mußte, sondern auch von meiner Flucht aus Gulls' Haven. Und, zum Henker damit, wo ich schon beim Erholen war, wie stand es um mein Trauma durch die Entdeckung von Richies Leiche? Was war mit dem Schock, daß er mich verlassen hatte?

Aber das war noch längst nicht alles. Ich mußte den Tatsachen ins Auge blicken. Meine Tarnung konnte jeden Augenblick auffliegen. Ich sagte mir: Inzwischen muß doch eine Fahndungsmeldung nach der Wahnsinnigen in den Wechseljahren rausgegangen sein. Diese beiden hatten sie nur nicht mit mir in Verbindung gebracht – noch nicht. Nicht mehr lange, dann mußte der Polizeifunk die detaillierte Beschreibung meiner Hose samt Pulli und Strickjacke bringen, dank sachdienlicher Hinweise von Jane.

Der Hüne drehte sich zu mir um. Sein Kopf blähte sich aus seinem Kinn hervor und verjüngte sich besorgniserregend, wo er unter seiner Mütze verschwand, wie eine Knoblauchknolle. »Wie sieht er denn aus?«

»Es war ein Weißer«, sagte ich. »Schwarz gekleidet.« Das klang zwar ein bißchen dramatisch, aber nachdem es heraus war, mußte ich eine Personenbeschreibung nachliefern, die dem Hamlet von Olivier nicht unähnlich war. »Anfang bis Mitte Dreißig«, vervollständigte ich das Bild. »Die Haare in die Stirn gekämmt.«

Wir kamen an einem ganz in Schwarz gekleideten Weißen vorüber, aber der hatte mehr Ähnlichkeit mit dem Bullwinkle-Ballon bei Macy's Thanksgiving-Parade als mit Laurence Olivier, weswegen mein Nein immerhin überzeugend klang. »Ich kann ihn nicht entdecken«, erklärte ich mit Entschiedenheit.

»Sie müssen die Augen offenhalten«, riet mir der Hüne. »Nicht aufgeben.«

Sein Partner bestimmte: »Wir drehen mal 'ne Runde im Park.«

Mochte die Stadt auch flach und grau sein, der Central Park war durchaus dreidimensional. Und erst die Farben! Das Gras hatte ein sattes Golfclubgrün, die Bäume loderten rotgolden vor einem tiefblauen Himmel. Das konnte das letzte Mal sein, daß sich mir ein solches Panorama der Schönheit bot. Jeden Moment würde mich das Funkgerät verraten: Gesucht wegen Mordes. Möglicherweise bewaffnet und gefährlich. Auf meiner Rückbankzelle konnten sie mich geradewegs ins Gefängnis befördern.

»Sie sind so nett zu mir«, plapperte ich munter. »Wirklich. *Vielen* herzlichen Dank. Aber ich hab' jetzt einen Arzttermin, bin schon zu spät dran.« Ich senkte meine Stimme zu ihrer finstersten Lage. »Beim Spezialisten.«

»Kein Problem, Lady«, meinte der Hüne. Sie setzten mich sogar in der Fifth Avenue ab, weil ich ihnen erzählt hatte, dort liege die Praxis. Sie fragten nach meinem Namen. Ich war in Versuchung, Moll Flanders zu sagen, doch fürchtete ich, bei meinem Glück an einen Cop geraten zu sein, der seine Doktorarbeit über Daniel Defoe geschrieben hatte. Daher nannte ich ihnen den Mädchennamen meiner Mutter und gab als Adresse das alte Wohnhaus in Brooklyn an, wo ich meine Kindheit verbracht hatte. Außerdem versprach ich hoch und heilig, in einer Stunde auf dem Revier anzurufen, um die Anzeige zu Protokoll zu geben.

Brooklyn wirkte Wunder: als ich aus dem Streifenwagen ausstieg, kletterte auch der Kingsize-Cop heraus. Er kramte eine Handvoll Kleingeld aus der Hosentasche, durchforstete es und reichte mir eine U-Bahn-Marke. »Da, Pearl«, sagte er. »Damit Sie zur Ocean Avenue zurückkommen.«

Aber ich hatte kein Ziel. Der Nachmittag zog sich in die Unendlichkeit. Ich spazierte einen Häuserblock hinauf, einen anderen hinunter, den Blick starr auf die Sprünge im Trottoir geheftet, um mein Gesicht zu verbergen und wie eine beliebige zerstreute New Yorkerin zu wirken. Um vier Uhr war ich so hungrig, daß ich es nicht mehr aushielt. Mich verlangte nach Hamburgern. Riesigen Pastrami-Sandwiches. Chinesischem Essen. Scharfer französischer Zwiebelsuppe mit knuspriger Käsekruste. Ich kam an Essenskarren auf dem Bürgersteig vorüber und wurde magisch von Bergen salzstrotzender Brezeln angezogen.

Die Kälte verschlimmerte meine Leiden noch. Ich steckte meine Hände in die Hosentaschen, aber das war auch kein Trost, denn meine Finger forschten unaufhörlich nach einer vergessenen Münze oder einem alten Kaugummistreifen, vergebens. Nachdem ich etwa zwei Meilen herumgetrottet war, ging ich wie jemand, der nach einer schweren Krankheit seine ersten unsicheren Schritte wagt, bis ich endlich auf einem Stuhl im Lesesaal der New Yorker Stadtbücherei niedersank.

Der säuerliche, sättigende Bibliotheksgeruch belebte mich ein bißchen. In der Zeit, als Richie und Mitch Data Associates aufzogen, hatte ich auch nicht gerade Däumchen gedreht; ich war eine gute, wenn nicht gar großartige Rechercheurin. Nun gab es Arbeit für mich. Nach einer fünf Minuten langen Schilderung, wie mir die Brieftasche mit dem Büchereiausweis und allen Ausweispapieren abhanden gekommen war, sowie einer dreiviertelstündigen Wartezeit rückte ein Angestellter, der die amerikanische Flagge und die Worte »God Bless« auf den Handrücken tätowiert hatte, endlich *Who's Who der amerikanischen Frauen*, *Who's Who in Finanzwirtschaft und Handel* und das *Managerlexikon* heraus.

In Ordnung, was wollte ich über Jessica Stevenson wissen?

Den Büchern zufolge gab es zunächst nichts, was sie als potentielle Mörderin kennzeichnete. »GEBOREN: Dayton, Ohio« und »ELTERN: Arthur und Penelope (geb. Winterburger) Quigley«. Quigley? Hieß das etwa, daß es eine Ehe mit einem gewissen Mr. Stevenson gegeben hatte? Da taten sich faszinierende Möglichkeiten auf, denn kurz vor Jessicas Eintritt bei Data Associates hatten Richie und ich sie einmal zum Essen ausgeführt; damals hatte sie ganz fürchterlich bedauert, nie geheiratet oder Kinder bekommen zu haben. Ich hatte genickt und versucht, mich nicht von oben herab behandelt zu fühlen. Trotzdem, wenn sie sich bemüht hatte, eine Ehe zu verheimlichen, warum ging es dann so eindeutig aus ihrem *Who's Who*-Eintrag hervor? Wenn es tatsächlich einen Mr. Stevenson gab, der sie zu seiner Mrs. gemacht hatte, warum hatte sie dann vorgegeben, sie sei nie verheiratet gewesen?

Mit meiner Tasche hatte ich zwar alles verloren – aber wenigstens wußte ich die Nummer meiner Telefonkreditkarte auswendig. Als ich in der warmen, schmuddeligen Behaglichkeit der Telefonkabine saß, bekämpfte ich tapfer den fast unwiderstehlichen Drang, Ben und Alex anzurufen, nur um ihre Stimmen zu hören und ihnen zu versichern, daß es mir gutging. Ich rief auch nicht bei Cass an, obwohl ich mich sehr nach ihr sehnte. Jeder wußte doch, wie gut wir befreundet waren; auch ihr Telefon konnte angezapft sein.

Statt dessen wählte ich jeden Quigley in Dayton an, der der Auskunft bekannt war. Ich bemühte mich, gleichzeitig vergnügt und vertrauenswürdig zu klingen und gab vor, Mary Quigley aus Orlando, Florida zu sein, die ihren Stammbaum erforschte. Kein Glück, nur Anrufbeantworter und Quigleys, denen Arthur, Penny und die kleine Jessica unbekannt waren.

Deshalb wurde ich zu Mary Winterburger und versuchte es mit den einzigen Winterburgers in Dayton. Heureka! Pennys Cousine ersten Grades erzählte mir, beide seien verstorben. Sie an Krebs. Und er an den Folgen eines Unfalles mit einem Propangasgrill. Furchtbar, schrecklich. Dem konnte ich nur zustimmen. Was Jessica betraf, so hatte sie bald nach dem College geheiratet. Die Ehe sei geschieden worden. Ach, und ein Kind gebe es auch. Wo das Kind sei? Drüben im Osten, bei Jess, vermutete sie.

Ich wanderte durch die dunkler werdenden Straßen. Ein Kind! Diese faszinierenden Möglichkeiten wärmten mich fast eine halbe Stunde lang. Was wäre, wenn Richie das erfahren hätte? Lügnerin! hätte er gebrüllt. Mir vorzustellen, daß ich eine gute Frau wie Rosie *deinet*wegen verlassen habe! Vielleicht hatte er gedroht, sie rauszuschmeißen. Vielleicht hatte sie ihn gekillt, ehe er ihre Karriere killen konnte.

Doch als der Tag sich neigte, reichte mein Wachtraum nicht mehr aus, um die Kälte abzuwehren. Eisige Windstöße peitschten mir Straßendreck und Zeitungsblätter entgegen. Was war das für ein Dreckwetter für Oktober? Kurzfristig, wenn ich mich in die

Eingangshallen von Bürohäusern stellte und die Auflistungen der Mietparteien auswendig lernte, gelang es mir, meine Ohren aufzutauen. Aber ich durfte nicht das Risiko eingehen, die Aufmerksamkeit der Wachleute auf mich zu lenken, und mußte in den Schutz der bitterkalten Straßen zurück, um weiterzuwandern.

Mein Durst war schrecklich, mein Hunger noch schlimmer. Im Zwielicht sah jedes Gebäude an der Lexington Avenue aus wie ein Restaurant oder ein Drugstore mit einer bombastischen Auslage von Kit-Kat-Riegeln. Ich kam an einem Tante-Emma-Laden vorbei, vor dem sich ein Berg glänzender Äpfel türmte, doch der Besitzer, ein kurzgeratener Koreaner mit langer weißer Schürze, mußte meine Verzweiflung gespürt haben, denn er hütete mit verschränkten Armen sein Obst, bis ich von dannen zog.

Kurz vor sieben war ich bis auf die Knochen durchgefroren und kroch auf dem Zahnfleisch daher. Mir blieb keine andere Wahl; ich benutzte die Marke, die der Cop mir geschenkt hatte, für eine Busfahrt, nur um mich aufzuwärmen und meine Füße zu entlasten. Die Fahrt tat gut, allerdings nicht lange. An der Endhaltestelle, in Greenwich Village, wanderte ich in den Washington Square Park. Mittlerweile war es dunkel, und die einzigen Menschen, die sich hier aufhielten, waren ein Drogenhändler mit schulterlangen Dreadlocks und ein paar andere meinesgleichen: Obdachlose. Eine Frau mit zerrissener Daunenweste und Wollmütze saß im Schneidersitz auf einer Bank, um ihre Füße warm zu halten. Die Arme fest um sich geschlungen, sang sie sich selbst fast lautlos ein Schlaflied. Sie schien in meinem Alter zu sein. Da hörte ich Schritte hinter mir. Ein Mann trat von hinten an mich heran. Ich spürte seinen Atem in meinem Ohr, als er raunte: »Baby, ich hab, was du brauchst.«

Ich flüchtete, aber meine Füße in den Stiefeln waren angeschwollen, und jeder Schritt schmerzte. Ob die Obdachlosen wohl abhärteten, oder ob ihr Elend niemals endete?

Eine Armee in Anzügen, auf dem Heimweg von der Arbeit, rempelte mich an, dann folgten Legionen in Jeans, die sich mit

Rucksäcken abschleppten und zu Abendkursen an die NYU – die New York University – strebten. Ich hatte keine Kraft mehr, zurückzurempeln. Du mußt zäher werden, ermahnte ich mich. Es wird noch schlimmer kommen. Aber ich war nicht auf ein hartes Leben vorbereitet; viel zu lange war meines behütet, vorstädtisch und begütert gewesen. Essensdüfte und Kloakengerüche bestürmten mich, der Verkehr verstörte mich, die Furcht vor den Leuten setzte mir zu.

Um fünf vor halb neun, während ich dem schleichenden Sekundenzeiger meiner Uhr zusah, um Zeit totzuschlagen, erblickte ich aus dem Augenwinkel ein rotes Leuchten. Eine Burger-King-Tüte – eine große! – in den Klauen einer jungen Frau mit NYU-Sweatshirt. Sie stand wie versteinert vor dem Schaufenster einer Science-fiction-Buchhandlung und starrte stur auf einen Stapel Romane. *Die Kellermenschen*, zu dem als Hintergrund eine riesenhafte Holztreppe aufgebaut war. Sie war vielleicht achtzehn oder neunzehn und hatte die straffe Frisur, die einwandfreie Körperhaltung und die ranke Gestalt einer Ballerina. Ich überlegte, wie sie nach dem Genuß eines doppelten Schinken-Cheeseburgers noch ein *grand jeté* auszuführen gedachte.

Ich schwöre, ich hatte es nicht geplant, denn wenn ich es im geringsten durchdacht hätte, wäre ich schon über die Idee allein entsetzt gewesen. Aber ich dachte nicht; ich griff mir nur die Tüte und rannte.

Erstaunlicherweise – oder vielleicht war es gar nicht so erstaunlich, da es sich beim Village um eine Gegend handelt, in der gestörtes Sozialverhalten nicht unbekannt ist – verfolgte die junge Frau mich nicht. Sie schrie auf – na ja, es war eher ein empörtes Jaulen –, doch als ich mich umsah, lief sie noch nicht zu einem Telefon, um die Polizei zu benachrichtigen. Was auf Long Island als Kapitalverbrechen gegolten hätte – Fastfood-Mundraub –, wurde in Manhattan offenbar als Kavaliersdelikt abgetan.

Die Tüte strahlte aus in meine Brust; der liebliche Duft von Rinderhack mit Zwiebeln wärmte mir die Seele. Ich brachte noch ein paar Häuserblocks zwischen mich und den Tatort. Dann hockte ich mich auf die Stoßstange eines geparkten Schwarztaxis und verschlang mein Abendessen.

Irgendwo zwischen den Pommes Frites und der Apfeltasche stieg (während ich mir mit zunehmend schlechtem Gewissen ausmalte, wie die zierliche Ballerina von ihrem fiesen, fetten Freund verbläut wurde, weil sie sein Essen verbaselt hatte) vor meinem inneren Auge wieder ihr NYU-Sweatshirt auf. Und dieses Bild rief in mir schlagartig die Erinnerung an den einzigen Menschen wach, den ich an der NYU kannte, meinen ehemaligen Lieblings-Taugenichts: Danny Reese.

Danny hatte in Alex' High-School-Band Baß gespielt und war dann an die NYU gegangen. Einmal hatte ich mitbekommen, wie Alex Ben erzählte, Danny habe sich ein einträgliches Geschäft mit dem Verkauf gefälschter Ausweise an seine Kommilitonen aufgebaut, an Kids, die ganz wild darauf waren, sich von großen Summen zu verabschieden, um vor Erreichen der Volljährigkeit das Privileg zu besitzen, Einlaß in Bars zu erhalten und sich die Seele aus dem Leib zu kotzen. Unter moralischem Aspekt kam dieses neue Unternehmen vermutlich seiner früheren Beschäftigung gleich: in der Knaben-Umkleide der Shorehaven High-School Marihuana zu verhökern.

Danny Reese war ein faules Ei mit viel Glück: keine Festnahmen, keine Vorstrafen. Nun gut, er hatte mehr als Glück. Er hatte einen klugen Kopf, beträchtlichen Charme und ein sinnlich gutes Aussehen; wäre Elvis Presley mit intellektuellen Gaben in Nassau County geboren worden, hätte er der Zwilling von Danny Reese sein können. Aber hinter Dannys aufgewecktem, ausgefuchstem Geist, hinter seinem glatten Grinsen hatte ich immer eine gewisse Gutmütigkeit gewittert. Schön, vielleicht nicht direkt Gutmütigkeit, aber Nettigkeit. Ganz gewiß keine Niedertracht. Der Junge war vielleicht verquer, aber nicht verkehrt. Mit einem Schmollmund zum Sterben. Das war auch der Grund, warum ich mir trotz seiner Anstiftung und Beihilfe zu Alex' allabendlicher Fensterkletterei und Zecherei immer eine Schwäche für ihn bewahrt hatte.

Und deshalb hatte ich mir auch in Dannys vorletztem Jahr an der High-School, als er trotz all seiner dreisten Entschuldigungen (einschließlich eines hervorragend gefälschten ärztlichen Attests) in Cass' Kurs »Einführung ins Schauspiel« durchzufallen drohte, weil er eine Klausur nicht mitgeschrieben hatte, ein Herz gefaßt. Eines Abends nach der Bandprobe hatte ich mir ihn und Alex geschnappt. Unter dem Vorwand, sie müßten mir helfen, die Möbel im Wintergarten umzustellen, hielt ich einen Monolog mit einer Kritik der *Glasmenagerie*. Alex fand mein Geschwätz nicht nur sterbenslangweilig, sondern hochgradig demütigend; als sein schlitzäugiges Starren sich als unwirksam erwies, mich zum Schweigen zu bringen, schaltete er ab. Aber der schlitzohrige Danny wußte genau, was ich im Schilde führte. Er lauschte gebannt. Am übernächsten Tag bekam er eine Eins in der Abschlußprüfung, was seinen Notendurchschnitt so anhob, daß er den Kurs bestand – übrigens sehr zu Cass' Verdruß. Ich hatte gehofft, mein Eingreifen würde Danny zu einer zweiten Chance verhelfen. Tatsächlich hatte es ihm ermöglicht, ins College aufgenommen zu werden und es als Operationsbasis für seine erweiterten unternehmerischen Aktivitäten zu nutzen.

Ziemlich widerstrebend, wie ich meinte, teilte mir die Auskunft von Manhattan Dannys Wohnadresse mit. Bis ich das Haus in einer heruntergekommenen, nur eine Häuserzeile langen Straße in der Nähe des Hudson River gefunden hatte, war es schon fast Mitternacht. Das Gebäude selbst war ein zweistöckiger Würfel in Plattenbauweise. Ein nicht gerade diskret zu nennendes Schild, »Dawn L. Iannucci, Elektrolyse/Depilation/Kosmetik« baumelte vor einem längst verlassenen Laden, der das gesamte Erdgeschoß einzunehmen schien. Eine ausgemergelte Katze flitzte vorüber, auf der Jagd nach etwas, was ich nicht notwendigerweise sehen wollte.

Da Mitternacht für Alex der Mittag war und Danny und er

früher eine so innige Spätabendfreundschaft gepflegt hatten, kamen mir keinerlei Bedenken, ich könnte Danny aufwecken – allerdings hatte ich massenhaft Bedenken bezüglich des Knaben selbst. Reizvoll? Und wie! Zudem teuflisch verschlagen. Doch darf, wie jeder Krimileser weiß, ein Weibsbild unter Mordverdacht nicht allzu wählerisch sein, in welche Gesellschaft es sich begibt. Also wollte ich bei ihm klingeln – aber es gab keine Klingel. Ich klopfte an die Tür, dann trommelte ich mit den Fäusten dagegen. Keine Antwort. Aber im Obergeschoß ging ein trübes Licht an, deshalb tat ich, was wir in Brooklyn immer gemacht hatten, wenn wir einen Freund riefen. Ich brüllte aus Leibeskräften: »Danny!«

Als jemand aus einem anderen Haus »Ruhe!« zurückbrüllte, ging ein Fenster im Obergeschoß auf, und Danny beugte sich heraus. Er trug kein Hemd, und sein dichtes schwarzes Haar hing ihm vor die Augen. Besuch zu bekommen, schien ihn nicht zu begeistern. Doch schob er das Fenster höher, um sich weiter hinauslehnen und die Sache näher betrachten zu können.

»Danny«, sagte ich und stellte mich unter eine Straßenlaterne. »Ich bin's.« Kein Zeichen des Erkennens, keine Erwiderung. Da ich jetzt ein Medienereignis war, konnte ich nicht gerade meinen Namen rufen. Daher raunte ich »Alex' Mutter«. Das Fenster knallte zu. Kurz darauf kam Danny durch den Laden gefegt und riß die Tür auf. »Entschuldige die späte Störung«, begann ich. Meine Stimme klang rauh, an Östrogenmangel leidend. »Aber am Telefon wäre es zu schwierig zu erklären gewesen.« Er packte mich am Ärmel, zog mich hinein und führte mich zu einer Treppe im rückwärtigen Teil des Hauses. »Ähm«, machte ich. »Äh, hast du schon gehört . . . ?«

Danny nickte. Er hatte seine Fassung schnell wiedergefunden und kämmte sich nun mit den Fingern die Haare aus der Stirn, und zwar mit der Gelassenheit und dem Selbstbewußtsein eines Background-Sängers zwischen zwei Stücken. Schon in der High-School war er ein attraktiver Bengel gewesen, aber doch eher ein schmales Hemd. Nun war er zwar immer noch nicht viel größer als ich, aber er war stämmiger geworden, und sein Oberkörper bildete jetzt ein ideales Trapez mit männlich breiten Schultern.

»Sie waren grade in den Elfuhrnachrichten«, berichtete er. »Die haben ein Video vom Schulball gezeigt, wo Sie Aufsicht hatten. Sie haben mit Doktor Higbee und Mr. Perez über irgendwas gelacht, und als Sie die Kamera entdeckten, haben Sie gewunken.«

»Ich will dir keine Schwierigkeiten machen«, schluckte ich. »Aber ich weiß nicht, wohin.«

»Kommen Sie doch rauf.«

Ich war ihm dankbar, daß er nicht »Nach Ihnen« sagte, denn ich hatte einen solchen Muskelkater und so geschwollene Füße, daß ich mich mit beiden Händen am Geländer festklammern mußte und mich wie eine alte Frau die Treppe hinaufhangelte. Außerdem dachte ich mir: Lieber schaue ich mir von unten Danny Reeses knackigen Po in seiner verschlissenen Jeans an, als er sich meinen in der französischen Modellhose, die von hinten bestimmt noch betonte, daß mein Po seine knackigsten Tage längst hinter sich hatte.

Er zog seine Wohnungstür ins Schloß, drehte drei Schlüssel, schob einen dicken Sicherheitsriegel vor und rückte eine Metallstange in ihre im Fußboden verankerte Halterung. Bei Danny gab es viel zu schützen – allerdings bestimmt nicht die Couch, auf der er mir einen Platz anbot. Die Sitzfüllung war eine Ansammlung von Klumpen und vorstechenden Sprungfedern, die mit einem alten, gelb-blau gebatikten Wandbehang drapiert waren. Aber welche elektronischen Schätze er besaß! Einen Fernsehapparat fast im Kinoformat, zwei Videorecorder, einen Berg von Hifi-Elementen, riesige Lautsprechersäulen.

»Mrs. Meyers.« Er sprach meinen Namen langsam und bedächtig aus, zog jede Silbe in die Länge. Ich nahm an, das war die neueste Begrüßungsformel, wenn man hip sein wollte.

»Danny.«

»Ich brauch' Sie wohl nicht zu fragen, was es Neues gibt«, stellte er sachlich fest.

Er war viel zu lässig, um meine Antwort abzuwarten. Statt dessen verschwand er in einem Nebenzimmer und knöpfte sich bei der Rückkehr die Manschetten eines schwarzen Seidenhemds zu. Dann lehnte er sich mit dem Rücken an den Türrahmen, verschränkte die Arme vor der Brust und spähte zu mir herüber. Die Hemdknöpfe blieben offen. Aber so trug man es heute zweifellos, denn Danny war schon zu Schulzeiten so hip gewesen, daß auch der hippeste MTV-Hipster gegen ihn wie ein unverbesserlicher Spießer aussah. »Was kann ich für Sie tun?« erkundigte er sich.

»Nichts.« Ich stützte die Hände auf die Knie und versuchte, mich hochzuhieven. Es ging nicht. »Es war falsch von mir, herzukommen. Tut mir leid. Gib mir nur noch einen Moment Zeit.« Er schlenderte durch den Raum und setzte sich neben mich. Ich konnte kaum noch sprechen. »Ich kann gar nicht mehr klar denken, so müde bin ich. Vorhin hab' ich ein Mädel mit NYU-Sweatshirt gesehen, und da bist du mir eingefallen – ich dachte, du wärst der einzige, der mich unter Umständen nicht an die Polizei ausliefert.«

»Mrs. Meyers.«

»Ja?«

»Das war aber nicht besonders klug gedacht.«

»Nicht?«

»Nicht für jemanden, der polizeilich gesucht wird. Sie hätten lieber denken sollen: Vielleicht hat die Freundin von Mr. Meyers – oder seine Firma – eine Belohnung ausgesetzt für Hinweise, die zu Ihrer Festnahme führen. Sie sollten denken: Wenn es eine Belohnung gibt, verkauft Danny Reese sogar den Rollstuhl unter seiner Großmutter weg.« Er legte seine Füße auf den Kaffeetisch, einen umgedrehten Papierkorb. Er trug Cowboystiefel. Die Cowboystiefel eines sehr wohlhabenden Cowboys: kaffeebraunes Krokoleder.

»Das kann ich mir nicht vorstellen. Der Danny Reese, den ich kannte, war vielleicht ein bißchen daneben, aber er war kein Unmensch.«

»Ach wirklich?«

»Ich tippe mal, es ist dir gleichgültig, ob ich meinen Mann umgebracht habe oder nicht, aber ich gebe dir mein Wort, daß ich es nicht war. Vermutlich habe ich gehofft, du würdest mir vielleicht helfen, weil du früher Alex' Freund warst. Oder weil du mich für einen netten Menschen hältst. Oder einfach, weil es dir gefällt...« Ich brachte es nicht über die Lippen.

»Na los. Weil mir was gefällt?«

»Ein Outlaw zu sein.«

Er ließ seinen Kopf gegen die Rückenlehne der Couch sinken. Ein kleines Lächeln ließ seine Lippen einen Moment lang weicher werden, dann verschwand es wieder. »Ich helfe Ihnen«, sagte er.

»Das letzte, was ich will, ist dich bevormunden, aber ich bin verpflichtet, dich zu warnen...« Ich zögerte. »Du könntest Ärger kriegen. Aber das weißt du natürlich.«

»Natürlich. Wegen Fluchthilfe.«

»Bist du etwa unter die Krimileser gegangen, Danny?«

»Nein, Mrs. Meyers, ich lese keine Krimis. Ich bin einer, der« – er bedachte mich mit dem Lächeln, das den High-School-Mädels immer zitternde Knie beschert hatte – »einer, der öfter mal einen juristischen Rat braucht. Mein Anwalt sagt mir immerzu, ich wäre ein Krimineller. Aber sogar *der* gibt zu, daß ich ein gerissener Krimineller bin. Und auch ein vorsichtiger Krimineller. Ein Krimineller, der noch nie erwischt worden ist.«

»Aber mir wird doch nicht zur Last gelegt, im Umkleideraum mit Pot zu dealen.« Obwohl er viel zu hip war, um jemals erstaunt auszusehen, bemerkte ich, wie er mit dem Wunsch kämpfte, sich umzudrehen und mich anzustarren. »Ich bin eine gute Lehrerin. Ich kenne meine Schüler, und ich halte die Ohren offen. Ich wußte das mit dem Pot. Das mit den Pillen wußte ich auch. Und wenn mir jemand gesagt hätte, du würdest ein bißchen mit Kokain handeln, wäre ich vor Schreck auch nicht gleich tot umgefallen.«

»Das hab' ich aufgegeben.«

»Gut!«

»Ich handle jetzt mit falschen Papieren. Keine Pässe oder so was – die sind gefährlich, wenn die Lieferanten nicht über die modernste Technik verfügen. Aber ich kenn' da einen –«

»Ich will keinen Paß. Auch kein Falschgeld. Und seh' ich vielleicht so aus, als hätte ich die Chuzpe, mich als Einundzwanzigjährige auszugeben und mich mit einem von deinen gefälschten Collegeausweisen oder Führerscheinen durchzumogeln?«

Er hob schwungvoll die Füße vom Papierkorb. »Halten Sie mich nicht für unhöflich, aber was wollen Sie eigentlich?«

»Ich brauche heute nacht einen Platz zum Schlafen.«

»Das ist noch keine große Herausforderung.«

»Und wie klingt das, Danny? Du mußt unbedingt Alex Bescheid geben, daß es mir gutgeht, und dich bei ihm erkundigen, was zu Hause los ist. Aber die Telefone werden bestimmt abgehört.«

»Keine Sorge!«

»Nein! Bitte ruf nicht in Gulls' Haven an –«

»Jetzt hören Sie mal.« Er ließ mich nicht ausreden. »Sie glauben wohl, ich würde Alex anrufen und tönen: ›Hab' gehört, einer gewissen Mrs. M. geht's prima, nachdem sie sich in Greenwich Village 'ne Nacht lang ausgeschlafen hat‹? Nein. Ich ruf' Alex an und sag' ihm, das mit seinem Alten tut mir leid. Wir quatschen ein bißchen über die Musikszene in Seattle. Dann schwelge ich in Erinnerungen an die alten Zeiten in der Band, mit ihm als Leadsänger und mir am Schlagzeug –«

»Du hast doch Baß gespielt.«

»Eben. Das wissen Sie. Das weiß ich. Alex weiß es auch. Aber die Bullen wissen's nicht. Und wenn Alex nicht gerade den IQ von 'nem Hering hat, versteht er, daß er an ein anderes Telefon gehen und mich mal zurückrufen soll.« Er stand auf und zog sorgfältig die Beine seiner Jeans über die Stiefel, ehe er aus seinem Zimmer ein Kissen und einen Quilt holte, der vor vier Jahren, als Danny an der NYU angefangen hatte, noch weiß gewesen sein mochte. »Wenn Sie die ganze Nacht wach bleiben und sich Sorgen machen wollen, ob ich Sie anzeige, bitte sehr. Aber ich an Ihrer Stelle würde mich schleunigst aufs Ohr hauen.« Er machte nicht mal eine kleine Pause, ehe er zufügte: »Sie sehen aus wie der Tod.«

Ich war so erschöpft, daß ich mich nicht einmal vor den Lippenstiftspuren und den verdächtig steifen Flecken auf dem Kissenbezug ekelte. Im Vergleich zu Danny Reese wirkte Alex, der Meister der Schmuddeligkeit, wie jemand mit Putzzwang. Fast hätte ich mir an einer CD, die zwischen zwei Sofakissen klemmte, das Schienbein aufgeschlitzt: Die Wunde hätte sich durch die seit Jahren angesammelten Twinkie-Krümel, Straßenstaub, Schmutz und etwas, das sich anfühlte wie beim Staubwischen zufällig dazwischengeratene Sittichstreu, entzündet. Und erst der Fußboden: Selbst im schwachen Licht der Straßenlaterne konnte ich eine fettige Schmutzschicht aus einer Pizzaschachtel, benutzten Taschentüchern, zerknülltem Notizpapier, Bierdosen, einer Weinflasche – und jeder Menge Dreck ausmachen.

Dreck. Beim Einschlafen sah ich den Dreck auf dem Küchenfußboden in Gulls' Haven vor mir. Erde auf dem ganzen Stück von der Tür bis zu Richies Schuhen. Zu beiden Schuhen oder nur zu einem? Ich rief mir die Sohlen seiner teuren Turnschuhe vor Augen, ein Muster von Höhenlinien, das an ein mit moderner Agrarwirtschaft bestelltes Feld erinnerte. In den Rillen des linken Schuhs hatte viel Erde gesteckt. Im rechten aber kaum. Ob das daran lag, daß der Dreck aus dem rechten Turnschuh über den ganzen Fußboden verteilt war? Oder weil nur ein Fuß richtig in den Matsch getreten war, als Richie aus dem Auto stieg?

Ich wälzte mich auf den Rücken. Ich muß meine Unterwäsche auswaschen, dachte ich. Aber ich war zu müde und zu schwach, um nochmals von der Couch aufzustehen. Ich konnte den Gedanken nicht ertragen, wie sich meine wunden Füße auf Dannys verdreckten Boden preßten.

Dreck, befahl ich mir. Denk über Dreck nach. Denk an die Reifenspuren im Matsch. So wie Richies Wagen geparkt war, konnte er nicht in den Matsch getreten sein. Er wäre auf ... hier kniff ich meine Augen fest zusammen, um mein Bild scharfzustellen. Er wäre auf einen schmalen Teppich von Herbstlaub getreten. Trockenes Laub. Es mußte trocken gewesen sein: vorher hatte es zwei oder drei Tage nicht mehr geregnet. Ein Schritt. Sein nächster Schritt wäre schon auf der Straße gelandet. Wie waren seine Turnschuhe – war sein Turnschuh? – so schmutzig geworden?

Warum hatten sich die Cops nicht dieselbe Frage gestellt? Hatten sie Matschproben von Richies Sohlen genommen und sie mit der Erde auf dem Fußboden verglichen? Das mußten sie doch getan haben. Und mit der Stelle, auf der der Wagen stand? Natürlich. Alle drei Proben stimmten überein.

Aber sie hatten Abgüsse von Reifenspuren gemacht – nicht von Fußabdrücken. Neben Richies Auto waren keine Fußspuren gewesen.

Wo konnte der Dreck auf meinem Küchenfußboden sonst hergekommen sein?

Von der Person, die Richie begleitet oder Richie verfolgt hatte. Von der Person, die die Dreckspur von der Tür sah, die bemerkte, daß an Richies Schuhen keine Erde war, und es dann für nötig befunden hatte, dort welche anzubringen.

Dann würde es nämlich so aussehen, als sei Richie allein gekommen – und somit gäbe es nur eine Person, der zur Last gelegt werden würde, ihn ermordet zu haben. Die einzige andere Person in Gulls' Haven.

Diese Person schlief in dieser Nacht friedlich und fest.

12

Das Badezimmer von Danny Reese war ebenso makellos in Schuß wie sein Wohnzimmer, aber um halb neun Uhr früh konnte ich mir nicht erlauben, pingelig zu sein. Ich duschte sogar – nachdem ich mir geschworen hatte, mir weder den Abfluß seiner Badewanne noch die Innenseite seines Duschvorhangs genauer anzuschauen, wie groß die Versuchung auch sein mochte. Als ich mich gerade mit dem einzigen sauberen Frotteetuch, das ich finden konnte, einem Waschlappen, abtrocknete, rief Danny durch die Tür: »Geben Sie mir Ihre Klamotten!«

»Wie bitte?«

»Ich geh' Kaffee und was zu essen kaufen. Da kann ich Ihre Sachen mit meinem Zeug in der chinesischen Wäscherei abgeben.«

»Meine Hose und die Pullis müssen aber in die Reinigung«, widersprach ich durch die Tür.

»Okay, aber das dauert den ganzen Tag.« Gerade als ich anfing mir Sorgen darüber zu machen, daß Danny mir meine Kleider abluchsen wollte, rief er: »Sie machen sich bestimmt Sorgen, daß ich Ihnen die Klamotten abluchsen will. Sie wissen schon, damit Sie nicht abhauen können, während ich mir draußen die Belohnung hole, wenn ich Sie den Bullen ausliefere.« Dann sagte er noch: »Machen Sie auf. Ich hab' was für Sie.« Ich öffnete die Tür einen Spaltbreit. Eine Hand reichte ein Paar Cordhosen und einen Chenillepullover herein. Sie waren wunderbar frisch gewaschen und rochen nach Weichspüler.

»Ich hab' noch keine Nachrichten gesehen«, erklärte ich. »Gibt es wirklich eine Belohnung?«

»Sie haben es im Radio gebracht. Fünfzig Riesen für Hinweise, die zur Verhaftung und Verurteilung des Mörders führen.«

»Fünfzig*tausend?*« Ich kriegte die Cordhose nicht zu. Trotzdem war es unter dem Gesichtspunkt, daß Dannys Hintern etwa so groß war wie meine beiden Fäuste, ein Sieg und ein Wunder obendrein, daß ich den Reißverschluß mehr als zur Hälfte hochziehen konnte.

»Die Firma von Mr. Meyers hat die Summe ausgesetzt.«

Ich zog mir Dannys Pulli über den Kopf. Schon bevor ich zwei Kinder gestillt hatte, war ich nicht in der Lage gewesen, mir die große Freiheit ohne Büstenhalter herbeizusehnen, und mit siebenundvierzig wollte ich erst recht nicht mehr damit anfangen. Aber mir blieb kaum eine Wahl, also schoppte ich den übergroßen Pullover an den Ärmeln hoch, machte einen Buckel wie Quasimodo, damit meine Schultern weiter vorstanden als meine Brüste, warf den Kopf in einer Was-soll's-Bewegung zurück und öffnete die Tür.

»Ich hab' nicht vor, Sie auszuliefern«, teilte Danny mir mit. »Das können Sie mir glauben oder nicht, ganz nach Belieben.« Er nahm meine Schmutzwäsche entgegen, ohne meine Brüste auch nur eines Blickes zu würdigen, was mich zwar nicht umbrachte, aber doch ein größerer Schlag für mein Selbstwertgefühl war.

»Ich glaube dir«, versicherte ich ihm. Da stand ich nun, mein Leben in den Händen eines einundzwanzigjährigen, amoralischen Ex-Dealers in engen schwarzen Jeans und einem schwarzen, bis zum Hals zugeknöpften Hemd. Und ich hatte nicht die leiseste Ahnung, ob ich gerade eine kluge Entscheidung getroffen hatte oder den tödlichsten Fehler meines Lebens beging. »Ach übrigens, wo du gerade in die Wäscherei gehst...«, fügte ich hinzu und zog den Quilt von der Couch.

»Mrs. Meyers.« Der Ton war eiskalt.

»Ich weiß. Ich bin nicht deine Mutter. Aber der Quilt ist schmutzig.«

»Das ist mein Quilt, Mrs. Meyers.«

»Natürlich ist es dein Quilt. Nur wenn ich jemals wieder dein Gast sein sollte, hätte ich es gern ein bißchen sauberer. Und nenn mich doch Rosie.«

Nachdem er abgezogen war – mit dem Quilt –, rief ich in der Schule an. Wie ich gehofft hatte, meldete sich Carla im Sekretariat. Da sie ohne Zweifel das selbstfixierteste menschliche Wesen zwischen New England und Florida war, spielte es keine Rolle, ob der Waschlappen, den ich über die Sprechmuschel gelegt hatte, meine Stimme verzerrte oder nicht. Ihr war es vollkommen egal, wer ich war und was ich wollte, weil mein Anruf weder mit ihr noch ihrem Freund Kyle, noch mit Kyles Auto, einem Dodge Stealth, zu tun hatte. Ich gab ihr das verabredete Zeichen für Cass, indem ich behauptete, ich sei die Sprechstundenhilfe von Doktor Goldberg und wolle Cass' Termin für Samstag, dreizehn Uhr dreißig bestätigen. Die Botschaft war an sich bedeutungslos; sie war nur das Signal für Cass, sich um halb zwei – die siebte Stunde hatte sie frei – an unserem verabredeten Münztelefon vor der Cafeteria einzufinden und auf meinen Anruf zu warten.

Ein halbes Sekündchen lang erwog ich auch, Stephanie anzurufen, um mich zu erkundigen, ob sie einen Anwalt in Nassau County gefunden hatte. Aber obwohl es zu achtundneunzig Prozent sicher war, daß sie mich nicht anzeigen würde, konnte ich mir nicht leisten, ein zweiprozentiges Restrisiko einzugehen. Und noch wichtiger, Stephanies letzte Empfehlung, Forrest Newel, hatte sich als so überwältigend unfähig erwiesen, daß mich gelinde Zweifel an ihrem Urteilsvermögen beschlichen hatten. Andererseits hatte ich auch nicht unbedingt eine ganze Liste von Strafverteidigern in meiner Hosentasche (beziehungsweise, um präzise zu sein, in Dannys Hosentasche) stecken, und ich brauchte Hilfe.

Danny kam etwa eine Viertelstunde später mit zwei Bechern Kaffee zurück. »Sie sind ja noch da«, stellte er lässig fest. Seine Lider waren immer halb geschlossen, sexy und schläfrig wie bei den Teenager-Traumschauspielern in diesen idiotischen Fernsehserien.

»Dachtest du, ich wollte mich absetzen?«

»Na, manche Leute sind sich über meinen Charakter nicht so ganz im klaren.«

»Danny, ich bitte dich! Ich kenne dich doch seit Jahren.«

Er grinste. Wow, war der süß! »Um so mehr Grund für Sie, davonzulaufen.«

»Vermutlich, aber ich brauch' noch was anderes von dir.«

»Ach. Was denn?«

»Weißt du irgendwas über Strafverteidiger auf Long Island?«

»Was denn zum Beispiel?« Er hob den Deckel von seinem Kaffeebecher und riß mit den Zähnen zwei Tütchen Zucker auf.

»Zum Beispiel einen Namen, Danny.«

»Oh.« Ein Weilchen knabberte er gedankenverloren auf seinem Plastiklöffelchen herum. »Vincent Carosella«, gab er schließlich bekannt. »Schon mal gehört? Der ist ziemlich berühmt.« Der Name klang mir vage vertraut, vermutlich aus den Schauerberichten über Mordprozesse auf Long Island. Nun ja, wenigstens klang er nicht wie noch so ein selbstgefälliger Musterknabe mit Uhrkette. »Von meinen Bekannten hat ihn nie jemand gekriegt, weil er keine Drogensachen übernimmt. Aber für echte –« den Bruchteil einer Sekunde schwankte Danny zwischen »Fälle« und »Scheiße«. Aber da wir jetzt Kumpel waren, die sich mit Vornamen anredeten, entschied er sich für »Scheiße«. »Für echte Scheiße« – er preßte die Fingerspitzen zusammen und drückte einen innigen Kuß darauf – »ist Vinnie erste Sahne.« Dann verschwand er, um Alex anzurufen – und um einem seiner Stammkunden ein Supergeschäft mit einem astreinen Rutgers-Ausweis und einem fabelhaften Führerschein aus New Jersey vorzuschlagen.

Vinnie Carosella war, als ich um kurz nach neun anrief, schon in seiner Kanzlei. Wir hakten das übliche Vorgeplänkel ab. Sein Werdegang: Er hatte auf dem Adelphi College und in Saint John's Jura studiert und war Leiter der Abteilung für Kapitaldelikte bei der Staatsanwaltschaft von Nassau County gewesen. Sein Honorar: Nach reiflicher Überlegung meinte er, sein Stundensatz betrage dreihundert Dollar. Er fragte nicht, ob ich Richie ermordet hätte.

»Rosie«, sagte er, »lassen Sie mich ehrlich sein. Flucht macht die Sache nicht leichter.«

»Vinnie, sagen Sie mir eins: Wie groß ist die Wahrscheinlichkeit, daß die Polizei weiter nach Richies Mörder sucht, wenn ich mich stelle?«

»Gering bis null.« Was für eine Stimme! Tief, voller Leidenschaft, eine Stimme, die eine Jury zu Tränen rühren konnte. Die Stimme half meinem Gedächtnis auf die Sprünge. Ich erinnerte mich, ihn im Fernsehen auf den Stufen zum Gerichtssaal gesehen zu haben, wie er einem Reporter erzählte, seinem Vertrauen in das amerikanische Rechtssystem werde mit dem Freispruch seines Mandanten Genüge getan, und er sei überzeugt, die Geschworenen würden sich darauf einigen. Er hatte ausgesehen wie Ende Fünfzig und war schick gekleidet. »Eines sollten Sie bedenken, Rosie: je länger Sie flüchtig sind, desto schwieriger wird es für mich, die Leute von Ihrer Unschuld zu überzeugen. Klar?«

»Klar.«

»Und jetzt erzählen Sie mir alles.«

Das tat ich. Er versicherte mir, sobald er meinen Vorschuß erhalten habe, werde er einen Privatdetektiv engagieren, der Jessicas Vorleben erforschen sollte, vor allem, ob sie Richie ein Kind – oder einen Liebhaber – verheimlicht hatte. Was die Erde und die Reifenspuren anginge, so könne er nicht an Kopien der Laborbefunde heran, so lange gegen mich keine Anklage erhoben wäre. Zumindest, so ergänzte er, nicht auf koschere Art und Weise. Trotzdem werde er sich mit einem Kumpel kurzschließen und mal schauen, ob der nicht ein paar Blätter ausgraben könne.

»Wer weiß?« sagte ich. »Vielleicht finden Sie ja was zu meiner Entlastung.«

»Kann schon vorkommen«, stimmte Vinnie höflich zu. »Wollen Sie mir eine Telefonnummer geben, wo ich Sie notfalls erreichen kann?«

»Lieber nicht. Nicht, daß ich Ihnen nicht trauen würde. Ich weiß bloß nicht im voraus, wo ich so unterkomme.«

»Dann rufen Sie mich jeden Tag an, ungefähr um diese Zeit. Oder auch früher. Ich komme immer gegen halb acht. Dann bleibe ich bis neun, zehn Uhr abends. Machen Sie sich keine Gedanken, Sie könnten mich vielleicht stören. Ich hab' kein Privatleben.«

Nun war bald eine halbe Stunde vergangen, und Danny war immer noch nicht zurück. Vielleicht meldete er mich gerade bei der Polizei. Vielleicht beobachtete er auch den Spülgang im Waschsalon. Wie auch immer, mir blieb noch etwas Zeit. Ich schlüpfte in sein Zimmer, um zu schauen, was ich über meinen edlen Ritter in Erfahrung bringen konnte. Daß das Bett ungemacht war, überraschte mich wenig, aber zumindest kam dieses Zimmer, im Unterschied zum Wohnzimmer, nicht für die Katastrophenhilfe in Frage. Seine Lehrbücher standen so ordentlich aufgestapelt auf dem Fußboden, als seien sie seit Monaten, womöglich sogar Jahren, nicht mehr angerührt worden. Kein Hinweis darauf, daß er zum Vergnügen las, nicht einmal Jungenbücher: nur Sportschund oder Rockbiografien. Erst recht nichts, was im entferntesten an Belletristik erinnerte. Sein schwarzweißer E-Baß lag auf einem massigen Marshall-Verstärker; alte Nummern des *Bass Player* und ein Songbook der Red Hot Chili Peppers lagen auf einem wüsten Stapel daneben. Die Zeitschriften datierten noch nicht allzuweit zurück, aber als ich mit dem Zeigefinger über den Baß fuhr, lag darauf eine samtene New Yorker Staubschicht. Auch fand ich Spuren weiblicher Gesellschaft: eine Schildpatthaarspange unter dem Heizkörper und, ganz hinten in seiner Kleiderkammer, ein winziges weißes Tangahöschen.

Aber ansonsten war seine Kleiderkammer tadellos in Ordnung. Ohne Frage liebte Danny seine Kleidung. Und er besaß viel davon. Die Farbskala reichte von Anthrazit über Ebenholz bis Pechschwarz, eher ein eingeschränktes Spektrum. Die einzige Ausnahme machte ein Paar Bluejeans.

Aber er bewahrte keine Warenproben auf: nicht ein falscher Führerschein, kein einziger gefälschter Ausweis. Die Rauschmittel, die ich fand, waren ostentativ legal, in Drugstorefläschchen mit Namen auf dem Etikett – wenn er allerdings wirklich derartige Mengen Valium und Halcion benötigte, um sich entspannen und schlafen zu können, hätte man ihn schon längst in eine Anstalt gesteckt. Ich eignete mir ein paar Valium an, aber dafür, daß an meinem Kopf ein Preisschildchen über fünfzigtausend Dollar baumelte, fühlte ich mich erstaunlich ruhig. Warum auch nicht? Vorausgesetzt, Danny hinterging mich nicht, befand ich mich bei ihm in verflucht guten Händen. Er war der vorsichtigste Kriminelle, den man sich denken konnte. Wenn die Cops ihm auf die Schliche kamen, würden sie mit einem Durchsuchungsbefehl hereinstürmen, die Türen eintreten – und nichts finden. Aber etwas fand ich in seinen penibel aufgehängten Hosen: Taschengeld. Falls mich mein Instinkt nicht trog, hatte er die dreiundsechzig Dollar, die ich zutage förderte, längst vergessen. Ich spürte Scham, Schuldgefühle und sogar ein paar Skrupel wegen meines Vertrauensmißbrauchs, allerdings nicht so viele, daß sie mich davon abgehalten hätten, das Geld einzustecken.

Dann rief ich bei Data Associates an. Ich konnte schlecht darum bitten, in Richies Vorzimmer durchgestellt zu werden, weil seine Sekretärin meine Stimme erkennen würde. Statt dessen verlangte ich Jessicas Büro. Ich erzählte ihrer Sekretärin, Helen – die entweder zuviel rauchte oder ein Transvestit war –, ich sei in der Nachrichtenredaktion des *Hartford Courant* tätig und gerade dabei, für einen Artikel die Fakten zu überprüfen. Ob es denn den Tatsachen entspreche, daß Miss Stevenson eine Belohnung in Höhe von fünfzigtausend Dollar ausgelobt habe? Das hatte Miss Stevenson in der Tat. Und ihr Titel bei Data Associates? Generaldirektorin. Generaldirektorin? Nun ja, rein technisch gesehen eigentlich kommissarische Generaldirektorin, korrigierte sich die Sekretärin. Seit gestern nachmittag.

Ich erinnere mich, wie Gevinski mir beteuert hatte, Jessica hätte kein Motiv gehabt, ihren millionenschweren Geliebten umzulegen. Und das? Richie war tot, und sie war zur Generaldirektorin eines multinationalen Konzerns avanciert – mit entsprechendem Gehalt und Aktienerwerbsoption. Jetzt war sie eine Frau mit eigenen Millionen. Und mit ihrem neuen Titel saß sie inzwischen selbst an den Schalthebeln der Macht. Doch, Sergeant, sie hatte durchaus ein Motiv.

Apropos Motiv, wie stand es da um Daddyherz? Wenn er nicht ihr Daddy war, sondern ein noch reicherer, mächtigerer, aristokratischerer und – auch wenn ich das bezweifelte – aufregenderer Liebhaber als Richie, hätte ihr das nicht zusätzlichen Anreiz geboten, meine Küchenmesser auszuprobieren? Wie wäre es denn damit: Sie bringt Richie um und bekommt eine Gehaltserhöhung, eine Beförderung sowie einen neueren, bedeutenderen, wenn nicht gar potenteren Liebhaber. Liebhaber, ach was! Gatten? Mr. und Mrs. Daddy. Und das Schöne daran war, daß Jessica *wußte*, sie konnte den perfekten Mord begehen. Durch Richies Tod würde sie Mitglied im Young Presidents Club werden, der Vereinigung der Jungunternehmer, während ich dem Literaturkreis der Strafvollzugsanstalt für Frauen in Bedford Hills beitrat.

Privatsekretärinnen werden dafür bezahlt, Geheimnisse zu hüten. Selbst wenn Helen Jessica haßte; mir würde sie nichts ausplaudern. Doch ein paar Minuten später geriet ich ins Nachdenken: Was war mit *ehemaligen* Privatsekretärinnen? Ungefähr ein halbes Jahr bevor Richie mir den Laufpaß gab, hatte er Frances Gundersen entlassen. Vielleicht war ja Frances zum Plaudern aufgelegt?

Vielleicht. Als Fran Gundersen dreiundfünfzig war, hatte Richie ihr einen Abfindungsscheck ausgehändigt und eine gewisse Daphne auf den Drehstuhl an ihrem Schreibtisch gesetzt. Daphne sah wirklich aus wie eine Daphne: zarte Glieder, Kulleraugen und sogar ein britischer Akzent. Damals hätte ich schon ahnen sollen, daß der Verrat an Fran eventuell der Vorbote eines umfassenderen Treuebruchs war. Das tat ich aber nicht; Richie war mein Mann, und während ein Ehemann gelegentlich ein bißchen mogeln darf, wieviel er beim Familienurlaub in Puerto Rico tatsächlich am

Blackjack-Tisch verloren hat, muß eine Ehefrau, um ihre Nerven zu schonen, davon ausgehen, ihr Leben sei auf der Wahrheit begründet. Daher war ich vielleicht doch kein so ausgemachter Trottel gewesen, als ich ihm glaubte, Fran sei leider mittlerweile schrecklich zerstreut – wie es eben manche Frauen in den Wechseljahren werden –, und welche andere Wahl ihm denn bliebe, als sie loszuwerden?

Ich erinnere mich, daß sie in einer Gegend von Brooklyn gewohnt hatte, die ich kannte, einem Abschnitt namens Sunset Park, wo eine ansehnliche skandinavische Gemeinde lebte. Ich sprach ein gemeines kleines Bittgebet, daß sie zu Hause wäre, weil es einer Frau in ihrem Alter sicherlich schwerfiele, wieder eine Stelle zu finden.

Sie war da! Wie in all den Jahren, als sie für ihn gerabeitet hatte, meldete sie sich am Telefon mit »Hal-lo-ho«. Bei der letzten Silbe, die sie immer schon angehängt hatte, traf sie einen sehr hohen Ton. Ich legte auf und hinterließ eine eilige, unsignierte Nachricht auf Dannys Telefon. Anstelle der dramatischen Sonnenbrille, die er sicher besaß, die ich aber nicht finden konnte, versteckte ich mich so gut wie möglich unter dem Rand einer Baseballkappe aus Vinyl, einem häßlichen, schweißtreibenden schwarzen Ding. Ich verließ das Haus und stand gute drei Minuten lang wie gelähmt an einer Straßenecke: U-Bahn? Zu viele Menschen, die die Elfuhrnachrichten gesehen hatten. Taxi? Mein gesamter weltlicher Besitz betrug derzeit dreiundsechzig Dollar; meine verschwenderischen Tage gehörten der Vergangenheit an. U-Bahn? Taxi? Taxi? U-Bahn? Als ich ein paar Streifenpolizisten die Straße entlangbummeln sah, löste sich meine Lähmung rasend schnell. »Taxi!« Und ab ging es nach Brooklyn.

Ich will nicht näher ausführen, wie lange der Taxifahrer brauchte, um Sunset Park zu finden, oder daß der Fahrpreis siebenundzwanzig Dollar und vierzig Cent betrug. Frans winziges Reihenhaus stand in einer langen Flucht ockergelber Ziegelhäuser, die vermutlich Ende der dreißiger Jahre erbaut worden waren, etwa zu der Zeit, als *Das zauberhafte Land* in die Kinos kam. Die ganze Straße mit ihren Miniatur-Ahornen und ihren klitzekleinen Gärtchen hatte tatsächlich die zauberhafte Schönheit eines Zwergenlandes, obwohl Fran weiß Gott nichts Zwergenhaftes an sich hatte.

Als sie die Tür aufmachte, mußte ich hochsehen; sie war fast einen ganzen Kopf größer als ich. Einst hatte sie den strahlenden Teint und die kräftige Statur einer Roller-Derby-Queen besessen, doch seit Richie sie rausgeschmissen hatte, war sie, nachsichtig ausgedrückt, füllig geworden.

Als ihr bewußt wurde, wer da vor ihr stand, stieß sie einen überraschten Quieklaut aus.

»Tut mir leid, daß ich so unangemeldet reinschneie, Fran.«

Sie sah ganz geschäftsmäßig aus in ihrem grauen Flanellrock, der langärmeligen Bluse mit gestärkten Bündchen und der kleinen, herabhängenden Schleife, die sie stets am Kragen getragen hatte. Jederzeit hätte ein unsichtbarer Chef bitten können: »Miss Gundersen, zum Diktat«, nur sah ich, als ich nach unten blickte, daß ihre weißen Beine unbestrumpft waren. Sie trug rosa Ballettschühchen aus Satin mit kleinen Schleifchen. Ich war erleichtert – und traurig zugleich –, daß mein Gebet erhört worden war.

»Ich tu' Ihnen nichts«, erklärte ich ihr. »Ich bin unbewaffnet. Ich bin nicht gefährlich.«

»Wer's glaubt, wird selig!« kicherte Fran. Ihre Lippen waren mit einem Zuckerguß aus Lippenstift überzogen; wie immer trug sie viel zuviel von ihrer alten Bubblegumfarbe. Doch heute schien das knallige Rosa in die feinen Furchen gedrungen zu sein, die von ihren Lippen ausstrahlten, wodurch ihr Mund verschwommen wirkte. »Sie haben Ihren Mann erstochen, und jetzt wollen Sie mir erzählen, Sie wären nicht gefährlich?«

»Ich war es nicht.«

Statt nun »Polizei!« zu schreien oder mir die Tür vor der Nase zuzuschlagen, machte Fran einen Schritt zurück und drückte sich gegen die Wand, so daß ich in die enge Diele eintreten konnte. Da sie nicht an mir vorbeikam, um mir den Weg zu weisen, lud ich mich selbst ein, direkt in ihr Wohnzimmer weiterzugehen und dort Platz zu nehmen. Fran kam hinterher und setzte sich mir damenhaft gegenüber. Ihre Hände ruhten in ihrem Schoß, doch sie schlug die Beine so oft wieder anders übereinander, daß ihr Rock an ihren kräftigen Schenkeln hochrutschte.

Das Häuschen war eine angenehme Überraschung, voller klassischer skandinavischer Möbel aus hellem Holz und mit Bildern von der Dämmerung über den Fjorden und Nebel über Blumenwiesen. An sich sehr schöne Gemälde. »Ich bin froh, Sie daheim anzutreffen«, sagte ich.

»Ich hatte im letzten Jahr nichts als Freizeit.« Dann warf sie mir einen dieser direkten Ich-hab'-überhaupt-keine-Angst-Ihnen-offen-in-die-Augen-zu-schauen-Blicke zu. »Seien wir doch ehrlich. Er hat Sie gegen ein neueres Modell eingetauscht, und da haben Sie ihn umgebracht. Punkt.«

»Würden Sie eventuell ein Fragezeichen daraus machen, Fran?«

»Nein. Aber wissen Sie was? Ich bin Ihnen dankbar dafür.« Sie stand auf, ergriff meine Hand und schüttelte sie. »Ich wünschte, ich hätte den Mumm gehabt, es selbst zu tun.« Dann fing sie an, eines ihrer Bilder geradezurücken. »Einen Tag war für mich noch alles in Butter. Und am nächsten . . . Nicht genug damit, daß ich plötzlich nur noch ein alter Spüllumpen war. *Gefeuert* hat er mich.« Sie drehte sich wieder um. Ihre helle Haut war mit Flecken der Wut gesprenkelt. »Fertig! Auf die Straße gesetzt!« Fran war solch ein hübsche, herzensgute Frau gewesen; früher, in der guten alten Zeit, hatte Richie einmal gesagt, er stelle sie sich immer mit Zöpfen beim Jodeln vor. Vollschlanke Blondinen wie Fran gelten als gutartig und großmütig. Deshalb hatte ihre fröhliche Fassade in den ersten Minuten das Ausmaß ihrer Bitterkeit überdeckt. Nun ballten sich ihre in die Hüften gestemmten Hände zu Fäusten. »Ein Messer in den Bauch«, höhnte sie. »Unter uns, der Mistkerl ist billig davongekommen.«

»Ich dachte... Er hat mir gesagt, er hätte Ihnen eine schöne Abfindung gegeben.«

»Geld hat er mir gegeben, ja. Um sein Gewissen zu beruhigen. Und was soll ich jetzt mit dem Rest meines Lebens anfangen? Sie waren auf dem College; vielleicht glauben Sie ja, es wäre nicht so eine große Sache, Sekretärin zu sein, aber es war mein *Beruf*. Und ich war eine gute Sekretärin. All meine Freundinnen waren Sekretärinnen. Und von einem Tag auf den anderen muß ich mich mit einer ›Abfindung‹ begnügen und damit, daß ich nichts mehr zu tun habe. Ich gehe zu Bewerbungsgesprächen, und keiner will mich haben, wegen der schlechten Wirtschaftslage – und weil ich zu alt bin. Niemand nimmt eine alte Schachtel.«

»Sie sind doch nicht alt.«

»Ach, hören Sie auf! Ich bin alt. Und Sie sind alt. Wenn er mich nicht mehr haben wollte, hätte er mich doch an einen der anderen Manager abschieben können. Oder sich ans Telefon setzen und mir eine Stelle bei einer der Firmen, mit denen wir zu tun haben, verschaffen! Wie kann man nur zu einem Menschen, der einen seit Jahren begleitet, einfach sagen: ›Du bist ein Nichts‹?«

»Keine Ahnung«, gestand ich. »Aber für ihn scheint das keine so schmerzliche Erfahrung gewesen zu sein. Er hat es gleich noch einmal gesagt, nämlich zu mir.« Fran verschränkte die Arme, schlug die Beine übereinander, beugte sich dann vor und schaukelte, als wolle sie einen tief in ihr sitzenden Schmerz besänftigen. Ich fuhr fort: »Überlegen Sie doch mal. Dieses Verhalten war ein Muster bei ihm. Und wenn er es ihr nun auch angetan hätte? Jessica. Ich meine, Sie glauben ja vielleicht, ich hätte ihn umgebracht, aber gehen Sie doch mal kurz davon aus, ich wäre geleimt worden. Ja? Und zwar von ihr. Er könnte sie ja auch fallengelassen haben. Vielleicht hat sie beschlossen, sich zu rächen.«

Fran richtete sich auf und stieß einen weiteren ihrer heiseren Lacher aus, warf den Kopf in den Nacken und öffnete ihren Mund zu einem großen O. Sie sagte: »Er hat ihr nie etwas anderes angetan, als was sie sich antun ließ!«

»Woher wissen Sie das so genau?«

»Was glauben Sie denn, woher ich das weiß? Data Associates war mein ganzes Leben. Ich halte Verbindung mit den Mädels. Verzeihung: den Damen. Laurie und Claire und Helen und den zwei Marys.«

Den Sekretärinnen aller Topmanager bei Data Associates! Eine Goldmine an Informationen.

»Bitte. Ich brauche Ihre Hilfe, um herauszufinden, wer es war. Sehen Sie, wenn Sie wirklich geglaubt hätten, ich wäre eine Mörderin, hätten Sie mich doch nie ins Haus gelassen.«

»Sie haben mit ihm gemacht, was er verdient hat. Ich weiß, daß Sie nicht wild in der Gegend rummorden oder so was. Mich werden Sie nicht gleich umbringen.«

»Sie kennen mich doch jetzt schon so viele Jahre. Überlegen Sie mal: Wenn ich Richie ermorden wollte, hätte ich es so dumm angestellt?«

Sie zögerte. »Ich glaube ja nicht, daß Sie es geplant hatten. Ich vermute, Sie haben einen Moment lang einen Aussetzer gehabt.«

»Aber Sie glauben auch, daß es eine geringe Wahrscheinlichkeit gibt, daß ich es nicht war. Das merke ich doch.« Das merkte ich in Wahrheit zwar nicht, aber ich sprach trotzdem weiter. »Im Zweifel für den Angeklagten, wie wär's, wenn Sie das beherzigen wollten? Und beantworten Sie meine Fragen. *Bitte*, Fran!«

Sie nahm sich viel Zeit, die Ränder ihrer Manschetten zurechtzuzupfen. Davon war sie ganz in Anspruch genommen, und sie wirkte überaus selbstzufrieden. Es gefiel mir nicht, daß sie meine Verzweiflung so erbaulich fand. Was hatte ich ihr denn getan? Sicher, ich war die Frau des Chefs gewesen, aber eine anständige, gesittete Frau des Chefs, auch wenn Fran selbst nie einen Preis für menschliche Wärme errungen hätte. Oder hatte ich in überheblicher Unwissenheit einmal etwas Herablassendes geäußert, unter dem sie noch heute litt?

»Ich brauche Hilfe«, bat ich. Keine Antwort. Sie sah von ihren Manschetten auf und wartete darauf, daß ich mich wand und krümmte. Weil ich sie brauchte, bot ich ihr ein wenig Winden und Krümmen. Ich ruckte ein wenig auf dem Stuhl hin und her und blickte flehentlich.

»Also los«, sagte sie endlich und machte sich einen Spaß daraus, mit den Knöcheln zu knacken. »Fragen Sie.« Knack, knack.

»Erzählen Sie mir von Jessica.«

»Das ist keine Frage. Ich dachte, Sie wären Lehrerin.«

Knack.

»Na gut, ich formuliere es um. Jessica wurde zur kommissarischen Generaldirektorin ernannt. Halten Sie das schlicht für eine schreckliche Begleiterscheinung von Richies Tod? Oder glauben Sie, sie hatte schon immer ihre Angel nach Höherem ausgeworfen?«

»Die Antwort«, jubelte sie mit der unerträglichen Überschwenglichkeit eines Quizshow-Moderators, »heißt – die Angel ausgeworfen!« Ich will nicht unterstellen, daß Frans Überschwang sie gleich als manischen Charakter bloßstellte, aber aus irgendeinem Grund übertrieb sie plötzlich. »Die geborene Anglerin!« Sie lachte zu lang und zu laut. »Und mit was für einem Köder!«

Wieder warf sie den Kopf in den Nacken und lachte die Zimmerdecke an. Ein bißchen fürchtete ich mich vor ihr. Am liebsten wäre ich weggelaufen, aber statt dessen saß ich da – und grub einen meiner alten Unterrichtstricks aus: Ich senkte die Stimme, daß sie gerade noch etwas lauter als ein Flüstern war, damit sie sich anstrengen mußte, um mich zu verstehen. Aus unerfindlichen Gründen klappte es damit fast immer, die schlimmsten Lehrerschrecks in manierliche Bürger zu verwandeln. »Woher wußten Sie oder Ihre Freundinnen von Jessicas Ambitionen?« murmelte ich.

»Wie?« Ich wiederholte die Frage. »Wir schreiben bei ihren Besprechungen Protokoll«, antwortete sie mit großem Ernst. »Wir tippen ihre Korrespondenz. Wir stellen ihre Anrufe durch. Wir *kennen* den Verein.«

»Erzählen Sie mir von Jessicas geschäftlicher Beziehung zu ihm.«

»Ihr Mann war fantastisch im Umgang mit Menschen und bestimmt ein guter Geschäftsmann. Aber um Ihnen die Wahrheit zu sagen, vermutlich kein ausgezeichneter Geschäftsmann. Nicht risikofreudig genug. Vom ersten Tag an drängte sie ihn weiter, als er gehen wollte.«

»Zum Beispiel?«

»Zum Beispiel, wie sie ihn dazu gebracht hat, Mr. Gruen rauszuschmeißen. Zum Beispiel, wie sie ihn dazu gebracht hat, zu internationalisieren. Sie wissen das vielleicht nicht, aber Ihr dahingeschiedener Süßer hatte panische Angst davor. Sie hat ganze Heerscharen von Experten dazugeholt, die ihn überzeugen sollten, wenn er nicht Europa und Japan erschlösse, würde es ein anderer tun.«

»Aber das ist doch schon ein paar Jahre her. Was war jetzt, in letzter Zeit? Haben Sie gehört, ob sie noch andere große Ideen hatte, bei denen er nicht mitmachen wollte?«

»Wie wär's mit der, daß die Firma in eine Aktiengesellschaft umgewandelt werden sollte? Ist Ihnen die Idee groß genug?«

Zugegeben, man konnte mich nicht gerade als Wall-Street-Spezialisten bezeichnen, aber ich brauchte kein Finanzgenie zu sein, um zu wissen, daß die Umwandlung in eine Aktiengesellschaft für Richie enorme Gelder bedeutet hätte. Außerdem wußte ich, daß es eine Idee war, die ihm schon immer Angst eingejagt hatte, nicht zuletzt deswegen, weil ihm klar war, daß er zwar ein Virtuose des Charmes war, aber nicht die Courage besaß, die man als brutaler, berechnender Firmenchef brauchte. Zudem hätte eine Aktiengesellschaft bedeutet, daß Data Associates nicht mehr ihm allein gehörte. Wenn Tausende oder Millionen von Aktien in Umlauf waren, konnte die Firma von einem außenstehenden Übernahmehai geschluckt werden – oder auch von einem Insider, der kaltblütiger war als er. Interessanterweise war der einzige in der Chefetage, auf den diese speziellen Kriterien zutrafen, Jessica Stevenson.

»Und damit war er tatsächlich einverstanden, mit einer Aktiengesellschaft?« Es war schwer, das zu glauben; über die Jahre hatte er die Idee wieder und wieder verworfen, sobald seine Steuerberater und Anwälte sie anbrachten.

»Laut Helen und der kleinen Mary wollten sie nur noch abwarten, bis Ihre Scheidung rechtskräftig ist. Damit Sie nicht dazwischenfunken konnten.«

»So was!« entfuhr es mir.

»Ja. Da staunen Sie.« Wir saßen ein Weilchen schweigend da. »Möchten Sie einen Kaffee oder was anderes?«

Wir landeten in ihrer Küche, einem kleinen, aber bildschönen Raum mit hellen Holzschränken, die maßgefertigt zu sein schienen. Die Arbeitsflächen und Wandverkleidungen waren mit großen weißen Fliesen gekachelt, manche davon mit handgemalten Singvögeln dekoriert. Während wir auf den Kaffee warteten, fragte sie mich, ob ich Hunger hätte. Ein bißchen, antwortete ich.

Letztendlich aß ich zwei Mortadella-Sandwiches und ein dickes Stück gefrorenen Sara-Lee-Käsekuchen, den mir Fran verhältnismäßig freundlich anbot. Seltsamerweise zeigte mein Körper, der sich eigentlich für Flucht oder Kampf hätte stärken sollen, nicht das geringste Interesse an Kohlehydratkomplexen; er lechzte nach allen Arten von Lebensmitteln, die garantiert Herzkrankheiten hervorrufen und Gase erzeugen. Zwischen zwei Bissen Sandwich merkte ich an: »Allmählich bekomme ich den Eindruck, Sie sind der Meinung, Richie hätte Jessica mehr geliebt als sie ihn.«

»Sie scherzen.«

»Meinen Quellen zufolge wurde sie mit einem älteren Mann gesehen. Alt genug, um ihr Vater zu sein, nur daß ihr Vater schon verstorben ist. Meine Quellen sind sich ziemlich sicher, daß er ihr Liebhaber ist.«

»Nicholas Hickson«, sagte sie mit der gelangweilten Miene von jemandem, der das Offenkundige bestätigen soll.

»Sind Sie sicher?«

»Vertrauen Sie Helen Woolley. Die weiß, was läuft.« Helen war Jessicas Sekretärin. »Helen ist ein ziemlich helles Köpfchen.«

»Ich vertraue ihr. Aber der Name Hickson kommt mir so bekannt vor. Wer ist er denn?«

»Bloß der Chef von Metropolitan Securities.« Einer Firma, von der sogar ich schon gehört hatte. Es war die zweit- oder drittgrößte Börsenmaklerfirma der Welt.

»Woher wissen Sie, daß er mit Jessica in Verbindung steht?« fragte ich und erinnerte mich dabei an das weißhaarige Kraftpaket in Richies Bademantel.

»Sie haben sich sehr oft sehr lange zum Lunch getroffen, sagt Helen. *Sehr*, sehr lange. Bis fünf manchmal. Bestimmt haben die beiden die ganze Zeit über eine Bürgschaft von Metropolitan für die Data-Associates-Emission diskutiert, haha. Außerdem gab es Dienstreisen nach London, nach Washington.«

»Hat sie offen über gemeinsame Reisen mit Hickson gesprochen?«

Fran gab ein lautes, entrüstetes *Tsk!* von sich. »Selbstverständlich nicht! Aber Helen ist mit der Zeit zur Telefonfreundin seiner Sekretärin geworden. Muß ich noch deutlicher werden? Übereinstimmende Reiseziele. Unterschiedliche Hotels, aber wenn Sie glauben, er hätte tatsächlich in Washington im Four Seasons übernachtet, während sie ein Kingsizebett im Madison bezog, sind Sie wirklich...« Vielleicht suchte sie nach einem Synonym für »dumm«.

»Sehr naiv. Nein. Ich bin nicht naiv. Meinen Sie, Richie wußte über die beiden Bescheid?«

»Keine Ahnung. Diese Jessica hat genügend Grips für zwei Kerle. Andererseits war Ihr Mann aber auch nicht auf den Kopf gefallen.«

War er nicht. Und er *mußte* geahnt haben, daß irgend etwas bei Jessica im Busch war, denn in den letzten Wochen seines Lebens hatte er seinen Scheidungsanwalt zweifellos angewiesen, die Taktik zu ändern. Das Feilschen, wer die antiken Kaminböcke bekommen sollte, nahm ein Ende. Plötzlich herrschte Eintracht, wenn nicht gar richtiggehendes Wohlwollen, gekoppelt mit einem neuen Eifer, diese Sache so bald wie möglich hinter uns zu bringen, weil sie so verdammt unschön war – und überdies eine Belastung für die Jungs.

Aber ich kannte meinen Mann; er liebte seine Kaminböcke. Und auch wenn man mich dafür kleinlich schimpfen würde, genau *deswegen* wollte ich sie haben. Mir war klar, daß Richies Bereitschaft, sie herzugeben, noch nicht hieß, daß er jetzt zu größeren Zugeständnissen bereit war. Nein, er wollte nur verzweifelt schnell die Scheidung hinter sich bringen, damit er frei war, Jessica zu heiraten. Zu Honi, meiner Anwältin, hatte ich gesagt, ich könne schon erraten, weswegen er es so eilig hatte: Jessica sei schwanger. Sie hatte geantwortet: Diese alten Säcke mit ihren neuen Weibern glauben immer, wenn sie noch mal ein Kind kriegen, bleiben sie ewig am Leben. Ha! Dabei rauben ihnen ihre neuen Kinder zehn Lebensjahre.

Aber nach allem, was Fran mir soeben erzählt hatte, war die Eile wohl nicht durch eine Schwangerschaft Jessicas bedingt gewesen. Richie hatte vielmehr in tödlicher Furcht gelebt, sie an Nicholas Hickson zu verlieren, wenn er nicht schnell handelte.

Fran leckte an ihrem Zeigefinger und fing an, Kekskrümel aus der Kuchenform aufzulesen. Beiläufig erkundigte sie sich: »Wenn sie Ihren Mann wegen diesem Typ verlassen wollte, warum sollte sie sich dann die Mühe machen, ihn umzubringen? Das ergibt doch keinen Sinn.«

»Doch, wenn Richie versucht hätte, sie aufzuhalten oder sie zu zwingen, ihn zu heiraten, als sie nicht mehr wollte.«

Sie schnaubte verächtlich. »*Zwingen*, ihn zu heiraten! Er hat ihr wohl die Pistole an den Kopf gehalten?«

»Vielleicht wußte er was über sie. Wissen Sie... vielleicht erpreßte er sie.«

»Glauben Sie, er wäre vor Liebe so vertrottelt oder so verrückt gewesen, daß er sie zur Ehe *gezwungen* hätte?«

»Möglich wär's ja.« Dafür erntete ich nur ein weiteres Schnauben. »Hören Sie, sie war alles, was er immer sein wollte. Geistreich. Erfolgreich. Elegant. Kultiviert.« Fran nickte. Sie kannte Richie gut. »Er war ihr verfallen – vielleicht schon von Anfang an.« Ich legte eine Pause ein. »Waren Sie da, als sie zur Firma kam?«

»Ja.«

»Glauben Sie, er hatte von Anfang an was mit ihr?« Sie schaute verlegen, schüttelte dann aber den Kopf. Energisch: Nein. »Sind Sie sicher?« Sie nickte. Ich wagte den Sprung ins Ungewisse. »Glauben Sie, daß er schon vor Jessica mal eine Affäre hatte?«

Frans schallendes Gelächter war ein bißchen grausam; ein schlichtes Ja hätte vollauf genügt. Das muß sie bemerkt haben, denn sie murmelte tatsächlich: »Entschuldigung.«

»Haben Sie eine Ahnung, mit wem?«

Fran fixierte einen Punkt in der Ferne, irgendwo zwischen ihrem Durchlauferhitzer und einer Kachel mit einem Roten Kardinal. Vor Konzentration spitzten sich ihre Lippen zu einer knallrosa Blüte. Schließlich sagte sie, für ihre Verhältnisse viel zu leise: »Wegen einer Sache habe ich mir immer Gedanken gemacht. Mandy. Sie kannten doch Mandy, oder?«

»Mandy? Nein. Wieso?«

»Kurz vor meinem Rausschmiß hat er ziemlich viele Anrufe von einer gewissen Mandy bekommen.«

Mandy? »Eine Mandy war mit meinem Sohn Ben im selben Jahrgang auf der High-School. Die einzige andere Mandy, von der ich je gehört habe, ist Anwältin. Sie geht mit einer meiner Nachbarinnen joggen. Aber die hab' ich nie persönlich kennengelernt; die beiden laufen immer, wenn sie aus der Stadt nach Hause kommt.« Ob Richie diese Frau beim Tag der offenen Tür in der Schule kennengelernt haben konnte? Oder im Sportgeschäft, während sie ihre Tennisschläger neu bespannen ließen? Hatte sie ihn eines Samstag vormittags auf der Main Street angesprochen, mit Tombola-Losen der ›Bürgerinitiative für die Verschönerung Shorehavens‹?

»Mit welcher Nachbarin ist sie denn gelaufen?«

Einen Moment lang war mir entfallen, daß Fran, die fast fünfzehn Jahre lang Richies Sekretärin gewesen war, wahrscheinlich alles über unser Leben wußte. »Stephanie Tillotson.«

»Ach, die Frau von Doktor Tillotson.« Ich nickte. »Wissen Sie«, sagte Fran gedehnt, »so hat er Jessica Stevenson nämlich kennengelernt.«

»*Wer* hat Jessica *wie* kennengelernt?« wollte ich wissen.

»Ihr Mann. Doktor Tillotson hat sie mal ins Büro mitgebracht. Dann sind sie zusammen zum Lunch ausgegangen.«

Ich setzte mich gerade. Mein Magen fühlte sich zum Bersten gespannt an, aber außer den tausend Gramm gesättigten Fettsäuren, die ich gerade verputzt hatte, war da noch etwas anderes, was mir Unbehagen verursachte. Ich beschwor Jessicas Bild herauf. Schöne gerade Nase? Von Carter? »War es eine geschäftliche Angelegenheit, daß Doktor Tillotson sie ins Büro mitbrachte?«

»Sie haben mich nicht dazugebeten.«

»Telefonierten er und mein Mann oft miteinander?«

»Nein. Alle Jubeljahre mal. Verstehen Sie, es war nicht wie mit Mrs. Driscoll. *Die* hatte er wirklich jeden Nachmittag an der Strippe – und das sind nur die Male, wenn sie ihn anrief. Manchmal kam ich vormittags zufällig rein, und da hat er auch mit ihr gequasselt.« Sie schüttelte den Kopf. »Was die beiden wohl zusammen hatten?«

»Sex?« schlug ich vor.

»Nie im Leben!« Sie zögerte. »Na ja, ich kann es mir nicht vorstellen.«

»Ich auch nicht. Aber ob Sie es glauben oder nicht, Richie hatte einiges zu bieten.« Sie wußte, daß ich in sexueller Hinsicht meinte. Ihre helle Haut rötete sich. Da kam mir die Erkenntnis, daß sie wahrscheinlich all die Jahre für ihn geschwärmt hatte. Das war zwar noch kein ausreichender Grund für ihre Verbitterung, doch zumindest für deren Heftigkeit. »Worüber sprach er denn so mit Joan Driscoll, wenn Sie zufällig reinkamen?«

»Klatsch. Verstehen Sie, die beiden führten sich auf wie zwei alte Tratschtanten in einer Teestube, bloß daß sie sich über Gesellschaftsthemen ausließen – Leute, Partys, von denen man in der Zeitung liest.« Sie nagte etwas von ihrem Lippenstift ab. »Die hat mich wie den letzten Dreck behandelt. Hat angerufen und bloß ›Mr. Meyers!‹ gesagt. Nicht mal ›bitte‹, geschweige denn ›Guten Tag‹. Dieses alte Skelett, diese Hexe!«

Ich konnte mir nicht vorstellen, daß Tom Lust haben sollte, vorstechende Rippen zu streicheln, an Brustimplantaten zu nesteln, sich wollüstig gegen ein knochiges Becken zu schmeißen. Zu unseren High-School-Zeiten hatte er nämlich einen ausgeprägten Hang zum wollüstigen Schmeißen gehabt.

»Alles, was die alte Hexe hatte, war jede Menge Zeit. Wissen Sie, sie hat ihm immer wieder kleine Aufmerksamkeiten geschickt. Oder eine Nachricht hinterlassen, wo es die ›perfekten‹ Lackschuhe zum Smoking gibt! Oder ›allerliebste‹ Art-déco-Füllfederhalter. Wie kann ein Füller allerliebst sein?«

»Glauben Sie, es war bloß oberflächliches Geplauder? Oder standen sie sich sehr nahe?«

»Ich glaube, er hat ihr alles erzählt. Wollen Sie meine Vermutung hören? Sie hat ihren Kick davon gekriegt, daß sie sich anhörte, was er treibt, und er seinen Kick davon, daß er es ihr erzählte.«

»Das kann nicht sein. Richie war nicht so.«

»Er hat sich doch verändert, oder etwa nicht? Eins kann ich Ihnen sagen: Sie haben keine Ahnung, in was er sich verwandelt hat. Aber ich. Ich war dabei. Vertrauen Sie mir. Ich wette, Mrs. Driscoll hat über diese Mandy Bescheid gewußt. Und ganz bestimmt über Jessica. Wenn Sie wirklich was über die Frauen im Leben des Richard Meyers erfahren wollen, dürfen Sie nicht mich fragen. Fragen Sie Mrs. Thomas Driscoll.«

13

Der Spiegel des Medizinschränkchens hatte Streifen, weswegen Danny auf ein Stück Toilettenpapier spuckte und ihn sauber rieb. Eine Geste der Höflichkeit. Ich hätte auch gut darauf verzichten können, daß er sich danach im Türrahmen lümmelte und mir zuschaute, während ich mich schminkte. »Alex geht's gut«, versicherte er mir erneut. »Machen Sie sich keine Sorgen um ihn. Machen Sie sich lieber Sorgen um sich selbst.« Ich spähte in den Spiegel. Faszinierend: das Leben auf der Flucht mochte ja hart sein, aber ich hatte seit Jahren nicht mehr so umwerfend ausgesehen.

Es gelang mir, nach dem üblichen Kampf eine Palette Lidschatten aus ihrem Plastikgefängnis zu befreien. In einem Anfall von Galanterie war Danny zu seinem besten Lieferanten gegangen und hatte mir eine neue Identität besorgt: eine American-Express-Karte sowie einen Führerschein aus Minnesota auf den Namen Christine Peterson, der mein Alter mit einundvierzig angab. Keine Sorge, meinte er, beides sei sauber, nicht zurückzuverfolgen. Darüber hinaus hatte er im Drugstore eine beachtliche Menge Kosmetika mitgehen lassen. Ich musterte mein Spiegelbild: Wollte ich wirklich meine Lider mit einem grünen Regenbogenrand in Smaragd, Irisch-Moos und Limone versehen? Ich setzte die Palette an. Aufdringlich und geschmacklos. Aber was hieß hier eigentlich Geschmack? Ohne meine Schule, ohne meinen Wohnsitz auf Long Island konnte ich jede Frau sein, die ich sein wollte. Vielleicht sollte ich es mal mit Indigowimpern, gezupften Sienabrauen, Zinnoberwangen und Rubinlippen probieren. Das konnte eine enorme Veränderung bewirken.

»Hat Alex was über Ben gesagt?«

»Ben geht's gut. Er bleibt noch ein paar Tage mit Alex in Ihrem Haus. Seine Freundin ist dahin zurück, wo sie herkommt.«

»Philadelphia. Hat Alex ruhig geklungen?«

»Sie meinen, dafür, daß sein Vater ermordet wurde und in diesem Zusammenhang nach seiner Mutter gefahndet wird?«

»Ja.«

»Er klang ziemlich ruhig.«

»Von Drogen ruhiggestellt?«

»Vielleicht hat er ein bißchen Unterstützung gehabt. Hören Sie auf, sich Sorgen um Ihre Kinder zu machen, Rosie. Es sind doch Männer. Die klappen nicht gleich zusammen. Alex wird sich schon nicht mit Drogen die Birne vollknallen. Na gut, ich gebe zu: sie haben sich beide um Sie Sorgen gemacht. Die wären ja unnormal, wenn nicht. Aber wenigstens haben sie gewußt, daß Sie nicht im Long-Island-Sund den toten Mann markieren; die Bullen haben Ben gesagt, daß Sie bis in die Stadt gekommen sind.«

Schließlich entschied ich mich für Maybellines dezentestes Braun. »Wenn die Cops wissen, daß ich in der Stadt bin, muß das ja nicht gleich das Ende der Welt bedeuten«, überlegte ich. »In meiner Handtasche war mein Adreßbuch. Da stehen auch viele Namen von außerhalb drin – meine Verwandten in Los Angeles, die Mutter von Bens Collegefreund in Salt Lake City, alle Kunden von Richie, denen ich je ein Geschenk geschickt habe. Es wäre nur natürlich, wenn die Polizei annähme, ich hätte die Stadt schon wieder verlassen.«

»Nicht, wenn Sie pausenlos bei allen Personen auftauchen, die jemals bei Mr. Meyers auf dem Rolodex gestanden haben.«

»Ach so. Richtig.«

Wie üblich tupfte ich mir den Großteil des Lidschattens, den ich gerade aufgelegt hatte, wieder ab. Danny beobachtete mich gebannt. Ich wählte einen seriösen Lidstrich. Noch nie hatte mir jemand so aufmerksam zugesehen. Sicher, Richie mußte mich in den fünfundzwanzig Jahren auf dem Weg zur Dusche oder zum Anziehen unzählige Male beim Schminken gesehen haben. Aber nie hatte er das, was ich tat, interessant gefunden. Und er war ganz gewiß nie stehengeblieben und hatte zugeschaut.

»Rosie?«

»Hmm?«

»Woll'n Sie 'ne Waffe?«

Der Eyeliner fiel mir aus den Fingern und malte einen dunkelbraunen Strich ins Waschbecken. »Bist du verrückt?«

»Ich frag' ja nur.«

»Ich bin Englischlehrerin, in Gottes Namen.« Danny grinste. Der Bengel hatte wunderschöne Zähne. Um die Wahrheit zu sagen, der Rest von ihm war auch nicht übel. Ich hob den Stift auf und brachte mein Gesicht nah an den Spiegel – um eine schmale Linie entlang meiner Wimpern ziehen zu können, aber auch, um ihn aus meiner peripheren Sicht zu verbannen. Ich wollte vermeiden, daß ich völlig fahrig wurde und er womöglich meinte, ich hätte mich in ihn verguckt – eine viel zu erniedrigende Vorstellung, um überhaupt daran zu denken.

Danny verunsicherte mich. Ich konnte mir nicht erklären, was es mit seiner Aufmerksamkeit auf sich hatte. Freundlichkeit? Grausamkeit? Gab er sich verführerisch, um sich kaputtzulachen, wenn das alte Weibsstück – seine *Lehrerin*! – ihm schöne Augen machte? Trieb ihn die schlichte Habgier, seine Fünfzigtausenddollarbeute im Auge zu behalten? He, und wenn es ehrliches sexuelles Interesse war? Oder Mitgefühl mit einem Mit-Outlaw?

»Ich mit Waffe! Danny, wenn Englischlehrerinnen Waffen trügen, wärst du längst ein toter Mann.«

Nach dem Mortadella-Käsekuchen-Schmaus bei Fran blieb ich Zuschauerin bei Dannys Mittagessen – Fertigmakkaroni aus der Mikrowelle und Käse, mit Bier hinuntergespült. Jetzt war ich an der Reihe, ihn zu beobachten. Alles, was er machte, hatte Stil, angefangen damit, wie er die Lasche auf der Dose mit dem Daumen aufschnippte, bis dahin, wie er sich im Sessel zurücklehnte und die Beine ausstreckte. Er kreuzte die Beine nicht auf Knöchelhöhe – die Machohaltung, die Vorstadthengste gern einnehmen. Im Gegenteil, es gelang ihm, entspannt dazusitzen, ohne sich einen Bandscheibenvorfall zu holen, und das Becken dabei so nach vorn zu schieben, daß sich der Stoff seiner Jeans als reizvolle Hülle – oder vielleicht war es nur ein Schatten – um seine Genitalien legte. Hätte Richie sein Aussehen und seinen Stil besessen, hätte er mich schon viel früher unglücklich gemacht.

Er öffnete sein zweites Bier. »Und Sie haben wirklich die ganze Zeit keinen Schimmer gehabt, daß er Sie betrügt?«

»Nein.«

Offenbar kaufte mir Danny mein Dementi nicht ab. »So 'n Scheiß.«

»Okay, jede Frau macht sich irgendwann mal Gedanken: Der Mann arbeitet abends lange, aber wenn sie ihn im Büro anruft, ist er nicht da. Oder ein Ehemann mit der Sensibilität einer Küchenschabe wird unvermittelt zum großen Feministen. Und so was kann eine Frau auf die Palme bringen, weil sie mit ihrem IQ von hundertfünfundvierzig immerhin seit zwanzig Jahren mit ihm verheiratet ist. Natürlich kann sie die Zeichen lesen – und wenn sie ein bißchen Mut hat, zwingt sie sich, Detektiv zu spielen. Und weißt du was?«

»Was?«

»Die Ehemänner, die erwischt werden wollen, werden auch erwischt: sie stecken Streichholzbriefchen von obskuren Motels in Fort Lee, New Jersey, in ihre Hosentasche und bitten ihre Frau, die Hose in die Reinigung zu bringen. Aber solche wie Richie? Die kommen sogar mit Mord davon, wenn du mir diesen Ausdruck verzeihst. Die zahlen ihre Dinners in romatischen Restaurants nicht auf Rechnung. Die kriegen keine dubiosen Anrufe, daß sie lügen müssen. Die haben weiter Sex mit dir – leidenschaftlichen, liebevollen Sex –, gerade oft genug, daß dir das Gehirn zu Brei wird. Und du denkst: Was für ein Mann! Mein Ehemann! Und schämst dich in Grund und Boden, daß du ihn je angezweifelt hast.«

»Sind Sie ihm auch mal untreu gewesen?«

»Nie.«

»Aber Rosie!«

Ich konnte es nicht fassen, daß ich in Danny Reeses Wohnung saß, mit Danny Reeses Kleidern am Leib, und diese Diskussion mit ihm führte. »Ich sage ja nicht, daß ich nicht ein paarmal in Versuchung geraten wäre.« Er flatterte mit den Augenbrauen wie Groucho Marx. »Na gut«, gab ich zu. »Einmal habe ich mir wie besessen die Beine rasiert.«

Er verschränkte die Hände hinter seinem Kopf. »Und dann?«

»Ist nichts passiert. Der Mann war absolut korrekt.«

»Waren Sie enttäuscht?«

»Ja, aber auch erleichtert – glaube ich. Er war ein alter Verehrer aus meiner High-School-Zeit. Er hieß Tom.«

Ich vermute, ich spekulierte darauf, daß Danny mich ein wenig nach Tom Driscoll aushorchen wollte. Er sagte aber: »Vergessen Sie die alten Knacker. Waren Sie nie mal scharf auf einen von den Jungs in Ihrer Klasse?«

»Eigentlich nicht.« Danny sah nicht überzeugt aus. »Ich will nicht bestreiten, daß ich gelegentlich einen klugen Kopf oder einen schönen Körper bewundert habe.« Das konnte wirklich jeder passieren. Ein Semester lang hatte Cass, ausgerechnet Cass, plötzlich ein gesteigertes Interesse am Schicksal der Schwimmermannschaft entwickelt und mich gezwungen, sie zum Training zu begleiten. »Soll ich jetzt sagen, daß alle Lehrerinnen scharf auf dich waren?«

»Ja.« Er sah zu mir hoch. »Vor allem Sie.«

Ich wandte die Augen ab. »So läuft das nicht. Abgesehen davon hat das auch keinen Zweck.«

»Wieso?«

»Weil eine solche Liaison sittenwidrig wäre.« Ein Argument, das auf Moral beruhte, war keins, was für Danny nachvollziehbar wäre, aber ich fühlte mich dennoch verpflichtet, es anzubringen. »Ich will nicht behaupten, es gäbe da nicht die eine oder andere fixe Idee, aber wir Frauen ... Wir brauchen was, das uns die Jungen mit Sicherheit nicht geben können.«

»Was denn?«

»Stärke.« Danny knöpfte eine Manschette auf, schob den Ärmel hoch und spannte seinen Bizeps an. Wow! Aber ich sagte: »Nein. Du weißt schon, welche Stärke ich meine. Und wir brauchen auch Tiefgang, keine jugendliche Schwärmerei. Und Liebe vermutlich.«

»Und Sie haben Ihren Mann ehrlich geliebt?«

»Natürlich habe ich ihn geliebt.« Die Liebe zu Richie war der zentrale Punkt in meinem Leben gewesen. »Ja. Ich meine . . . Jetzt ist es schwierig. Wenn einen jemand derartig hintergeht, ist man verletzt . . . nein, verletzt ist das verkehrte Wort. Man ist so tief getroffen, daß man es fast nicht mehr aushält. Daran merkt man, daß man ihn geliebt haben *muß*. Wie hätte er sonst die Macht gehabt, einem solche Schmerzen zuzufügen?«

Danny langte nach seinem Bier und konzentrierte sich darauf, mit dem Daumen die Kondenströpfchen zu zerdrücken. Dann sagte er: »Bei dem, was Sie eben gesagt haben, hab' ich ein ›aber‹ rausgehört. Sie haben ihn geliebt, lieben ihn vielleicht immer noch . . . *aber*.«

»Nein. Ich habe nicht ›aber‹ gesagt.« Dann stand ich auf: Zeit, wieder an die Arbeit zu gehen. Danny ließ den Makkaronibehälter und die Bierdosen auf dem Boden stehen. »Also schön«, räumte ich ein, als er mir zur Tür hinaus folgte. »Du sollst dein ›aber‹ kriegen. Wenn der Mann, den man geheiratet hat, sich als so anders erweist als der Mann, für den man ihn gehalten hat, nimmt man das ganze Leben noch mal unter die Lupe. In den letzten Wochen vor seinem Tod habe ich mich manchmal gefragt: Habe ich wirklich Richie Meyers geliebt? Oder habe ich bloß eine Gestalt dieses Namens geliebt, die ich für mich erfunden habe?«

Wir gelangten ohne besondere Vorkommnisse zur Uni-Bibliothek an der West 4th Street. Nun gut, als wir auf der Christopher Street an einem UPS-Boten vorüberkamen, war ich zusammengezuckt. Danny hatte gedroht, er würde mich mit Heroin vollpumpen, wenn ich nicht aufhörte, mir jedesmal beim Anblick einer Uniform in die Hosen zu machen: Der Postangestellte, der stehenblieb, um einen Stein aus seinem Schuh zu schütteln, und der eins neunzig große Junge in einer Jacke aus dem Army-Navy-Secondhand-Shop hätten es nicht auf mich abgesehen. So würde ich nur unnötig alle Aufmerksamkeit auf mich ziehen. Ich solle mich mal umdrehen; der UPS-Mann glotzte mir neugierig hinterher.

In der Bibliothek fanden wir in der Nähe des großen Lesesaals eine isolierte Lesenische. Wir teilten uns einen Stuhl und ackerten uns, die Köpfe aneinandergelehnt, durch einen Stapel Nachschlagewerke. Danny wirkte schwer beeindruckt von den Eintragungen über Daddyherz alias Nicholas Hickson. Wem wäre es anders ergangen? Vorstandsvorsitzender von Metropolitan Securities; Absolvent von Bowdoin; siebenfacher Ehren-Dr. jur., Kurator des Sloan-Kettering Hospital sowie des Museum of Modern Art; Träger des Verdienstordens des italienischen Staates; Mitglied im Beraterstab des Außenministeriums; und dann der Eintrag, der Richie vor Neid umgebracht hätte, wenn das Messer dies nicht schon erledigt hätte: Hicksons Clubmitgliedschaften – Union, University, Links, Knickerbocker.

»Nicht bloß der einfache Durchschnittsbonze«, bemerkte Danny. Er zog sich das *Who's Who in Amerika* auf den Schoß, blickte mir treu in die Augen, als ob unter dem Tisch überhaupt nichts vor sich ginge, und riß die Eintragung über Daddyherz aus dem Buch.

»Hör auf damit!«

»Womit?«

»Mit dieser Bücherverstümmelung!«

»Entspannen Sie sich. Ich leih' mir bloß eine Seite aus. Jetzt hören Sie mal zu: Ihr Gatte mag ja in manchen Kreisen als Schwergewicht gehandelt worden sein, aber im Vergleich zu diesem Hickson war er nur Amateurliga. Stimmt doch, oder? Der Typ ist Profi-Oberliga.«

»Aber verheiratete Oberliga«, stellte ich richtig.

»Siehst du? ›8. Juni 1957, Heirat mit Abigail Wright.‹ Allerdings bedeutet ›Heirat‹ für unsere liebe Jessica ja eher grünes Licht.«

»Glauben Sie, sie wollte diesen Hickson haben? Der ist doch noch älter als Ihr Alter«, sagte er, und sein Schenkel drückte gegen meinen.

»Wenn du sie wärst«, erwiderte ich und rückte mein Bein ab, »und es auf Geld und Macht und Stellung abgesehen hättest, würdest du dann darauf brennen, Richie Meyers aus Rego Park, Queens, zu heiraten, wenn die Alternative Nicholas Charles Bromley Hickson aus Darien und Manhattan heißt?«

»Wir müssen rauskriegen, was mit Hickson gelaufen ist«, sagte Danny. »Der ist ja 'ne ziemliche Kanone. War die Sache mit Jessica für ihn bloß 'ne schnelle Nummer – oder das einzig Wahre?«

»Ich tippe auf das einzig Wahre. Du hättest mal sehen sollen, wie er sich als ihr Beschützer aufgespielt hat.«

»Ihre Stimme zählt nicht, Rosie. Sobald es um Jessica geht, flippen Sie doch schon aus.«

»Ich flippe überhaupt nicht aus.« Ich klappte das Buch zu und wies ihn auf die Angaben über Carter Tillotson im *Ärzteverzeichnis* und im *Amerikanischen Ärztelexikon* hin. »Der ist mein nächster Nachbar.«

»Der Mann von dieser Prachtfrau? Ich hab' sie mal gesehen, als ich zur Bandprobe bei Ihnen war; da stand sie in der Küche und hat mit Ihnen gekocht. Tolles Gesicht. Wirklich netter Körper. Aber so richtig heiß ist sie nicht.«

»Das hat Richie auch immer gesagt. Aber ihr Mann ist derjenige, der Jessica Richie vorgestellt hat. Das fehlende Puzzlestück ist aber: Woher in Gottes Namen kannte Carter Jessica?«

»Hat er ihr das Gesicht geliftet oder so was?«

»Möglich. Aber Carters Nasen sind an der Spitze zwei Grad nach oben gebogen. Und die Frauenausgabe seines Kinns ist die untere Hälfte von einem perfekten Oval. Soweit ich das beurteilen kann, trägt keiner von Jessicas Gesichtszügen den Stempel von Carter Tillotson.«

Wir erörterten die diversen Carter-Jessica-Varianten, bis Danny, der kein großer Freund von Spekulationen war, verkündete: »Rosie, dem fühlen wir auf den Zahn.« Er zerrte mich von unserem Stuhl und aus dem Lesesaal hinaus zu einem öffentlichen Münztelefon. Natürlich machte er sich nicht die Mühe, in seinen Taschen nach einem Vierteldollar zu kramen; er tippte eine Kreditkartennummer ein, von der ich bezweifelte, daß es seine eigene war, und rief in Carters Praxis an. Nein, der Doktor sei nicht zu sprechen. Ob er im O. P. sei? Ja, wurde ihm beschieden.

»Ich rufe vom Universitätsclub an«, sagte Danny mit einem Akzent, der direkt von Gouverneur Winthrop zu stammen schien. »Miss Jessica Stevenson hat sich bei uns um Mitgliedschaft beworben. Sie hat Doktor Tillotson als Referenz angegeben. Nein, natürlich können Sie nicht in seinem Namen sprechen, aber sie ist ihm doch bekannt, oder nicht? Hervorragend. Dann melde ich mich gegen Ende der Woche wieder. Ich danke Ihnen ... Ach, übrigens«, fügte er, plötzlich argwöhnisch geworden, hinzu, »war sie bei ihm in kosmetischer Behandlung? Oh, gut!« Dann fügte er hinzu: »Verbindlichsten Dank.«

»Verbindlichsten Dank? Das war zuviel!«

»Hören Sie, Rosie, die Kleine glaubt, sie hätte mit dem Echten gesprochen, und bei ›Verbindlichsten Dank‹ ist es ihr vermutlich gleich zweimal gekommen – soll ihr auch vergönnt sein. Sie hat mir nämlich gesteckt, daß Jessica *keine* Patientin war. *Und* sie hat mir erzählt, sie wäre überzeugt, daß Doktor Tillotson Jessica seine Empfehlung ausspricht, weil die beiden – festhalten! – gute Freunde sind.«

Dankbar drückte ich Danny die Hand. Er revanchierte sich mit einem Bitteschön in Form eines federleichten Küßchens auf meinen Mund, gerade so leicht, um noch zu offenbaren, wie warm seine Lippen waren. Vielleicht war das ein beiläufiges Küßchen, wie es unter Collegestudenten allgemein üblich war. Aber mich erfüllte es, einen Moment lang, mit Begierde. Seit Juni hatte ich keinen Männermund mehr gespürt.

Um jegliche Spuren von Begierdewellen zu überspielen, wählte ich eilig die Nummer von Nicholas Hicksons Büro. Von Danny inspiriert, und sicher auch um ihm etwas vorzuführen, verlangte ich Hicksons Chefsekretärin und behauptete, mein Name sei Miss Mary Wollstonecroft und ich riefe aus dem Weißen Haus an. Danny belohnte mich mit einem breiten Grinsen. Die Sekretärin fragte: »Womit kann ich Ihnen dienen?« Ich erklärte, ich sei dabei, eine Gästeliste zusammenzustellen. Zwar sei es in den heutigen Zeiten eine etwas unangenehme Frage, dennoch sei ich dazu verpflichtet: Ob es noch eine Mrs. Hickson gebe? »Nein«, hauchte die Sekretärin. »Oder besser, es gibt sie, aber sie leben in Scheidung.« Ich erklärte, ganz sicher sei es noch nicht, ob Mr. Hickson in Begleitung eingeladen werde, aber wenn es ihr nichts ausmache, damit wir gegebenenfalls schon mit der Sicherheitsüberprüfung beginnen könnten . . . »Jessica Stevenson«, verriet die Sekretärin diensteifrig. »Sie ist Generaldirektorin einer Firma, die sich Data Associates nennt. Wünschen Sie ihre Adresse?«

Obwohl die Bibliothek relativ ruhig war, war sie für mich zu öffentlich, um mich hier länger aufzuhalten. Außerdem war es schon kurz vor halb zwei, und ich mußte Cass anrufen. Daher eilten wir in Dannys Büro, das, wie sich herausstellte, aus einem hohen, mit orangem Kunstleder bezogenen Barhocker bestand, der an der Theke eines kleinen Chinarestaurants in der Bleecker Street stand. Das Lokal war leer; die Vorhänge vor den Fenstern waren zugezogen. Während Danny mindestens ein Dutzend Nachrichten auf der Rückseite von quadratischen rosa Zetteln las, die die Tagesmenüs der Vorwoche anpriesen, schlürfte er ein weiteres Bier und naschte aus einem Metallschälchen auf der Theke entkernte Oliven. Ich saß auf einem Hocker neben der Registrierkasse und rief Cass in der Schule an.

»Du lebst!« rief sie.

»Und nicht mal schlecht. Außer wenn ich in die Zukunft blicke und mich mit einem grauen Blechtablett in der Gefängniskantine stehen sehe; dann geht's mir nicht ganz so gut.«

»Unter Umständen wäre das aber gar nicht so schlimm. Du könntest ein Leseprogramm ins Leben rufen, das großen Erfolg haben würde. Dein Leben könnte zum Film der Woche werden.«

»Wahrscheinlich wollte ich die guten Seiten nur nicht sehen.«

»Wenn du dir nur endlich diese Spitzheiten abschminken würdest, Rosie, damit wir unsere Freundschaft unbehelligt fortführen könnten.«

»Das wünschte ich mir auch. Übrigens, wer vertritt mich eigentlich in der Schule?«

»Ein extrem junger Mensch, der *David Copperfield* aus dem Sonnabend-vormittags-Programm zu kennen glaubt.« Während Cass eine Pause einlegte, spießte ich sorgsam Orangenschnitze auf ein kleines Papierschirmchen, um mich vom Heulen abzuhalten; sie fehlte mir so. »Hast du irgendeine Vorstellung, wann du zurückkommst?«

»Nein.«

»Oh.«

»Aber ich hab' einiges rausgekriegt.«

»Ich bin ganz Ohr.«

»Weißt du noch, Jessica ist doch als *Enfant terrible* von einer Investitionsbank zu Data Associates gekommen? Sie hat ein paar hervorragende Vorschläge eingebracht, und Richie hat beschlossen, sie mit einem Bombengehalt und sonstigen Vergünstigungen von ihrer alten Firma wegzulocken. Außer daß er am Anfang ihrer Zusammenarbeit noch nicht zu den sonstigen Vergünstigungen gehörte.«

»Woher weißt du das?«

»Von einer Mitarbeiterin, die ihn ziemlich gut kannte. Nun, Jessica hat die Firma ziemlich auf die Überholspur gelenkt. Erst hat sie Richies Vertrauen erworben. Und dann seine Liebe.«

Cass seufzte. »Ich wünschte, Gott hätte eine interessante Alternative zu den Männern erschaffen. Die verblüffen einen nie, was?«

»Apropos Männer«, sagte ich, »jetzt hör dir mal das an: Jessica hatte einen Neuen.« Ich gab ihr einen Abriß über Nicholas Hicksons Leben. »Meinst du nicht, sie hätte Richie seinetwegen verlassen?«

»Fraglos.«

Ich kaute auf dem Zahnstochergriff des Sonnenschirmchens. »Spielen wir's mal durch. Jessica sucht nach einem Ausweg aus ihrer Verlobung, aber Richie schwant was.«

»Und woher wissen wir das?«

»Aus heiterem Himmel, nach monatelanger Kriegsführung, hat er plötzlich klein beigegeben. Im Prinzip war er bereit, mir alles zu geben, was ich verlangt hatte. Mehr noch: alles, was meine Anwältin verlangt hatte.«

»Ohne daß du besonderen Druck ausgeübt hättest?«

»Ja. Du weißt doch, ich hab' Honi ja eher gebremst. Ich hatte immer noch die Hoffnung, daß er es sich anders überlegt, und ich wollte nicht allzu raffgierig wirken. Im Grunde wollte ich, daß er mich bewundert. Kannst du dir vorstellen, wie dämlich ich war?«

»Ja«, antwortete sie. »Dann ist also der Druck auf Richie von Jessica gekommen und nicht von dir.«

»Genau.« Der Restaurantbesitzer, ein Mann mit schmalziger Rudolph-Valentino-Frisur, kam mit einem Teller trockener Nudeln zur Theke, stellte ihn vor Danny und entbot ihm einen zackigen militärischen Gruß. Danny salutierte zurück, und der Wirt entfernte sich in die Küche. »Für Richie tickte die Uhr«, fuhr ich fort. »Jessica stand kurz davor, sich zwischen ihm und Nicholas Hickson zu entscheiden – und es gab wohl kaum einen Zweifel, wie ihre Wahl ausfallen würde. Was ich aber nicht verstehe, ist, wieso Jessica Richie nicht einfach fallengelassen hat.«

»Richie Meyers selber war nicht der Grund für ihre Unentschlossenheit«, grübelte Cass. »Es war ihr Job.«

»Ihr Job? Na und, dann wird sie eben entlassen. Sie geht zu Metropolitan Securities und –«

»Meine Liebe, dieser Mr. Hickson ist kein, wenn du mir den Ausdruck verzeihst, neureicher Ziegenbock wie dein verstorbener, fast ehemaliger Gatte. Mr. Hickson besitzt vor allem Klasse und einen klaren Kopf. Er mag ja verrückt nach Jessica sein, aber er ist nicht so wahnsinnig verliebt, daß er seine Kollegen und Aktionäre vor den Kopf stoßen würde, indem er seiner Freundin – seiner zukünftigen Frau – eine Position für eine halbe Million Dollar anbietet. Jessica weiß das sicherlich auch. Und zudem versteht sie, daß ihre Stellung bei Data Associates einzigartig ist.«

»Inwiefern einzigartig?« wollte ich wissen. Danny ließ den Teller Nudeln über die Theke bis zu mir schlittern. Für ein Telefonat sahen sie mir zu knackig aus.

»Sie arbeitet für einen Generaldirektor, der zwar intelligent ist, aber nicht, sagen wir mal, gewieft, was den Auslandsmarkt angeht. Sie versteht es, sich Richie gefügig zu machen. Und Richie hat sie gebraucht. Nicht nur zur moralischen Unterstützung. Sie haben die Firma zusammen umgestaltet, und er wäre in schwere Bedrängnis geraten, sie ohne ihre Hilfe zu leiten.«

Danny zog aus einem Fach hinter der Theke einen braunen Umschlag hervor und kippte den Inhalt, Führerscheine aus Rhode Island, vor sich aus. Er hielt jeden einzeln ins Neonlicht einer Miller-Lite-Reklame. Die meisten wurden kurzerhand wieder in den Umschlag zurückbefördert. Ein paar schafften es unter das Münzfach in der Kassenschublade.

»Betrachte doch mal deren geschäftliche Beziehung mit Jessicas Augen«, fuhr Cass fort. »Wie viele Männer gibt es denn, die bereit wären, einer Frau so viel Macht abzutreten? Wo sonst konnte sie ihre vielfältigen Fähigkeiten entwickeln? Die Frau war in ihrem Leben an einem Scheideweg angelangt.« Es war solch eine Wohltat, Cass zuzuhören, und eine große Hilfe. Danny, der mir gerade zublinzelte, als ich zu ihm hinübersah, war schlau. Cassandra Higbee war intelligent. »Hör mir mal zu, Rosie. Jessica sah sich zu einer Entscheidung gezwungen zwischen dem Leben, das sie immer haben wollte, dem Leben, das Mr. Hickson ihr bieten konnte – massenhaft Geld, gesellschaftliche Stellung – und ihrem Lebenswerk.«

»Und der Sex mit Richie?« wollte ich wissen.

»Ich glaube, seine Begabung auf diesem Gebiet hat dir weit mehr bedeutet als ihr. Vielleicht ist sie eines der seltenen weiblichen Wesen, die sich mit nichts geringerem als brillantem Sex zufriedengeben und ihn erstaunlicherweise auch immer zu finden scheinen; ehrlich gesagt, ich betrachte sie voller Ehrfurcht und Neid. Vermutlich reizt sie vor allem der gute alte Doppelhammer: Reichtum und Macht. Aber du stellst dir nicht die entscheidende Frage.«

»Und die wäre?«

»*Was wollte Richie bei dir im Haus?* Bist du der Antwort darauf etwas näher gekommen, seit du diese Leiter runtergeklettert bist? Allein bei dem Gedanken bebe ich übrigens noch vor Entsetzen.«

»Ich weiß inzwischen, daß es nichts mit mir zu tun hatte, daß er da war. Das letzte, was er wollte, war, mich zurückzugewinnen. Nein, er muß gekommen sein, weil er es so eilig hatte, sie zu heiraten. Also gut: Was könnte er gebraucht haben, was noch im Haus war?«

»Sicherlich keinen Hochzeitsanzug«, sagte Cass, die die begehbaren Kleiderkammern mit seinen zurückgelassenen Kleidungsstücken gesehen hatte. »Geld?«

»Das bezweifle ich. Data Associates war noch nie ein Bargeldbetrieb.«

»Was bleibt dann noch übrig? Papiere?«

»Nein. Ich hab' schon nach etwas gesucht, wegen dem er gekommen sein könnte. Ich hab' aber nichts gefunden. Er hat nie viel zu Hause aufbewahrt, und als er ging, hat er alles mitgenommen, was da war.«

»Woher weißt du das?«

»Ich hab' ihm beim Packen zugesehen. Ich bin ihm von Zimmer zu Zimmer nachgelaufen, hab' geweint und gebettelt, daß er mich nicht verläßt. Gute Güte, war ich erbärmlich.«

»Rose, jetzt hör mir mal gut zu. Du bist nie erbärmlich gewesen. Der Mann war ein Schweinehund.«

»Danke.«

»Bitte. Also, jetzt versuche dich zu erinnern: Wäre es möglich, daß er nervös wurde, mit dir wehklagend im Schlepptau, und etwas übersehen hat?«

»Was denn zum Beispiel?«

»Irgend etwas, das dir bei den Scheidungsverhandlungen einen Vorteil verschafft hätte? Etwas, was ihm vielleicht geschäftlich peinlich oder gefährlich werden könnte?«

»Vermutlich ist ihm meine Heulerei wirklich an die Nieren gegangen. Er hat sein ganzes Zeug gerafft und war in Rekordzeit draußen.« Ob ich wohl bei meiner Suche etwas übersehen hatte? Ob er irgendwo im Haus etwas versteckt hatte? Was es auch war, es mußte wichtig genug gewesen sein, um ihn zurückzulocken. Richie war in sexueller Hinsicht sicherlich wagemutig gewesen. Auch ist er viele unternehmerische Risiken eingegangen. Aber er hatte seine Laufbahn als Algebralehrer begonnen, nicht als Obermaat auf einem Piratenschiff; er war nicht Abenteurer genug, um nur aus Jux in sein früheres Haus einzubrechen.

Ich sah auf meine Uhr. Cass hatte schon fünf Minuten ihres ›Förderunterrichts Englisch‹ versäumt. »Hör mal, ich weiß, daß deine Klasse darauf brennt, Faulkners *Go Down, Moses* zu erörtern, aber gib mir noch zwei Minuten.«

»So lange du brauchst.«

»Rate mal, wer Jessica mit Richie bekannt gemacht hat?«

»Werde ich staunen?«

»Allerdings. Carter.«

»Was?« fragte sie, unzweifelhaft staunend. »Carter Tillotson? Woher hat er sie denn gekannt?«

»Jedenfalls nicht von einer Brustvergrößerung, soviel steht fest. Außerdem weiß ich, daß sie auch sonst nie bei ihm in Behandlung war.«

»Wie kannst du dir da sicher sein?«

»Vertraue mir. Ich bin ein guter Schnüffler. Die Frage ist jetzt also, ob Carter vielleicht mal was mit –«

»Wie kann er sie denn kennengelernt haben?«

»Er verkehrt mit der gesamten Upper East Side, das heißt mit den neunzig Prozent, die kosmetisch verschönerte Körperteile besitzen. Du weißt doch, wie Stephanie immer sauer wird, wenn er sich auf irgendwelchen Cocktailpartys mit Appetithäppchen vollstopft und dann keine Lust mehr hat, nachts um elf ihre gefüllten Wachteln zu essen. Die Frage ist: Hatte Carter eventuell eine Affäre mit Jessica?«

»Was hätte ihn daran hindern sollen?«

»Unsere Freundin Stephanie. Seine Frau. Er ist immerhin verheiratet.«

»Quatsch mit Soße. Hast du jemals ernsthaft geglaubt, daß er drei oder vier Abende in der Woche Nasen stutzt?«

»Er kann ja Abendsprechstunden haben.«

»Na, ganz sicher hat er die«, stimmte Cass zu. »Aber sieht Stephanie vielleicht aus wie die wahrhaft glückliche Gattin eines vielbeschäftigten Arztes?«

»Cass, sie ist eine Frau, die den halben Tag damit zubringen kann, im Wäldchen zwischen unseren Anwesen kleine Pinienzapfen zu sammeln, die sie für ihr Adventsgesteck golden ansprüht. Woher zum Teufel soll ich denn wissen, ob so jemand wahrhaft glücklich ist?«

»Ja, ich weiß. Stephanie ist schon lange nicht mehr wie früher, laß mal überlegen – schon seit einem Jahr mindestens. Sie ist übertrieben fröhlich. Bei einer weißen, angelsächsischen Protestantin ist das immer ein Zeichen für eine einigermaßen schwere Depression. Denk mal drüber nach.«

Ich dachte darüber nach. Im vergangenen Jahr war Stephanie tatsächlich auf noch ekelerregendere Weise aufgekratzt gewesen als sonst, voller neuer Schwärmereien – ihre Pots-de-fleur zu arrangieren, Kuchen zu dekorieren, mit Skilanglauf anzufangen. Einige Monate war sie uns fast zwanghaft vorgekommen, wie sie vor fünf aufstand, um Blumen zu pflücken oder Teig zu kneten, ehe sie mit uns marschieren ging. Und dann noch, nach einem mit ihrer üblichen hektischen Geschäftigkeit angefüllten Tag, drei- oder viermal pro Woche abends mit ihrer Freundin fünf Meilen joggen ging, ehe Carter gegen elf zu dem exquisiten Dinner heimkehrte, das schon auf ihn wartete. In den letzten Monaten war sie etwas langsamer geworden: kein Mensch, nicht einmal Stephanie, konnte dieses Tempo lange halten. Aber war die ganze Aktivität ein Mittel gewesen, um sich zu verausgaben, um ihren Schmerz zu betäuben?

»Was ist mit ihr und Carter?« erkundigte sich Cass. »Du hast sie doch zusammen gesehen. Wirkten sie irgendwie angespannt?«

»Das ist schwer zu sagen. Die sind mir immer vorgekommen wie Figuren aus einem Noël-Coward-Stück – genauso oberflächlich, aber ohne den Esprit. Sie sehen toll aus, sie sagen immer das Richtige, aber irgendwie scheint es alles keinen gefühlsmäßigen Inhalt zu haben. Und erzähl mir ja nicht wieder, es liegt daran, daß sie weiß, protestantisch und reich sind.«

»Aber es liegt sehr *wohl* daran.«

»Ich bitte dich! Nein, zwischen Stephanie und Carter scheint es an etwas zu fehlen, weil ihnen beiden etwas fehlt. Die Frage ist: Was stimmt da nicht?«

»Ich glaube, ich muß Stephanie mal zum Tee einladen«, überlegte Cass. »Vielleicht können wir Mädels ein paar Geheimnisse über unsere Gatten austauschen.«

»Gut.« Ich mied die vertrockneten Nudeln und griff über die Theke nach einem weiteren Orangenschnitz. Als Nachgedanken nahm ich noch zwei Maraschinokirschen. »Und noch was«, teilte ich Cass mit. »Carter hat Richie an dem Tag angerufen, als er ermordet wurde. Es könnte bloß ein Zufall sein, aber vielleicht hatten die zwei irgendein Geschäft zusammen laufen. Oder die drei, wenn man Jessica mitrechnet. Das will ich rauskriegen.« Die Kirsche hatte ihre besten Zeiten vor etwa anderthalb Jahren gesehen, aber ich saß zu weit von den Papierservietten entfernt, um sie auszuspucken. »Übrigens«, sagte ich abschließend, »hast du meine Jungs gesehen?«

»Aber natürlich. Vorgestern waren sie zum Abendessen bei uns. Beide zeigten einen gesunden Appetit und pflegten artig Konversation. Sie haben weder geseibert noch gespuckt. Auch dachten sie daran, danke zu sagen, als sie wieder gingen. Du bist immer eine gute Mutter gewesen.«

»Cass.«

»Ja, Rosie?«

»Du bist verflucht noch mal zu aufgedreht. Irgend etwas stimmt nicht.«

»Mag sein«, sagte sie leise. Mein Magen krampfte sich zu einem Knoten zusammen. »Anscheinend ist dein Rachegott, Sergeant Gevinski, dabei, eine neue Theorie zu entwickeln.«

»Und zwar welche?«

»Daß dein Anteil an der Geschichte – deine Fingerabdrücke auf dem Messer, deine Flucht – nur ein Kniff war, um die Aufmerksamkeit vom wahren Mörder abzulenken.«

»Und wer soll das sein?«

»Alexander«, flüsterte Cass.

»Was?« Ich muß recht laut geschrien haben, denn Danny drehte sich um und starrte mich an.

»Dieser Gevinski weiß, daß es zwischen Alex und Richie böses Blut gegeben hat. Alex ist ja bekannt als Schulschwänzer, Trunkenbold und Drogenkonsument, der schon immer mit psychischen Problemen zu kämpfen hatte.«

»So hört er sich wirklich verdammt nach Psychopath an! Das ist er aber nicht. Er ist nur einfach ein normaler, verzogener reicher Bengel.«

»Offenbar hat der Sergeant ein paar Leute befragt, die ihre Hand dafür ins Feuer legen würden, daß Alex furchtbar wütend war, weil Richie dich verlassen hat. Und dann . . .«

»Du brauchst mich nicht zu schonen, Cass.«

»Anscheinend war Alex, nachdem Richie ihm seinen monatlichen Scheck gesperrt hat, so gut wie blank. Das Leben einer zukünftigen Rock 'n' Roll-Legende ist nicht unbedingt leicht.

Sergeant Gevinski nimmt an, Alex hätte befürchtet, daß Jessica Richies Vermögen in die Hände kriegt und daß die vorübergehende Strafmaßnahme, die Einstellung der Zahlungen, dann endgültig würde – vor allem, wenn Richie mit ihr ein Kind gezeugt hätte.«

»Aber Alex war doch in New Hampshire, als es passiert ist.«

»Alex *behauptet*, er wäre in New Hampshire gewesen. Der Sergeant glaubt, er wäre in New York gewesen. Alex gibt unumwunden zu, daß er in der Mordnacht allein war und ein neues Lied komponierte. Und er hat auch gestanden, daß er nicht, wie ursprünglich behauptet, mit dem Shuttle von Boston nach New York geflogen ist. Inzwischen sagt er, er wäre getrampt und hätte sich von dir aber das Flugticket erstatten lassen. Alles, woran er sich von der Fahrt noch erinnern kann, ist, daß der Fahrer einen Bart trug und irgendeinen Sportwagen fuhr. Mit anderen Worten, es gibt keinen handfesten Beweis, daß Alex zu der Zeit, als Richie ermordet wurde, tatsächlich in New Hampshire war.«

Daß ein Sohn seinen Vater des Geldes wegen ermordet? Im Leben wie im Roman sind solche Morde schon begangen worden. Das wußte ich.

Aber nicht von meinem Sohn Alex, verfluchter Mist!

14

»Geh mir aus dem Weg, zum Teufel!« schrie ich Danny an, der die Tür blockierte. »Ich mein's ernst!«

»Nichts da«, sagte Danny so seelenruhig, daß ich Lust bekam, noch mehr zu zetern.

Der Restaurantbesitzer eilte aus der Küche herbei. »Nichts da!« wiederholte er, allerdings mit lauter Stimme und einem Akzent aus der alten Heimat.

»Haltet euch gefälligst da raus!« brüllte ich. »Alle beide!«

Danny kostete es nur eine Mikrosekunde, um dem Wirt ein Geheimsignal zu übermitteln, das nur Mitverschwörern in der Unterwelt der Ausweisfälscher bekannt sein konnte. Der Wirt sauste hinter Danny vorbei, schloß die Tür ab, steckte den Schlüssel ein und zog sich in die Küche zurück, nicht ohne mir im Vorübergehen noch schnell ein kurzes, triumphierendes »Ha!« zuzuraunzen.

»Du gehst nicht nach Long Island zurück«, beschied mir Danny.

»Doch. Sag ihm, er soll die Tür aufmachen. *Sofort.*«

Okay, vielleicht klang ich ein wenig schulmeisterlich. Trotzdem fand ich es unangebracht, daß er sagte: »Rosie, ich hab' es satt mit dir.«

»Und ich mit dir, du kleiner Wichtigtuer. Glaubst du etwa, ich lasse zu, daß mein Junge für ein Verbrechen bestraft wird, das er nicht begangen hat?«

»Jetzt beruhige dich mal ein Minütchen . . .« Er packte mich am Handgelenk. Ich riß es weg. »Na gut, ein halbes Minütchen. Kapierst du nicht, was Gevinski plant? Das ist doch eine Falle. Ich dachte, du wärst klug.«

»Ich bin auch klug.«

»Bist du nicht, sonst wüßtest du nämlich, daß du genau das machst, was dieser Scheißkerl von dir erwartet: daß du dich stellst. Denk mal drüber nach.« Mit seiner Hand zwischen meinen Schulterblättern lotste er mich von der Eingangstür fort an einen großen runden Tisch im hinteren Teil des Lokals. Dahinter stand ein sechsflügliger schwarzer Wandschirm, übersät mit Bäumen, Bergen, Vögeln, Rehen, ältlichen Gelehrten und chinesischen Schriftzeichen, eine vollgepfropfte, friedvolle Welt. »Setz dich«, befahl er mir. »Hör zu: Gevinski hat nichts in der Hand, womit er Alex festnageln könnte.«

»Alex hat gelogen, er wäre von Boston mit den Flugzeug hergekommen.«

»Ach du Scheiße!« stöhnte Danny. »Darauf steht bestimmt die

Todesstrafe!« Ich rang mir ein halbes Lächeln ab. »Ich will dir mal schildern, was da abgelaufen ist. Die Chancen stehen hundert zu eins, daß Gevinski euer Telefon abhört. Außerdem läßt er vermutlich Alex und Ben beschatten, in der Hoffnung, daß sie ihn zu dir führen. Das geschieht nicht. *Aber* als die Jungs zu den Higbees zum Abendessen gingen, leuchtete in seinem Erbsenhirn eine Glühlampe auf, daß du und die –«

»Sie und sie.«

» – daß ihr die dicksten Busenfreundinnen seid.« Die Sojasoße von gestern bildete einen Klecks auf dem Tischtuch, der einer Schwertlilie oder einem amputierten Seestern glich. »Also stattet er ihr einen Besuch ab unter dem Vorwand, Nachforschungen anzustellen. Beiläufig läßt er fallen, daß er Alex für den wahren Mörder hält. Er weiß, wenn er deinen Jungen bedroht, ist das die beste Methode, um dich aus deinem Versteck zu locken: Du setzt dich in den nächsten Zug nach Shorehaven und bittest ihn auf Knien, dich festzunehmen.« Bis Danny über den Tisch reichte und mir die Hand vom Mund zog, war mir gar nicht bewußt gewesen, daß ich an den Nägeln kaute. »Sieh es mal von der anderen Seite: Alex hat vielleicht seinerzeit ein paar Drogen eingeworfen, vielleicht gab's in der Unterstufe auch ein paar Ladendiebstähle. Amateurkram, aber trotzdem besitzt der Junge eine gewisse Sensibilität im Umgang mit den Bullen. Meinst du nicht, er hätte Lunte gerochen, wenn ihn dieser Gevinski auf dem Kieker hätte? Meinst du nicht, er hätte es mir gesagt, als wir miteinander telefoniert haben?«

»Alex würde es nie merken, wenn Gevinski es raffiniert anstellt.«

»Raffiniert? Ist das etwa raffiniert, daß er dir die Sache anhängen will? Ist das neuerdings ein Beweis für die Genialität der Polizei? Oder nicht doch eher die einfache Lösung für einen bequemen Bullen?«

Kurz vor Einbruch der Dämmerung, als die ersten Abendgäste an die Tür hämmerten, um Einlaß zu finden, schickte uns der Wirt mit einem chinesischen Bankett in einer Plastiktüte fort. Auf der Straße nahm Danny meine Hand. Ich zog sie nicht weg. Wir kamen an bescheidenen alten Ziegelhäusern vorüber, an einer Buchhandlung, einem Laden für gebrauchte Schallplatten. Die Passanten guckten mich an, wie Passanten es eben tun, aber niemand wunderte sich oder blieb gar mit einem »Aha!« des Erkennens stehen. In der Reinigung und im Waschsalon machten wir kurz halt. »Englischlehrerin wegen Gattenmord gesucht!« war anscheinend die Schlagzeile von gestern.

Als wir uns dem Fluß näherten, spazierten wir in eine steife Brise hinein. Die Leute aus der Nachbarschaft – italienische Großfamilien, NYU-Studenten, Dichter, Künstler, Akademiker, Schwule, Lesben – nahmen kaum Notiz von einer siebenundvierzig Jahre alten Frau, die mit einem zweiundzwanzig Jahre jungen Mann Händchen hielt. Eine ältere Frau in Jeans und Denim-Arbeitshemd saß mit ihrem Cockerspaniel auf einem Treppchen. Der Hund nickte; die Frau kratzte eifrig Taubenkacke von der obersten Stufe und nahm uns im schwindenden Licht nicht einmal wahr. Das Village wuchs mir allmählich ans Herz, mit seiner Lässigkeit und seinem städtischen Flair, seiner Vielfalt und Toleranz, seiner Schäbigkeit und seiner Eleganz, seiner Heimeligkeit und seiner Unterkühltheit. Dagegen wirkte Shorehaven lediglich aufgesetzt nett, der blasse Abklatsch eines Traums aus der Eisenhower-Ära.

Zurück in der Wohnung, legte ich die gedünsteten Klößchen und Hähnchen à la General Tso in den Kühlschrank. Die nächsten Stunden stellten Danny und ich eine Liste aller wichtigen Personen in Richies Leben zusammen und ordneten sie in eine Reihenfolge, je nachdem wie entscheidend es für mich war, sie zu befragen. Dann diskutierten wir, wie sie zu erreichen wären, ohne unerwünschte Aufmerksamkeit zu erregen – sprich die der Polizei.

Es war sehr gemütlich. Danny wärmte das Essen in der Mikrowelle auf. Ich spülte einige fragwürdig aussehende Teller, die er schwor, schon gespült zu haben, legte den sauberen Quilt auf dem Boden vor der Couch aus und deckte darauf das Abendessen. Als ich wieder in die Küche kam, um in den Schränken nach etwas ähnlichem wie Weingläsern zu suchen, stellte Danny sich hinter mich. Er hob mein Haar und küßte mich auf den Nacken. Das war kein Routinekuß; er dauerte ziemlich lange. Mein Rückgrat schmolz. Schließlich gelang es mir zu sagen: »Nicht.«

»Warum nicht?« hauchte er mir auf den Hals.

»Ich weiß nicht. Weil ich nicht weiß, was du willst.«

»Ich will dich.«

Es ist relativ schwierig, »nicht« zu einem gutaussehenden, virilen, grünäugigen jungen Mann zu sagen, dessen Zunge sich einem mit erlesener Langsamkeit vom Nacken aufwärts ums und schließlich ins Ohr schlängelt, wenn das eigene gesamte Ich – bis auf zwei oder drei rationale Neuronen – jubelt: Wunderbar! Fabelhaft! Mehr! Noch schwieriger wird es, wenn einen seine Arme umfassen und sich einem sein Körper gegen den Rücken preßt.

Ich versuchte wieder auf den Boden zu kommen. Die Anziehung, sagte ich mir, beruhte weniger auf meiner prallen jüdischen Lebenslust als auf der Tatsache, daß der Knabe ein paar Kleinigkeiten im ödipalen Bereich zu lösen hatte. Seine Hand glitt zwischen meine Schenkel. Ich vermutete: Das ist bloß eine Geste nach dem Motto »Fuck the Establishment«.

Keine meiner Techniken verfing. Ich drehte mich zu ihm um, schlang die Arme um ihn und schmiegte meine Hände um seinen wunderbaren festen Hintern. Ich küßte ihn. Es war zauberhaft. Also zwang ich mich zu bedenken, wie promiskuitiv er bestimmt war. Ich dachte an all die jungen Mädchen – und womöglich auch jungen Männer –, die hier vorbeikamen, um sich über einen Volljährigkeitsnachweis zu unterhalten und auf den nicht ganz sauberen Laken in Dannys ungemachtem Bett landeten. Andererseits erinnerte ich mich, beim Durchstöbern seines Zimmers in der Strumpfschublade eine Packung Kondome gefunden zu haben.

Deshalb küßte ich ihn noch einmal. Dann gestattete ich mir das Vergnügen, die majestätische Beule in seiner eleganten schwarzen Hose zu reiben.

Auf dem Weg in sein Bett hinterließen wir eine Spur von Hemden und Hosen. Die Monogamie mag ja ihre Nachteile haben, aber mit einem erfinderischen, feurigen Liebhaber wie Richie, der mir die Freuden der Liebe nicht nur in der Geborgenheit des Ehebettes gezeigt hatte, sondern auch auf einer Picknickdecke am Ufer des Saranac-Sees, in einem schäbigen Motel, wo ein nicht jugendfreies Fernsehprogramm *und* kontinentales Frühstück im Preis inbegriffen waren, dazu noch abseits des Long Island Expressway sowie bei einem besonders zähen Stau im Queens-Midtown-Tunnel während der Hauptverkehrszeit, war ich nicht nur ungehemmt, sondern schlicht vollendet geworden. In all den Jahren hatte ich mehr als genug gelernt, um den Knaben von den Socken zu hauen. Und hätte ich selbst Socken angehabt, dann hätte sie Danny mit seiner unbändigen Energie weggefetzt.

»Rosie!«

»Danny.«

»Phantastisch!« sagte er später. »Das Beste!«

»Ich zeig' dir noch was Besseres.«

Und das tat ich.

Nach dem letzten Glückskeks wurde es Zeit, die Nummer eins auf der Hitliste anzurufen, nämlich Hojo, um herauszufinden, ob sie zu Hause war – und ob Tom ebenfalls anwesend war. »Er verreist viel«, erläuterte ich. »Fährt ständig zu irgendwelchen Verwaltungsratssitzungen. Also habe ich eine reelle Chance, sie allein anzutreffen.«

»Es steht aber zu vermuten, daß sie deine Stimme erkennt. Und überleg mal, Rosie: Sie war mit Mr. Meyers dick befreundet. Die Bullen könnten sie gewarnt haben, daß du viel in der Stadt rumspionierst. Laß mich anrufen.« Als Danny den Hörer abnahm, fragte er mich: »Ist das dieser Kotzbrocken von Aufsteigerin?« Ich nickte. »Mrs. Driscoll, bitte«, verlangte er. »Oh. Sind Sie ihr Gatte?« Tom war am Apparat; ich spürte meine Wangen erröten. »Hier ist Chip bei Park Avenue Wines, der Weinhandlung«, fuhr er fort. »Wir sind schon dabei zu schließen, aber die Kiste Champagner, die Mrs. Driscoll bei uns bestellt hat, ist eben angekommen. Wäre es in Ordnung, wenn ich ihn morgen schicke?« Er legte die Hand über die Sprechmuschel. »Sie ist weg, auf einer Fitneßfarm.«

Ich überlegte so schnell, daß mir nicht einmal Zeit zum Hyperventilieren blieb. »Frag nach dem Namen des Portiers«, flüsterte ich in sein freies Ohr. »Du lieferst.«

»Ich könnte auch den Portier anrufen, ehe ich meinen Botenjungen zu Ihnen rüberschicke, Mr. Driscoll. Dann wartet der Champagner schon auf Mrs. Driscoll, wenn sie zurückkommt. Danke. Haben Sie eine Nummer, unter der ich den Portier erreichen kann? Und seinen Namen?«

Nachdem er aufgelegt hatte, sagte ich: »Nicht zu fassen, daß er dir all diese Informationen gegeben hat.«

»Warum denn nicht? Erst mal bin ich *unglaublich* glaubwürdig. Hat jedenfalls mein Philosophieprofessor gesagt, als ich mich herausreden wollte, warum ich keine Sokrates-Textexegese abgeben konnte. Das ist das Geheimnis meines Erfolgs – außer in der philosophischen Fakultät. Und zweitens hat sich Driscoll völlig benebelt angehört. Ich konnte nicht erkennen, ob er gerade beim Bumsen war oder ob ich ihn geweckt hab'.«

Du hast ihn geweckt, entschied ich insgeheim. Um meine Entscheidung zu untermauern, versuchte ich mir Tom beim Schlafen vorzustellen, wenn sich eine dunkle, mit Silberfäden durchzogene Locke auf seinem Kissen ringelte.

Plötzlich fühlte ich mich so erschöpft, daß ich hätte weinen können, nur daß mir sogar dazu die Kraft fehlte. Ich nahm Dannys Hand und erklärte, ich wolle lieber keine nächtlichen Überraschungsbesuche bekommen. Es war deutlich zu erkennen, daß ich ihn umgehauen hatte: er gab keine großartigen Widerworte.

Ich schlief so gut wie seit Richies Todesnacht nicht mehr, zum größten Teil deshalb, weil mir allmählich klarwurde, daß Danny mich wohl kaum noch der Polizei ausliefern würde. Natürlich hatte er mich gern, selbstredend, aber es waren nicht seine Gefühle, die mir Trost spendeten. Nein, es war das Wissen, daß mein Räuber-und-Gendarm-Spiel viel spannender war als sein eigenes, und daß er es nur sehr ungern aufgeben würde.

Ein Alptraum weckte mich gegen sechs Uhr, aber ich konnte mich beim besten Willen nicht mehr erinnern, welche Schrecken genau mein Herz so zum Jagen gebracht hatten.

Ich merkte, daß ich mit meiner Weisheit fast am Ende war. Ich brauchte Hilfe. Um halb acht rief ich meinen Anwalt an, Vinnie Carosella. Er erklärte sich bereit, mich am späten Nachmittag im Washington Square Park zu treffen. Um zehn, halb elf und um elf Uhr klingelte ich in der Wohnung der Driscolls an, nur um sicherzugehen, daß Tom sich nicht dort aufhielt. Dann rief ich beim Portier an. Bitte laß es klappen, betete ich. »John«, sagte ich, »hier Mrs. Driscoll.« Ich bemühte mich, Hojos spezielle Mischung aus Langeweile, Zigaretten und Hochmut zu treffen. »Ich bin in Arizona.«

»Ja, Mrs. Driscoll.« Geschafft! Ich signalisierte Danny ein Churchill-V für Sieg; er faßte es als Friedenszeichen der späten Sechziger auf und erwiderte meinen Gruß.

»Meine Freundin Mrs. Peterson fliegt heute zu mir«, erklärte ich dem Portier. »Ich habe sie gebeten, mir einige Dinge aus der Wohnung mitzubringen. Könnten Sie sie einlassen?«

»Sehr wohl, Mrs. Driscoll.«

Ein Risiko gab es dabei, hielt ich mir vor, als ich an der Ecke Fifth Avenue und 60th Street aus dem U-Bahn-Schacht stieg und Richtung Uptown strebte, an vielen Leuten vorüber, die aussahen wie frisch aus der *Vogue* entstiegen. Das Risiko bestand darin, daß Tom weder geschlafen noch getänchelt hatte, sondern durch Dannys Portiermasche stutzig geworden war, und in dem Moment, in dem ich eintreten und mich John vorstellen würde, ein abgesprochenes Zeichen gab, woraufhin mich fünfzig Cops umzingeln würden.

Doch John händigte mir den Schlüssel aus, ohne auch nur einen flüchtigen Blick auf mein Gesicht zu werfen. Als ich ihm sagte, es könne eine Weile dauern, da ich keine Ahnung hätte, wo Mrs. Driscoll ihre Sachen aufbewahrte, zuckte er mit den Achseln. Ist das Dienstmädchen heute da, John? erkundigte ich mich beiläufig. Vielleicht kann sie mir helfen. Der Portier schüttelte den Kopf und begleitete mich zum Fahrstuhl.

Der Fahrstuhlführer, ein freundlicheres Gemüt, brachte mich mit einem Augenzwinkern und einem Lächeln nach oben. Sobald er wieder abwärts gefahren war, holte ich Dannys Handschuhe aus meinem Hosenbund und zog sie an.

In der Wohnung war es kälter als im Korridor, und die eisige Luft brachte mir den Schweiß, der an meinen Wangen herunterlief, zu Bewußtsein. Ich wischte mir die Stirn. Selbst durch die dicke Wolle des Handschuhs spürte ich den Puls in meiner Schläfe viel zu rasch pochen.

Ich übte eine Weile Einatmen (»Ich bin . . .«) und Ausatmen (». . . ganz ruhig«), ehe ich mich genügend gesammelt hatte, um mich umsehen zu können. Die Wohnung der Driscolls nahm ein ganzes Stockwerk ein. Ich war zweimal mit Richie zu Besuch hergekommen und erinnerte mich an einen Ort, der mit seiner auf europäischen Chic getrimmten Dernier-Cri-Atmosphäre weniger zum Darinleben als zum Photographiertwerden bestimmt zu sein schien. Ich konnte nicht fassen, daß der Tom Driscoll, den ich früher gekannt hatte, egal wie reich und spießig er mittlerweile geworden war, sich in derart großer Vornehmheit wohl fühlte. Die Böden waren mit Sisal bedeckt, dem steifen braunen Zeug für die Fertigung von Seilen, auf dem kein Mensch freiwillig barfuß laufen würde. An den Fenstern hingen Holzjalousien, die das riesige Wohnzimmer in ein gelbliches, winterliches Licht tauchten. Hojo hatte die Wohnung mit einer Anzahl teurer Möbel angefüllt.

Seit ich zum letzten Mal hiergewesen war – zu einem Dinner, das auf der Einladung als »festlich« beschrieben worden war, einem Codewort für Fast-aber-nicht-ganz-Smoking, das ich noch nicht gekannt hatte, weshalb ich in übertrieben festlichem, grellrotem Taft erschienen war –, hatte sie offenbar bei zu vielen Antiquitäten-Auktionen erfolgreich mitgeboten. Zusätzlich zu ihren silbernen Zigarettenschachteln und den marmornen Miniaturbüsten kahlköpfiger Komponisten hatte sie das Monopol an kompletten Kollektionen nutzloser Gegenstände akquiriert. Alte Füllfederhalter. Kristallene Tintenfässer. Kugeln – aus Marmor, Kristall, Metall, Holz – auf hölzernen Ständern. Erlesene kleine Porzellantöpfchen mit Pflanzen, die ebenso gepflegt und veredelt aussahen wie die Exemplare, die Stephanie und ihre Freundinnen aus dem Gartenclub züchteten; hier und da steckten zwischen den glänzenden Blättern zierliche Glasphiolen mit jeweils einer einzelnen Orchidee darin.

Als erstes untersuchte ich das Schlafzimmer. Genauer gesagt, die Kleiderkammer. Reine Neugierde, aber ich war hypnotisiert von der Maßlosigkeit, die sich meinen Augen bot: ein ganzes Warenlager an Kleidungsstücken, Pelzen, Handtaschen, Schuhen, Gürteln, Halstüchern, alle zusammengezwängt in einer Kleiderkammer, die eigentlich ein separates Zimmer war – von der Größe eines Apartments. Drei graue Röcke, zwei davon noch mit Preisschild, lagen auf dem Boden. Eine elfenbeinfarbene Bluse, von der Plastikhülle aus der Reinigung befreit, aber noch auf deren Bügel, war oben auf den Haufen geworfen worden.

Es wunderte mich nicht, daß die Schlafzimmerwände mit Seide tapeziert waren. Die Bettstatt selbst war ein überdimensionales Eisengerät, mit Klöppelspitzenkissen übersät und genügend Moskitonetzen drapiert, um die gesamte südliche Hemisphäre vor Malaria zu schützen. Auf dem antiken Nachttisch stand ein kleines Silbertablett mit Körperlotion, Handcreme, Halscreme und Augencreme. Kein Buch, so weit das Auge reichte. Nirgendwo ein Zeichen männlicher Anwesenheit.

Der Grund dafür war, daß die männliche Anwesenheit ein eigenes Zimmer am anderen Ende der Diele besaß. Ich hielt mich nur lange genug darin auf, um in Erfahrung zu bringen, daß Tom in einem Himmelbett aus Mahagoni schlief, daß er gerade einen dicken Wälzer über die Privatisierung der Luftfahrt in den achtziger Jahren las und daß er, wie ich mit einem schnellen Blick in seine hohe Kommode feststellte, irgendwann zwischen dem letzten High-School-Jahr und der Gegenwart von knappen Slips zu Boxershorts übergewechselt war.

Kinderzimmer gab es nicht, denn Hojo und Tom hatten keine Kinder. Hojo hatte Richie einmal anvertraut, Tom sei unfruchtbar, doch bis sie beide alle medizinischen Tests durchlaufen und das festgestellt hatten, war ihnen der Kinderwunsch abhanden gekommen.

Hojo betrieb ihr Lebensgeschäft in einem Büro mit zuviel Dekor, von einem Pult aus, das wohl selbst Ludwig der Vierzehnte als überladen empfunden hätte. Die Schubladen waren zum Bersten voll mit Einladungen zu Dinnerpartys und Wohltätigkeitsveranstaltungen. Da lagen einige gelbe Post-it-Zettel: »Dartmouth 25. 4.«, »Krebs 11. 10.« Mich überlief ein Schauder des Erkennens: Toms Handschrift. Kaum zu fassen, wie vertraut sie mir war. Ich hatte sie nicht mehr zu Gesicht bekommen, seit wir beim gemeinsamen Lateinlernen die Hefte ausgetauscht hatten. Aber ich fand keinen Terminkalender; wahrscheinlich war der mit Hojo auf die Fitneßfarm gereist.

Trotzdem war die Chronik von Hojos Gesellschaftsleben erstaunlich vollständig, als erwarte sie jeden Augenblick die Aufforderung, ihre Unterlagen dem Smithsonian Institute zu stiften. Hinter einem schmalen Sofa stapelten sich auf einem vergoldeten Tischchen große Kästen – aus Elfenbein, Perlmutt, Holz, Lapislazuli, Malachit –, für jedes Jahr seit 1983 einer, vollgestopft mit zusammengehefteten Filofax-Kalenderblättern, Einladungen, Alltagsnotizen und folienbezogenen Zeitungsausschnitten aus den Gesellschaftskolumnen, in denen ihr Name erschienen war.

Ich blickte auf meine Uhr. Dann vergewisserte ich mich noch einmal; ich konnte es nicht glauben, daß erst fünf Minuten vergangen waren. Ich hob die unterste Schreibtischschublade auf meinen Schoß. Bingo! Ein Briefchen von Jessica, datiert vom 14. Mai. Einen Monat bevor Richie mir mitgeteilt hatte, er werde mich verlassen. »Liebste Joan, wie soll ich Dir nur danken? Das Dinner war zauberhaft, ebenso wie Du. Ich kann Dir gar nicht sagen, wieviel uns beiden Deine Unterstützung in dieser nervenaufreibenden Zeit bedeutet. Herzlichst, Jessica.« Richie war kein risikofreudiger Mensch gewesen; nie im Leben hätte er eine Affäre an die große Glocke gehängt. Wenn Hojo mit dem glücklichen Paar heimliche Dinners abhielt, dann mußte Richie ihr wahrhaft vertraut haben.

Mit dem Schreiben in der Hand vertiefte ich mich in die Photos auf dem Pult. In eher Caravaggios als Schnappschüssen angemessenen Rahmen standen Bilder von übereleganten Damen in Wohltätigkeitskomitees, deren hochcoiffierte Köpfe im Vergleich zu ihren ausgehungerten Körpern so riesig wirkten, als wären sie Außerirdische. Aber da war auch Hojo, die mit Tom in irgendeinem Wintersportort in die Kamera lächelte. Ich sah näher hin, um zu erkennen, ob das Lächeln echt war, aber die Aufnahme war leicht unscharf. Dann Hojo mit drei anderen steckenarmigen Frauen in ärmellosen Kleidern mit Palmen im Hintergrund, vielleicht in Palm Springs oder – was wußte ich schon? – Marrakesch. Ein weiteres Bild von Hojo mit einer älteren Frau, entweder ihrer Mutter oder einer Freundin, die auch bei Carter in Behandlung gewesen war und daher das gleiche Gesicht hatte. Dann gab es noch gerahmte Schnappschüsse aus diesem Sommer: Hojo mit Richie auf einer Party vor einem Haus am Meer; Hojo mit Richie und Jessica auf einem Kai – im Hintergrund lagen Segelboote, und Jessica trug Shorts.

Sieben Minuten. Ich steckte Jessicas Brief in die Schublade zurück. Mein Mund war so trocken, daß ich nicht schlucken konnte. Was wäre, wenn Hojo bei Tom angerufen und er ihr erzählt hätte: Übrigens, deine Champagnerkiste kommt heute. Oder wenn er mittags immer nach Hause kam, um sich ein frisches Paar Boxershorts anzuziehen?

Ich blätterte die zusammengehefteten Kalenderblätter durch. Eine Vielzahl von »Den-und-den-anrufen« mit 516er-Nummern, der Vorwahl für Long Island, aber bei den meisten mußte es sich um Freunde in den Hamptons handeln. Unter dem Mittwoch nach dem Labor Day stand eine Nummer in Shorehaven. Ich brauchte den Namen nicht zu lesen: Tillotson. Doch angesichts der Menge von kosmetischen Eingriffen, die Hojo über sich ergehen lassen hatte (einschließlich des neuesten, den spektakulären Ballons, die ich bei Richies Beerdigung entdeckt hatte), überraschte mich die Eintragung nicht.

Dem Kalender zufolge hatte Hojo mindestens alle zwei, drei Wochen mit Richie zu Mittag gespeist. Aber es gab auch Abendtermine: »Rick 20h Côte Basque« im Januar. Und »Rick etc. Bouley« im Februar. Ich hatte im Januar nicht französisch diniert. Und ganz gewiß war ich im Februar nicht Etcetera gewesen.

Aber Moment mal: An dem Tag, als Richie mir sagte, er wolle fort, hatte er mir sein Herz über seine Liebesgeschichte ausgeschüttet. Daher wußte ich, daß Etcetera nicht Jessica Stevenson sein konnte. Denn Richie und Jessica hatten sich erst zwei Monate vor seinem Beschluß auszuziehen, heftig und leidenschaftlich ineinander verliebt. So hatte er es mir zumindest in seinem erfolglosen Versuch, meine hysterische Bettelei um sein Bleiben zu unterbinden, versichert. Es war auf einem Seminar von Data Associates in einem Tagungshotel bei Santa Fe gewesen. »Ich habe dich noch *bekniet*, mitzukommen«, hatte er gesagt, um zu beweisen, daß er mir jede Chance gegeben hatte, »aber du konntest ja keinen Urlaub nehmen. Du erinnerst dich doch?«

Zwölf Minuten. Ich stopfte die Kalenderblätter in meine Tasche. Außerdem entwendete ich noch die vorhergehenden vier Jahre aus Hojos Leben und warf sie in eine Einkaufstasche aus Eidechsenleder, die ich aus ihrer Kleiderkammer stibitzte. Fertig!

Ich zog die Wohnungstür ins Schloß, befreite mich aus Danny Reeses übelriechenden Handschuhen und fuhr mit dem Fahrstuhl wieder in die Eingangshalle, wo ich dem Portier einen Zwanzigdollarschein reichte. »Herzlichen Dank, John.« Er war sehr erstaunt.

Noch erstaunter war er, als ich ihn eine Minute später aus einer Telefonzelle in der Nähe der Madison Avenue anrief. »Hier spricht die Frau, die Ihnen gerade zwanzig Dollar gegeben hat«, sagte ich.

»Hä?«

»›John, hier Mrs. Driscoll.‹«

»Himmel!«

»Ich hab' mich oben nur umgesehen. Ich hab' nichts mitgenommen, also brauchen Sie auch niemandem zu sagen, daß Sie die Freundin von Mrs. Driscoll reingelassen haben. Da würden Sie nämlich großen Ärger kriegen, und das möchte ich nicht. Wiederhören.«

Was zum Henker hatte ich mit dieser Expedition gewonnen, außer der Chronik eines bedeutungslosen Aufsteigerinnenlebens? Wie ich Hojo um ihr weißer als weißes, kissenbestreutes Bett beneidete! Am liebsten wäre ich wieder nach oben gegangen, hätte mich hineingelegt, mich in den lieblich duftenden Laken geräkelt und geschlafen. Nein, worum ich Hojo in Wahrheit beneidete, war ihr Mann. Ich wollte einfach nicht glauben, daß der alte Tom Driscoll irgendwann in den letzten dreißig Jahren gestorben war und seinen seelenlosen Körper in Boxershorts in diesem einsamen Einzelzimmer zurückgelassen hatte.

Auf dem Rückweg nach Downtown Manhattan tröstete mich das rhythmische Klappern der U-Bahn, das sanfte Ruckeln, das ich von Kindheit an kannte.

Jessica hatte Nicholas Hickson, der sie tröstete. Und davor hatte sie Richie und vielleicht auch Carter gehabt. Ich schloß die Augen. Richie: Was für ein großartiger Liebhaber er gewesen war! Er hatte das gewisse Etwas, Erfindungsreichtum und eine erstklassige schmutzige Phantasie besessen. Und Jessica hatte ihn sich geschnappt. Allerdings nicht nur Jessica: Ich mußte an Fran Gundersens höhnisches Grinsen denken. Und ich hatte von all dem keine Ahnung gehabt. Na schön, ich war dem auch nie nachgegangen. Aber wer zum Teufel war die Etcetera in Hojos Terminkalender? Konnte das möglicherweise Mandy gewesen sein, Stephanies Bekannte? Da steht ihm in Manhattan ein ganzer verfluchter Stadtbezirk voll schicker, anonymer Damen zur Verfügung, und Richie sucht sich ausgerechnet eine aus Shorehaven aus! Ob es noch andere gegeben hatte? Spielte das überhaupt eine Rolle? Und selbst wenn, wie sollte ich das jemals herauskriegen?

»*Fran* hat dir gesagt, Richie hätte eine Affäre mit einer anderen gehabt – vor Jessica?« Mitchell Gruen gluckste in sich hinein. Obwohl es früh am Nachmittag war, war sein graues Haar noch vom Schlaf verwuschelt. Er trug einen ausgebleichten, eingelaufenen Trainingsanzug, der – aus gutem Grunde – aussah, als hätte jemand darin geschlafen.

»Meinst du nicht, daß Fran es wissen muß?« fragte ich.

Mitch schlurfte an seinen Computern vorbei in die kombüsenartige Küche. Er stellte eine rote Schüssel auf die rote Formica-Anrichte und schüttete eine Ladung Schokopops hinein. Dann schnüffelte er an einer Milchflasche, verzichtete aber lieber und kam zurück, wobei er die Pops mit den Fingern naschte. »Rosie, kapierst du nicht? Es *war* Fran.«

»Was war Fran?«

»Die Affäre vor Jessica.«

»Ach komm!«

Er wirkte verärgert über meine Entrüstung. »Richie hat es *jahrelang* mit Fran getrieben.« Plötzlich konnte ich nichts mehr erwidern, weil ich im Herzen spürte, daß er die Wahrheit sagte. »Fran war wun-der-schön«, erklärte er.

»Nein, war sie nicht«, gelang es mir zu krächzen. Wäre Richie in diesem Moment durch ein Wunder wieder lebendig geworden, ich hätte ein Messer genommen und es ihm in den Bauch gerammt.

»Doch, sie war wun-der-schön – am Anfang. Ein massives, wun-der-schönes Riesenweib. Weißt du, Richie hat ihr wie ein Sugardaddy unter die Arme gegriffen.«

»Und das hat er dir erzählt?«

»Bist du verrückt? Nein. Sie hat's mir erzählt. Aber Fran, die hat immer in einer Traumwelt gelebt. Sie hätte doch wissen müssen, wo der Hase langläuft. Weißt du, was er zu ihrem fünften Jahrestag gemacht hat? Er hat ihr die Hypothek auf ihr Haus in Brooklyn abbezahlt. Sie hatte natürlich ein bißchen mehr erwartet, eher was wie 'n Verlobungsring. Da ist sie flennend zu mir ins Büro gerannt und hat mich angefleht, mit ihm zu reden.«

»Und, hast du das getan?«

»Du bist wirklich verrückt! Aus so was halt' ich mich raus. Außerdem hatte ich damals meine eigenen Probleme mit Richie.«

Ich wartete darauf, daß ich mich übergeben mußte oder weinen. Nichts. Also versuchte ich, die Chronologie von Richies Ehebrüchen zu errechnen. Erst Fran, jahrelang. »Wann war mit ihr Schluß?« wollte ich wissen. »Als Jessica zu Data Associates kam?«

»Nein. Fran und Richie hatten noch was zusammen, als Richie mich an die Luft gesetzt hat.«

Aber angenommen, Richie hätte die Geschichte mit Fran ungefähr zur selben Zeit beendet, als er sie feuerte (wovon ich, wenn mein Gefühl mich nicht täuschte, ziemlich sicher ausgehen konnte), dann hatte er zwischendurch Zeit für eine Verschnaufpause gehabt. Oder für eine weitere Affäre, eingeklemmt zwischen Fran und Jessica.

Aber genau in dieser Zeit, in der ersten Jahreshälfte, hatte ich geglaubt, unser gemeinsames Leben bessere sich. Richie schien mit seinem Erfolg allmählich ins reine zu kommen. Mir kam es vor wie in alten Zeiten. Ein paar Monate lang rief er abends nicht mehr an, um mir mitzuteilen, er wolle sich über Nacht ein Hotelzimmer nehmen, weil er zu erschlagen sei, um noch nach Hause zu fahren. Und statt sich gegen ein Uhr nachts ins Haus zu schleppen, kam er zwischen neun und zehn. Dann kuschelten wir auf der Couch in seinem Arbeitszimmer, sein Kopf auf meinem Schoß, und schauten fern oder unterhielten uns. Wir seien ein glücklich verheiratetes altes Ehepaar, hatte er einmal gesagt. Zwischen Fran und Jessica.

Konnte es denn zu jener Zeit noch eine dritte Affäre gegeben haben? Nun ja, es wäre eine Erklärung dafür, warum Richie Fran vor die Tür gesetzt hatte. Sie konnte er nicht vor schmerzlichem Wissen abschotten wie mich, die ich in meiner eigenen Karriere, meinem eigenen Leben in Shorehaven gut verstaut war. Fran hatte gehen müssen, weil sie zu dicht dran war; direkt unter den privaten Blicken seiner Privatsekretärin konnte Richie kein weiteres Verhältnis haben. Zudem war Richie, um nicht ungerecht zu sein, für ein ehebrecherisches, triebhaftes Scheusal ziemlich monogam gewesen. Vor Jessica hatten wir uns eines herrlichen Sexuallebens erfreut, und auch danach war es nie völlig zum Erliegen gekommen. In der Nacht nach unserer Silberhochzeit hatten wir auf dem Bett begonnen, waren auf einen Stuhl umgezogen und schließlich auf dem Fußboden gelandet. Wenn er Fran auch nur ein Zehntel von dem gegeben hatte, was er mir zukommen ließ, konnte er sich unmöglich noch mit einer Dritten eingelassen haben, ohne einen Herzinfarkt zu riskieren. Er mußte sich Frans entledigt haben, noch ehe er – wenn überhaupt – zu der geheimnisvollen Frau überlief.

Wer zum Teufel war Mandy?

Ich dachte daran, was er Fran alles geschenkt hatte. Ein Haus. Teure Möbel. Und – wetten? – die prachtvollen Landschaften an ihren Wänden waren auch von ihm. Mein Instinkt sagte mir, sie seien echt, und auf meinen Instinkt war Verlaß. Fran war keine Frau vom Nerz-und-Rubinen-Schlag.

Vielleicht war der Name Mandy nur ein Zufall.

Oder vielleicht handelte es sich bei der Mandy, über deren Anrufe sich Fran Gedanken gemacht hatte, tatsächlich um Mandy, die joggende Anwältin, und sie hatte beruflich mit Data Associates zu tun.

»Zeit zu gehen!« sagte Mitch. »Ich muß arbeiten.«

»Ruf Jessicas Terminkalender für mich auf. Dann gehe ich.«

»Das hast du letztes Mal schon mit mir gemacht, Rosie!«

»Und heute hast du mich wieder reingelassen, Mitch. Und weißt du, warum? Tief in deinem Inneren willst du mir nämlich helfen.«

»Will ich nicht«, fauchte er.

Aber er schlurfte zu einem seiner kleinen Computer und fragte nach weniger als einer Minute: »Was willst du wissen?«

»An dem Tag, als Richie ermordet wurde: Wo war Jessica da?«

Er schlug ein paar Tasten an und fuhr dann mit dem Cursor eine Spalte hinunter. »Vormittags hat sie vom Büro aus eine Menge telefoniert. Willst du wissen, mit wem?«

»Später.«

»Um halb zwölf hatte sie in ihrem Büro eine Besprechung mit Liz, der stellvertretenden Leiterin der Rechtsabteilung.«

»Und dann?«

»Zwölf Uhr dreißig. Da steht ›Nägel‹. Und danach, um zwei, einen Termin bei Metropolitan Securities.«

»Mit Nicholas Hickson?«

Mitch fuhr herum, den Mund ärgerlich verzerrt. »Mußtest du mich unbedingt stören, Rosie, wenn du das schon gewußt hast?«

15

Vinnie Carosella sah mich mit einem seelenvollen Blick aus seinen braunen Augen an. »Sie haben das Geld für meinen Vorschuß nicht«, sagte er, als ich neben ihm auf der Parkbank im Washington Square Park Platz nahm.

»Hallo, Vinnie«, war meine Antwort darauf.

»Schön, Sie kennenzulernen, Rosie.«

»Woher wissen Sie, daß ich das Geld nicht habe?«

»Das hab' ich von einem meiner Freunde bei der Polizei gehört. Sie haben Ihre Brieftasche bei der Lady vergessen, die die Presse für Ihren Mann gemacht hat. Sie waren wohl ziemlich in Eile, was?«

»Scheint so.«

»Tja, das kann vorkommen. Ein anderer Freund von mir arbeitet im Büro des Bezirksstaatsanwalts, und der hat mir mitgeteilt, daß alle Ihre Konten gesperrt sind.« Vinnie Carosella trug hochglanzpolierte Mokassins und sah genauso aus, wie ich ihn vom Fernsehen in Erinnerung hatte. Die Brille machte aus seinem intelligenten Gesicht das eines Intellektuellen. Er zählte eher sechzig als fünfzig Lenze, hatte aber keine einzige Falte, ja nicht einmal ein Lachfältchen – kurz, er war der Traum eines jeden Dermatologen. Lediglich seine großen, wettergegerbten Ohren, die aussahen, als hätte Lyndon B. Johnson persönlich sie ihm vermacht, paßten nicht ganz zu seiner glatten Babyhaut. »Wir haben da ein kleines Problem«, sagte er. »Ich kann beantragen, daß die Sperrung der Konten aufgehoben wird, damit Sie die Anwaltskosten zahlen können, aber dazu muß ich Sie der Öffentlichkeit vorführen. Wollen Sie das?«

»Noch nicht.«

»Ich habe schon befürchtet, daß Sie das sagen«, erwiderte Vinnie. Rollschuhfahrer drehten ihre Pirouetten zu den Klängen einer Musik, die nur sie allein hören konnten. »Wissen Sie, ich dürfte mich eigentlich nicht mal mit Ihnen treffen, nachdem Sie einfach abgehauen sind. Die könnten mich ohne weiteres drankriegen, weil ich Ihrer Flucht Vorschub leiste. Aber sogar einen alten Fuchs wie mich plagt manchmal noch die Neugierde. Ich mußte Sie einfach treffen. Aber das bleibt unter uns.«

»Okay, bleibt unter uns«, stimmte ich zu. »Aber wenn Sie gewußt haben, daß ich kein Geld habe, warum haben Sie sich dann überhaupt für den Fall interessiert?«

»Das würde ich selbst gern wissen. Wahrscheinlich gefällt mir Ihre Geschichte. Sie fasziniert mich. Ich bin süchtig nach guten Storys.«

»Glauben Sie mir meine denn?«

»Noch nicht.« Wahrscheinlich hatte er gesehen, wie mir die Kinnlade herunterklappte, denn er fügte hinzu: »Sie hat einen gewissen Reiz. Sonst würde ich doch wohl keinen Clinch mit den Behörden riskieren, oder?«

»So viel Vertrauen für so wenig Geld.«

»Ach. Geld ist genug im Spiel. Über kurz oder lang bezahlt mich schon jemand. Sie oder einer von Ihren Söhnen. Stehen Sie übrigens in Verbindung mit ihnen?« Ich nickte. »Lassen Sie sie doch wissen, daß ich Sie vertrete und daß mir wohler wäre, wenn ich einen Vorschuß von zehntausend Dollar bekäme.« Er tätschelte meine Hand. »Nichts für ungut, Rosie. Strafverteidiger lassen sich immer im voraus bezahlen.«

»Das nehme ich Ihnen nicht übel.« Ein Stückchen weiter den Weg hinunter trotteten auf einer Hundepromenade hinter einem Maschendrahtzaun mindestens zehn Hunde samt Eigentümern auf und ab. Kurz bevor Richie ermordet wurde, hatte ich noch daran gedacht, mir einen neuen Hund anzuschaffen.

Ich sehnte mich nach Normalität, nach einem Hund, nach frischer Unterwäsche, damit ich nicht immer daran denken mußte, meine Sachen am Abend zu waschen und am Morgen dann gezwungen war, einen feuchten Büstenhalter anzuziehen. Nach meinen Schülern, nach Zeit zum Lesen, aber am meisten nach einem Hund, der jeden Tag, wenn ich von der Schule nach Hause kam, verzückt bellen würde.

Ich wandte den Blick von einem besonders hübschen Basset ab und merkte, daß Vinnie mich anstarrte. »Erstaunlich«, sagte er. »Ich habe Ihr Bild in der Zeitung und im Fernsehen gesehen, aber aufgefallen sind Sie mir erst, als Sie sich hier neben mich auf die Bank gesetzt haben.«

Ich schob die Ärmel von Dannys schwarzem Pullover hoch. »Ich bin unsichtbar. Wem fällt schon eine Frau mittleren Alters auf?«

»Hören Sie auf damit. Sie sehen gut aus. Besser als auf den Bildern.« Das Kompliment war Balsam für meine Seele, denn es war eine Feststellung, keine Anmache. Er griff in die Innentasche seines Kamelhaarmantels und holte etwas heraus, das aussah wie ein drei- oder vierseitiger Geschäftsbrief, und reichte es mir. »Der Obduktionsbericht. Von einem Freund in der Gerichtsmedizin.«

Ich überflog den Brief. »Es wurde folgende Todesursache festgestellt: Exsanguinatio aufgrund einer Stichwunde in die Aorta abdominalis.« Ich zwang mich weiterzulesen, aber die Beschreibung auf der folgenden Seite machte mir ziemlich zu schaffen: »Der Verstorbene wird in einem Leichensack in den Obduktionssaal gebracht. Eine Nasensonde ist eingeführt, vier EKG-Elektroden sowie zwei Drainageschläuche sind an der Brust angebracht...«

Ich gab Vinnie den Brief zurück. »Ich kann das nicht weiterlesen. Würden Sie mir bitte sagen, was drinsteht?«

»Keine Offenbarungen. Der Pathologe sagte, was Pathologen immer sagen: Wenn er nicht tot wäre, wäre er quicklebendig. Er hat nur die eine Wunde, aber die hat gereicht.«

»Irgendwelche Hinweise darauf, ob ein Mann oder eine Frau sie verursacht hat?«

»Das weiß ich nicht. Sehr scharfes Messer, das mit ziemlicher

Kraft nach unten gestoßen wurde. Saubere Wunde. Tut mir leid. Ich wünschte, ich könnte Ihnen mehr bieten.«

Ich erzählte ihm alles über Jessica und Nicholas Hickson. Vinnie vermutete, daß Hicksons Firma das Aktienkapital von Data Associates zeichnen wollte. Jessica und Nicholas hatten wahrscheinlich vor, gegen einige Vorschriften des Börsenaufsichtsamts zu verstoßen. Freunde sollten wohl große Aktienanteile kaufen oder die Geschäftsleitung unterwandern, um Richie hinauszudrängen. Vinnie selbst hielt das für unwahrscheinlich, aber wenn es tatsächlich stimmte, hatte Jessica seiner Meinung nach ein noch schwächeres Motiv für diesen Mord. Sie hätte ihm einfach den Laufpaß geben können, und damit wäre sie ihn los gewesen.

»Haben Sie schon Laborberichte gesehen?« fragte ich.

»Noch nicht. Es liegen noch nicht alle vor, und es ist auch schwer, an sie ranzukommen. Aber ich bleibe dran. Früher oder später habe ich Erfolg. Deswegen müssen Sie sich keine Sorgen machen.«

»Ich muß die ganze Zeit dran denken, wie ich Richie gefunden habe . . .«

»Das sollten Sie lassen«, unterbrach er mich. »Das bringt Sie zu sehr aus der Fassung.«

»Vinnie, ich kann nicht anders. Vielleicht habe ich ja etwas bemerkt, was die Polizei übersehen hat.«

»Vielleicht.« Er verschränkte die Arme, schlug die Beine übereinander und lehnte sich mit himmelwärts gerichtetem Gesicht auf der Bank zurück, als sitze er an einem strahlenden Julitag auf der Strandpromenade von Coney Island. »Ich höre.«

»Im Profil von Richies Turnschuhen war Erde, besonders im linken. Und von der Küchentür zu seinem Schuh führte eine unregelmäßige Schmutzspur. Können Sie mir soweit folgen?«

»Sprechen Sie weiter, Rosie.«

»Am nächsten Morgen ging ich hinüber zu meiner Nachbarin.«

»Warum haben Sie das Haus verlassen?«

»Ich mußte einfach raus, und ich brauchte Trost. Meine Nachbarin ist in dieser Hinsicht zwar nicht gerade überschwenglich, aber sie ist vernünftig, und man kann sich auf sie verlassen. Na ja, auf dem Weg zu ihr bin ich an Richies Auto vorbeigekommen. Stellen Sie sich das bitte mal bildlich vor: Der Wagen war ziemlich gut hinter einer Reihe von Bäumen verborgen, aber wenn jemand vorbeigefahren wäre, hätte er den Rückstrahler an der hinteren Stoßstange des Wagens sehen müssen, jedoch nicht das Auto selbst. Die Fahrertür befand sich nur wenige Schritte von der Straße entfernt.«

Vinnie stellte beide Füße fest auf den Boden. »Erzählen Sie weiter.«

»Es hatte eine ganze Weile nicht geregnet, und selbst wenn Richie einen oder zwei Schritte in den Wald gegangen wäre – zum Pinkeln oder was auch immer –, gab es keinen Grund dafür, daß seine Sohlen so schmutzig waren. Richtig matschig ist es nur mitten im Wald, wo kaum jemals Sonne hinkommt. Aber warum lag keine Erde auf der Straße zwischen dem Wagen und dem Haus, wenn der Boden tatsächlich aufgeweicht war? Ich schwöre, daß ich keinen Schmutz gesehen habe, und ich habe wirklich sehr genau hingeguckt. Wie kommt es, daß der Dreck zum ersten Mal in meiner Küche auftauchte?«

Er antwortete ganz langsam: »Ich weiß es nicht.«

»Der Schmutz war auch nur im Profil der Turnschuhe. Ansonsten waren die Schuhe sauber.«

»Was wollen Sie damit sagen?«

»Ich will damit sagen, daß Richie höchstwahrscheinlich nicht in den Wald ist, sondern genau das getan hat, was man erwarten würde: Er hat die Wagentür aufgemacht und ist ein paar Schritte über eine Schicht von Blättern gegangen, unter der der Boden aufgeweicht war. Dann ist er weiter bis zu der Auffahrt, die zu unserem Haus führt, über die Straße. Vinnie, es ist durchaus plausibel, daß er auf der Straße gegangen ist. In einer Gegend wie den Shorehaven Estates gelten Straßenlaternen als vulgär. Das einzige Licht in der Nacht kommt vom Mond – oder einer Taschenlampe. Ach ja, übrigens, haben Sie eine Liste der Dinge bekommen, die er an dem Abend bei sich hatte? Ich kann mich an keine Taschenlampe erinnern.«

»Keine Taschenlampe. Kleidung, Schlüssel, eine Uhr, eine Brieftasche mit den üblichen Kreditkarten und ein bißchen Bargeld. Ziemlich genau das, was die Polizei Ihnen gesagt hat.«

»Na schön. Richie ist die Auffahrt hoch – da ist Schotter, nicht Schlamm –, dann am vorderen Eingang vorbei zur Küche. Ich glaube nicht, daß er durch die Haustür hereingekommen wäre, denn die war zu nah an unserem – meinem Schlafzimmer. Er ist durch die Küchentür und hat die Alarmanlage abgeschaltet.«

»Er hatte einen Schlüssel?«

»Ich habe das Schloß nie auswechseln lassen«, mußte ich gestehen.

»Sie haben gehofft, er würde wieder zu Ihnen zurückkehren?«

»Ja.« Ich war erleichtert, daß er meine Gefühle verstand. »Meine Scheidungsanwältin hat gesagt, ich muß die Alarmanlage austauschen lassen, was ich nicht getan habe. Von Schlössern hat sie nichts gesagt. Wahrscheinlich hat sie gedacht, ich käme von selbst auf die Idee. Aber da hat sie sich getäuscht. Ich habe mich den ganzen Sommer über schrecklich gefühlt. Und auch später noch habe ich alle Kraft zusammennehmen müssen, um morgens aufzustehen und mich anzuziehen für die Schule. Da hatte ich wirklich andere Sorgen als Alarmanlagen.«

»Was ist mit den Lichtern vor dem Haus? Könnte er sich an denen orientiert haben, als er durch den Wald ging?«

»Nein. Ich schalte das Flutlicht immer aus, bevor ich ins Bett gehe. Und Vinnie, vergessen Sie nicht: Ich war fünf oder zehn Minuten mit der Leiche allein, vielleicht auch länger, bis die Polizei gekommen ist. Das wäre mir doch wohl aufgefallen, wenn seine Kleidung so ausgesehen hätte, als ob er sich durch den Wald gekämpft hat. Aber das hatte er gar nicht nötig; er wußte, daß er bis zur Auffahrt heraufkommen konnte, ohne daß ich ihn sehen würde. Er wußte außerdem etwas, was nicht einmal der ausgefuchsteste Einbrecher wissen konnte, nämlich daß unser Alarmsystem nicht auf Bewegungen reagiert. Ursprünglich hatten wir auch so ein System, aber die Kinder und der Hund und die Waschbären haben den Alarm immer wieder ausgelöst.«

»Na schön. Wenn Richie sich die Schuhe also nicht im Wald schmutzig gemacht hat«, fragte Vinnie, »wo kommt die Erde dann her?«

»Bevor ich diese Frage beantworte, möchte ich Ihnen eine andere stellen: Wenn ich ihn umgebracht hätte, warum wäre dann wohl Erde auf unserem Boden gewesen?« Er rieb sich das Kinn. »Ich sage Ihnen, was ich glaube: Jemand hat Richie begleitet – oder eher: Jemand ist ihm zum Haus gefolgt. Dieser Jemand ist entweder durch den Wald – so wie ich, als ich abgehauen bin –, oder er hat ein gutes Stück vom Haus entfernt zwischen den Bäumen auf schlammigem Untergrund gestanden und ihn beobachtet.«

»Aber Sie haben gesagt, Sie hätten das Flutlicht ausgeschaltet. Wie hätte man dann etwas erkennen können?«

»Richie muß Licht gemacht haben, weil er keine Taschenlampe hatte. Richtig? Und er brauchte Licht, wenn er etwas suchen wollte. Außerdem brauchte der Mörder das Licht, um das Messer zu sehen – und Richie. Schließlich hatte Richie nur eine einzige Stichwunde genau am richtigen Fleck, das war sozusagen ein Stoß ins Schwarze.«

»Reden Sie weiter«, sagte Vinnie.

»Wenden wir uns noch einmal der Erde zu. Nehmen wir an, der Mörder hat sie hereingeschleppt. *Nach* dem Mord hat er . . . oder sie – sagen wir der Einfachheit halber *er* – den Schmutz auf dem Boden entdeckt. Was muß das für ein Schock gewesen sein. Aber er war zu cool, um in Panik zu geraten, und zu schlau, um wie ein Stümper zu reagieren. Folglich hat er den Dreck nicht weggewischt; möglicherweise hätte die Polizei das ja gemerkt und wäre dann erst recht argwöhnisch geworden. Also ist der Mörder nach draußen gegangen, um Erde zu holen, und hat sie in die Rillen von Richies Turnschuhen gedrückt. Vermutlich hat er auch noch den

Dreck auf dem Boden verteilt, damit man seine Fußabdrücke nicht mehr sah. So sah es aus, als hätte Richie allein die Erde hereingeschleppt. Und wenn er allein hereingekommen ist, wer kann ihn dann umgebracht haben? Nur jemand, der schon im Haus war – ich.«

»Wer würde Ihnen so etwas antun wollen?«

»Machen Sie keine Witze. Glauben Sie denn, jemand, der fähig ist, einen Mord zu begehen, würde davor zurückschrecken, ihn mir anzuhängen? Nein – der Mörder wäre doch entzückt darüber, daß ihm der Sündenbock gleich frei Haus geliefert wird.«

»Haben Sie eine Ahnung, ob der Mörder ein Mann oder eine Frau war?«

»Das würde mich auch interessieren. Richie ist mit Männern nicht so gut zurechtgekommen wie mit Frauen. Er hatte keine wirklichen Männerfreundschaften. Er war kein schlechter Vater, aber auch nicht gerade versessen darauf, mit seinen Söhnen zusammenzusein. Ich würde sagen, es war eine Frau – es sei denn, Richie hat einen anderen Mann geschäftlich oder wegen einer Frau in Rage gebracht.«

»Haben Sie schon irgendwelche Einfälle, wer es gewesen sein könnte? Abgesehen von seiner Freundin.« Ich schüttelte den Kopf. Der Basset und sein Besitzer, ein netter, breitschultriger Junge, eine asiatische Version von Ben, joggten durch das Tor der Hundepromenade und den Pfad hinauf. Der Hund freute sich so über die Gesellschaft des Jungen, daß er immer wieder versuchte, an ihm hochzuspringen. »Wissen Sie, Rosie«, sagte Vinnie mit leiser Stimme, »jemand in Ihrer Lage – eine Frau allein in einem großen Haus – hätte bei dem Gedanken an einen Einbrecher leicht in Panik geraten können.«

»Was wollen Sie damit sagen?«

»Sie wissen genau, was ich damit sagen will.«

»Daß ich auf Notwehr plädieren soll? ›Euer Ehren, ich habe einen Mann in der Küche gehört und weder die Polizei gerufen noch den Alarm ausgelöst. Nein, ich bin nach unten gegangen und habe den Mann nicht erkannt, mit dem ich mehr als fünfundzwanzig Jahre lang Bett und Tisch geteilt habe. Ich habe ihn für einen Eindringling gehalten, habe ihm ins Auge geblickt und ihm das Messer in die Bauchaorta gestoßen.‹«

»Ich möchte Ihnen nur sagen, daß es fast zu spät ist, um noch etwas für Sie rauszuholen. Ich sehe das so: Die Polizei ärgert sich über sich selbst, daß Sie entkommen sind. Aber ihre Wut auf Sie ist garantiert noch größer. Bis jetzt haben Sie Glück gehabt. Und Sie sind verdammt clever. Aber Sie scheinen zu glauben, daß Sie unsichtbar sind. Das sind Sie nicht. Wenn die Polizei Sie faßt, bevor ich mich mit dem Bezirksstaatsanwalt auf etwas einigen kann, ist das alles andere als gut für Sie.«

Ich tätschelte seine Hand. »Aber egal, was passiert, Sie tun doch Ihr Bestes für mich, nicht wahr?«

»Ja, Rosie«, sagte er mit ernster Miene. »Das tue ich.«

Ich sah Vinnie nach, wie er mit einem Taxi verschwand. Dann schaute ich noch eine Weile den Hunden zu, obwohl keiner von ihnen so fröhlich mit dem Schwanz wedelte oder eine so überschwengliche Lebenslust an den Tag legte wie der Basset. Das spätnachmittägliche Licht verblaßte sanft. Menschen meines Alters hasteten nach Hause. Junge Leute aus High-School und College schlenderten dahin; die Paare drängten sich enger aneinander und genossen die Wärme ihrer Körper, während die Kälte des Abends langsam hereinbrach.

Eine halbe Stunde später ging ich zu Danny zurück. Er lag auf dem Sofa und hörte in voller Lautstärke eine CD, die mir nicht einmal dann gefallen hätte, wenn ich unbedingt aufgeschlossen und jugendlich hätte wirken wollen. Ich warf ihm eine Kußhand zu. Er streckte mir träge und sinnlich die Hand entgegen. Ich wollte aus seinem Leben verschwinden, solange er mich noch als Geliebte betrachtete und sich nicht daran erinnerte, daß ich in der vierten Klasse seine Wölflingsgruppe geleitet hatte.

Ich ging ins Bad, zog seinen schwarzen Pullover aus und meinen grauen sowie meine Strickjacke wieder an. Als ich wieder herauskam, herrschte Stille. Er stand mit erwartungsvoller Miene da. »Wo willst du hin, Rosie?«

»Ich muß mich mit ein paar Leuten treffen.«

Einen Augenblick lang sagte er nichts. Dann nahm er mich in die Arme und lehnte seinen Kopf gegen meinen. »Nimm mich mit«, bettelte er.

»Das geht nicht.«

»Bitte versteh mich nicht falsch, aber wenn du das allein machst, verdirbst du alles. Wenn die Exsekretärin deines Mannes die Bullen informiert hat . . .«

»Ich glaube nicht, daß sie das getan hat.«

»Genau deswegen verdirbst du alles, Rosie. Wenn sie es doch getan hat, warten jetzt an allen Orten, an denen du auftauchen könntest, Polizisten. Sie erwischen dich in Null Komma nichts.«

Ich strich ihm übers Haar. Es war seidig wie bei einem kleinen Kind. »Ich werde nirgends auftauchen, wo sie mich vermuten könnten.«

»Wo willst du hin?«

»Ich habe einen Plan.«

»Ich helfe dir.«

»Du hast mir schon genug geholfen.«

»Warum schiebst du mich dann jetzt ab? Na komm schon, Rosie. Es hat so viel Spaß gemacht. Findest du nicht auch?«

Bevor wir uns zum Abschied küßten, bot Danny mir Geld an. Ich schlug sein Angebot aus, nahm jedoch den Schlüssel zu seiner Wohnung, obwohl ich tief in meinem Innersten wußte, daß ich nie mehr zurückkommen würde. Als ich mich aus seiner Umarmung löste, sagte er: »Wenn ich dich für die Mörderin halten würde, wäre mir etwas wohler. Ich würde denken: Die ist cool. Die kann auf sich selbst aufpassen. Aber so, wie die Dinge liegen, mache ich mir Sorgen um dich.«

»Mach dir mal keine Gedanken. Ich kann ganz gut auf mich

selbst aufpassen.« In Wahrheit hatte ich viel mehr Angst um mich, als er jemals haben konnte. Aber ich schenkte ihm ein breites Lächeln und küßte ihn ein letztes Mal. Vielleicht brachte das Glück.

Carter Tillotson führte seine größeren Operationen im New Yorker Hospital durch, das zehn Häuserblocks von seiner Praxis entfernt lag. Tränensäcke, Oberschenkelfett und andere lästige Begleiterscheinungen des menschlichen Daseins wurden jedoch in seinem eigenen Sprechzimmer beseitigt. Sein Leben war perfekt organisiert: Das Anwesen in Shorehaven lag genau vierzig Autominuten von der Garage in der East End Avenue entfernt, in der er immer seinen Mercedes parkte. Dann trank er eine Tasse Kaffee, wusch sich schnell die Hände und nützte die Zeit, bis er um acht Uhr dreißig seine Krankenhausvisite machte, damit, einem Kaufhausleiter das Doppelkinn abzusaugen oder einem von Natur aus eher schmallippigen Modell ein Schmollmündchen à la Brigitte Bardot zu zaubern. Der einzige Schatten, der auf Carters perfektes Leben fiel, war Emerald Point. Zwar gehörte das Anwesen zu den architektonischen Kleinodien von Long Islands North Shore, aber es war auch ein gewaltiger Schwamm, der niemals aufhörte, Geld aufzusaugen. Also operierte Carter den ganzen Tag und hielt fünfmal pro Woche bis zehn oder halb elf Uhr nachts Sprechstunde. So erzählte er es zumindest Stephanie. Ich wollte jetzt herausfinden, ob das stimmte.

Drei Stunden bevor Carter normalerweise mit der Arbeit aufhörte, bezog ich vor dem Parkhaus, das seiner Praxis am nächsten lag, Stellung und wartete darauf, daß der Wächter sich zu einer weltrekordverdächtig langen Pinkelpause verziehen würde. Mit klopfendem Herzen und staubtrockenem Mund hastete ich dann eine steile Rampe hinunter und ging hinter einem dicken Cadillac Brougham in die Hocke. Niemand zu sehen. Unglücklicherweise gab es hier genügend Mercedese, um einen kleinen Autohandel aufzumachen. Doch etwa zwanzig Minuten später und eine Parkebene tiefer entdeckte ich einen dunkelblauen Mercedes mit einer Arztplakette hinter der Windschutzscheibe. Hatte ich gefunden, wonach ich suchte?

Der Wagen war zum Glück nicht verschlossen. Ich legte mich mit dem trockensten Mund in ganz Amerika auf den Boden zwischen Vorder- und Rücksitz. Die Zunge klebte mir am Gaumen, ich bekam allmählich Halluzinationen von Cola Light mit Eis und Zitronenscheibe. Dazu kamen dann Rückenschmerzen, wie ich sie noch nie im Leben gehabt hatte. Jeder einzelne Wirbel tat mir weh. Ich verfluchte alle zwanzig oder dreißig Filme, in denen ich gesehen hatte, wie ein gelenkiger, durst- und schmerzfreier Waffeninhaber plötzlich hinter dem Fahrer auftaucht und ihm eine Pistole gegen die Schläfe drückt. Als der Wächter den Wagen endlich mit quietschenden Reifen nach oben steuerte, biß ich mir auf die Lippe, um nicht bei jedem Schlingern des Mercedes vor Schmerz aufzuheulen. Aber wenigstens entdeckte der Mann mich nicht.

Bitte, betete ich, als der Wagen an einem gräßlich hell erleuchteten Fleck zum Stehen kam, *bitte* mach, daß Carter mich nicht sieht. Und bitte mach, daß das wirklich sein Mercedes ist. Mach, daß ich nicht von einem Hals-Nasen-Ohren-Spezialisten nach Ardsley kutschiert werde. Der Parkwächter stieg aus. »Da wär' das Prachtstück, Doktor«, hörte ich ihn sagen. Dann Stille. Ich drückte mich noch enger auf den Boden. Feiner Staub drang mir in die Nase; Splittkörnchen zerkratzten mir die Wange. Machte der Parkwächter Carter gerade ein Zeichen? Da ist jemand im Wagen! Schnell, rufen Sie die Polizei! Gerade als ich mir das kalte Metall eines Polizeirevolvers in meinem Nacken vorstellte, schlüpfte ein Mann auf den Fahrersitz und schlug die Tür hinter sich zu. Ich sah hoch. Blondes, kurzgeschorenes Republikanerhaar: Carter!

Ich holte meine Waffe heraus, eine glänzende, kurzläufige Metallpistole für Zündblättchen, die ich in einem heruntergekommenen Spielzeugladen im Village gefunden hatte, nachdem die orange-, chartreuse- und lilafarbenen Wasserpistolen aus drei billigen Kaufhäusern aus der engeren Wahl ausgeschieden waren. Mein Rücken war mittlerweile so steif und ich hatte so viel Angst vor meiner eigenen Courage, daß ich erst hinter Carters Rücksitz auftauchte, als dieser schon auf der Schnellstraße in Richtung Tribourough Bridge entlangbrauste. Ich drückte ihm den Pistolenlauf an die Schläfe.

»Fahr weiter, Carter.«

Der Mercedes geriet ins Schleudern. Wir stießen beide einen Schrei aus, als der Wagen außer Kontrolle geriet und zuerst in Richtung des entgegenkommenden Verkehrs und dann – aaah! – auf die Seite des East River ausbrach. Doch ein Chirurg muß schon von Berufs wegen eine gewisse Ruhe besitzen, und so fuhren wir bereits Sekunden später unter dem hysterischen Hupen anderer Verkehrsteilnehmer wieder geradeaus. Ich kletterte nach vorne auf den Beifahrersitz und nahm dabei die Waffe nicht von Carters Schläfe.

»Fahr bei der nächsten Ausfahrt raus«, sagte ich, während ich den Hörer seines Autotelefons abnahm, das Fenster öffnete und ihn hinausschleuderte.

»Bist du verrückt?« brüllte er.

»Fahr hier raus«, wies ich ihn an und drückte ihm die Waffe noch fester an die Schläfe, jedoch nicht fest genug, als daß er den Unterschied zwischen Blech und solidem Stahl hätte erkennen können.

»Hier?«

»Ja, hier.«

»Wir sind in Harlem«, sagte Carter mit tonloser Stimme.

»Ich weiß genau, wo wir sind.« Also fuhren wir an der 116th Street raus und hielten zwei Häuserblocks von der Ausfahrt entfernt an. Ich befahl ihm, die Scheinwerfer und den Motor auszuschalten.

»Ich hoffe, dir ist klar . . .«, fing er an.

Ich beendete den Satz für ihn, »daß ich nicht ungeschoren davonkomme. Auf lange Sicht vielleicht nicht. Aber wenn *du* erst mal lebend hier rauskommen willst, dann solltest du mir meine Fragen ehrlich beantworten. Wenn du das nicht machst –«, ich zog die Waffe von seinem Kopf weg: »Ich bin mir nicht sicher, ob ich dich umbringen könnte, Carter. Aber in die Hand werde ich dir auf jeden Fall schießen, darauf kannst du dich verlassen.« Er zuckte nicht zusammen, sondern starrte, steif vor Angst, ein Motorrad an, das draußen an einen Feuerhydranten gekettet war.

»Bist du soweit?«

»Ja.«

»Du hast Richie also Jessica vorgestellt?« Er nickte. »Erzähl mir davon.«

»Da gibt es nichts zu erzählen. Ich war mit ihr befreundet. Nicht sonderlich eng. Sie arbeitete in einer Investmentbank, und wir hatten uns auf einer Cocktailparty kennengelernt, die einer meiner besten Patienten gab. Ich habe Jessica gegenüber erwähnt, daß ein Nachbar von mir sozusagen über Nacht das große Geld gemacht hat. Sie hatte schon von Data Associates gehört und bat mich, sie mit Rick bekannt zu machen. Das habe ich getan. Und das ist auch schon die ganze Geschichte.«

»Das ist noch nicht alles!« brüllte ich ihn an. Er atmete japsend ein und versuchte, seine Panik davor unter Kontrolle zu halten, daß ihm eine verschmähte Ehefrau die goldenen Fingerchen abschießen würde. »Ganz ruhig, Carter«, sagte ich, inzwischen ein bißchen wohlwollender. »Sag mir nur einfach die Wahrheit. Ja?«

»Ja, okay.«

»Hast du mit Jessica ein Verhältnis gehabt?« Er drehte mir abrupt den Kopf zu und spannte die Schultern noch mehr an, sagte aber keinen Ton. »Carter?«

»Ja.«

»Hattest du ein Verhältnis mit ihr, als du sie Richie vorgestellt hast?«

»Ja.«

»Warum hast du sie ihm dann vorgestellt?«

»Das habe ich dir schon gesagt. Es ging ihr um den Geschäftskontakt.«

»Hat Richie gewußt, daß ihr ein Verhältnis hattet?«

Er wandte den Kopf von mir ab und sah wieder geradeaus. »Ich habe keine Ahnung.«

»Sag mir die Wahrheit«, fauchte ich ihn an.

»Wahrscheinlich schon. Ich meine, ich hab' wohl kaum gesagt ›Und das ist meine Geliebte Jessica Stevenson‹. Aber ich bin mir sicher, daß er es gewußt hat. Schließlich war er ein erwachsener Mann.«

»Hast du gewußt, daß er mich betrügt?«

»Vermutlich.«

»Was soll denn das heißen?«

»Ich weiß es nicht. Ich habe einfach angenommen, daß er dich betrügt. So, wie er die ganze Zeit über Frauen geredet hat. Er hat immer genau gemerkt, wenn eine auf ihn abgefahren ist, hat auch immer die Augen offengehalten. Er war sehr sensibel, was, na ja, körperliche Nuancen angeht.«

»Titten und Ärsche, willst du wohl sagen?«

»Er hatte mehr Format.« Wenn ich mir Jessicas submikroskopische Tittchen vorstellte, leuchtete mir das ein.

»Ist Jessica jemals verheiratet gewesen?«

»Zweimal.«

»*Zweimal?*«

»Im letzten Collegejahr hat sie einen von ihren Dozenten geheiratet. Und dann einen Anwalt. Beide Ehen haben nicht lange gehalten. Sie hat nur dem Druck der Familie nachgegeben.«

»Kinder?« Carter schluckte. »Antworte mir!«

»Sie hat nie darüber gesprochen. Ich hab's nur herausgefunden, weil sie den Anrufbeantworter abgehört hat, als wir eines Abends noch zu ihr in die Wohnung sind. Es war auch eine Nachricht von ihrem Exmann drauf: Sie war mit ihren Unterhaltszahlungen für das Kind vier Monate im Rückstand.«

»War das der Anwalt?«

»Nein, der Professor. Ein Dozent für Geschichte. Der Junge lebt bei ihm und seiner zweiten Frau. Jessica sagt, sie sei noch sehr jung gewesen, damals, als alles passiert ist. Jetzt weiß sie, daß sie das Kind nicht hätte verlassen dürfen, und grämt sich deswegen sehr.« Das mußte man ihm lassen: Er sagte das völlig überzeugend und ohne mit der Wimper zu zucken. Na ja, warum auch nicht? Seine Stimme verriet ihn: Er liebte sie noch immer.

»Hast du noch Kontakt zu ihr?«

»Ja, aber rein freundschaftlich.«

»Wie oft redet ihr miteinander?«

»Ein- oder zweimal im Monat.«

»Wer ruft wen an?«

»Ich rufe sie an«, antwortete er verlegen. »Aber es ist nicht so, wie du denkst. Wir sind nur Freunde. Meine Termine . . . Es ist einfacher, wenn ich sie anrufe.«

»Hat Stephanie von dir und Jessica gewußt?«

»Nein!« Jetzt schrie er fast. »Und wage ja nicht . . .« Sein Blick wanderte zu der Waffe. »Stephanie hat eine ziemlich schwere Zeit hinter sich. Bitte . . . unsere Hausangestellten haben gekündigt.« Er wurde noch lauter. »Sie ist erschöpft. Und dann noch dieser Mord. Laß sie in Ruhe!«

Im Profil gesehen, war sein Kinn ungefähr so scharf konturiert wie ein Wattebausch. Es hätte ihm nichts geschadet, wenn er sein Skalpell mal bei sich selbst angesetzt hätte.

»Warum hast du Jessica Richie vorgestellt, wenn du doch gewußt hast, daß er hinter jedem Weiberrock her ist?«

»Das war eine geschäftliche Angelegenheit. Außerdem bin ich gar nicht auf die Idee gekommen, weil sie mindestens eine Nummer zu groß für ihn war. Damals war er ja noch auf Sekretärinnen scharf.«

»Ich hab' gedacht, du wärst dir nicht so sicher, ob er ein Verhältnis hatte oder nicht.« Er zuckte mit den Achseln. »Hast du auch von Mandy gewußt?« Er schüttelte den Kopf. »Vielleicht ist das die Mandy, die mit Stephanie befreundet ist. Eine Anwältin.

Sie wohnt in Shorehaven. Manchmal laufen sie abends zusammen.« Er schüttelte den Kopf noch heftiger. »Weißt du, wie sie aussieht?«

»Ich kenne eine ganze Menge von Stephanies Freundinnen, aber ich könnte nicht sagen, welche es ist.«

»Hat Richie dir Jessica ausgespannt?«

»Nein.« Er packte das Lenkrad. »Sie und ich, wir haben uns einfach auseinandergelebt.«

»Du meinst, sie hat dich fallengelassen wie eine heiße Kartoffel, weil sie einen anderen kennengelernt hatte?«

»Ja.«

»Vor der Geschichte mit Richie?«

Am liebsten hätte er mir einen Kinnhaken verpaßt, aber statt dessen sagte er nur: »Ja.«

»Wen?«

»Einen älteren Mann.«

»Nicholas Hickson.«

Seine Hände sanken in seinen Schoß. »Ja.«

»Und warum hat das nicht geklappt?«

»Er wollte seine Frau nicht verlassen.«

»Also hat sie Richie aufgerissen. Erzähl mir von ihrem Verhältnis.«

»Da gibt es nichts zu erzählen. Sie haben sich ineinander verliebt, aber es gab Probleme.«

»Zum Beispiel?«

»Jessica hat Richie für einen Pfennigfuchser gehalten. Das hat ihr nicht gepaßt. Sie war enttäuscht über den Ring, den er ihr geschenkt hat.«

»Aber der Ring war doch so groß wie der Felsen von Gibraltar!«

»Es war kein erstklassiger Stein.«

»Verstehe.«

Carter schien das Gefühl zu haben, ich würde ihn nicht richtig verstehen. »Es ging ja nicht um den Ring an sich, sondern darum, daß er die Sache mit der Heirat nur halbherzig vorangetrieben hat.«

»Also ist sie wieder zu Hickson zurück?«

»Nein, Hickson ist zurück zu ihr. Er hat gesagt, er sei jetzt bereit, sich von seiner Frau scheiden zu lassen.«

»Und was hat Jessica dazu gesagt?«

»Sie war unschlüssig. Schließlich war sie ja so gut wie verlobt. Aber . . .«

»Aber?«

»Dein Mann hat sich geziert«, herrschte er mich an. »Zuerst der Ring, und dann hat er ihr noch ein Geschenk gemacht. Ein Gemälde.« Vor meinem geistigen Auge sah ich die schimmernden Landschaften an Frans Wänden und dann das Gekritzel in Jessicas Apartment. »Aber dann hat es Probleme mit dem Bild gegeben.«

»Was für Probleme?«

»Ich weiß es nicht.« Ich fuchtelte ein bißchen mit der Pistole herum, damit er sie aus den Augenwinkeln wahrnahm. »Er hatte mit einem Scheck dafür bezahlt«, platzte er heraus.

»Und?«

»Jessica war am Anfang ganz vernarrt in das Bild, aber dann sagte sie, es sei ihr zu minimalistisch. Aber um es zu verkaufen, brauchte sie die Kaufunterlagen von Richie. Es stellte sich heraus, daß der Scheck auf ein Gemeinschaftskonto ausgestellt war.«

»Auf das Konto von Richie und mir?« flüsterte ich. Carter nickte. »Er hat Kunstwerke gekauft«, sagte ich. »Für das Haus, aber auch als Investition. Er hat mir erzäht, ein paar Sachen seien ziemlich avantgardistisch und würden nicht zu Gulls' Haven passen. Ich habe gesagt: ›Laß mich die Sachen wenigstens anschauen.‹ Doch er hat geantwortet, daß die modernen Gemälde in einem feuchtigkeitsfreien Kellergewölbe des Auktionshauses gelagert seien, er aber gern einen Besuch dort arrangieren könne. Ich hab' die Angelegenheit dann vergessen. Schließlich hatte ich ja alle Hände voll zu tun mit meinem Reichtum. Wir . . . nein, *ich* hab' so viele Sachen gekauft, daß sie keinen Wert mehr hatten.«

»Hmm«, sagte Carter uninteressiert. Lediglich die silbrig schimmernde Pistole, die sich nur wenige Zentimeter von seiner Schläfe entfernt befand, hinderte ihn daran, vollends unaufmerksam zu werden.

»Carter.«

»Ja?«

»Warum hast du Richie an dem Tag, als er gestorben ist, angerufen?«

»Was?«

»Du hast gehört, was ich gesagt habe.«

»Ach, das hatte ich ganz vergessen. Es ging um sein Kinn. Er hatte mich ein paar Tage zuvor angerufen, weil er wollte, daß ich sein Kinn korrigiere. Er war furchtbar in Eile. Eigentlich hatte ich keine Termine mehr frei, aber ich habe ihn trotzdem noch am gleichen Abend reingequetscht. Ich mache nichts, ohne ihn vorher zu untersuchen. Aber er hat mich nie zurückgerufen.«

»Warum ist Richie in der Nacht in unser Haus gekommen?«

Er bewegte den Unterkiefer, als habe er sich gerade einen frischen Streifen Kaugummi in den Mund gesteckt.

»Ich weiß, daß du es weißt. Du hast Jessica nach dem Mord bestimmt angerufen. So eine Chance, mit ihr zu reden, hast du dir doch sicher nicht entgehen lassen. Und außerdem warst du ihr Verbindungsglied zu Richie. Sie hat früher auch immer mit dir über ihn geredet, und es gab keinerlei Grund, warum sie jetzt hätte schweigen sollen. Ganz im Gegenteil.« Keine Antwort. »Carter...« Ich entsicherte die Spielzeugpistole. Ich fand das ziemlich lächerlich, aber Carter schien beeindruckt.

»Er hat die Kaufunterlagen gebraucht. Die waren auf seinen Namen ausgestellt, aber der Scheck ging auf euer Gemeinschaftskonto.«

»Was wollte er damit?«

»Was meinst du wohl?« fauchte er mich an. »Überleg mal. Er hat gesagt, du hättest die Kaufunterlagen nicht mal zu Gesicht bekommen. Du hättest auch den Künstler nicht gekannt.«

»Und – wer war der Künstler?«
»Cy Twombly.«
»Wieviel hat das Ding gekostet?«
»Drei Millionen«, sagte er kühl.
»*Was?*«
»Du hättest nur gewußt, daß er ein paar Kunstwerke als Geldanlage gekauft hast.«
»Drei Millionen? Das ist etliche Nummern zu groß für Richie.«
»Aber Jessica hatte sich in das Bild verliebt. Wenn er erst mal die Kaufunterlagen zurückgeholt hätte, hätte er deinem Anwalt ein paar billigere Sachen als deine ›Investition in Kunstwerken‹ unterjubeln können.« Er starrte mich mit wütendem Blick an. »Sie hat ihn *angebettelt*, daß er nicht geht. Das wäre doch Einbruch und Hausfriedensbruch.«
»Er ist nicht eingebrochen, sondern nur in sein Haus zurückgekommen.«
»Sie hat ihn angefleht. Die Sache war schrecklich gefährlich. Was hätte passieren können, wenn du ihn erwischst?«
»Ich hätte ihn wahrscheinlich in den Arm genommen und geküßt. Nein, ich sage dir, warum Jessica Richie daran zu hindern versuchte: Weil sie nicht wollte, daß er ihren Wunsch erfüllt. Sie hat eine Ausrede gesucht, um Hickson heiraten zu können. Sie wollte Zeit schinden, weil sie darüber nachdenken mußte, wie sie gleichzeitig ihren Job behalten konnte.« Ich hielt die Pistole inzwischen so verkrampft fest, daß eine echte Waffe längst losgegangen wäre. »Dieses Miststück! Hoffentlich bricht sie sich das Genick!«
Carter reagierte, als hätte ich völlig den Verstand verloren. Ich war mir selbst nicht so sicher, ob das nicht der Fall war. »Bitte, laß mich fahren«, wimmerte er. »Hör zu, die ganze Sache hat ihr leid getan. Weißt du was? Sie hat Stein und Bein geschworen, daß sie sich freuen würde, wenn er wieder zu dir zurückginge.«
Mir kroch die Kälte in die Knochen. »War das seine Idee? Daß er wieder zu mir zurückwollte?«
»Natürlich nicht«, antwortete Carter. »Jessica war sein Leben.«

16

Als ich ihn anwies, er solle mich in die 125th Street fahren, mitten ins Herz von Harlem, wurde Carter noch blasser, als er es ohnehin schon war. Sobald ich aus dem Wagen war, machte er sich so schnell aus dem Staub, als verfolge ihn ein ganzes Bataillon bis an die Zähne bewaffneter Black Panther.

Dabei war es eigentlich ziemlich ruhig in Harlem. Fünf oder sechs junge Typen in Alex' Alter schlenderten aus einer Bar; sie sahen nicht gerade so aus, als hätten sie nur Perrier getrunken, und beäugten mich argwöhnisch. Fast wäre ich nervös geworden, doch bevor ich meine ohnehin schon ziemlich niedrige und in den letzten Tagen arg strapazierte Angstschwelle erreicht hatte, verschwanden sie schon in der Dunkelheit. Erst nachdem der erste Taxifahrer, den ich herangewinkt hatte, so schnell wie möglich das Weite suchte, merkte ich, warum die Typen abgehauen waren: Ich hatte noch immer die Pistole in der Hand. Schnell stopfte ich sie in meinen Büstenhalter. Sehr kleidsam war das zwar nicht, aber wenigstens hielt das nächste Taxi.

Ich verwischte meine Spur an der 42nd Street. Wenn Carter zur Polizei ging, würden vermutlich zuerst die Taxifirmen überprüft. Hat irgend jemand so gegen halb elf in Harlem eine weiße Frau gesehen? Wo wollte sie hin? Gut: Sollten Sie doch am Times Square nach mir suchen.

Ich hastete drei endlose Häuserblocks weiter, ging Gruppen von Männern aus dem Weg, die alles andere als vertrauenserweckend aussahen, passierte Prostituierte mit riesigen Perücken und Miniröcken aus Lackleder. Die Nutten betrachteten mich mit verächtlichen Blicken, wie modebewußte Damen eine bessere Vogelscheuche. »Na, Kleine«, zogen sie mich auf. »He, Lady, dein Macker hat dich wohl sitzenlassen, was?« Ich traute mich nicht, die düsteren Stufen zur U-Bahn hinunterzugehen, weil ich Angst hatte, dort ein paar weniger wohlgesonnene Kolleginnen der Zunft anzutreffen. Also eilte ich noch ein paar Blocks weiter und blieb vor einem Theater stehen, einer sehr viel natürlicheren Umgebung für eine Frau wie mich, der man auf den ersten Blick ansah, daß sie aus der Vorstadt kam. Mit den restlichen zehn Dollar aus Dannys Hose winkte ich noch ein Taxi heran und machte mich auf den Weg nach Norden.

Eine Nacht im Central Park war nicht unbedingt eine verlokkende Aussicht. Ich zitterte jetzt schon vor Kälte, vor Mitleid mit mir selbst und mit den Obdachlosen, für die das eine milde Nacht war. Doch ich mußte am nächsten Morgen wieder auf dem Posten sein. Ich drückte mich in die Schatten, lehnte mich gegen die Steinmauer, die den Park von der Fifth Avenue trennte. Das Kopfsteinpflaster strahlte eine beißende Kälte aus, die sich durch die dünnen Sohlen meiner Stiefel fraß. Ein scharfer Wind rüttelte an den Ästen und den trockenen Blättern.

Immer wieder spähte ich ängstlich hinter mich in den düsteren Park. Es hätte mich gar nicht gewundert, wenn eine Halloweenfratze fauchend auf die Mauer geklettert wäre, um mich zu erschrecken. Ich wußte, ich hatte von der Polizei mehr zu befürchten als von irgendeinem Schreckgespenst, aber trotzdem traute ich mich nicht in den Park.

Drüben auf der anderen Seite der Straße vor Tom Driscolls Haus hielten Taxis und hin und wieder eine Limousine. Der Nachtportier in seiner flotten Uniform ging mit langen Schritten zum Gehsteigrand, um smokinggewandete Männer und Frauen mit champagnerfarbenen Abendkleidern zu begrüßen, die ihre Zobeljacken und Chinchillacapes eng gegen ihre modischen Dekolletés preßten. Die Ehemänner dirigierten ihre Frauen an den Ellbogen in das hell erleuchtete Innere des Hauses. Ich steckte die Hände in die Taschen, wo ich den warmen Schlüssel zu Dannys Wohnung spürte.

Die Lichter entlang der Fifth Avenue und auf der anderen Seite des Parks, am Central Park West, gingen eins nach dem anderen aus. Es mußte nach elf sein, obwohl sich das nicht nachprüfen ließ, weil ich meine Uhr in der Dunkelheit nicht sehen konnte. Ich war völlig durchgefroren und hundemüde. Wieso hatte ich es nicht vorhergesehen, daß ich so lang draußen auf den Straßen herumlungern mußte? Wieso hatte ich nicht daran gedacht, daß der Herbst immer einen eisigen Vorgeschmack des Winters mit sich bringt – ich, die ich meinen Jungs zwanzig Jahre hinterhergerufen hatte: »Vergeßt eure Jacken nicht!« Ich stellte mir dicke Ärmel vor und dazu eine Kapuze mit Kordel zum Zuziehen, damit mir schön mollig warm an den Ohren würde. Trotzdem klapperte ich weiter mit den Zähnen.

Also versuchte ich es mit einer Yogatechnik von einem Video, das ich mir einige Wochen, nachdem Richie mich verlassen hatte, ausgeliehen hatte. Damals war ich zu dem Schluß gekommen, daß Entspannungsübungen wahrscheinlich heilsamer waren als Selbstmord. Ich stellte mir vor, im goldenen Sand der Karibik zu liegen, wo die Wärme der Sonne mich durchflutete. Ja! Eine kurze Sekunde lang erlebte ich einen Tag am Strand; die Gebäude jenseits der Fifth Avenue gehörten einer Welt weit draußen im kalten All an.

Diese Vorstellung bannte mich dermaßen, daß ich kaum bemerkte, wie drüben auf der anderen Straßenseite ein Lincoln vorfuhr. Doch dann hastete der Portier zur Wagentür und begrüßte Tom Driscoll fast mit einem Kniefall.

So war das nicht geplant gewesen. Natürlich lag ich auf der Lauer, aber nur halbherzig. Ich war mir so sicher gewesen, daß Tom bereits oben eingeschlafen war, nachdem er einen Absatz aus seinem Buch über die Privatisierung der Luftfahrtgesellschaften gelesen hatte. Ich hatte damit gerechnet, bei Sonnenaufgang aufzuwachen, um nicht zu verpassen, wie er das Haus verließ.

Ich hatte keine Zeit zum Nachdenken. Also marschierte ich zur Gehsteigkante, versuchte, Brooklyner Lautstärke mit Manhattaner Kultiviertheit zu verbinden, und rief: »Tom.« Er ging unbeirrt weiter auf die Tür zu. Ich ließ die Kultiviertheit Kultiviertheit sein. »Tom!« Er drehte sich um. Ich winkte. Der Portier beobachtete uns. Tom winkte zurück, doch das war eher ein Reflex – wahrscheinlich hielt er mich für eine Nachbarin, die gerade mit dem Hund spazierenging. Aber ich hatte keinen Hund. »Tom!« Jetzt erkannte er mich. Er schien ungerührt, obwohl ich genau wußte, daß er überlegte, wie nun am günstigsten vorzugehen sei. Ich war bis auf die Knochen durchgefroren.

Er reichte dem Portier mit einer schnellen Bewegung seinen Aktenkoffer und schlug mit der flachen Hand auf den Kotflügel des Lincoln, um dem Chauffeur zu bedeuten, daß er wegfahren könne. Dann schlüpfte er zwischen den vorbeifahrenden Autos hindurch und war in Sekundenschnelle auf meiner Straßenseite. »Wie geht's dir?« erkundigte er sich.

»Dafür, daß man mich wegen Mordes sucht, und dafür, daß ich dringend aufs Klo müßte, nicht so schlecht.«

Er schlug nicht vor, daß ich seine marmornen Örtlichkeiten benutzen könne. »Was willst du?« Er gehörte jetzt wirklich zur Upper Class. Einen Mantel hatte er nicht mehr nötig, denn ein warmes Auto und ein ehrerbietiger Fahrer warteten auf ihn, egal, wo er sich aufhielt.

»Tom, ich weiß, es ist nicht fair, einfach so in deinem Leben aufzutauchen, aber ich habe keine andere Wahl. Ich brauche deine Hilfe.«

»Tut mir leid«, sagte er barsch, als wolle er einen Bettler abwimmeln. »Ich wüßte nicht, wie ich dir helfen könnte.«

»Ich möchte dir nur ein paar Fragen stellen. Das ist alles. Und dann würde ich dich darum bitten, bei deiner Frau einige Dinge für mich herauszufinden.«

»Ich denke nicht dran.«

Da der Portier uns noch immer beobachtete, wäre es nicht sonderlich schlau gewesen, die Pistole aus meinem Ausschnitt zu ziehen. Wenn ich schon falsche Waffen einsetzte, warum sollte ich es dann nicht auch mit Erpressung versuchen? »Weißt du, so ungefähr vor einem Jahr, bevor meine Beziehung mit Richie sich verschlechtert hat, hat er mir erzählt, daß er gerade Auskünfte über eine Gesellschaft einholt, die du aufkaufen möchtest.« Tom wartete. »Er ist dabei auf Informationen gestoßen, die das Kartellamt interessieren könnten.« Er verzog den Mund. »Ich mache das nicht gern, aber ich bin zum Äußersten entschlossen.«

»Zum Äußersten entschlossen und dumm.«

»Was meinst du damit?«

»Du hast nichts gegen mich in der Hand.«

»Zwing mich nicht dazu, dir das Gegenteil zu beweisen, Tom.«

»Na schön, welche Informationen sind das?«

»Ich wäre doch ›dumm‹, dir das zu erzählen.«

»Da gibt es auch nichts zu erzählen. Ich mache keine krummen Sachen.«

»Das ist aber nicht immer so gewesen.« Ich hoffte, so zu klingen, als wisse ich um alle seine zwielichtigen Machenschaften.

»Weißt du noch, was wir damals in Brooklyn immer gesagt haben? Aber natürlich. Du erinnerst dich mit Sicherheit.«

»Was?«

»Rosie, du bist so voller Scheiße, daß sogar deine Augen braun sind.« Er drehte sich um und wollte zur Straße gehen.

Ich packte ihn hinten am Jackett. »Wie soll ich dich dazu bewegen, daß du mir hilfst? Soll ich dir was vorweinen?«

»Nein.«

»Gut, denn das hätte ich auch nicht gemacht.«

»Laß mein Sakko los.«

Ich ließ los. »Schöner Stoff.«

»Danke.«

»Tut mir leid, Tom.«

Er schien zu überlegen, wie er reagieren sollte. Ich machte mich auf eine schneidende Bemerkung gefaßt. Doch er sagte nur: »Ich lade dich auf eine Tasse Kaffee ein.« Als mein Gefühl der Dankbarkeit nachließ, merkte ich, daß er das Angebot weder aus Zuneigung noch aus Höflichkeit, noch aus Mitleid gemacht hatte. Er schindete Zeit, damit er über die beste Möglichkeit nachdenken konnte, mich den Cops auszuliefern.

»Wenn du irgendwo noch ein offenes Restaurant weißt, kannst du mich sogar zum Abendessen einladen«, sagte ich.

Er sah nicht sonderlich begeistert aus, aber das sagte er nicht. Wir gingen die Fifth Avenue hinauf. Meine Füße waren noch nicht völlig taub, aber sie waren so kalt, daß mir jeder Schritt weh tat. Er sagte: »Du hättest nicht versuchen sollen, mich zu erpressen. Das war unter deiner Würde.«

»Ich weiß. Entschuldigung.«

»Na schön.« Wir schwiegen, schwiegen wie Leute, die schon einmal intim miteinander gewesen waren. An dem Nachmittag, an dem ich ihn zum Essen eingeladen hatte, waren wir übertrieben höflich miteinander umgegangen und hatten uns ausgesprochen intensiv mit der Speisekarte beschäftigt. Im Verlauf der Jahre hatten wir uns wieder zu höflichem Small talk vorgearbeitet, aber wir hatten einander immer nur in Gesellschaft unserer Ehepartner und Geschäftsfreunde getroffen. Und ich hatte es immer vermieden, ihm nahe zu kommen.

Als ich das letzte Mal direkt neben ihm gestanden hatte, war ich kaum achtzehn. Seitdem war er noch ein paar Zentimeter gewachsen und jetzt so groß, daß ich den Kopf schräg legen mußte, um sein Gesicht zu sehen. »Warum gehst du denn so komisch?« fragte er schließlich.

»Mir frieren bald die Füße ab. Aber mach dir deswegen mal keine Gedanken. Wirst du mir helfen?« Vielleicht hatte Tom sein Herz gegen einen Eisblock eingetauscht, aber ich hielt ihn nicht für einen geborenen Lügner. Er würde nicht sagen »Klar«, wenn er eigentlich vorhatte, einem Passanten per Morsesignal zu bedeuten, daß er die Polizei verständigen solle.

»Warum sollte ich dir helfen?«

»Vielleicht, weil wir uns schon so lange kennen?« Er verkrampfte sich noch mehr. »Weil ich Richie nicht ermordet habe.« Kaum merklich hob er die Augenbrauen; offenbar war ihm diese Alternative noch gar nicht in den Sinn gekommen. »Weil ich es nicht verdiene, den Rest meines Lebens wegen eines Verbrechens ins Gefängnis zu wandern, das jemand anders begangen hat. Ich muß herausfinden, wer dieser Jemand ist.«

»Rosie, bitte laß die Finger davon.«

»Mir bleibt keine andere Wahl, Tom.«

»Was soll ich dir denn erzählen? Er war mit meiner Frau befreundet. Ich hatte rein geschäftlich mit ihm zu tun, mit ihm allein habe ich mich so gut wie nie unterhalten. Meine Leute haben die Geschäfte mit seinen Leuten abgewickelt.«

»Ich weiß, daß Joan« – ich bemühte mich sehr, sie nicht Hojo zu nennen – »zusammen mit Richie und Jessica Stevenson ausgegangen ist, als er und ich noch glücklich verheiratet waren.«

»Ach?« fauchte er mich an.

»Ich weiß außerdem, daß Joan und Richie eng befreundet waren, wie sie es nannten. Aber zwischen Jessica und einer früheren Liaison, die Richie mit seiner Sekretärin hatte, scheint es eine Lücke zu geben. Und ich will herausfinden, wie – oder mit wem – er diese Lücke gefüllt hat, weil ich mir solche Lücken nicht leisten kann. Darum muß ich eins wissen: Wußte Joan von einer Affäre Richies vor Jessica?« Er gab keine Antwort. »Tom, ich bin keine Masochistin; mich törnt es wirklich nicht an, Storys über die Seitensprünge meines Mannes zu hören. Ich versuche lediglich, die weißen Flecken auf der Landkarte des Mordes auszufüllen, weil ich der Polizei eine vollständige, in sich schlüssige Theorie präsentieren muß. Ich will meinen Kopf aus der Schlinge ziehen.«

»Und du glaubst nicht, daß die Polizei in der Lage ist, eine in sich schlüssige Theorie aufzustellen?« Wir warteten darauf, daß die Ampel auf Grün schaltete. Inzwischen hatte ich zu keuchen angefangen und schwitzte.

»Die Polizei hat schon eine Lieblingstheorie, nämlich die, daß ich schuldig bin. Warum sollte sie sich die Mühe machen, noch weitere Nachforschungen anzustellen?«

Tom atmete tief durch und dann langsam wieder aus. »Joan und ich haben mal zusammen mit ihm und einer anderen Frau zu

Abend gegessen – vor Jessica. Ich war froh, als wir die Sache hinter uns hatten. Mein Gott, wie gewöhnlich, geschäftlich gesehen töricht, eine Frau mitzubringen, mit der er . . .«

». . . ins Bett ging«, führte ich den Satz zu Ende.

». . . ein Verhältnis hatte.« Nun ja, Tom hatte eine Konfessionsschule besucht. »Ich konnte es nicht glauben, daß Joan davon wußte und einfach mitging. Sie mag ja vieles sein, aber billig war sie meiner Meinung nach nie.«

»Wer war die Frau?«

»Das weiß ich nicht mehr.« Ich war mir sicher, daß er die Wahrheit sagte, schließlich kannte ich ihn gut genug.

»Kannst du dich an Einzelheiten erinnern?«

Er massierte sich die Stirn, offenbar, um besser nachdenken zu können. »Sie war hübsch. Ganz gut angezogen, aber nichts Besonderes.« Tom konnte sich weder daran erinnern, was sie tat noch woher sie kam, kurzum: er wußte nichts Wesentliches über sie. Er war zu wütend gewesen, um sich auf die Unterhaltung zu konzentrieren.

»Weißt du wenigstens, wann das war?« fragte ich.

»Vergangenen Winter. Wahrscheinlich im Februar, vielleicht auch im März.«

»Hattest du den Eindruck, daß es sich um eine rein sexuelle Beziehung handelte, oder glaubst du, daß es um mehr ging?«

Er sah zum sternenlosen Himmel hinauf. »Bei ihm kann ich das nicht beurteilen. Und sie? Ich glaube schon, daß sie ihn sehr gern gehabt hat.« Wieder rieb er sich die Stirn. »Nein, mehr, sie war wahrscheinlich regelrecht verrückt nach ihm. Und die Aura des Verbotenen, die den Abend damals umgab, war vermutlich ziemlich aufregend für sie. Ich hatte den Eindruck, daß sie verheiratet war.«

»Verrückt nach ihm? Willst du damit sagen, daß sie in ihn verliebt war?«

»Das weiß ich nicht.«

»Und wenn du dich für einen Ausdruck entscheiden müßtest?«

»Verliebt.«

»Und hat er sie auch geliebt? Du brauchst keine Rücksicht auf meine Gefühle zu nehmen.«

»Das weiß ich nicht. Er war immer so glatt, man wußte nie, wie man bei ihm dran war. Er wollte nichts von sich preisgeben. Ich würde sagen, wenn er nicht verliebt war, dann hat er sie doch zumindest sehr interessant gefunden.«

Tom schien ein bestimmtes Restaurant im Kopf zu haben, aber ich stolperte inzwischen schon über meine vor Kälte tauben Füße. Ohne mich zu berühren, dirigierte er mich in ein schickes Pastalokal an der Madison Avenue.

Plötzlich erinnerte ich mich an den Tag, an dem er die Zusage von Dartmouth bekommen hatte. Wir hatten Schule geschwänzt, um zu feiern. Nach einem Vormittag und einem Nachmittag voller Sex im Fahrradkeller unseres Wohnhauses und im Raum mit den Stromzählern kamen wir fast um vor Hunger. Er lud mich zum Abendessen ein. »Spaghetti mit Fleischklößchen«, verkündete er großspurig. Aber ich wußte, wie sehr er mit seinem Geld haushalten mußte, also sagte ich, ich hätte keine Lust auf Fleischklößchen.

Diesmal rückte der Kellner, ein älterer Mann mit einer sauberen roten Jacke und einem ordentlich gestutzten Schnurrbart, den Stuhl für mich zurecht. Ohne daß ich ein Wort sagen mußte, schüttelte Tom den Kopf und deutete auf den gegenüberliegenden Stuhl, wo ich den anderen Gästen den Rücken zuwenden würde. Der Kellner hastete um den Tisch, um seinem Wunsch nachzukommen. Tom bestellte eine Flasche Barolo und sagte dem Kellner, er solle gleich die Speisekarte bringen.

»Ich muß auf die Toilette«, sagte ich.

»Gut«, antwortete Tom.

»Nein, das ist nicht gut. Glaubst du immer noch an Gott?«

»Was?«

»Antworte mir.«

»Ich denke schon.«

»Gut. Dann schwöre bei Gott, daß du weder die Polizei noch sonst jemanden rufst, während ich weg bin. Ach ja, und daß du, falls du es dir doch anders überlegst und mir nicht helfen willst, genügend Geld hierläßt zum Zahlen.«

Er begann tatsächlich zu lachen, aber ich fiel nicht in dieses Lachen ein, also schlug er schnell ein Kreuzzeichen vor seiner Brust.

»Dir ist doch klar, daß du eine Flüchtige deckst, oder?«

»Rosie, wenn du gerade mit jemand handelseinig geworden bist, solltest du ihn nicht daran erinnern, wie schlecht dieser Handel ist.«

Als ich an den Tisch zurückkehrte, spürte ich, daß sich die Atmosphäre entspannt hatte, auch wenn Tom nicht mehr der extrovertierte, sympathische irische Charmeur war, wie ich ihn aus unseren Brooklyn-Tagen kannte. Er hatte das erreicht, was er immer gewollt hatte, er hatte es bis ganz nach oben geschafft; aber sein verkniffener, blasser Mund, sein stumpfer Blick und sein allzu schlichter Anzug bewiesen, daß dieser Weg seinen Tribut verlangt hatte.

Wenn man an der ungefähr zwölf Meter entfernten Bar die Eiswürfel ins Glas fallen hört, weiß man im allgemeinen, daß man es mit einer ernstzunehmenden Flaute in der Konversation zu tun hat. Ich wollte etwas sagen, hatte aber Angst, daß er im gleichen Augenblick zu sprechen begann und daß wir dann beide vor Verlegenheit rot anlaufen würden. Während ich noch um einen einfachen Satz rang, mit dem ich das Eis brechen konnte, machte er den Mund auf: »Mir hat unsere Freundschaft immer sehr viel bedeutet.«

»Mir auch. Wir haben viel Spaß miteinander gehabt.« Er nickte, sah mich aber nicht an. Vielleicht war das Wort »Spaß« ein schlechter Ausdruck. Ich wußte genau, daß er unsere Geschichte liebend gern neu geschrieben und die Passagen mit dem Sex ausgelassen hätte. »Wie sieht's jetzt aus? Bist du glücklich, Tom?«

»Solche Fragen sind nur unter Frauen üblich.«

»Männern ist es also egal, ob sie glücklich sind?«

»Es ist ihnen nicht so wichtig wie Frauen.« Er gab dem Kellner ein Zeichen, und wir bestellten. Dann fügte er hinzu: »Ich kann mich nicht beklagen.«

»Gut. Können wir über das Verhältnis sprechen, das deine Frau und mein Mann zueinander hatten?«

»Was möchtest du wissen?«

»Worum ging's dabei?«

Er seufzte tief wie jemand, der unter einem guten Gespräch eine Diskussion über den Leitzins der Bundesbank verstand. »Er wollte unbedingt – wie soll ich das ausdrücken? – zur Schickeria gehören. Sie hat ihn in diese Welt eingeführt.«

»Warum hat sie sich überhaupt die Mühe gemacht?«

Er folgte mit den Augen dem Kellner, der in die Küche eilte. »Ich weiß es nicht. Wie soll man das nennen? Das *My-Fair-Lady-*Syndrom?«

»Sie spielte Pygmalion, und er war ihre Galatea.«

»Genau.«

»Bloß«, fügte ich hinzu, »daß die beiden in der Geschichte heiraten.«

»Tja, wahrscheinlich hat sie ihn einfach attraktiv gefunden.«

»Sexuell attraktiv?«

»Wahrscheinlich schon.«

»Glaubst du, sie . . .?«

»Nein.«

»Warum nicht?«

»Der Mann muß den ersten Schritt tun.«

Ich konnte mir nicht einmal unter Zuhilfenahme meiner ganzen Phantasie vorstellen, daß Richie bei Hojo den ersten Schritt tun würde. Sie war keine Frau, sondern eher ein wandelndes Facelifting mit viel Schminke und einer so perfekten Frisur, daß sie gut und gerne aus Gußplastik sein konnte. Trotz ihrer Ballonbrüste war auch nicht ein Fünkchen Erotik an ihr. Sie hatte sich selbst auf einen Kopf reduziert, der auf einem Ensemble von Chanel thronte.

»Rick, Richie, wie er auch immer geheißen hat«, fuhr Tom fort, »schien wohl eher eine Vorliebe für jüngere Frauen zu haben, wenn ich mal von dieser Jessica ausgehe.«

»Wem sagst du das! Na ja, abgesehen von seiner Sekretärin, obwohl auch die mal ganz hübsch gewesen ist – der Typ Gestapo-Kalender-Girl.« Ich mußte an Hojo denken, deren Arme so dünn waren, daß man das Wechselspiel von Elle und Speiche durch ihre von der Sonne ausgedörrte Haut betrachten konnte.

»Ich glaube, daß er Joan nie als sexuelles Wesen gesehen hat. Sie hat sich wohl mit seiner Freundschaft begnügen müssen.« Tom rutschte auf seinem Stuhl hin und her und untersuchte den Inhalt des Brotkorbes. Plötzlich sah er mir in die Augen. »Sie haben einander gebraucht. Wahrscheinlich hat es ihm Spaß gemacht, ihr alles zu erzählen. Und ihr hat es vermutlich einen *frisson* verschafft, von seinen Eskapaden zu hören und vor allen Dingen davon, wie geschickt er sein Doppelleben führte. Es hat sie irgendwie angetörnt, wenn sie ihn mit anderen Frauen zusammen gesehen hat. Mit seinen Freundinnen oder mit dir.« Ich zog den Brotkorb zu mir herüber und begann eine stumme Diskussion mit mir selbst, ob ich eine Salzstange oder ein hartes Brötchen wählen sollte. »Das ist sicher nicht ganz leicht für dich, wenn du dir das alles anhören mußt«, fügte er hinzu.

»Die Situation, in der ich mich befinde, ist auch alles andere als leicht. Ich halte das schon aus.« Der Kellner brachte zwei Teller mit sämiger Minestrone. Der Dampf wärmte mir die Backen, und der köstliche Duft trieb mir die Tränen in die Augen. Ich erzählte Tom, wie mein Hunger mich all meine Manieren und meine Angst hatte vergessen lassen und ich einer jungen Frau im Village die Burger-King-Tüte aus der Hand gerissen hatte. Er starrte in seine Suppe. Als er den Kopf wieder hob, standen auch ihm die Tränen in den Augen. Er warf mir einen wütenden Blick zu, erzürnt darüber, daß ich ihn zum Weinen gebracht hatte. Der

Kellner, der mit einer Schüssel geriebenem Käse heraneilte, sah unsere Tränen. Er blieb wie angewurzelt stehen und machte dann auf dem Absatz kehrt. Tom fiel das nicht einmal auf, so sehr war er in Gedanken versunken.

Zunächst einmal war ich dankbar für das Schweigen und löffelte die Suppe in mich hinein. Es war die beste Suppe, die ich jemals gegessen hatte – köstlich, heiß. Ich schmeckte jede einzelne Karotte, Bohne, Tomate, jedes einzelne Gewürz. Sie war schmackhafter als die Hühnersuppe meiner Mutter, gehaltvoller als alle Fischcremesuppen oder Bouillons, die ich je zusammen mit Richie in den Dreisternerestaurants dieser Welt gegessen hatte.

Doch dann bekam ich plötzlich Angst, daß Tom mir entglitt; ich konnte nicht mit letzter Sicherheit sagen, ob er seinen Beschluß, mir zu helfen, nicht doch revidiert hatte. »Du schuldest mir nichts«, sagte ich.

Meine Stimme erschreckte ihn. Er ließ seinen Löffel in den Teller fallen. Rote Flecken spritzten auf ein weißes Frackhemd, das auch einem Gott gut zu Gesicht gestanden hätte. »Was hast du gesagt?« erkundigte er sich.

»Ich habe gesagt, du schuldest mir nichts. Wir sind gute Freunde gewesen, und wir haben eine Menge Spaß miteinander gehabt. Aber wir haben einander nicht ewige Treue geschworen. Du weißt, daß ich in einem Boot ohne Paddel sitze. Du mußt dich nicht verpflichtet fühlen, mit einzusteigen.«

Wieder zog er sich zurück. Der Kellner schaute noch einmal an unserem Tisch vorbei und sah, daß Tom seine Suppe kaum angerührt hatte. Als er sich entfernen wollte, gab Tom ihm durch eine Handbewegung zu verstehen, daß er den Teller wegnehmen könne.

Er aß auch kaum etwas von seinen Linguine, doch das Schweigen, das allmählich bedrückend wurde, hinderte mich nicht daran, noch das allerletzte Häppchen von meinem Teller zu verschlingen. Mir war es eigentlich ganz recht, daß er meinen gesunden Appetit nicht bemerkte. Seine Frau schien so weit von jedem körperlichen

Bedürfnis entfernt, so völlig glatt. Ganz zu Beginn ihrer Freundschaft hatte Hojo Richie gestanden, daß sie vierzehn Jahre lang unter Bulimie gelitten habe und diese Tatsache außer ihrem Psychiater nur ihm anvertrauen würde. Ich fragte mich, ob Tom davon wußte oder ob er so leichtgläubig oder abgehoben war, daß er ihren dünnen Körper für das Ergebnis überbordender Stoffwechselvorgänge oder wundersamer Selbstbeherrschung hielt.

Er hob die Hand und beschrieb damit ein paar Schnörkel in der Luft, worauf der Kellner mit der Rechnung herübereilte. Tom warf einen Blick darauf und knallte eine Kreditkarte auf den Tisch. Als der Kellner weg war, sagte er: »Du hast mich gefragt, ob ich glücklich bin.« Ich nickte. »Ich mache das, was ich tue, gern. Ich habe einigen Firmen neues Leben eingehaucht. Ich habe Arbeitsplätze geschaffen.« Er lehnte sich zurück, völlig erschöpft, als habe er stundenlang geredet.

Aber ich wollte nicht, daß das Gespräch wieder einschlief. »Leben deine Eltern eigentlich noch?« fragte ich. Abgesehen von den weißen Haaren seines Vaters war er dessen genaues Ebenbild: Er hatte das gleiche schmale, kantige, dunkle irische Gesicht, die gleichen braunen Augen, auch wenn sein Vater immer viel fröhlicher gewesen war als Tom. Mr. Driscoll, seines Zeichens Bierwagenfahrer, ein lässiger, extrovertierter, lebenslustiger Mensch, begrüßte mich immer mit einem »Ringel-Ringel-Rosie, Rosie!« und raufte mir die Haare. Natürlich wußte er nicht alles, zum Beispiel, daß wir, während ich seinem Sohn angeblich Latein-Nachhilfe gab und Tom mir Physik erklärte, oben auf dem Dach auf einem Laken, das wir schamlos, wie wir nun einmal waren, von der Wäscheleine eines Nachbarn entwendet hatten, eine Kings-County-Version des *Kamasutra* probten.

»Mit Achtundfünfzig haben sie ihm gekündigt, ihn zum alten Eisen geworfen. Zwei Jahre später war er tot.«

»Oh, das tut mir leid. Was ist mit deiner Mutter?« Ich kannte sie kaum. Ich wußte nur, daß sie eine mollige Frau war, die jeden Tag vier oder fünf Zeitungen las. Wenn sie gerade nicht las oder ihre Hausarbeit verrichtete, setzte sie ihren Hut auf, steckte ihn mit einer Nadel fest und eilte in die Messe.

»Ihr geht's gut. Sie wohnt bei meiner Schwester in Garden City.« Er zögerte ein wenig. »Bei der Beerdigung . . . deine Mutter . . . sie war ein bißchen . . . seltsam.«

»Altersdemenz. Tut mir leid, daß sie sich so aufgeführt hat.«

»Kein Problem«, murmelte Tom.

Der Kellner kehrte zurück, und Tom füllte den Kreditkartenbeleg aus. »Danke, Sir«, sagte der Kellner mit einer Stimme, die zeigte, daß er sich über die Höhe des Trinkgeldes zwar freute, aber nicht gerade zu Begeisterungsstürmen hingerissen wurde.

»Ich verdiene gern viel Geld«, erklärte mir Tom, als er sich erhob.

»Gut«, erwiderte ich.

Als wir auf die Tür zugingen, runzelte er die Stirn. Er redete so schnell, daß ich das, was er sagte, fast nicht verstanden hätte. »Ich war sechs Monate lang glücklich verheiratet.« Er sah sich mit desorientiertem Blick um, als suche er nach dem Bauchredner, der diese Worte ausgesprochen hatte.

»Welche sechs Monate waren das?« fragte ich leise.

»Die ersten sechs.« Er ließ seine Finger in seinen Kragen gleiten und zog ihn vom Hals weg. »Dann ist sie eines Tages nach Palm Beach gefahren, um eine Schulfreundin zu besuchen. Ich bin spätabends von der Arbeit nach Hause gekommen, so gegen elf. Da habe ich ihre Koffer draußen im Flur gesehen.«

»Und?«

»Mir wurde übel.«

Draußen auf der Straße war die Temperatur noch weiter gesunken. Wir zuckten beide gleichzeitig zusammen, als uns die eiskalte Luft entgegenschlug. »Was ist schiefgegangen?« fragte ich.

»Mir wurde klar, daß wir nur geheiratet hatten, weil wir beide dachten, es sei an der Zeit. Wahrscheinlich konnte sie mich leiden, weil ihr alter Herr ihr gesagt hatte, daß ich eine große Zukunft vor mir habe. Er hat in einer Rechtsanwaltskanzlei gearbeitet, die ich beauftragt hatte, als ich noch bei der Bank war. Er war nicht gerade ein genialer Anwalt und hatte auch nicht viel Geld, aber er hatte genau die richtigen Schulen besucht und machte eine gute Figur im Smoking. Ich glaubte damals, daß ihn das schon zu einem Mann von Format machte. Ein paar Jahre später stellte er mich Joan vor. Zu dem Zeitpunkt hatte ich es schon so weit gebracht, daß ich nicht mehr wußte, wohin mit meinem ganzen Geld.«

»Aber sie hatte da so ein paar Ideen.«

»Ja. Und mir war das ganz recht. Soviel wußte ich: Ich wollte mein Leben nicht damit verbringen, Tanzveranstaltungen der verschiedenen Country Clubs zu besuchen. Ich wollte mehr.« Tom verschränkte die Arme und steckte die Hände unter die Achseln. »Und Joan war einfach perfekt. Sie war nicht aus Brooklyn, sie war elegant und viel zu ehrgeizig, um in einem Ort wie New Canaan oder einem ähnlichen Nest zu bleiben. Sie hatte einen komischen, ein bißchen verkniffenen Mund. Und sie hatte Verbindungen. So stellte ich mir damals eine ideale Ehefrau vor.

Wenn ich mir das gemeinsame Eheleben ausmalte, trug ich einen Smoking und sie ein Abendkleid, und wir befanden uns immer in Gesellschaft anderer Leute: Wir sahen nie zusammen fern, stutzten keine Bäume, gingen nicht mit den Kindern in die Kirche, so wie meine Eltern das gemacht hatten. Joan war in Spence gewesen, in Holyoke, sie hatte die Sommer in der Provence verbracht. Sie war in einer anderen Welt aufgewachsen – und genau dort wollte ich auch hin.« Er trat an den Gehsteigrand und hielt Ausschau nach einem Taxi.

»Hast du jemals daran gedacht, dich scheiden zu lassen?«

»Ja, aber das ging mir gegen den Strich. Es ließ sich nicht mit meiner Erziehung vereinbaren, also versuchte ich, die positive Seite zu sehen. Es würde alles besser werden, wenn wir nur gemeinsame Interessen aufbauten, die nichts mit dem Geld zu tun hatten. Zum Beispiel Kinder. Es hat nicht geklappt, aber wir sind trotzdem zusammengeblieben.«

»Warum?«

»Warum nicht? Mir war inzwischen klar, daß wir beide davon profitierten. Das tun wir immer noch. Ich führe mein eigenes Leben. Ich bin immer auf Achse, aber wenn ich meine Frau brauche, ist sie da.«

Tom winkte ein Taxi heran. Er hielt mir die Tür auf. »Ich glaube, wir können zu mir fahren.« Ich schüttelte den Kopf. »Du mußt dir keine Sorgen machen, daß man dich sehen könnte«, versicherte er mir. »Joan ist nicht in der Stadt.«

»Und was ist, wenn *du* mit mir gesehen wirst?« erkundigte ich mich. Tom sah mich so verständnislos an, daß er einen Augenblick leicht debil wirkte. »Schließlich bin ich eine Frau. Was ist mit deinem Portier? Und deinen Nachbarn?«

»Ach.« Er schien über meinen Einwand so überrascht, daß ich mir sicher sein konnte: An eine Nacht voll ungezügelter Wollust hatte er nicht gedacht. Tom war sozusagen zu einem Neutrum geworden. Bei seinem Anblick konnte man sich kaum noch den achtzehnjährigen Jungen vorstellen, der damals in Flatbush mit einem unermüdlichen Ständer herumgelaufen war.

Der Taxifahrer kurbelte das Fenster herunter und brummte in einem Akzent, den ich noch nie zuvor gehört hatte: »Fahren Sie jetzt oder was?«

»Durch den Park«, sagte Tom, »den Broadway hinunter.« Er schob mich ins Taxi, als sei ich ein besonders unhandliches Paket.

»Was wollen wir da?« flüsterte ich, als der Fahrer den Wagen in den Verkehrsstrom lenkte, ohne vorher zu schauen, ob vielleicht jemand etwas dagegen haben könnte.

»Ich weiß es nicht. Wir werden schon was finden. Warum flüsterst du?« Ich deutete auf den Taxifahrer. Tom klopfte an die zerkratzte, vergilbte Plexiglastrennscheibe zwischen den Vorder- und Rücksitzen. »Wie lang dauert's bis zum Broadway?« fragte er laut.

»Was?« brüllte der Fahrer. Durch die Trennscheibe drang kaum mehr als ein gurgelndes Geräusch.

»Ist schon gut«, rief Tom, lehnte sich zurück und achtete darauf, daß zwischen uns selbst für einen ausgesprochen fettleibigen Menschen noch Platz gewesen wäre. »Erzähl mir alles«, sagte er leise. »Wenn ich dir helfen soll, mußt du mir vertrauen. Laß kein Detail aus.«

Ich begann mit dem Morgen nach dem Fest zu unserer silbernen Hochzeit. Ich erzählte ihm alles, was sich seit Richies Mord ereignet hatte – alles, außer Dannys Namen und der Tatsache, daß er ein Freund von Alex war und während seiner ganzen High-School-Zeit immer wieder mal bei uns vorbeigeschaut hatte. Ich sagte ihm einfach nur, daß er ein Junge aus einer ehemaligen Klasse war. Ich schloß mit dem, was ich herausgefunden hatte, als ich Carter Tillotson die Waffe an die Schläfe hielt. Ich hätte ihm gern einen Blick auf meine Pistole gestattet, aber er war jetzt nicht mehr die Sorte Mann, die sich über eine Einladung, mir in den Ausschnitt zu schauen, freut.

Tom schloß nicht die Augen, schürzte nicht die Lippen und ließ auch durch keine andere Geste erkennen, daß er nachdachte. Er sah aus wie eh und je, als höre er mir nach wie vor zu – nur hatte ich schon seit fünf Minuten kein Wort mehr gesagt. Ich verbrachte die Zeit damit, die silbrigen Wirbel in seinem Haar zu betrachten, bis er mich schließlich ansah und sich räusperte.

»Hast du schon eine Ahnung, wer's war?« fragte ich.

»Machst du Witze? Wir sind der Frage nach dem ›Wer?‹ noch keinen Schritt näher gekommen; wir sammeln nach wie vor Informationen über Leute und versuchen uns über ihre Beziehungen zueinander klar zu werden. Wir sind erst beim ›Wie‹.«

»Und wie steht's mit dem ›Warum‹?«

»Das ›Warum‹?« wiederholte ich, als sprächen wir über Informationen, die erst in der Mitte des einundzwanzigsten Jahrhunderts verfügbar sein würden.

»Na schön, vergessen wir das ›Warum‹.«

»Könnte jemand Ricks Wagen gesehen haben?«

»Nicht den Wagen selbst, aber jemand, der den Hügel herauffuhr oder ihn mit einer Taschenlampe in der Hand hochging, könnte den Rückstrahler gesehen haben – das kleine rote Ding an der Seite des Wagens.«

»Wenn ihn tatsächlich jemand gesehen hat, warum sollte er...«

»Oder sie.«

»Soweit sind wir noch nicht, Rosie! Warum sollte diese Person auf die andere Seite von Ricks Wagen gehen? Warum würde sie sich nicht einfach mit der der Straße zugewandten Seite begnügen und sich die Sache ansehen?«

»Weil er oder sie nicht gesehen werden wollte.«

»Du kannst ruhig ›sie‹ sagen«, knurrte er. »Aber ich sage weiter ›er‹. Okay?«

»Okay«, kapitulierte ich, denn ich wollte mich nicht mit ihm streiten. Mir war mittlerweile klargeworden, daß ich seine Geduld, wenn nicht sogar seinen guten Willen, auf eine harte Probe stellte.

»Wenden wir uns wieder den anderen Reifenspuren neben Ricks Wagen zu. Dein Sergeant Gevinski behauptet, die örtliche Polizei könne diese Spuren verursacht haben«, meinte Tom. »Aber das ergibt keinen Sinn.«

»Warum nicht?«

»Die Polizisten würden doch wohl auf der Straße gleich neben ihm halten, oder?«

»Das stimmt!« Ich war entzückt über seine Antwort. Aber ich war auch wütend, weil ich nicht selbst darauf gekommen war.

»Also gut«, sagte er mit geschäftsmäßiger Stimme. »Laß uns über den Schmutz reden. Es war doch Erde an Ricks Schuhen und auf dem Küchenboden, oder?«

»Ja«, antwortete ich.

»Fußspuren?«

»Nein, nur Erde.«

»Man möchte doch meinen, daß Turnschuhe mit Profil Spuren hinterlassen.«

Ich nickte. »Ich glaube, daß der Mörder die Fußspuren auf dem

Boden verwischt hat, weil sie ganz offensichtlich nicht zu Richies Sohlen gepaßt hätten.«

»Und sonst war nirgends Erde im Haus?«

»Nein.«

»Also ist Rick entweder nicht in einem anderen Teil des Hauses gewesen, oder er war doch dort, und du hast recht: Die Erde wurde ihm hinterher in die Sohlen seiner Turnschuhe gedrückt.«

»Aber wenn er erst hinterher in die Küche gekommen ist, wieso hatte er dann keinerlei Papiere bei sich?«

»Entweder der Mörder hat sie ihm weggenommen ...«

»Stimmt!«

»... oder er hatte nicht gefunden, wonach er suchte. Was war außerhalb des Hauses?«

»Was meinst du damit?«

»Du wohnst nicht in einer Blockhütte auf einer Lichtung im Wald. Du hast Stufen vor dem Haus und Wege, die darauf zuführen. Hast du dort Erde gesehen?«

»Nein. Warte mal, laß mich nachdenken.« Ich versuchte, mir die Stufen vorzustellen, die zur Küchentür führten, aber das gelang mir nicht. Erst jetzt merkte ich, daß ich diese Stufen weder in jener Nacht noch am nächsten Tag wahrgenommen hatte. »Ich glaube, ich bin die ganze Zeit kein einziges Mal an Richie vorbei und zur Küchentür gegangen. Als die Polizisten kamen, habe ich sie zur Haustür hereingelassen, also konnte ich das, was draußen war, nicht sehen. Aber hätten die mir das denn nicht gesagt?«

»Ist das dein Ernst?« fragte Tom. »Du bist doch die Verdächtige. Aber wenn du meine Meinung hören möchtest: Ich glaube, wenn da tatsächlich noch andere Fußspuren gewesen wären, hätten sie dich vermutlich nicht sofort zur Hauptverdächtigen abgestempelt. Wenn jedoch Fußspuren in der Küche waren, folgt daraus, daß auch Fußspuren zum Haus geführt haben müssen. Der Mörder hat wahrscheinlich den Schmutz draußen verwischt, deshalb ist es nur natürlich, daß die Polizisten glauben, er stammt von Ricks Schuhen.«

»Vielleicht ist er ihnen aber auch überhaupt nicht aufgefallen, und der Wind hat ihn weggeweht.«

»Vielleicht«, murmelte Tom und dachte weiter nach. Dann fragte er mich, was ich sonst noch vorhätte. Ich sagte ihm, daß ich mit Jessica, Hojo, Stephanie und auch mit Madeline Berkowitz sprechen müßte, denn vielleicht hatte sie Gerüchte über Mandy, Carter oder Richie gehört. Als wir über Madeline redeten, waren wir im äußersten Süden von Manhattan angelangt, vorbei am World Trade Center, und Tom bezahlte den Fahrer.

Zu Fuß gingen wir eine oder zwei Straßen hinunter, die so verlassen waren, daß sie gar nicht mehr unheimlich wirkten, und kehrten in das erste Lokal ein, das offen war, in Big Bob's, eine Bierkneipe. Es war ein ganz in dunklem, zerfurchtem Holz gehaltener Schuppen mit gelegentlichen Budweiser-Reklamen. Die vier Fernseher ließen das Ganze als Sportlokal für Yuppies erkennen, die gern dem Alkohol frönten. Die letzten Gäste drängten sich um die Theke und blickten auf einen Fernseher, der die Welt in ausgeprägten Grüntönen darstellte – vermutlich ein Fußballspiel. Wir setzten uns in eine Nische, die so weit hinten war, daß man sie fast nicht mehr sah. Tom bestellte sich einen Brandy, ich einen Scotch mit Soda, hauptsächlich deshalb, weil ich mir dabei vorkam wie Barbara Stanwyck, stark und voller Elan.

Tom fiel das nicht auf. »Wir können hierbleiben, bis sie zumachen. Dann gehen wir weiter.«

»Wohin?« fragte ich.

»Das lassen wir auf uns zukommen. In der Zwischenzeit sollten wir deine Liste durchgehen: Ich kann mit Joan reden; du mußt mir nur sagen, welche Informationen du brauchst.«

»Danke.«

Er nickte. »Ich sehe allerdings keine sichere Möglichkeit, wie du mit Jessica sprechen könntest. Sie weiß, daß du auf der Flucht bist. Und sie fühlt sich durch dich bedroht. Wenn sie nicht unter Polizeischutz steht, hat sie bestimmt private Sicherheitskräfte angeheuert. Laß mich darüber nachdenken, wie wir ihr am besten beikommen. Tja, und deine beiden Freunde auf Long Island...« Ich hatte schon immer gewußt, daß Tom klug war, was mich aber im Augenblick vor allem beeindruckte, war seine Fähigkeit, in so kurzer Zeit so viele Informationen aufzunehmen und zu verarbeiten. »Ich würde dir raten zu warten. Erstens mußt du zuerst hier so viele lose Enden wie möglich miteinander verbinden. Zweitens: Du lebst in einem kleinen Ort. Du unterrichtest an der dortigen High-School; alle kennen dich. Wenn du wirklich zurückwillst, mußt du das heimlich tun, dich an die Leute heranschleichen. Aber«, fügte er hinzu, »das scheint in letzter Zeit ohnehin eine Spezialität von dir geworden zu sein.«

Wir verließen die Kneipe etwa fünfzehn Minuten später, gleich nach dem letzten Yuppie, und machten uns auf den Weg nach Süden, in Richtung Staten-Island-Fähre. Ich hatte Mühe, mit ihm Schritt zu halten, weil er so lange Beine hatte.

Ein Erinnerungssplitter schoß mir durch den Kopf: Tom und ich mit achtzehn. Damals waren wir am Affenhaus im Prospect Park Zoo vorbeigegangen und ich war mit trippelnden Schritten hinter ihm hergehastet. Die Gorillas und Schimpansen johlten und kreischten, als wollten sie in einem Tarzan-Film mitspielen, als Tom aus heiterem Himmel und ganz nebenbei bemerkte, daß er ein Mädchen aus der Queen-of-All-Saints-Schule zum Schülerball eingeladen hatte. Die beste Freundin der Freundin seines Freundes Bobby, erklärte er mir, ohne einen Augenblick stehenzubleiben.

Wie kannst du mir das antun? fragte ich. Aber nicht laut. Es gibt doch mehr zwischen uns als den Sex, Tom. Wenn wir in einer Mansarde in Greenwich Village zusammenwohnen würden, würden die Leute auf den ersten Blick sehen, daß wir ein Liebespaar sind. Es geht nicht nur um das Körperliche. Wir *sind* ein Liebespaar. Wir *reden*. Ich habe Thomas von Aquins Gottesbeweise gelesen, weil du mir gesagt hast, sie seien harmonisch. Harmonisch: Ich liebte dieses Wort. Du hast mir aus Shakespeares *Sturm* vorgelesen. Ich konnte es gar nicht fassen, wie klug du warst.

Aber das einzige, was ich Tom damals fragte, war: Wie heißt das Mädchen? Peggy, antwortete er in seiner unbekümmerten Art. Dann sagte er: Hey, Rosie, wollen wir uns einen Schokoriegel teilen? Ich schüttelte den Kopf.

Tom fragte: »Bist du sicher, daß du in New York bleiben möchtest?«

Noch dreißig Jahre später war ich so zornig, daß ich kaum ein Wort herausbrachte. »Bleibt mir denn was anderes übrig?«

»Ja, du kannst überallhin, wo du keinen Paß brauchst.«

»Wovon redest du überhaupt?«

»Ich bringe dich mit meinem Privatflugzeug an einen Ort, wo dich niemand findet. Ich sorge dafür, daß du wieder Fuß faßt. Du hast mein Wort, daß ich niemandem davon erzählen werde. Du kannst ein völlig neues Leben beginnen.«

Eigentlich hätte ich vor Dankbarkeit weinen oder vor Überraschung den Mund aufreißen sollen. Statt dessen fragte ich nur: »Warum hast du mich damals nicht zu deinem Schülerball mitgenommen?«

»Rosie!«

»Warum hast du's nicht gemacht?«

Er bohrte mir den Zeigefinger in die Schulter. »Konzentrier dich verdammt noch mal aufs Wesentliche.«

Wir standen schweigend an einem leeren Taxistand; ich hatte keine Ahnung, wohin wir als nächstes fahren würden.

Nach etwa zehn Minuten sagte ich: »Dein Angebot . . . ich weiß gar nicht, was ich sagen soll. Es tut mir leid, daß ich gerade so undankbar war.«

»Macht nichts«, murmelte er.

»Noch nie hat mir jemand so etwas angeboten.«

»Warum nimmst du mich nicht beim Wort?« fragte er, während er nach Scheinwerfern Ausschau hielt.

»Es kann kein neues Leben für mich geben. Ich bin eine Mutter. Wie könnte ich meine Söhne aufgeben?«

Wieder verfielen wir eine Minute in Schweigen. Der Wind, der vom Wasser hereinblies, war scharf, feucht und eisig kalt. Ich stellte mir vor, wie Tom den Arm um mich legte, mich an sich drückte, um mich zu wärmen, aber er steckte die Hände in die Taschen. Dann sagte ich: »Was du jetzt tust, ist schon riskant genug. Wenn ich dein Angebot annehme, ruiniere ich möglicherweise dein ganzes Leben.«

»Ich bin siebenundvierzig Jahre alt«, verkündete er.

»Natürlich. Genau wie ich.«

»Ich habe keine Kinder, um die ich mir Sorgen machen müßte. Das einzige, was ich riskiere, ist Geld, und davon habe ich mehr als genug, weil ich nämlich bisher immer auf Nummer Sicher gegangen bin. Es ist schon seltsam: Die Leute halten mich für einen Spieler, aber eigentlich bin ich von Natur aus sehr vorsichtig.«

»Wieso läßt du dich dann jetzt auf ein Risiko ein?«

Tom antwortete nur zögernd, als überlege er sich jedes Wort gründlich, bevor er es aussprach. »Wahrscheinlich möchte ich feststellen, ob ich überhaupt zu einer großzügigen Geste fähig bin, ob ich nur annähernd der Mann sein könnte, der ich immer sein wollte.«

»Und wie sähe der aus?«

»Ein Mann mit Mumm.«

Als endlich ein Taxi kam, sagte Tom dem Fahrer, er solle uns zum besten Motel am La-Guardia-Flughafen bringen. Ich schüttelte heftig den Kopf. »Keine Angst«, sagte Tom, »ich habe keine Hintergedanken.«

Im Airport Highlander gab es keine nebeneinanderliegenden Zimmer mehr. Tom bezahlte bar für ein Zimmer, das der Mann an der Rezeption die Präsidentensuite nannte, und schrieb uns als Mr. und Mrs. Thomas Smith ins Gästebuch ein; der Mann an der Rezeption kümmerte sich weder um diesen so offensichtlich falschen Namen noch darum, daß wir kein Gepäck hatten.

Jegliche erotische Spannung, die sich vielleicht einstellen könnte, wenn ein Mann und eine Frau – ehemalige Geliebte –

zusammen ein Motelzimmer betreten, verflog, bevor sie sich überhaupt aufbauen konnte. Tom, der neue Tom, schloß die Tür und marschierte sofort zum Telefon. Er setzte eine Lesebrille aus Horn auf und rief in seinem Büro an, um seinen Anrufbeantworter abzuhören. »Stell eine Liste der Sachen zusammen, die ich Joan fragen soll«, sagte er. Das Telefon zwischen Kinn und Schulter eingeklemmt, tippte er auf den winzigen Tasten eines elektronischen Notizbuches herum. Ich war vor ihm fertig, so viele Botschaften waren an ihn gerichtet.

Die Präsidentensuite hatte schon einige Zeit kein Staubtuch mehr gesehen, aber das Wohnzimmer war trotzdem ein angenehmer Raum. Es war mit einfachen, aber massiven Möbeln eingerichtet, die, obwohl sie eher mit Plastik als mit Mahagoni zu tun hatten, denen im Weißen Haus recht ähnlich sahen. Ein weiches grünes Sofa mit Füßen, die in der Form von Vogelkrallen einen Ball umklammerten, war so bequem, daß ich beide Füße auf dem Boden lassen mußte, damit ich nicht eindöste.

Tom zog sein Jackett aus und hängte es über einen Stuhlrücken. »Joan und ich unterhalten uns normalerweise nicht sehr ausgiebig. Ich werde ihr erklären müssen, warum ich diese Informationen von ihr brauche.«

»Ich würde gern mithören«, sagte ich.

»Mir wäre das nicht so recht.« Meine Güte, was für eine Untertreibung.

»Vielleicht sagt sie ja was, was du gar nicht für wichtig halten würdest«, erklärte ich. Doch Tom schüttelte den Kopf und tippte ein paar Nummern in sein elektronisches Notizbuch, um Hojos Telefonnummer abzufragen. Ich gab nicht auf: »Was kann sie denn schon am Telefon sagen? ›Erinnerst du dich noch an die tolle Nacht mit der Deutschen Dogge?‹« Einen Augenblick flackerte so etwas wie sein altes Lächeln über sein Gesicht. »Ich kenne sie«, sagte ich. »Ich weiß, wie ätzend sie sein kann. Es ist doch egal. Nach dem heutigen Abend gehst du wieder deinen Weg, und ich gehe den meinen, und die Wahrscheinlichkeit, daß ich dir oder

Joan irgendwann wieder begegnen werde, liegt fast bei Null – besonders, wenn ich in Zukunft Tüten kleben muß. Ich möchte nur hören, wie sie meine Fragen beantwortet.«

Er warf einen Blick auf das, was ich aufgeschrieben hatte. »Wenn du unbedingt möchtest...« Er wählte. »Mrs. Driscoll, bitte. Es interessiert mich nicht, wie die Kurbestimmungen lauten. Hier spricht ihr Mann. Verbinden Sie mich.« Er hielt das Mundstück des Hörers zu. »Geh in eins von den Schlafzimmern und nimm den Hörer ab. *Jetzt*.« Ich hob erst ab, als Hojo schon »hallo« sagte, aber sie klang so verschlafen, daß sie das zweite Klicken mit ziemlicher Sicherheit nicht bemerkt hatte. »Joan«, sagte Tom. »Ich bin's. Tut mir leid, daß ich dich wecke, aber ich brauche ein paar Informationen.«

»Worüber?« Ich hörte, wie eine Lampe angeschaltet wurde, dann das Zischen eines Butanfeuerzeugs. Ich streifte meine Stiefel ab und legte mich aufs Bett.

»Über Data Associates«, antwortete Tom. »Du weißt ja, ich hab's bloß so lange mit denen ausgehalten, weil du so gut mit Rick befreundet warst...«

»Du hast mir nie gesagt, daß du mit der Firma nicht zufrieden warst«, herrschte sie ihn an.

»Tja, jetzt weißt du's.« Seine Stimme klang unbeteiligt, ja sogar gelangweilt, aber vor allen Dingen eisig. Richie und ich hatten uns in den Jahren unserer Ehe auch schon vor Jessica des öfteren heftig gestritten. Gestritten, daß die Wände wackelten. Er hatte mich angebrüllt und die Tür Dutzende von Malen zugeknallt. Mindestens genausooft hatte ich ihm gesagt, er solle sich zum Teufel scheren. Einmal warf ich ihm ein ganzes Grand-Marnier-Soufflé nach und bedauerte nur, daß es ihm gelang, sich rechtzeitig zu ducken. Wir tauschten tagelang nur die allernötigsten Informationen aus. Aber mit solcher Eiseskälte hatte Richie mich nie behandelt: Tom und Hojo waren wie Angestellte eines riesigen Unternehmens, die einander haßten, aber doch Jahrzehnt um Jahrzehnt zusammenarbeiten mußten. Anders als Richie jedoch, der keinerlei Skrupel hatte, mich zum Teufel zu wünschen, war Tom höflich zu seiner Frau.

Hojo atmete tief durch, vermutlich hatte sie einen tiefen Zug aus ihrer Zigarette genommen. »Schieß los«, sagte sie.

»Kann diese Stevenson eine Firma besser leiten als er?«

Inzwischen hielten mich nur noch eine vage Hoffnung und wunde Füße wach. »Jessica ist so was wie eine Überfliegerin«, antwortete Hojo. »Rick hat Stein und Bein geschworen, daß sie einen Ein-Mann-Betrieb in eine internationale Gesellschaft verwandelt hat.«

»Er hat mit ihr geschlafen. Da konnte er doch wohl schlecht sagen, daß sie unfähig ist, oder?«

»Wenn du dich genau erinnerst«, erwiderte sie müde, »hat sie erst seit kurzem mit ihm geschlafen. Er hat sich Hals über Kopf in sie verliebt. Danach hat's nur noch ein paar Monate gedauert, bis er seiner kleinen Hausfrau den Gnadenstoß versetzt hat.« Ich hatte für die spröde kleine Frau mit den Silikonbrüsten, den Plastikbackenknochen und ihrem bedauernswerten Drang, sich den Finger in den Hals zu stecken, immer Mitleid empfunden. Damit war es jetzt vorbei.

»Also waren Rick und Jessica vor ihrer Affäre beruflich ein gutes Team?«

»Ja.«

»Konnte man davon ausgehen, daß sie die Firma übernehmen würde, falls ihm etwas zustieß?«

»Ich habe nicht die geringste Ahnung«, Hojo gab so etwas Ähnliches wie ein Kichern von sich. »Ist schon sehr entgegenkommend von Rick, sich erstechen zu lassen, damit Jessica Generaldirektorin werden kann.«

»Ich hab' gedacht, du magst sie.«

»Sie ist einfach göttlich.«

»Du bist eifersüchtig«, sagte er. Das war eine einfache Feststellung.

»Sei doch nicht albern, Tom. Rick war mein *Freund*. Zufällig hat sie ihn betrogen und ihm das Herz gebrochen.« Joan gab sich kokett. »Und weißt du auch, mit wem, mein Lieber?«

»Nein.«

»Mit Nicky Hickson.«

»Mit diesem aufgeblasenen Schnösel?«

»Er ist immerhin sehr charmant und um etliches reicher als du. Schon in der vierten Generation. Rick wollte unbedingt seine Scheidung über die Bühne bringen und sie heiraten. Er war sich sicher, daß er seinen Willen kriegen würde, wenn er nur schnell genug wäre.«

»Warum ist er in sein altes Haus zurück?«

»Das wirst du mir nicht glauben. Um die Kaufunterlagen für einen Twombly zu holen, den er erworben und Jessica geschenkt hatte. Sie wollte ihn verkaufen. Er langweilte sie jetzt. Kannst du das glauben? Das Ding war mindestens drei Millionen wert.«

»Hat sie gewußt, daß er sich in das Haus schleichen wollte?«

»Natürlich. Sie hat ihn ja darum gebeten, daß er die Unterlagen holt. Dann wollte sie das Gemälde verkaufen. Und als nächstes hätte sie *ihm* den Laufpaß gegeben, aber als ich ihm das gesagt habe, war er natürlich stinksauer auf mich. Der Mann war ihr mit Haut und Haaren verfallen. Er glaubte, sie halten zu können, wenn er nur tat, was sie verlangte.«

»Und Jessicas Vorgängerin? War er der auch verfallen?«

»Natürlich! Aber das war nicht von Dauer.« Hojos flache Stimme bekam einen sinnlichen Unterton. »Davor hatte er was mit seiner Sekretärin, Brunhilde oder wie die hieß, über zehn Jahre lang – im Büro, außerhalb des Büros –, und die ganze Zeit über hat er daheim auch nichts anbrennen lassen. Aber als sie dann anfing zu jammern« – sie redete jetzt mit nasalem Brooklyner Akzent – »›Rich-ie, all das viele Geld. Und was ist mit unseren alten Werten?‹ . . . Tja, da hat er sich so etwas wie eine emotionale Scheidung zugestanden. Eine Weile hat er das mit Brunhilde für die große Liebe gehalten, aber *merci Dieu* habe ich ihm das ausreden können! Ich habe gesagt: ›Kannst du dir vorstellen, daß du mit ihr zusammen bei der nächsten Benefiz-Veranstaltung zugunsten des MOMA erscheinst?«

»Wer war denn die Frau, die er damals zum Abendessen mitgebracht hat?«

Hojo stieß ein gräßliches Geräusch aus, eine Mischung aus Schnauben und Lachen. »Du meinst, an dem Abend, als du mir das Geld für die Kleider gestrichen hast?«

»Ja.«

»Nein, wirklich, Tom, was bist du bloß manchmal für ein nachtragender Kleingeist. Ich konnte es nicht fassen, wie du dich damals aufgeführt hast. Thomas, der Zorn Gottes.«

Er redete nicht gern mit ihr, und es war ihm alles andere als recht, daß ich mithörte. Zum ersten Mal klang seine Stimme gemein. »Wer war sie?«

»Du hast einen ganzen Abend mit ihr verbracht und erinnerst dich nicht mehr, wer sie war?«

»Nein«, fauchte er sie an.

»Mein Gott! Sie war Ricks erste richtige Geliebte. Na ja, vielleicht ging es dabei nicht wirklich um Liebe, aber du mußt zugeben, daß sie recht annehmbar war. Mehr als annehmbar, auch wenn sie mich tödlich gelangweilt hat. Erinnerst du dich denn nicht mehr?«

»Nein.«

»Rick war jedes Mittel recht, um aus seiner erdrückenden Ehe herauszukommen. Aber die Affäre war nichts anderes als eine Generalprobe für die Sache mit Jessica. Er hatte eben eine Vorliebe für protestantische Mädchen aus gutem Hause . . . genau wie du, mein Lieber. Erinnerst du dich noch?«

»Wie hat sie noch mal geheißen?«

»Warum ist sie plötzlich so wichtig?« Hojos Stimme wurde noch eisiger als die von Tom. »Du willst ihr doch nicht etwa Liebesbriefchen schreiben, *mon ange*? Oder sie anrufen?«

»Nein.«

»Du hast dich so verdammt daneben aufgeführt. Wie ist es nur möglich, daß du dich *nicht* erinnerst? Schließlich gehen wir beide nicht jeden Abend miteinander zum Essen aus, mein Lieber.«

»Sag mir ihren Namen, Joan.«

Die Driscolls führten zwar einen Ehekrieg, aber es handelte sich immerhin noch um eine Ehe; sie wußte, daß da etwas im Busch war. »Warum willst du das alles über sie wissen?« Er gab keine Antwort. »Was soll das alles? Was hat sie mit Jessica zu tun?« wollte Joan wissen.

Gib's auf, flehte ich schweigend. Sie riecht Lunte. Er schien meine Warnung zu hören. »Das war nur ein Versuch, ein wenig Konversation mit dir zu machen.«

»Mein lieber Ehegatte! Ich fühle mich geehrt. Ein *intimes* eheliches Gespräch sozusagen. Du wirst doch nicht gar irgendwann wieder mit mir schlafen wollen?«

Er knallte den Hörer auf die Gabel – genau wie sie.

Tom ahnte wohl, daß ich ihm jetzt keinesfalls gegenübertreten wollte. Genau deshalb rief er: »Komm wieder hier rein, Rosie.«

Was sollte ich zu ihm sagen? Tut mir leid, daß ihr beide euch am liebsten die Eingeweide aus dem Leib reißen würdet? Mein Gott, was war mein Mann doch für ein toller Hecht! Hatte die Energie, drei Geliebte zu befriedigen, während er fleißig weiter seine Millionen verdiente. Und dann kam er zu mir nach Hause und stand auch dort seinen Mann, und das mit einer Technik, von der selbst Masters und Johnson noch hätten lernen können.

In den Monaten, nachdem Richie mich verlassen hatte, hatte ich getobt und getrauert, aber den größten Teil der Zeit verbrachte ich am Küchentisch und fraß meinen Kummer in mich hinein – hauptsächlich mit Häagen-Dazs Chocolate Chocolate-Chip-Eis. Gleichzeitig fragte ich mich: Was habe ich bloß falsch gemacht? Hätte ich mit dem Unterrichten aufhören sollen, wie er es immer wollte, und hätte ich in die Stadt ziehen sollen? Hätte ich auch den Finger in den Hals stecken und mich auf Größe 36 herunterhungern sollen? Hätte ich mir Strähnchen ins Haar machen lassen sollen? Hätte ich erkennen müssen, daß ein Mann wie er sich von einer Frau wie mir erdrückt fühlen würde, und eine offene Beziehung vorschlagen sollen?

Hatte ich denn das Menetekel an der Wand nicht gelesen? Jedes Jahr wanderten Tausende verlassener Ehefrauen blind an den Einkaufsarkaden vorbei, bar jeglicher Würde und ohne Kreditkarte. Millionen von Klimakteriumsgebeutelten, die keine Wärme mehr in den Armen ihrer Männer fanden, holten sich die einzige menschliche Nähe, die sie noch kannten, in der mitfühlenden Umarmung einer anderen Geschiedenen aus ihrer Selbsthilfegruppe. Sie durften keine Hoffnung mehr haben auf die Erfüllung ihres Traums von der romantischen Liebe, sondern nur noch auf Enkel, die vielleicht willens waren, sie in den Arm zu nehmen. Wie hatte ich nur die Augen davor schließen können, daß auch mir so etwas passieren konnte?

»Rosie!« rief Tom. Ich marschierte in den Wohnbereich der Präsidentensuite. Er stand bei der Tür, Jackett angezogen, Krawatte um den Hals, Brieftasche in der Hand, und zählte sein Geld. Sein Mund war verkniffen; vielleicht bildete ich mir das nur ein, aber ich glaubte, das Knirschen von Zähnen zu hören. »Ich gehe.«

»Warum?«

»Ich habe nicht viel Bargeld bei mir«, sagte er. »Hundertzwanzig. Wenn du morgen früh in meinem Büro vorbeischaust, hinterlege ich einen Umschlag bei meiner Sekretärin im Vorzimmer. Welchen Namen soll ich darauf schreiben?«

»Ich will dein Geld nicht.« Er konnte mir nicht in die Augen sehen. Statt dessen starrte er den Türknauf an, als handle es sich dabei um das begehrenswerteste Objekt auf der ganzen Welt. »Ich brauche deine Hilfe, Tom.«

»Ich kann dir nicht mehr helfen, als ich es schon getan habe«, erklärte er dem Türknauf.

»Glaubst du denn, ich hätte nicht gewußt, daß du eine grauenvolle Ehe führst? Meinst du, es überrascht mich, daß du nicht mehr mit deiner Frau schläfst? Und bildest du dir etwa ein, daß ich mich mit all meinen eigenen Problemen einen Dreck um die deinen schere?« Wenigstens schaute er mich jetzt an. Er war nicht gutaussehend im herkömmlichen Sinne, aber sein schmales, scharf konturiertes Gesicht verriet Charakter, Tiefe und die Fähigkeit zur Trauer. »Nun ja«, fügte ich hinzu, »so ganz stimmt das nicht. Ein bißchen interessiert es mich doch. Ich werde die gemeine Vorstellung nicht los, daß sich am Ende folgendes herausstellt: Joan war so eifersüchtig auf Jessica, daß sie Richie umgebracht hat. Meine Unschuld wäre somit erwiesen, und ich könnte mein Leben ungestört weiterführen.«

»Und ich?«

»Du könntest ins Kloster gehen.«

Er fing an zu lachen. »Das wäre immerhin eine Idee.«

»Oder du könntest so weiterleben wie bisher. Hast du überhaupt ein Leben?« erkundigte ich mich. Ich glaube, es gelang mir, gleichzeitig beiläufig und interessiert zu klingen. Er schüttelte den Kopf. Ich konnte es fast selbst nicht fassen, daß ich so etwas fragte: »Und was machst du, wenn du mal körperliche Gelüste hast?«

»Arbeiten«, sagte er schließlich.

Vielleicht sprach mein Unterbewußtsein jetzt ein kleines Dankgebet, weil er nicht »Jungs« oder »eine vierundzwanzigjährige Geliebte mit einem Doktor in Ökonometrie« geantwortet hatte.

Tom warf einen Blick auf seine Uhr. »Mein Gott, es ist schon verdammt spät.«

»Ich bin hundemüde«, sagte ich. »Ich muß eine Runde schlafen. Ich bitte dich . . . Nein, das ist nicht fair. Ich hoffe, daß du bleibst, weil ich zu Jessica muß, und zu ihr kann ich nur mit deiner Hilfe.« Ich schwieg einen Augenblick. »Wirst du morgen früh da sein?«

»Ja«, antwortete er schließlich. Dann wandte er sich ab, marschierte in das andere Schlafzimmer der Suite und machte die Tür hinter sich zu.

Ich ging in das Zimmer, in dem ich mein Lager aufgeschlagen hatte, und sank auf das Bett. Kaum hatte ich mich zugedeckt, als ich auch schon in tiefen Schlaf fiel. Bereits drei Stunden später, als im Stockwerk über uns eine Toilettenspülung ging und die Leitungen sich ächzend über diese Zumutung beschwerten, wachte ich mit einem Gefühl der Beklemmung auf. Ich war so verwirrt, daß ich einen Moment glaubte, ich hätte einen Schlaganfall erlitten. Auch nachdem ich Licht angeschaltet hatte, klopfte mir das Herz noch bis zum Hals. Ich schlüpfte unter die warme Decke zurück, aber es half nichts.

Es ist schrecklich, bereits in jungen Jahren einen wunderbaren Mann kennenzulernen, weil er einen Standard vorgibt, den niemand mehr erreichen kann. Selbst nach der Hochzeit mit Richie hatte ich mich manchmal nach Tom gesehnt. Es ging dabei weniger um sexuelle Begierde; Richie bediente mich in dieser Hinsicht mehr als gut. Wonach ich mich sehnte, war die rätselhafte Verbindung von tiefer Ruhe und Freude, die ich empfunden hatte, wenn ich nach der Liebe in Toms Armen lag. Wir haben damals ständig geredet, unsere Meinungen über die Kunst und das Leben hinausposaunt, über Politik diskutiert, einander so eingehend befragt, daß wir die Autobiographie des anderen hätten schreiben können.

Aber wenn wir genug geredet und uns genug geliebt hatten, schwiegen wir. Und das waren die Augenblicke, die für mich den Inhalt des Wortes »himmlisch« verkörperten. Mein Kopf ruhte dann auf seiner Schulter, wo ich den bittersüßen Duft von Schweiß und Canoe-Aftershave einatmete und unser Schweigen genoß.

Jede Frau hat eine große, verflossene Liebe. Aber was für ein Mann war Tom Driscoll doch gewesen! Welch tiefer Schmerz, einen so wunderbaren Mann zu verlieren. Und was für ein Schock, wenn man erkennt, daß man sich sein ganzes Leben nicht mehr von diesem Schlag erholen wird.

Ich ging durch den Wohnbereich zu seiner Schlafzimmertür, blieb aber davor stehen, weil ich Angst hatte, daß er sie verschlossen hatte, nachdem er ins Bett gegangen war. Wenn ich nun am Türknauf drehte, würde er wissen, daß ich ihn begehrte. Er würde so tun, als schliefe er.

Doch wenn ich im Verlauf der letzten Woche eins gelernt hatte, dann war es, daß ich mich nach all den Jahren als Frau mit Mumm entpuppte. Nein, besser noch, als unerschrockene Frau. Wenn er mir gestern abend gesagt hätte, er wolle seine verdammte Peggy zu dem Schulball mitnehmen, dann hätte ich gefragt: »*Was*? Du willst dir eine kleine irische Jungfrau dazu einladen? Du hast Angst zu sagen: ›Das ist meine Freundin Rosie Bernstein von der Madison High?‹ Verdammt noch mal, Tom, du hast es doch nicht nötig, dich wie ein Feigling aufzuführen.« Und dann hätte ich mich umgedreht und wäre einfach gegangen.

Tom schlief so tief, daß er mich erst hörte, als ich mit dem Knie gegen das Nachtkästchen neben seinem Bett stieß.

»Rosie?«

»Ja, ich bin's«, sagte ich. Die schlechte Nachricht zuerst: Das Knie tat mir weh. Dann die gute: Es war so dunkel, daß er all die Veränderungen, die die Jahre und zwei Schwangerschaften mit sich gebracht hatten, nicht sah. Ich tastete nach der Decke, hob sie hoch und schlüpfte neben ihn ins Bett, bevor ihm eine höfliche Ausrede einfiel, mit der er mich wieder in mein Zimmer zurückschicken konnte. »Weißt du noch?«

»Ja, ich weiß noch«, sagte er. Er zog mich zu sich heran, so daß wir Körper an Körper, Nase an Nase und schließlich Mund an Mund lagen. Der Kuß fühlte sich ganz vertraut an – der erste sanfte Druck, die nachfolgenden Erkundungen, die allmählich immer leidenschaftlicher wurden. Ich hatte das Gefühl, als hätten wir uns erst vor wenigen Stunden das letzte Mal geküßt.

»Ich bin ein bißchen aus der Übung«, sagte er sanft.

»Glaube mir, danach steht mir im Augenblick auch gar nicht der Sinn.«

Er legte eine Hand zwischen meine Schulterblätter, die andere auf mein Hinterteil und drückte mich an sich. Ich rieb meine

Wange an seiner, gab mich ganz dem Gefühl hin, seinen rauhen Bart zu spüren.

»Ich hab' so oft an dich gedacht, Rosie.«

»Ich auch, Tom.«

Unser Timing war nicht mehr so gut wie damals in der High-School, und unsere Bewegungen waren weit weniger anmutig. Außerdem hatte er recht: Er war in der Tat nicht mehr so routiniert. Aber wir hatten uns noch nie so schön geliebt. Danach ruhten wir bis zum Morgengrauen auf dem Bett der Präsidentensuite – eng umschlungen, schweigend und selig.

17

»Natürlich hat es mir nichts ausgemacht, zu Ihnen ins Büro zu kommen!« versicherte Jessica Tom und schlug die Beine übereinander. »Wir haben uns ja bis jetzt nur bei gesellschaftlichen Anlässen gesehen. Es freut mich, daß wir uns einmal richtig unterhalten können.« Von meinem Versteck in der Toilette von Toms Büro aus konnte ich lediglich Toms linke Socke, seinen Schuh und einen Teil seines Schreibtisches sehen. Jessica jedoch, die auf einem strategisch plazierten Stuhl seitlich davon saß, sah ich in voller Pracht. Auch in ihrem strengen, dunkelblauen Kostüm, das im Ton genau zu Toms Anzug paßte, sah sie einfach atemberaubend aus. »Ich hatte nur gezögert, weil ich für neun Uhr eine Personalversammlung einberufen hatte. Aber Sie haben am Telefon so besorgt geklungen, daß ich sie natürlich sofort abgesagt habe.«

Sie hielt sich gerade, aber nicht steif. Ihr Gesicht wirkte ernst, aber aufgeschlossen, wie es sich für eine wichtige Geschäftspartnerin gehörte. Lediglich ihre Hände, die sich um die Armlehnen ihres Stuhls krampften, verrieten ihre Anspannung. Jessica war natürlich clever genug zu wissen, daß ein knapper Telefonanruf in aller Frühe, mit dem Tom Driscoll sie für neun Uhr in sein Büro zitierte, nichts Gutes bedeuten konnte. Toms Schweigen wirkte offenbar zermürbend, denn sie trommelte zweimal mit den Fingern auf die Armlehnen, ertappte sich jedoch dabei und hörte sofort auf. Mir fiel auf, daß der ehrfurchtgebietende, wenn auch unvollkommene Meyers-Diamant nicht mehr an ihrem Finger steckte.

»Ich kann auf eine lange geschäftliche Verbindung mit Data Associates zurückblicken«, sagte Tom schließlich.

Jessica nickte. Das Licht einer Messinglampe an der Kante von Toms Schreibtisch schien auf ihre teure Strumpfhose; an ihren Beinen gab es weiß Gott genug auszuleuchten, von den hochhackigen Schuhen mit den Pfennigabsätzen bis hin zum Saum des kurzen Rocks ihres ansonsten züchtigen Kostüms. Das Spielbein, das sie hin und wieder verführerisch hatte kreisen lassen, gab seine Position nun auf und gesellte sich neben das andere. »Ich hoffe, daß es sich dabei um eine für beide Seiten fruchtbare Beziehung gehandelt hat«, antwortete sie.

So wie sie ihren Körper einsetzte, hätte man meinen können, daß sie zwei Jahre damit verbracht hatte, Lauren Bacall in *Key Largo* zu studieren, und nicht damit, einen Abschluß in Finanzwesen zu machen. Doch höchstwahrscheinlich machte der erotische Aspekt – die Beine, der aufreizende Gang, die schimmernden, immer ein wenig geöffneten Lippen – nur die Hälfte ihrer Anziehungskraft aus. Die anderen fünfzig Prozent waren ein kühler, berechnender Verstand, der dem ihrer Eroberungen so sehr ähnelte, daß diese sich – falls es soweit kam – im Bett mit ihrem narzißtischen Ebenbild vergnügen konnten.

»Fruchtbringend für Ihre Leute«, sagte Tom. »Nicht für mich.«

Als sie den Mund aufmachen wollte, um ihre Bestürzung über diese Tatsache auszudrücken, ließ Tom sie überhaupt nicht zu Wort kommen. »Ich hatte zwar nur mit Rick zu tun, aber ich habe das Gefühl, daß ich Ihnen doch eine persönliche Erklärung dafür geben sollte, warum ich in Zukunft auf Ihre Dienste verzichten werde.«

»Wie bitte?« Das glaubte ich zumindest zu hören; ihre Stimme war so leise, daß ich mir nicht sicher war.

»Ihre Nachforschungen über Star Microelectronics hätte ein mittelmäßiger Student im zweiten Studienjahr an jedem x-beliebigen, drittklassigen College erstellen können. Und im Vergleich zu Ihren sogenannten umfassenden Exposés über die Hauptklienten der Vancouver Associates war der Star-Report noch ein Geniestreich.«

Jessica schaffte das Unmögliche: Sie setzte sich noch aufrechter hin als zuvor. »Das kann ich in dieser Form nicht akzeptieren.«

»Das bestätigt mich nur in meiner Meinung«, sagte Tom.

»In welcher Meinung?«

»Daß Sie genausowenig geeignet sind, ein Unternehmen zu leiten, das Wirtschaftsauskünfte einholt, wie Ihr Freund es gewesen ist.«

Wenn ich in Jessicas hochhackigen Schuhen gesteckt hätte, wäre ich wahrscheinlich in Tränen ausgebrochen. Aber das mußte der Neid ihr lassen: Sie gab Contra. Sie schlug die Beine wieder übereinander und beugte sich nach vorn. »Ich kann Ihnen da nicht zustimmen. Ich leiste qualifizierte Arbeit. Aber bitte verstehen Sie: Die Nachforschungen waren Ricks Steckenpferd. Und offen gestanden, ließ sein Kontrollsystem einiges zu wünschen übrig.«

»Sie kommen aus dem Finanzwesen, nicht wahr? Wie kommen Sie auf die Idee, daß Sie das Zeug haben, fünfhundert Akademiker zu führen?«

»Mein Posten ist der eines stellvertretenden Generaldirektors, der ausschließlich für die Qualitätskontrolle zuständig ist. Außerdem wählen wir jeden Tag willkürlich einen Bericht aus, den wir gründlich von zwei anderen Angehörigen der Geschäftsleitung überprüfen lassen – von einem unserer Toprechercheure und von mir selbst. Ich garantiere Ihnen . . .«

Tom fiel ihr ins Wort. »Sie können mir gar nichts garantieren.«

»Geben Sie mir zwei Monate«, flehte Jessica ihn an. Offenbar hatte Tom den Kopf geschüttelt. »*Bitte*.«

»Nicht zu den derzeitigen Konditionen.«

Sie zögerte nicht einmal. »Fünfundzwanzig Prozent Nachlaß auf Ihre Rechnungen. Das Angebot gilt zwei Monate. Danach biete ich pauschal zehn Prozent weniger als bisher.« Sie atmete tief durch. »Außerdem friere ich Ihre Konditionen die nächsten zwei Jahre ein.«

Tom lachte: »Sie haben diese Zahlen ausgearbeitet, bevor Sie hierhergekommen sind.«

Sie schenkte ihm ein Lächeln. Wir beide sprechen dieselbe Sprache, war darin zu lesen. »Sie haben ein wenig verärgert geklungen am Telefon, also habe ich mir gedacht, es ist besser, wenn ich nicht unvorbereitet komme.« Tom hatte anscheinend gelächelt oder ein anderes Zeichen der Nachsicht gegeben, denn Jessica lehnte sich jetzt wieder in ihrem Stuhl zurück. Sie begann erneut, lässig mit dem Bein Kreise zu beschreiben.

Das Finanzwesen beherrschte sie gut, aber in der Kunst der Verführung war sie unschlagbar. Jessica zog alle alten, präfeministischen Register – die plumpe Vertraulichkeit, das sinnliche Streicheln von Hals und Waden, das Spiel mit den Haaren –, die heutzutage keine emanzipierte Frau mehr in einer geschäftlichen Situation einzusetzen gewagt hätte, weil sie als völlig unpassend und unangemessen galten. Doch sie waren auch zweckdienlich und effektiv. Wenn der betörte Tom sie in diesem Augenblick an seine Brust gedrückt und die Polizei gerufen hätte, damit sie mich hinter schwedische Gardinen verfrachtete, wenn er sich auf der Stelle von Hojo hätte scheiden lassen und eine Suite im Pariser Ritz gebucht hätte, um Jessica besser kennenzulernen, wäre ich nicht sonderlich überrascht gewesen.

»Das ist ein interessantes Angebot«, sagte er statt dessen. »Ich werde es mir durch den Kopf gehen lassen.«

»Danke.«

Ich fühlte mich ziemlich überflüssig, wie ich mich so in diesem zweckmäßig eingerichteten Managerklo versteckte – graue Fliesen, ein Ansel-Adams-Foto mit schneebedeckten Bergen über der Toilette –, während Jessica einfach nur Jessica sein durfte.

»Ich mache keine Umschweife«, sagte Tom gerade. »Vielleicht bin ich manchmal sogar zu direkt. Das tut mir leid: Ich hätte Sie fragen sollen, wie es Ihnen geht. Schließlich ist das alles nicht so leicht für Sie.«

Jessica nuckelte an einer fleischigen Stelle ihres Daumens. »Es war die Hölle.« Sie nuckelte noch ein bißchen weiter. »Nicht nur Rickies Tod an sich, sondern vor allem die Tatsache, daß er *ermordet* worden ist.«

»Tja, und dann noch die Gerüchte, wer es gewesen sein soll«, erwiderte Tom.

»Wie konnten sie sie nur entkommen lassen?« fragte sie mit entrüsteter Stimme. »Sie wollten sie gleich nach der Beerdigung verhaften, aber mit Rücksicht auf seine Söhne haben sie die Festnahme auf den nächsten Tag verschoben. Wie unglaublich dumm.«

»Ja, schrecklich«, pflichtete Tom ihr bei. »Haben Sie schon etwas Neues erfahren? Aber nein, wenn sie sie gefunden hätten, hätte ich das vermutlich schon heute morgen im Radio gehört.«

»Sie scheinen sie nicht erwischen zu können, was nur die Unfähigkeit der Polizei beweist. Die Frau ist nicht dumm, aber es würde sie auch niemand als besonders clever bezeichnen. Obwohl es ihr tatsächlich gelungen ist, bis in meine Wohnung vorzudringen.«

»Tatsächlich?«

»Ja. Sie hat behauptet, daß sie Ricks Schwester sei, und dieser schwachsinnige Portier hat sie heraufgelassen.«

»Hat sie Sie bedroht?«

»Mich bedroht? Sie hat mich geschlagen!«

»Du lieber Himmel! Sie hat Sie *geschlagen*?« Ich hatte Tom erzählt, daß ich ihr eine Ohrfeige verpaßt hatte. Mein Gott: Er mußte ja nun nicht gleich so tun, als hätte ich sie bewußtlos geprügelt. »Stehen Sie unter Polizeischutz?«

»Die Leute taugen doch nichts. Ich habe private Sicherheitskräfte engagiert.«

»Sehr klug.« Ich hatte keine Zeit, mich über ihre Kemenatengespräche, sozusagen von Magnat zu Magnat, zu ärgern, weil Tom bereits weiterredete. »Hat man sie irgendwo anders noch gesehen?« Er klang nicht nur zutiefst besorgt über den Fall, sondern auch über Jessicas Wohlergehen. Vermutlich war er das auch. Ich wünschte mir nichts sehnlicher, als sein Gesicht sehen zu können.

»Ja. Und zwar mit einer Pistole.«

»Nein!«

»Doch! Sie hat unsere ehemalige Pressefrau damit bedroht. Die Frau hat die Waffe nicht mit eigenen Augen gesehen, deshalb haben unsere genialen Blauberockten die Aussage anfangs nicht ernst genommen. Doch dann ist sie plötzlich auf dem Rücksitz des Wagens von einem ihrer Nachbarn aufgetaucht, einem alten Freund von mir, der mich damals mit Rick bekannt gemacht hat. Ihm hat sie eine Pistole an die Schläfe gehalten!«

»Ich verstehe das nicht. Ich habe sie vor Jahren ganz gut gekannt. Wir sind zusammen aufgewachsen.«

»Das habe ich gehört. Sie hat doch zwischen Ihnen und Rick vermittelt.« Ach ja? hätte ich am liebsten gerufen. Diese »Sie« hatte nicht vermittelt. Sie war diejenige gewesen, die Tom Driscoll mit Intelligenz, Überredungskunst und zwei Schichten Mascara davon überzeugt hatte, den Vertrag zu unterzeichnen.

»Sie war so ein nettes Mädchen«, überlegte Tom laut. »Ich kann mir noch immer nicht vorstellen, daß sie zu so einer Gewalttat in der Lage sein könnte. Wahrscheinlich ist sie einfach durchgedreht.«

»Sie glauben also, daß Rick tatsächlich in das Haus eingedrungen ist?«

»Was meinen Sie damit?«

»Ich glaube, sie hat ihn unter einem Vorwand ins Haus gelockt, um ihn umzubringen.«

»Sie wollen mir doch nicht etwa erzählen, daß die alte Rosie Bernstein aus Brooklyn einen kaltblütigen Mord geplant hat?« fragte Tom amüsiert.

Doch Jessica fand das alles andere als komisch. »Doch.« In ihrer Stimme schwang jetzt rauchig-sinnliche Vertraulichkeit mit. Gleichzeitig begann sie, sich mit der Hand über den Knöchel zu streichen. »Er hat sie meinetwegen verlassen. Sie war eine ältere Frau ohne Zukunft.«

»Jeden Tag begehen Tausende von Ehemännern Seitensprünge, und trotzdem werden sie nicht gleich von ihren Frauen ermordet«, meinte Tom.

»Was sie wahrscheinlich zum Wahnsinn getrieben hat, war das Wissen, daß Rick...« Sie atmete tief durch, »daß Rick sie nicht mehr wollte. Zuerst war da seine Sekretärin. Die Geschichte mit den beiden ist jahrelang gelaufen. Das mußte sie einfach gemerkt haben. Schließlich wußten es alle in der Firma: Allzu große Mühe hat er sich vermutlich nicht gegeben, das zu verbergen. Dann gab es noch eine Frau aus der Gegend von Long Island, wo er wohnte. Sie können mir doch nicht erzählen, daß sie das auch nicht gemerkt hat. Wissen Sie, was ich glaube? Hinter der netten, ganz normalen Fassade verbarg sich eine Frau, die allmählich verrückt wurde. Ich könnte mir vorstellen, daß sie den Mord schon seit Jahren geplant hatte. Ich war nur der Tropfen, der das Faß zum Überlaufen gebracht hat.«

»Das kaufe ich Ihnen nicht ab«, sagte Tom. »Sie sind mehr als nur ein Tropfen.« Seine Stimme klang tief und sinnlich. Jessica lachte leise; sie wußte zu schätzen, daß Tom auf ihren Charme reagierte. Der Gedanke daran, daß ich sein Interesse am Sex wieder geweckt hatte und Jessica jetzt die besten Aussichten zu haben schien, die Früchte meiner Bemühungen zu ernten, machte mich fast wahnsinnig.

»Na schön«, pflichtete ihm Jessica bescheiden bei, »vielleicht bin ich mehr als nur ein Tropfen. In mich hat Rick sich eben verliebt. Die anderen waren einfach nur . . . Ich habe ihm einmal gesagt: ›Seit du Geld hast, scheinst du deine Hose überhaupt nicht mehr anzuziehen.‹« Die beiden kicherten amüsiert.

»Haben Sie eine Ahnung, warum er in das Haus ist oder wie sie ihn zurückgelockt hat?« fragte Tom beiläufig.

»Nein. Das ist mit ein Grund, warum ich weiß, daß sie ihn manipuliert hat. Sie muß das auch ganz clever angestellt haben, denn er hätte freiwillig keinen Fuß mehr in dieses Haus gesetzt.« Sie lächelte. »Sie wissen doch, wie er und Ihre Frau es genannt haben, oder? Yuppieschloß.«

»Entzückend.«

Jessica spürte die plötzliche atmosphärische Störung. »Ich habe das selbst auch ein bißchen ungehobelt gefunden. Aber Rick konnte das Haus nicht ausstehen.«

Völlig unvermittelt schlug Tom einen ernsten Tonfall an. »Sagen Sie mir bitte, wenn ich zu persönlich werde.« Jessica nickte, obwohl ich mir, so wie sie ihn beäugte, kaum eine zu persönliche Frage vorstellen konnte. »Wie kommt eine Frau von Ihrem Format an einen solchen Mann? Haben Sie sich eigentlich keine Sorgen gemacht, daß er weiterhin allen Frauen hinterherrennen würde?«

»Nein, eigentlich nicht. Er war das erste Mal an eine Frau geraten, die ihm überlegen war.« Tom hatte ihr wohl einen anzüglichen oder doch zumindest aufreizenden Blick zugeworfen, denn Jessica hörte plötzlich auf, ihren Knöchel zu streicheln, und begann statt dessen, ihren Mittel- und Zeigefinger zu massieren. Sie tat das in einem so verführerischen Rhythmus, daß es mich nicht weiter gewundert hätte, wenn diese plötzlich ejakuliert hätten. »Ich habe ihn geliebt. Aber in letzter Zeit habe ich viel nachgedacht.«

»Worüber?«

»Ob das wirklich Liebe war? Oder ob ich nur seiner . . . wie soll ich sagen? . . . Vitalität, nein, Virilität, verfallen war?« Das war doch nicht zu fassen! Sie leckte sich glatt über die Lippen! »Er war schon ein starker Typ, dieser Rick.« Das galt ihrer Meinung nach offenbar auch für Tom Driscoll. Jedenfalls sollten ihre Erinnerungen an Richies Potenz wohl vor allem die Botschaft vermitteln, daß nur eine ziemlich tolle Biene das Potential eines Herrn mittleren Alters voll ausschöpfen konnte. In diesem Moment schien sie sogar Nicholas Hickson vergessen zu haben, zumindest vorübergehend. Denn auch dieser hatte, nachdem er sich bereit erklärte, seine Frau zu verlassen, für Jessica an Reiz verloren. Jetzt warf sie ihre Netze nach Tom aus. Sicher, Tom war nicht, das hatte seine Frau ganz richtig bemerkt, wie Hickson in der vierten Generation reich, aber er war immerhin ausgesprochen wohlhabend. Und außerdem war er jünger als Daddyherz und sehr viel attraktiver. Und er hatte eine Frau, so daß Jessica nicht auf ihr liebstes Vergnügen verzichten mußte, eine Ehe zu ruinieren.

»Sie wissen ja, daß meine Frau sich sehr zu Rick hingezogen fühlte«, sagte Tom, mittlerweile merklich irritiert.

»Ich weiß«, tröstete Jessica ihn. »Aber zwischen ihnen ist nie etwas passiert.«

»Das weiß ich«, sagte er kühl. »Aber trotzdem war er ein Weiberheld. Obwohl man ihm das auf den ersten Blick nicht angesehen hat.«

Jessica sah Tom an. »Rick hat seinen Geliebten das gegeben, was die meisten Frauen nie bekommen. Dabei ging es nicht nur um Sex. Er war kein Don Juan, jedenfalls nicht im herkömmlichen Sinn. Aber er war ein unverbesserlicher Charmeur. Wenn er einer Frau seine Aufmerksamkeit schenkte, blühte sie plötzlich auf. Er hat ihr aufregende Momente gegeben, Zuwendung. Er hat sie zu neuem Leben erweckt. Aber wenn sie ihn zu langweilen begann, dann war sie für ihn gestorben. Selbst wenn es sich nur um einen Flirt handelte, war das für die Frau ein großer Verlust. Können Sie sich vorstellen, wie schlimm es da war, wenn er eine echte Liebesbeziehung beendete? Wenn seine Frau es nicht getan hätte, wäre es über kurz oder lang sicher einer von den beiden anderen eingefallen. Glauben Sie mir: Er konnte eine Frau zum Wahnsinn treiben.«

»Das ist eine interessante Theorie.«

»Es ist mehr als nur eine Theorie. Nachdem er seine Frau verlassen hat und mit mir zusammengezogen ist, habe ich immer wieder Drohanrufe bekommen.«

»Von Rosie?«

»Das glaube ich nicht. Ich hatte das Gefühl, daß da jemand seine Stimme verstellte. Aber selbst dann hätte ich Rosie erkannt. Außerdem hat dieser Jemand auch an einem Abend bei mir angerufen, an dem sie und Rick sich im Büro getroffen haben. Als er nach Hause kam, habe ich ihn gefragt, ob sie die ganze Zeit zusammen waren, und er hat das bejaht. Ich weiß noch, wie er gelacht hat: Sie hätte freiwillig ein Zusammensein mit ihm nicht um eine einzige Sekunde verkürzt. Traurig, aber wahr.«

»War es immer dieselbe Frau, die Sie angerufen hat?« Jessica nickte. »Und wie hat sie Sie bedroht?«

»Sie sagte, wenn ich nicht mit Rick Schluß machen würde, dann schnitte sie mir, na ja, schnitte sie mir bestimmte Teile meines Körpers weg.«

Nichts leichter als das: Das hätte die Frau vermutlich mit einer Nagelschere geschafft. Aber Tom klang entsetzt. »Du gütiger Himmel!« rief er aus.

»Ich habe Ihnen doch gesagt, daß er eine Frau zum Wahnsinn treiben konnte«, meinte Jessica.

»Aber nicht Sie«, erwiderte Tom.

Er mußte sich erhoben haben, denn plötzlich stand Jessica auf. »Nein«, sagte sie mit sanfter Stimme. »Mich nicht.« Tom schlenderte zu ihr hinüber. »Es ist gar nicht so leicht, mich zum Wahnsinn zu treiben«, fügte sie hinzu.

»Das glaube ich Ihnen gern«, antwortete er und gab ihr die Hand. »Ich akzeptiere übrigens Ihre Konditionen. Wir sprechen uns in zwei Monaten wieder.« Seine Stimme wurde noch tiefer, sinnlicher. »Nach der Probezeit.«

»Ich freue mich schon darauf«, murmelte sie, als er sie zur Tür brachte.

Als ich aus meinem Versteck hervorkam, erwartete ich, Tom schwitzend, schwer atmend und vielleicht sogar mit ausgebeulter Hose wiederkommen zu sehen. Aber er war kalt wie Hundeschnauze. »Weißt du, was meine alte irische Mutter über so ein Mädchen gesagt hätte?«

»Über so eine Frau. Was hätte sie gesagt?«

»Sie hätte gesagt: ›Ist das aber ein durchtriebenes Luder.‹« Er grinste. »Die ist mir schon eine Marke.«

»Und, hat sie auf dich gewirkt?«

»Ich bin auch nur ein Mensch.« Er legte mir den Arm um die Schulter, küßte mich auf den Kopf und fügte hinzu: »Ich kann sie nicht so recht einschätzen.« Ich drückte ihn einen Augenblick, dann ließ ich mich auf die vermutlich längste zerlegbare Couch der Welt sinken. Sie war harmlos grau, und dieses Grau wiederholte sich sowohl im Teppich als auch im burgunderrot-grauen Polster der beiden Sessel. Das Büro, einschließlich der burgunderfarbenen Vitrinen, war mit Sicherheit nicht von demselben Designer entworfen worden, der sich der Wohnung der Driscolls angenommen und sie nach dem *Dernier cri* in Europa eingerichtet hatte. Es handelte sich wohl eher um den Innenarchitekten einer Büroeinrichtungsfirma, dessen Einfallslosigkeit noch durch die konkrete Aufgabenstellung verstärkt worden war: Modern, aber nicht zu modern, und bleiben Sie auf jeden Fall innerhalb des Etats. Tom setzte sich neben mich, und wir legten die Füße auf den niedrigen, burgunderfarbenen Couchtisch vor uns.

»Glaubst du, sie hat es getan?« fragte ich.

»Schwer zu beurteilen. Ich sage dir, was mir mehr Kopfschmerzen bereitet: Die Polizei ist sich sicher, daß du es warst. Aber warum sollte Jessica sich dann noch eigens eine komplizierte Geschichte ausdenken, um zu beweisen, daß du es nicht nur getan, sondern auch von langer Hand geplant hast? Aus ihrem Mund klang das, als könne es jede Frau gewesen sein, die er jemals in seinen Bann geschlagen hat, weil er sie alle zum Wahnsinn trieb. Ihrer Ansicht nach warst du allerdings die verrückteste von allen, weil du am längsten mit ihm zusammen warst.« Er nahm meine Hand. »Was hatte der Mann nur an sich? Hat er seinen vorwitzigen Ständer immer am Bein festbinden müssen oder was?«

»Nein. Aber er war in der Tat ein wunderbarer Liebhaber: einfallsreich, ungehemmt. Wir waren fünfundzwanzig Jahre lang verheiratet. Wenn ich durchgedreht bin, als er mich verlassen hat, dann sicher nicht nur, weil ich meinen Hengst verloren hatte. Obwohl das durchaus ein Verlust war. Aber die wirklichen Verletzungen lagen woanders. Meine Familie zerbrach, ich verlor meinen Lebensgefährten. Wenn der Mensch, der dich am besten kennt, plötzlich sagt: ›Nein danke, ich will nicht mehr‹, ist das die schrecklichste Zurückweisung, die man sich vorstellen kann.«

»Rosie, er war verrückt.«

Ach ja? Und was war, als du mir einfach wegen deiner heiligen Jungfrau Peggy den Laufpaß gegeben hast? hätte ich fast gesagt. Aber ich hielt lieber den Mund. Ich erwähnte auch nicht, daß er mich, als er zum Erntedankfest seine ersten Semesterferien zu Hause verbrachte, nicht einmal angerufen hatte. Ich hatte gewartet, und als ich ihn dann schließlich am späten Sonntagnachmittag selbst anrief, klang er überrascht – nicht darüber, daß ich genügend Chuzpe besessen hatte, den Hörer in die Hand zu nehmen, sondern darüber, daß ich überhaupt existierte. Er sagte, er hätte sich natürlich gern mit mir getroffen, aber er habe schon etwas anderes ausgemacht.

Doch jetzt war er ein Marschgefährte, ein Mitverschwörer, also sagte ich einfach nur »Danke«.

»Was jetzt?«

»Ich brauche eine Minute zum Nachdenken.« Ich schloß die Augen. Bilder, Sätze, unausgegorene Ideen schwirrten mir durch den Kopf. Ein oder zwei besonders leidenschaftliche Augenblicke in der Nacht mit Tom kamen mir in den Sinn, dann brütete ich über die Frage nach, ob zu Hause wohl jemand daran gedacht hatte, die Aufsätze mit dem blumigen Titel »Die Liebe – ein Thema mit Variationen in Jane Austens *Stolz und Vorurteil*« zurückzugeben, nachdem ich mir schon die Mühe gemacht hatte, sie zu benoten. Hatte jemand das Vogelfutter nachgefüllt? Ich erinnerte mich an ein Tennisdoppel gegen Stephanie und Carter, in dem ich den Sieg verschenkt hatte, weil ich einen kurzen Moment lang völlig hingerissen war von Richies unglaublicher Präsenz, von seinem Körper, in dem jeder einzelne Muskel angespannt war, von seinem Geist, der nur ein einziges Ziel kannte – den Sieg. Vor meinem geistigen Auge sah ich, wie er vor Zorn seinen Schläger gegen den Netzpfosten schleuderte, weil ich einen Schnitzer gemacht hatte. Und ich dachte daran, wie herrlich jetzt eine Gesichtsmaske wäre.

Aber als ich dann endlich die Augen aufschlug, wußte ich genau, was ich tun mußte. »Ich muß zurück nach Shorehaven, Tom. Ich muß Mandy finden.«

Parallel verlaufende Falten furchten sich in die Haut zwischen seinen Augen. »Ich dachte, wir waren uns einig, daß es zu gefährlich für dich ist, nach Shorehaven zurückzukehren. Dort kennt dich jeder.«

»Wir haben uns darauf geeinigt, daß ich alles erledigen würde, was hier in der Stadt zu machen ist, und daß ich dann zurückkehre.«

»Die finden dich doch innerhalb von zwei Sekunden! Da hetzt dir sofort jemand die Polizei auf den Hals.« Er zog eine imaginäre Waffe. »Die Cops kreisen dich in Null Komma nichts ein. Einer davon könnte nicht alle Tassen im Schrank haben und dich einfach niederschießen – und dann würde er behaupten, daß du nach deiner Waffe gegriffen hättest.« Er steigerte sich in diese Geschichte hinein, seine Handflächen wurden feucht, dann naß.

»Das wird nicht passieren«, versicherte ich ihm.

»Woher willst du das wissen?« Er ließ meine Hand los.

»Es ist einfach hochgradig unwahrscheinlich. Okay?« Aber ich machte auch keine Anstalten, sofort vom Sofa hochzuspringen.

Ich blieb, wo ich war, denn ich brauchte Toms messerscharfen Verstand. Und ich brauchte ihn, feuchte Hände hin oder her. »Du weißt alles, was ich weiß«, sagte ich. »Können wir das alles noch einmal durchgehen?«

Endlich sagte er widerwillig: »Na schön.« Dann nahm er wieder meine Hand.

»Wer hätte sich durch Richies Tod etwas erhoffen können?«

»Du redest jetzt von einem richtigen Motiv, nicht von diesen Wahnsinnstheorien?«

»Ja.«

»Tja, du konntest dir am meisten erhoffen, weil du Multimillionärin geworden wärst, wenn du Data Associates übernommen hättest ...«

»Aber das ist doch lächerlich. Warum, um Himmels willen, sollte ich eine Firma übernehmen wollen?« fragte ich, obwohl das vermutlich nicht die diplomatischste Frage war für jemanden, der sein Leben damit verbrachte, Firmen aufzukaufen.

»Du hättest sie leiten können. Sie verkaufen. Jessica feuern. Was du wolltest. Außerdem spielt da nach Meinung der Polizei auch noch die übliche Geschichte von der eifersüchtigen Ehefrau mit. Schließlich war er dein Mann, und er hat dich wegen einer anderen verlassen.«

»Sag's ruhig.«

Tom tat mir den Gefallen. »Wegen einer Jüngeren. Aus der Sicht der Polizei ist das ein ausgesprochen starkes Motiv.«

Und das aus gutem Grunde – schließlich war es tatsächlich oft der Angetraute, der den oder die Partnerin erschoß, vergiftete, verbrannte, erstickte, mit einem Hammer erschlug, mit den Füßen zu Tode trampelte oder eben erstach. »Bist du dir sicher, daß ich es nicht gewesen bin, Tom?«

»Bist du dir sicher, daß *ich* es nicht getan habe?«

»Aber natürlich.«

»Dito. Wenn *du* es also nicht gewesen bist, wer dann? Wer hat sonst noch von Ricks Tod profitiert?« Er beantwortete seine Frage selbst. »Deine Söhne.« Ich sagte nichts darauf, und er war klug genug, nicht auf der Ausführung dieses Gedankens zu bestehen. »Da wäre noch Jessica. Sie hatte alle Gründe, die du bereits angeführt hast. So, wie ich die Sache sehe, hat sie mit ihm ein paar vorteilhafte Klauseln fürs Geschäft ausgehandelt, für den Fall, daß sie ihn heiratete. Vermutlich ging's dabei um das Aktienkapital, das heißt, sie wollte mit Sicherheit erreichen, daß sie den gleichen oder doch zumindest fast den gleichen Anteil an der Firma hat wie er – das wäre jedoch erst eine gewisse Zeit nach ihrer Heirat möglich gewesen. Aber vielleicht hat sie es immerhin so weit gebracht, daß sie die Leitung von Data Associates übernehmen dürfte, wenn ihm was passieren würde.«

»Mein Gott!«

»Wenn sie ihn tatsächlich umgebracht hat, hat sie das von langer Hand geplant, damit du als Schuldige dastehst. Das wäre dann eine geniale Leistung.« Tom spielte an meinem kleinen Finger herum. »Dann wäre da noch Nicholas Hickson. Jessica hat möglicherweise erwähnt, was Rick vorhatte – daß er in euer Haus eindringen und die Kaufunterlagen mitnehmen wollte.«

»Aber warum sollte der ein Interesse an Richies Tod haben?«

»Vielleicht war er sich nicht so sicher, ob Jessica Rick auch tatsächlich verläßt. Vielleicht hatte er das Gefühl, daß sie einen stärkeren Anreiz brauchte, seine Frau zu werden.«

»Glaubst du, der hätte die Kraft dazu gehabt? Er ist zwar groß, aber ziemlich dürr.«

»Es war nur ein einziger Stoß mit einem scharfen Messer nötig. Vielleicht hat er auch jemanden beauftragt, es für ihn zu tun. Hickson hat Geld wie Heu und Verbindungen. Er könnte sich einen Profikiller leisten, nicht nur einen Schläger, der sich am nächsten Abend vollaufen läßt und dann alles ausposaunt.« Tom starrte meine Hand an, als sehe er noch weitere Informationen in meiner Handfläche. »Soweit die Logik. Interessiest du dich auch für die unlogische Seite?«

»Sehr.«

»›Rache der Pressefrau!‹ Ich meine die Frau, die er nach dem Labor Day gefeuert hat.«

Ich schüttelte den Kopf: »Ziemlich weit hergeholt.«

»Wie wär's mit den beiden anderen Frauen, die der Herzensbrecher fast zum Wahnsinn getrieben hat? Oder mit den Ehemännern oder Freunden dieser Frauen?«

»Möglich.«

»Die Sekretärin? Und was ist mit dieser Mandy? Wie paßt sie ins Bild?«

»Deshalb muß ich zurück nach Shorehaven.«

Tom gefiel dieser Gedanke zwar nicht, aber immerhin gab er Long Island noch eine Chance. »Mir fällt eine Möglichkeit ein. Auch wenn sie ziemlich abwegig klingt.«

»Ich nehme alles, was ich kriegen kann.«

Er faßte das offenbar als doppeldeutige Äußerung auf und zwinkerte mir zu, bevor er weiterredete. »Ich denke an Carter Tillotson. Seine Antwort auf deine Frage, warum er Rick am Tag seines Todes angerufen hat, die Geschichte mit der Untersuchung vor der Operation . . . was meinst du, hat er sich das ausgedacht?«

»Ich weiß nicht so genau. Er hat gezögert, aber ich dachte, das lag an seiner Überraschung darüber, daß ich von diesem Anruf wußte. Außerdem hatte ich die Waffe an seine Schläfe gedrückt, und so was fördert auch nicht gerade eine entspannte Unterhaltung.« Ich kaute noch eine Weile an meiner Unterlippe. »Ich habe da noch was Seltsames auf Lager: der Abend, an dem Carter zusammen mit Stephanie zu mir gekommen ist, angeblich, um zu kondolieren. Er war so wie immer, ein richtiger Waschlappen eben, obwohl die meisten Leute ihn nicht für einen Waschlappen halten, weil er groß und gutaussehend und obendrein noch Arzt ist – aber dann hat er plötzlich verrückt gespielt.«

»Stimmt. Du hast erzählt, daß er seine Frau gepackt und gesagt hat, du sollst sie nie wieder belästigen.« Ich nickte. »Sein Verhalten ergäbe einen Sinn, wenn er dich wirklich für eine

Psychopathin gehalten hat, die vielleicht wieder einen Mord begeht. Aber wenn dem so war, warum ist er dann überhaupt zu dir gekommen?«

»Ich könnte mir vorstellen, daß Stephanie ihn dazu überredet hat.«

»Warum hat er die Sache dann nicht wie ein Gentleman ausgestanden?«

»Das verstehe ich auch nicht. Er ist immer unruhiger geworden, bis es ihn nicht mehr auf seinem Platz gehalten hat.«

»Versuch mal, dich zu erinnern. Wann genau hat er durchgedreht?«

Ich war mir nicht so sicher. »Möglicherweise als Stephanie sagte, sie würde mir einen anderen Anwalt besorgen.«

»Hör zu, Rosie. Ich habe den Mann kennengelernt. Er läuft auch mit im Hamsterrad der feinen Gesellschaft, oder jedenfalls versucht er das: Cocktailpartys, kleine Abendgesellschaften, hin und wieder eine Benefizveranstaltung. Er strampelt sich ab, um der strahlende Mittelpunkt dieser Gesellschaft zu werden, sozusagen *der* Facelifter der Nation, und er hat auch schon beachtliche Fortschritte gemacht. Die Frauen von all meinen Freunden gehen zu ihm, ja sogar manche der Frauen, mit denen meine Frau gern befreundet wäre. Und auch meine eigene Frau, leider Gottes. Sie hat jede erdenkliche Operation bei ihm hinter sich. Es fehlt nur noch, daß sie ihm Vorschüsse zahlt. Ich muß gestehen, daß ich kaum mehr als ein paar Worte mit ihm gewechselt habe, aber besonders aufregend finde ich ihn nicht. Ich halte ihn auch nicht für einen Menschen, der alles in sich reinfrißt und dann plötzlich in die Luft geht.«

»Ich hab' dir doch schon gesagt: Er ist ein Waschlappen.«

»Aber seit jenem Nachmittag ist er ein Waschlappen, der sich, aus welchem Grund auch immer, schrecklich über dich aufregt. Sein letztes Zusammentreffen mit dir hat ihn sicher auch nicht dazu bewegt zu denken: ›Was ist diese Rosie doch für ein netter Kumpel!‹« Tom atmete ein paarmal tief durch; er arbeitete an einer kleinen Predigt, die perfekt werden mußte. »Ich weiß, ich kann dir keine Vorschriften machen, aber ich hoffe wirklich, daß du dich von ihm fernhältst. Entweder ist er selbst höchst gefährlich, oder er hält dich für höchst gefährlich. Er ist nervös. Man kann nie wissen, wozu er fähig ist.«

»Ich weiß.« Und wie ich es wußte.

Tom ging zu seinem Schreibtisch, hob den Hörer ab und erzählte seiner Sekretärin die hübsche kleine Story, daß er schon vor sieben in der Früh mit seiner Schwägerin Marge aus Seattle ins Büro gekommen sei. Marge, die Frau von Joe. Offenbar war die Sekretärin mit der anscheinend unendlichen Geschichte von Joe Driscoll und seinen Schandtaten vertraut. »Würden Sie bitte Kaffee bringen?« fragte Tom und fügte mit gesenkter Stimme hinzu: »Sagen Sie bitte alle meine Termine für heute ab.« Joe saß wieder einmal in der Klemme, und er, Tom, mußte ihm da heraushelfen. Es tat mir leid, daß Toms Bruder Joe sich zu einem Problem entwickelt hatte. Ich hatte ihn als netten, verträumten Jungen in Erinnerung, der im Buchstabierwettbewerb der New Yorker Schulen Zweiter geworden war.

Wenig später trat die Sekretärin ein, eine pingelige Frau, der offenbar keine Kleinigkeit zu unbedeutend war. Sie stellte ein Tablett mit gefalteten Stoffservietten, Prozellantassen und einer Kaffeekanne ab und erkundigte sich bei Mr. Driscoll, ob sonst noch etwas zu erledigen sei. Mich begrüßte sie mit einem knappen »Guten Morgen«, vermied es aber geflissentlich, mir ins Gesicht zu sehen, das ihrer Ansicht nach tränenüberströmt sein mußte. Hervorragend: Tom hatte den einzigen Menschen in seinem Büro ausgeschaltet, dem es merkwürdig vorkommen konnte, daß er so früh erschienen war – und noch dazu zusammen mit einer mysteriösen Besucherin.

Tom schenkte sich eine Tasse Kaffee ein, und ich begann nachzudenken. Bis jetzt hatte ich mich gar nicht so schlecht geschlagen. Ich hatte schon mehr herausgefunden, als ich mir je erträumt hatte. Doch statt mich der Frage, wer Richie Meyers getötet hatte, näherzubringen, schienen all diese Fakten eine Antwort in noch weitere Ferne gerückt zu haben.

»Rosie.« Ich zuckte zusammen. Ich hatte nachgedacht und völlig vergessen, daß sich noch jemand im Raum befand. »Hast du je Drohanrufe bekommen?«

»Was?«

»Erinnerst du dich noch? Jessica hat doch gesagt, sie habe widerliche Telefonanrufe bekommen.«

»Ja, ich erinnere mich. Nein, mich hat nie jemand belästigt.«

»Er hat nicht nur dich wegen Jessica verlassen, sondern auch eine andere Frau. Vielleicht ist diese andere Frau deshalb durchgedreht.«

»Wenn er sie tatsächlich wegen Jessica verlassen hat, muß sie die Frau gewesen sein, die diese verdammte Lücke ausfüllte, nämlich Mandy!«

»Vielleicht Mandy«, sagte er. »Erhoff dir aber nicht zuviel. Das dümmste, was du jetzt machen kannst, ist einfach zu sagen: ›Aha, da haben wir die Schuldige!‹ Damit verbaust du dir alle anderen Gedankengänge. Der Name könnte Zufall sein. Da war diese Mandy, von der dir Ricks Sekretärin erzählt hat. Die Mandy in Shorehaven könnte jemand anders sein.«

»Nein, Tom. Es *muß* jemand aus dem Ort gewesen sein. Es paßt alles zusammen. Richie ist damals am Abend immer früh nach Hause gekommen. Ich habe mich so gefreut und gedacht, jetzt versucht er wirklich, nicht mehr soviel zu arbeiten. Er war wieder wie in alten Zeiten. Dabei hatte er in Wahrheit nicht aufgehört, mich zu betrügen; er ließ jetzt lediglich die Drinks und das Abendessen aus.«

Tom massierte sich einen Augenblick die Stirn. »Na schön. Denken wir also darüber nach, warum er plötzlich immer so früh heimgekommen ist. Es lag nicht daran, daß er pünktlich zum Essen zu Hause sein wollte. Es hatte vielmehr damit zu tun, daß die Frau verheiratet war. Sie mußte wieder zu ihrem Mann zurück – in Shorehaven.«

»Und wer war die Frau dann?« murmelte ich.
»Wir müssen zurück nach Shorehaven, um das herauszufinden.«
Da mußte ich dem Mann, in den ich mich zum zweiten Mal verliebt hatte, erklären, daß ich dabei nicht an ein »Wir« dachte.

18

Tom Driscoll hatte sich während seines ersten Semesters in Dartmouth verändert und war kühl und distanziert geworden. Seitdem hatte ich ihn immer so verschlossen erlebt, daß ich ganz vergessen hatte, wie jähzornig er sein konnte. Doch als er mit der Faust auf den Couchtisch schlug und bellte: »Sei doch nicht so dämlich!«, erinnerte ich mich wieder an den alten Tom. Ich hatte mich geweigert, seine Hilfe anzunehmen – ich wollte nicht, daß er mit mir nach Shorehaven kam.
»Wenn sie mich erwischen, dann erwischen sie dich auch«, erklärte ich ihm mit meiner schönsten Schullehrerinnenstimme.
»Glaubst du, daß mir das was ausmacht?« brüllte er und versetzte dem Sofa einen Fußtritt. Sein Gesicht war hochrot, doch hinter seinem Zorn entdeckte ich die Befriedigung des Sportlers, der gerade einen großen Erfolg errungen hat. Es war nicht nur befriedigend für Tom, zu seinem Jähzorn zurückgefunden zu haben, er war wie neugeboren. »Das ist mir scheißegal!« schrie er weiter.
»Wenn du erst mal fünf oder zehn Jahre im Knast sitzt, ist dir das nicht mehr scheißegal!«
Ich brauchte eine Weile, bis ich mich wieder gefangen hatte und in der Lage war, meinen Plan zu erklären. Ich würde ein New Yorker Taxi bis nach Great Neck nehmen, das etwa zehn Meilen

westlich von Shorehaven lag. Sobald die Dunkelheit hereingebrochen war, konnte ich zum Bahnhof hinübergehen und mich unter die Masse der Einkäufer oder Pendler mischen, die sich ein Taxi riefen, um nach Hause zu fahren. »Shorehaven«, würde ich einfach nur mit müder Stimme sagen.

Tom setzte sich auf die Kante seines Schreibtischs und ließ ein Bein baumeln, offenbar, um sich selbst zu beweisen, wie cool er war. »Du möchtest mit drei von vier Leuten reden«, sagte er plötzlich ausgesprochen gelassen. »Du bist doch nicht blöd, Rosie. Schalt mal das Gehirn ein, das Gott dir mitgegeben hat. Wie soll das alles gehen, allein?« Er war ja so vernünftig. »Wir müssen uns was ausdenken, damit ich da bin, wenn du Hilfe brauchst.« Ich schüttelte den Kopf. »Warum bist du bloß so dumm?« brüllte er.

»Ganz im Gegenteil: Ich bin schlau.«

Offenbar hatte sich das Sofa als nicht zufriedenstellend erwiesen, denn jetzt versetzte er seinem Schreibtisch einen schnellen Tritt. »Du hältst dich wohl für so schlau, daß du nicht mal mehr siehst, was um dich herum vorgeht! Ist dir schon mal in den Sinn gekommen, daß bei deinen Freunden die Polizei auf dich warten könnte?«

»Nicht unbedingt.«

»Hast du die Sache mit Carter vergessen? Der wird mit Sicherheit nach dir Ausschau halten. Und meinst du etwa, seine Frau wird Verständnis dafür haben, daß du ihren Mann mit der Pistole bedroht hast?«

»Das war doch nur eine Spielzeugpistole!«

»Und woher soll sie das wissen? Und was ist mit deiner verrückten Freundin, die diese komischen Gedichte schreibt? Meinst du vielleicht, die mixt dir einen Dry Martini, wenn du zu ihr kommst?«

Ich muß zugeben, daß die Einwände, die Tom erhob, mich ins Wanken brachten. Mehr als das. Ich wollte raus aus der ganzen Geschichte. Ich hatte die Nase voll. Am liebsten hätte ich mir jetzt einen Schönheitschirurgen gesucht, der mir eine Elizabeth-Taylor-Nase modellieren würde, und dann noch einen Ort mit Palmen, an dem ich mich häuslich niederlassen konnte.

Es war alles so schnell gegangen. Ich hatte überhaupt nicht gemerkt, daß ich meine letzten Energiereserven bereits vor drei Tagen aufgezehrt hatte. Ich war ausgebrannt und wünschte mir nur noch Frieden und nichts als Frieden. Einen Augenblick lang gestand ich mir einen süßen Tagtraum zu: Tom gab Hojo den Laufpaß, klinkte sich aus seinem Geschäft aus und verbrachte den Rest seines Lebens zusammen mit mir in einem Haus auf einem Kliff hoch über dem Strand. Das Haus hatte eine riesige Bibliothek, und die weißen Vorhänge blähten sich im sanften Tropenwind.

Doch schon eine Sekunde später erwachte ich wieder aus diesem Tagtraum. Tom Driscolls »Großes Abenteuer« hatte jetzt fast vierundzwanzig Stunden gedauert. Er war dreißig Jahre lang kein wilder, sexbesessener High-School-Junge mehr gewesen. Er war nur ein wichtiger Mann, der sich einen kleinen Fehltritt erlaubte. Die Pause, die er seinem gesunden Menschenverstand einräumte, würde vermutlich nicht viel länger als bis Mitternacht dauern.

Selbst wenn er sein Versprechen wahr machte und mir meine neue Nase finanzierte – was war das schon für ein Leben, sich einfach an einen sonnigen Strandort voller Palmen zu verziehen? Wie sollte ich je erfahren, ob Ben die Verdachterregende ehelichte und quengelnde kleine Milchzuckerallergiker zeugte – oder ob er sich doch noch in eine liebevolle, lebhafte, ganz normale Frau verliebte? Wer konnte mir dann sagen, ob Alex Erfolg mit seiner Musik hatte oder auf der Straße landete – oder in einem dreiteiligen Nadelstreifenanzug Megadeals für Rockstars aushandelte?

»Ich habe mir die Sache mit der Rückkehr nach Shorehaven genau überlegt, Tom, und ich gebe dir recht: Ich werde Hilfe brauchen, wenn ich dort bin. Deswegen werde ich meine Freundin Cass anrufen.«

Diesmal machte er sich nicht mehr die Mühe zu schreien. »Rosie, du mußt mir zuhören.«

»Ich höre.«

»Deine Freundin ist ein aufrechter Mensch, aber sie hat dir schon zu viel geholfen. Jetzt bleibt ihr keine andere Wahl mehr, als zur Polizei zu gehen. Vielleicht hat sie das schon getan und den Cops gesagt, daß du mit ihr in Verbindung stehst. Das Telefon in der Schule wird möglicherweise abgehört!«

»Ich weiß, ich gehe ein Risiko ein, aber ich vertraue ihr. Wirklich.«

»Dürfte ich dich dran erinnern, daß du auch deinem Mann vertraut hast?«

Ich weiß nicht, wie lange die Unentschlossenheit mich lähmte, aber schließlich versprach ich, Cass nicht zu erzählen, daß ich nach Shorehaven zurückkehren würde, sondern sie lediglich zu fragen, ob sie etwas Neues gehört habe. Tom, der sich durch meine plötzliche Umsicht offensichtlich ermutigt fühlte, erklärte sich bereit, in der High-School anzurufen und sich als Mr. Thomas, Cass' Architekt, auszugeben, der ihren Termin am Samstag um halb elf verschieben mußte. Ich betete, daß Cass vor halb elf im Lehrerzimmer vorbeischauen würde, um in ihr Fach zu sehen.

Tom setzte sich wieder zu mir aufs Sofa. Wir saßen schweigend da, händchenhaltend, die Finger verschränkt, und starrten vor uns hin wie zwei Teenager bei einem Film, in dem gleich etwas Schreckliches passiert.

Um halb elf wählte ich die Nummer des Telefons gleich neben der Schulcafeteria.

»Hallo«, meldete sich Cass mit fragender Stimme.

»Ich bin's«, sagte ich.

»Wie kannst du dich nur so salopp ausdrücken?« Na komm schon, sagte ich mir: Ich habe es nicht mit jemandem zu tun, der mit der Polizei zusammenarbeitet und sich als Lockvogel hergibt.

»Bist du noch dran?« unterbrach Cass meine Gedankengänge.

»Ich bin noch dran.«

Cass brach die Stimme nicht, aber sie klang sehr hoch, als sei sie den Tränen nahe. »Rosie, es vergeht keine Stunde, in der ich dich nicht vermisse, in der ich keine Ängste um dich ausstehe.«

Ich drehte mich um, weil ich nicht wollte, daß Tom mein Gesicht sah. Ich schämte mich so, ihr mißtraut zu haben. Plötzlich kam mir das Zitat eines französischen Schriftstellers in den Sinn, das ich einmal im Unterricht verwendet hatte: »Es ist schändlicher, seinen Freunden zu mißtrauen, als von ihnen betrogen zu werden.«

»Ich vermisse dich auch, Cass. Du kannst dir gar nicht vorstellen, wie sehr.«

»O doch, das kann ich wohl«, erklärte sie, jetzt wieder fast mit ihrer normalen Stimme. »Laß mich erzählen, was ich von Stephanie erfahren habe – nämlich sehr wenig. Es war aber ziemlich deutlich zu sehen, daß sie aufgeregt war. Man möchte gar nicht meinen, daß sich das stahlharte Nervenkostüm eines solchen Ostküstenblaubluts überhaupt erschüttern ließe, aber da kann man sich täuschen. Ich habe gleich nach der Schule bei ihr vorbeigeschaut. Kaum hatte ich den Mantel ausgezogen, da hat unsere liebe Stephanie Tillotson, die doch sonst vor fünf nie einen Drink anrührt, schon das Barwägelchen herangeschoben. Ich habe einen kleinen Sherry genommen, sie hat sich mindestens einen doppelten Wodka on the Rocks eingeschenkt. So blaß habe ich sie noch nie erlebt! Die Frau war weißer als der Schnee, weißer als ihre stark überschätzten Puddings, weißer als ...«

»Weißer als du. Mein Gott, ich weiß, daß sie eine Weiße ist. Erzähl mir einfach nur, was sie gesagt hat.«

»Sie hat gesagt, daß sie ziemlich angespannt ist. Man könnte sich fragen, warum. Sie hat ihr Bedienstetenehepaar gefeuert, und jetzt kann sie weder ein Kindermädchen noch eine, wie sie das ausdrücken würde, ›ordentliche‹ Haushaltshilfe finden. Wir wissen beide, was sie unter ›ordentlich‹ versteht.«

»Jemand, der nicht dunkler als ihr Pudding sein darf. Was ist mit Carter?«

»Ach Rosie! Was hast du dir denn dabei gedacht? War das eine echte Pistole?«

»Natürlich nicht. Was hat sie darüber gesagt?«

»Seitdem hat er Durchfall.«

»Gut. Geschieht ihm recht. Hat sie was über Carter und Richie gesagt?«

»Sie waren hauptsächlich Sportskameraden, haben Tennis miteinander gespielt und zusammen Basketball und Hockey angeschaut. Ich hab' versucht, ihr noch mehr Informationen über Carter zu entlocken, indem ich ihr erzählt habe, wie betroffen Theodore über den Mord war: ein Gewaltverbrechen in einem Wohngebiet mit zwei Morgen großen Grundstücken. Ich habe angedeutet, daß er in letzter Zeit schlecht schläft.«

»Tatsächlich?«

»Natürlich nicht. Theodore ist ein Dummkopf; den kann nichts erschüttern. Er schläft wie ein Baby. Aber rate mal, wer *nicht* schlafen kann.«

»Carter?«

»Stephanie hat zugegeben, daß er seit jenem Abend wie ausgewechselt ist.«

»Das geht bei Carter überhaupt nicht«, erwiderte ich. »Carter Tillotson wurde ohne Persönlichkeit geboren. Selbst Stephanies Farne sind interessanter als er.«

»Da hast du sicher recht, aber sie ist überzeugt davon, daß er Probleme wälzt. Sie hat ihm vorgeschlagen, ›über alles zu reden‹, aber er hat gesagt, er möchte nur seine Ruhe haben, und die hat sie ihm gelassen. Seit seinem kleinen Ausflug mit dir schläft er im Büro.«

»Wenn man bedenkt, daß er Durchfall hat, ist das wahrscheinlich ein Segen.«

»Zweifelsohne. Dazu kommt, daß die Polizei gerade seinen Wagen untersucht, weil sie darin Hinweise auf deinen Aufenthaltsort vermutet. Und Stephanies BMW will er, aus Gründen, die ich nicht begreife, nicht nehmen. Vermutlich hat das mit der genetisch bedingt engen Beziehung des Mannes zu seinem fahrbaren Untersatz zu tun. Natürlich verstärkt die Tatsache, daß sie sich jetzt allein in einem Haus aufhält, in dem sie niemanden bekochen kann, Stephanies Anspannung noch. Sie hat ihr Balg der Haushälterin ihrer Mutter aufgehalst. Sie sagt, sie verläßt das Gewächshaus kaum noch, denn das sei ihr einziger Trost.« Cass atmete tief durch und gestand: »Eigentlich tut sie mir leid.«

»Hast du was von Jessica erwähnt?«

»Ich habe Stephanie lediglich gefragt, ob sie sie bei der Beerdigung gesehen hat. Sie hat gesagt, nein, aber sie hat gehört, daß Jessica Grau getragen habe – was sie als anmaßend empfunden hat. Sie wollte nicht über Jessica reden. Sie war in dieser Hinsicht so unnachgiebig, daß ich fast glaube, sie wußte von Carters Affäre, obwohl ich das natürlich nicht mit letzter Gewißheit sagen kann. Sie war zu nervös, als daß ich hätte beurteilen können, was sie wirklich weiß. Meiner Meinung nach macht sie sich große Sorgen um ihren Mann. Jedesmal, wenn ich seinen Namen aussprach ... ich konnte die Veränderung in ihrem Gesicht natürlich nicht sehen, aber ich habe sie gespürt. Vielleicht ist er normalerweise immer so phlegmatisch, daß schon die kleinste Gefühlsregung bei ihm sie erschreckt.«

Ich sah mich nach Tom um. Bevor ich Cass angerufen hatte, hatte ich ihm, sozusagen *quid pro quo*, angeboten, er könne bei dem Gespräch mithören. Anders als ich weigerte er sich zu lauschen. Damals in Brooklyn hätte er das nie getan; Dartmouth hatte wirklich großen Schaden angerichtet. Doch jetzt war er natürlich so neugierig, daß es ihn kaum noch auf dem Sofa hielt. Er fragte mich stumm: »Was? Was?« Ich schüttelte den Kopf – nicht jetzt – und winkte ab: Dieses Gespräch war viel zu kompliziert, als daß ich es einfach zwischendurch wiedergeben könnte. Ich warf ihm, wie ich hoffte, einen bedauernden Blick zu und wandte ihm dann wieder den Rücken zu.

Ich würde seine Warnung mißachten. Ja, ich hatte mich in Richie getäuscht. Vielleicht hatte ich auch andere Leute falsch eingeschätzt. Aber ich mußte bei Cass noch einmal das Risiko eingehen. Ich wollte nicht in einer Welt leben, in der man nicht einmal seinen besten Freunden vertrauen kann.

»Cass, Richie hatte ein Verhältnis mit jemandem in Shorehaven. Ich muß die Frau finden und mit ihr reden.« Sie schwieg verblüfft. Tom, der sich gerade noch einen Kaffee einschenkte, knallte die Kanne mit solcher Kraft auf den Tisch, daß der Boden platzte. Der Kaffee ergoß sich über den Tisch und tropfte auf den Teppich. Fast hätte ich Cass gesagt, sie solle einen Moment dranbleiben, aber dann dachte ich mir, daß sich Sojourner Truth und Elizabeth Cady Stanton schließlich nicht umsonst für die Sache der Frauen eingesetzt hatten. Ich konnte in einem so lebenswichtigen Augenblick doch nicht das Gespräch unterbrechen, ins Badezimmer eilen und ein Handtuch holen, um den Dreck aufzuwischen, den ein Mann gemacht hatte. »Hast du mich verstanden, Cass?« erkundigte ich mich.

»Ja. Bist du dir da ganz sicher?«

»Absolut.« Tom sah eine ganze Weile zu, wie der Kaffee auf den Teppich tröpfelte, und machte sich dann auf den Weg ins Bad. »Ich muß rausfinden, wer eine gewisse Mandy ist. Soweit ich weiß, ist sie die Frau, mit der Richie vor Jessica ein Verhältnis hatte. Ich bin mir ziemlich sicher, daß sie in Shorehaven wohnt.«

»Mandy?« wiederholte Cass. »Ich kenne eine Mindy Lowenthal, sie arbeitet in der Präsenzbibliothek.«

»Nein, ich bin mir ziemlich sicher, daß die Frau Mandy heißt.« Tom kam mit einer Schachtel Papiertüchern ins Zimmer zurück und beseitigte die Kaffeepfützen, allerdings nicht ohne ein paar feuchte braune Kleenexfetzen auf dem Teppich zu hinterlassen. »Ich habe so eine Ahnung, daß das die Anwältin ist, die immer am Abend mit Stephanie zum Joggen gegangen ist. Versuch doch, das über Stephanie rauszukriegen, aber sei *bitte* nicht so direkt. Ich will nicht, daß irgend jemand von unserer Verbindung erfährt. Die Leute müssen weiter glauben, daß ich eine Einzelkämpferin bin.«

»Bin ich jemals direkt gewesen? Ich rede mit Stephanie und versuche, über meine Quellen etwas über eine Mandy – oder Amanda – herauszubekommen.«

»Höchstwahrscheinlich ist sie zwischen zwanzig und vierzig, aber so wie ich Richie inzwischen kenne, solltest du vorerst niemanden unter fünfundsiebzig von deiner Liste streichen.« Ich schloß die Augen, um mich auf eine plausible Lüge für Cass zu konzentrieren. Das dauerte nur eine Sekunde – ich bekam allmählich Übung. »Du kannst Stephanie erzählen, daß Sergeant Gevinski bei dir war und dich gefragt hat, wo ich stecken könnte. Zwischendrin hat er einen Anruf bekommen, und so hast du zufällig gehört, daß Richie was mit einer Mandy hatte.«

»Eine ausgezeichnete Lüge!« sagte Cass voller Bewunderung.

»Danke. Könntest du das bitte so bald wie möglich erledigen? Es ist sehr wichtig.«

»Ich spüre schon, daß ich einen rauhen Hals und Fieber kriege. Wahrscheinlich muß ich mich gleich krank schreiben lassen.« In all den Jahren, die Cass schon unterrichtete, hatte sie die Schule nur ein einziges Mal vor drei Uhr nachmittags verlassen, und das war gewesen, um ein Baby zur Welt zu bringen. »Kannst du mich so gegen sechs Uhr abends zu Hause anrufen? Dann müßte ich rausgefunden haben, was es rauszufinden gibt.«

»Vielleicht könnte ich vorbeikommen«, sagte ich leise.

»Rosie, nein! Du kannst nicht hierher zurück.«

»Glaubst du vielleicht, ich weiß nicht, daß ich vorsichtig sein muß?«

»Du kannst gar nicht vorsichtig genug sein! Ich habe Alex heute morgen getroffen.«

»Wann?«

»Als ich den Hügel rauf bin, um mich dort mit Madleine und Stephanie zum Gehen zu treffen.«

»Was hat er denn um die Zeit da oben gemacht?«

»Ich habe keine Ahnung. Aber jetzt, wo ich ihn nicht mehr unterrichten muß, finde ich ihn ganz nett. Eigentlich kann ich ihn sogar ganz gut leiden. Rosie, wir unterhalten uns jeden Tag. Er sagt, daß dein Haus Tag und Nacht überwacht wird. Und ich habe selber eine unverhältnismäßig hohe Zahl von Polizeiwagen hier in den Estates beobachtet. Du darfst nicht riskieren, hierher zurückzukommen.«

Tom wußte, daß ich meine Entscheidung getroffen hatte, aber er bekam keinen Wutanfall mehr. Wir umarmten uns neben dem feuchten Teppich. Mein Kopf ruhte an dem Punkt seines Körpers, wo sich Brust und Schulter treffen. Er fragte mich, ob meine Entscheidung, es im Alleingang zu machen, endgültig sei. Ich sagte ja. Er erwiderte, er würde für mich beten, worauf ich meinte, ich könne jedes Gebet brauchen. Er massierte mir den Rücken zwischen den Schulterblättern und sagte, wenn alles vorbei wäre, könne ich ihm den Rücken massieren. Ich erwiderte, er könne nichts mehr von mir erwarten, nicht einmal eine Rückenmassage, denn schließlich sei er verheiratet.

Er sagte, wenn ich ihn brauche, solle ich ihn unter seiner Privatnummer anrufen und mich als seine Schwägerin Marge ausgeben. Meine Botschaft würde ihn auf jeden Fall erreichen. Er würde Tag und Nacht für mich bereitstehen. Dann öffnete er einen der Schränke, drehte am Schloß eines kleinen Safes und holte ein ganzes Bündel Geldscheine heraus. Als er zehn Hundertdollarnoten abgezählt hatte, sagte ich ihm, das sei mehr als genug, und ich würde ihm hoffentlich alles zurückzahlen können, wenn die Geschichte vorbei wäre.

Er dirigierte mich an seiner Sekretärin und an der Frau am Empfang vorbei und ging dann mit mir einen langen grauen Flur entlang bis zum Lift. Als der Aufzug kam, versuchte er es noch einmal: »Komm schon, Rosie. Nimm mich mit.« Er kämpfte mit den Tränen.

Eigentlich hätte ich auch weinen müssen, aber es gelang mir, mich zu beherrschen. Ich trat in den Lift, drückte auf »E« und sagte ihm, was ich in der High-School nie gewagt hatte, weil ich immer darauf wartete, daß er es zuerst sagen würde. »Ach, Tom...«

»Ja?«

»Ich liebe dich.«

Die Tür ging zu, bevor wir uns voneinander verabschieden konnten.

Fast genauso gespenstisch wie die Anmietung eines Leihwagens mit Dannys gefälschter Kreditkarte und dem falschen Führerschein war mein Versuch, mir selbst die Haare zu schneiden. Ich hatte sie immer zurückgebürstet und lang genug getragen, um sie zu einem Pferdeschwanz zusammenzubinden oder mir zu offiziellen Anlässen einen schicken Knoten zu stecken. Aber nun kaufte ich mir eine Schere und schnipselte in der Toilette eines Ladens gleich bei der Madison Avenue, der sich auf grauenhafte Sportkleidung zu Wucherpreisen spezialisiert hatte – schwarze und olivfarbene Jogginganzüge mit genügend Ösen, Nieten und Ketten, um noch die Wünsche des anspruchsvollsten Sadisten zu befriedigen –, so viel davon weg, daß mir aus dem Spiegel eine völlig fremde Frau mit einem asymmetrischen Kurzhaarschnitt entgegenblickte.

Ich hatte meine Stirn, zusammen mit meinen Wimpern und meinen Beinen, immer für den attraktivsten Teil meines Körpers gehalten. Zwar nannte ich nicht gerade das Haupt der Athene mein eigen, aber meine Stirn zeugte von Weisheit, vielleicht sogar von Adel. Jetzt war sie hinter einem Pony verborgen.

Ich spülte die letzten Locken meines Haares weg und stopfte die Spielzeugpistole, die ich immer noch im Ausschnitt trug, in die tiefe Tasche meiner neuen Jogginghose. Dann zog ich die Kapuze eines kotzgrünen Sweatshirts mit breiten Reißverschlüssen an Nacken und Manschetten über den Kopf. Dieses Oberteil war mir noch als das am wenigsten kriegerische im ganzen Laden erschienen. Wenn ich mich erst einmal in Shorehaven Estates befand, würde ich niemandem mehr auffallen, vielleicht würden die Einwohner mir sogar ernsthaften Willen zum Stil unterstellen – außer natürlich, die ernsthaft Stilbewußten dort.

Ich betrachtete mich im Spiegel. Meine grünliche Gesichtsfarbe paßte gut zu meinem Sweatshirt und rührte daher, daß mir speiübel war, aber wenn man meinen Teint nicht beachtete, wirkte ich regelrecht exotisch. Ich war ein Kind der Liebe zwischen einem Sizilianer und einer Cherokesin. Was für ein interessantes Gesicht! Wenn mir beim Gedanken daran, was ich vorhatte, nicht noch übler geworden wäre, hätte mich mein neues Ich vielleicht sogar selbst geblendet.

Ich chauffierte dieses neue Ich über die Brücke an der Fiftyninth Street nach Queens. Der silberfarbene Sedan de Ville, den ich gemietet hatte, war die Sorte Wagen, die sich normalerweise ein Industriemagnat leistete, dessen Arme und Zigarren die gleiche Länge hatten. Ich hatte ihn ausgewählt, weil die Polizei bei einem bescheidenen Chevrolet, den sie in einer der Straßen von Shorehaven Estates im Parkverbot entdeckte, mit Sicherheit sofort argwöhnisch werden würde, wogegen sie einen lächerlich extravaganten Sedan de Ville vermutlich schlicht übersehen würde.

Als ich über der Brücke war, geriet ich in so etwas wie ein Fernfahrertreffen und kam erst gegen drei Uhr nachmittags aus Long Island City heraus. Auf dem Expressway braute sich bereits die Rush-hour zusammen, doch einer der Radiosender strahlte eine Hommage an Bizet aus, so daß die Fahrt keine allzu große Qual war. Ich sang bei den Melodien aus *Carmen* mit. Als ich endlich in Nassau County anlangte, hatte Bizet meine Laune so gehoben, daß ich sogar meinen Magen hungrig knurren hörte, als ich das Radio ausschaltete.

Ich setzte mich in die Ecknische eines Pizza-Hut-Lokals. Obwohl ich schon ahnte, daß es ein Fehler sein würde, fast eine ganze mittelgroße Käsepizza mit Peperoni in mich hineinzuschlingen, beschloß ich, das Risiko einzugehen, weil die Behörden von New York State Gefangenen, die eine lebenslange Haftstrafe verbüßten, mit Sicherheit nicht erlaubten, sich von draußen eine Pizza zu bestellen. Dazu trank ich zwei Becher gute, kalorienreiche Cola. Dann fuhr ich weitere zehn Meilen bis zu Vinnie Carosellas Büro, das in einem jener Achtzigerjahre-Gebäude aus Backstein, Glasbausteinen und Glas untergebracht war, das wiederum von anderen Gebäuden aus Backstein, Glasbausteinen und Glas überragt wurde.

Die Dame an der Rezeption, eine kräftige Frau mit krausen Haaren, der Typ »Kluge, große Schwester« aus der Tamponwerbung, schien mir die Geschichte, ich sei eine Freundin von Rose Meyers, abzukaufen. Ich gab ihr den Namen, der auf meinem Führerschein stand: Christine Peterson. Sie nahm den Namen hin und auch den Jogginganzug – und obendrein noch die gräßliche Daunenweste, die ich darüber trug. Mein Gott, wie freute ich mich: Meine Verkleidungsnummer funktionierte! Sie führte mich zu Vinnies Büro. »Mr. C.«, rief sie aus. Er hob den Blick von einem gelben Kanzleiblock. »Mrs. Peterson. Rose Meyers hat sie geschickt.«

Die neue Ponyfrisur nebst Verkleidung konnte Vinnie nicht hinters Licht führen. »*Peterson?*« fragte er, nachdem er die Tür geschlossen hatte. »Wenn Sie sich schon als jemand anders ausgeben wollen, sollten Sie es mal mit dem Namen ›Russo‹ versuchen. Oder vielleicht mit Garcia. Mit Peterson fordern sie das Schicksal nur heraus, Rosie.«

Der Schreibtisch, die Stühle, die Regale – alle Flächen außer der, auf der er gesessen hatte – waren voll mit Briefen, braunen Umschlägen, Akten, Memos und Berichten, auf denen überall gelbe Merkzettel klebten. Die Stapel wurden durch riesige Gummis zusammengehalten, damit nicht alles im Chaos versank. Vinnie schob die Papiere von einem Stuhl auf den Boden und rückte ihn galant für mich zurecht, während ich mich setzte.

»Was kann ich für Sie tun?« erkundigte er sich.

»Ich bin gekommen, um Ihnen einen Vorschuß zu zahlen. Ich habe nicht viel, aber . . .«

»Vergessen Sie's«, unterbrach er mich. »Die Sache ist schon erledigt. Ein Cop, der mir noch was schuldet, hat Ihren Jungs gesagt, daß es Ihnen gutgeht... und daß Sie mir einen Vorschuß schulden. Die beiden haben vor ein paar Tagen vorbeigeschaut. Nette Jungs. Gestern hat mir der Ältere Zehntausend gegeben, bar auf die Hand.« Bevor ich fragen konnte, fügte er hinzu: »Er hat seinen Wagen verkauft. Es geht ihnen beiden gut. Die Uni macht ihm keine Schwierigkeiten, weil er so lange weg bleibt. Der Jüngere hat ein Engagement in einem Rockclub absagen müssen. Bei dem Manager hat das aber nur den Eindruck hinterlassen, daß Ihr Sohn jetzt plötzlich sehr gefragt sein muß, daß er es sich leisten kann, einen Gig platzen zu lassen. Da hat er ihn gleich für ein großes Konzert vor Weihnachten angeheuert.

Es läuft also alles bestens, Rosie. Allerdings hab' ich es noch nicht geschafft, den Laborbericht über die Reifen loszueisen. Aber das ist auch nicht der Weltuntergang, weil ich einen Freund habe, der mir die wichtigsten Informationen mündlich gegeben hat.« Vinnie ging zu einem Sessel, suchte in einem Stapel Papieren auf dem Sitz herum und zog einen Bogen gelbes Kanzleipapier heraus. »Die Reifenspuren, die Sie neben dem Wagen Ihres Mannes gesehen haben? Tja, Sie haben tatsächlich keine Halluzinationen gehabt. Sie stammen von Michelin-MXV-Reifen und sind vermutlich zur selben Zeit entstanden wie die Spuren Ihres Mannes.« Er überflog die Seite. »An seinem Auto waren Pirelli-P-Null-Reifen.«

Ich sah einen Silberstreif am Horizont, hatte aber fast Hemmungen zu fragen: »Sind das gute Nachrichten, Vinnie?«

»Jedenfalls keine schlechten. Es ist zwar nicht gerade so, wie wenn seine Freundin Jessica plötzlich Schuldgefühle kriegen, die Polizei anrufen und ein auf Videotape dokumentiertes Geständnis ablegen würde, aber es hilft uns trotzdem weiter. Wahrscheinlich hat sich außer ihm also noch jemand in der Gegend aufgehalten.«

»Das bestätigt einen Teil meiner Theorie.«

»Allerdings nur einen sehr kleinen Teil, wenn ich Ihnen das

sagen darf. Aber es ist immerhin ein Anfang.« Auf einer Ecke seines Schreibtisches, verborgen unter einem aufgeschlagenen juristischen Werk, stand eine Schale mit Süßigkeiten, ein riesiges Ding in Form eines Cognacschwenkers. Sie war bis zum Rand mit Mandelriegeln, Schokoladentäfelchen von Hershey, Snickers, Milky Way und Bounty gefüllt. Er legte das Buch beiseite, nahm eine Handvoll Süßigkeiten aus der Schale und bot sie mir an, als sei ich ein Kind, das an Halloween von Haus zu Haus zog, um Bonbons zu bekommen. Als ich ablehnte, ließ er sie auf seinen Schreibtisch gleiten, holte mit spitzen Fingern ein Hershey-Täfelchen aus dem Haufen und wickelte es mit dem Geschick eines geübten Liebhabers aus. Dann steckte er die Schokolade in den Mund. »Welche Autos haben normalerweise solche Michelin-Reifen?« fragte ich.

»Ich habe mir schon gedacht, daß Sie mich das fragen würden. Und die Antwort lautet: Tolle Autos. Saabs, BMWs, Volvos, Mercedese.« Er hatte jetzt einen Schönheitsfleck aus Schokolade neben dem Mund.

»Ich fahre einen Saab«, sagte ich. »Zwei meiner Freundinnen – Cass und Stephanie – fahren einen BMW. Stephanies Mann hat einen Mercedes, Madeline einen Volvo. Solche Autos sieht man bei uns überall.« Aus irgendeinem sicher unehrenhaften Grund liebten die Menschen aus den Estates arische Wagen; vermutlich rollten dort jeden Tag an die fünftausend Michelin-MXV-Reifen die Auffahrten hinunter. »Außerdem gibt es da noch eine Frau namens Mandy. Gott allein weiß, welches Auto sie fährt, aber selbst wenn sie nur ein Dreirad hat, hat das wahrscheinlich Michelin-MXV-Reifen.«

»Was hat das alles mit unserem Fall zu tun?« erkundigte sich Vinnie.

Weil er mich immer wieder unterbrach, um Fragen zu stellen und Schokolade auszupacken, dauerte es eine Weile, bis ich ihm erzählt hatte, was ich seit unserem Treffen im Washington Square Park herausgefunden hatte, das jetzt schon Ewigkeiten her zu sein schien. Ewigkeiten? Der Mord an Richie schien schon eine Ewigkeit her zu sein . . . und doch war es bloß eine Woche.

»Nun«, sagte Vinnie. »Die Dame mit den Michelinreifen – ich sage der Einfachheit halber ›die Dame‹ –, folgt also Ihrem Mann oder fährt auch nur vorbei. Jedenfalls sieht sie, wo er seinen Wagen abstellt. Sie fährt heran und parkt hinter seinem Auto, entweder, um sich seinen Wagen genauer anzusehen oder um ihren eigenen zu verstecken, weil sie beobachtet hat, wie er ausgestiegen und zu Ihrem Haus gegangen ist.«

»Sie ist ein paar Meter weiter in den Wald gefahren«, erinnerte ich ihn. »Vielleicht war es dort doch noch ein bißchen feucht, das passiert ja manchmal, wenn die Sonne nicht durch die Bäume durchkommt. Vielleicht hat sie sich die Schuhe schmutzig gemacht. Sie erinnern sich doch noch an die Erde auf meinem Küchenboden, oder?«

»Niemand schleppt so viel Dreck mit den Schuhen herein, insbesondere nicht, wenn er aus dem Wald kommt und dann auf gleichem Weg wie Ihr Mann zum Haus geht.« Vinnie dachte nach und massierte sich dabei den Nasenrücken. »Stellen Sie sich mal vor, ich bin der Staatsanwalt, ja? Wissen Sie, wie ich mit den Informationen umgehen würde, die Sie mir gerade gegeben haben? Sobald ich den Menschen vom Labor im Zeugenstand hätte, würde ich ihm die Aussage entlocken, daß der Boden neben den anderen Reifen auch nicht sonderlich feucht war. Der Schmutz stammte also von Ihrem Mann.«

»Aber er hat neben seinem Wagen keinerlei Fußspuren hinterlassen! Dort war kein Schmutz.«

»Es war etwas Erde an seinen Turnschuhen, und dem Staatsanwalt reicht das. Wir haben keinerlei Hinweise darauf, daß es noch einen Dritten gegeben hat.«

»Kann er das denn glaubhaft machen?«

»Ich könnte die Leute vom Labor ins Kreuzverhör nehmen. Es sieht fast so aus, als hätte man sie angewiesen, sich auf den Wagen Ihres Mannes zu konzentrieren. Sie hätten sich nicht sonderlich beliebt gemacht, wenn sie sich die anderen Reifen und den Boden rund um sie herum genauer angesehen hätten. Das könnte uns helfen – wenigstens ein bißchen.«

Ich rutschte ein wenig auf meinem Stuhl nach vorn. »Und wie steht's damit? Wenn er – sie – der Mörder – aus Shorehaven kommt, vielleicht sogar aus den Estates, oder schon einmal in unserem Haus oder in dem von den Tillotsons gewesen ist, kennt er den Fleck, auf dem Richie den Wagen abgestellt hat. Welchen Weg könnte der Mörder genommen haben? Wenn man von der Straße aus nicht gesehen werden will, kann man ein kurzes Stück durch den Wald gehen, dann gelangt man auf den Pfad, der zum Tennisplatz der Tillotsons führt. Aber Sie dürfen nicht vergessen, es war Mitte Oktober und mitten in der Nacht. Es ist sehr unwahrscheinlich, daß jemand einen schmalen Weg hochklettern und sich dann auf einem Tennisplatz verstecken würde, der von Bäumen gesäumt wird, um dort auf Richie zu warten, bis der wieder zu seinem Wagen zurückgeht. Außerdem stehen um den Wagen herum so viele Bäume, daß der Mörder Richie vielleicht nicht einmal gesehen hätte.«

»Ich möchte Sie aus reiner Neugier etwas fragen: Kann man von dem Tennisplatz aus Ihr Haus sehen? Könnte jemand beobachtet haben, wie Ihr Mann vor dem Haus herumging – oder sogar drinnen, in der Küche?«

»Nur mit einem Fernglas. Aber hören Sie sich mal die zweite Möglichkeit an, die Sie haben, wenn Sie nicht gesehen werden wollen: Vergessen Sie den Tennisplatz. Sie stellen Ihren Wagen so ab, daß der von Richie den Ihren verdeckt, ja? Entweder sind Sie ihm gefolgt, oder Sie haben seinen Wagen zufällig gesehen und wollen nur feststellen, was da los ist, ob Richie drinsitzt. Tja, er ist nicht im Auto, aber Sie können sich vorstellen, wo er vermutlich steckt. Sie wollen aber nicht, daß man Sie sieht. Außerdem können Sie nicht riskieren, die Straße und unsere Auffahrt entlangzugehen, weil Sie dort vielleicht mir über den Weg laufen würden, stimmt's? Und dann wissen Sie auch nicht, ob Richie allein ist.«

»Genau«, pflichtete mir Vinnie bei.

»Was machen Sie also, wenn Sie zwar Richie sehen, aber weder von ihm noch von einem anderen gesehen werden wollen?«

»Ich nehme die Abkürzung durch den Wald«, sagte Vinnie.

»Aber Sie haben mir doch selbst gesagt, daß der Wald dort wie ein Dschungel ist.«

»Es ist möglich, Vinnie! Schließlich habe ich es selbst gemacht. Sie können mir glauben, das war gar nicht so einfach. Meine Stiefel waren bis obenhin voller Erde. Überall hingen Ranken herunter, fast wie Seile – oder Schlingen. In meiner Kleidung und in meinen Haaren haben sich alle möglichen Zweige und Dornen verfangen. Natürlich würde niemand freiwillig nachts durch dieses Gestrüpp gehen, aber ich wußte, wo ich hinwollte, deshalb habe ich es auch geschafft. Wissen Sie auch, warum?«

»Warum?«

»Weil ich verzweifelt war, Vinnie.«

Vinnie Carosella nickte. »Genau wie der Mörder.«

Ich lehnte mich zurück und betrachtete seinen Schokoladenmund und seine schokoladenbraunen Augen. Er schenkte mir ein Schokoladenlächeln. »Vinnie, nun sagen Sie mir nicht . . .«

»Doch, Rosie. Sie haben mich überzeugt. Sie haben es nicht getan. Jemand mit Mordabsichten ist in jener Nacht in Ihre Küche gekommen. Sie sind unschuldig. Man hat Ihnen Unrecht getan.«

»Danke.« Ich stand auf, um zu gehen.

»Oder«, fuhr er fort, »Sie sind die begabteste Lügnerin, die ich je kennengelernt habe. In beiden Fällen . . .« Vinnie zog einen gedachten Hut, beschrieb damit einen Bogen und hielt ihn sich vor die Brust. ». . .stehe ich Ihnen zu Diensten, Miss Rosie. Ich werde mich jetzt gleich mit dem Staatsanwalt in Verbindung setzen. Wir müssen uns zusammensetzen, und vielleicht kann ich ihn überreden, Ihren Freund Gevinski zu rufen, damit wir uns über Reifen unterhalten können und über die anderen Hinweise, wie zum Beispiel über die Sache mit dem Wald und die mit den schmutzigen Schuhen. Über Schuhe, die eigentlich Spuren hätten hinterlassen sollen, das aber nicht getan haben. Ich werde auf alle Indizien hinweisen, die sie nicht näher untersucht haben, weil sie so versessen darauf waren, Sie festzunehmen. Und wissen Sie, was Sie in der Zwischenzeit machen werden?«

»Was?«

»Sie bleiben, wo Sie sind.«

Aber klar doch, Vinnie.

19

Theodore Tuttle Higbee III. preßte den Tabak in seiner Pfeife herunter und paffte. In seinem Morgenmantel mit den weißen Satinaufschlägen wirkte er recht zufrieden und lehnte sich, einen roten Stift in der Hand, im Sessel seines eichengetäfelten Arbeitszimmers zurück, um sich wieder den Fahnen seines hirnlosen Magazins *Standards* zuzuwenden. An den Füßen trug er Samtschlappen mit goldfarbenen Wappen; neben ihnen lag der beste Freund des Menschen, sein Collie Ronnie.

Ich betete, daß Ronnie mitspielte. Sein Naturell war dem des Präsidenten, nach dem er benannt worden war, nicht unähnlich. Kurz bevor ich mich unter dem Fenster wegducken wollte, hob der Collie tatsächlich den Blick und wedelte ein wenig vor Vorfreude: Ah! Endlich jemand, der mir den Kopf krault. Bereits eine Sekunde später hatte er vergessen, worauf er sich freute, gähnte und döste wieder ein.

Während ich mich vorsichtig zwischen den wuchernden Wacholdersträuchern und dem Farmhaus der Higbees hin und her bewegte, versuchte ich mich zu entscheiden, welcher der zahlreichen Räume mit zugezogenen Vorhängen das Arbeitszimmer von Cass war. Das muß es sein, sagte ich mir, als ich eine Silhouette hinter dem Vorhang entdeckte: Cass an ihrem Schreibtisch? Eine große Tischlampe? Ich wartete und gelangte bis zu der Zeile »Doch soll dein ew'ger Sommer nie ermatten...« aus Shakespeares Sonett Nummer 18, als sich die Silhouette bewegte. Ich warf ein Steinchen gegen das Fenster. *Ping!* Nichts tat sich. Wenn Cass in ein Buch vertieft war, hätte ich einen ganzen Findling in ihre Richtung schleudern können, sie würde nichts hören. Wenn sie sich jedoch in der Badewanne aalte und die Silhouette sich als die Haushälterin mit dem Desinfektionszwang entpuppte, die gerade Fingerabdrücke von den Möbeln wischte, saß ich tiefer in der Scheiße als vorhin vor dem Fenster, wo sich ein Haufen von Ronnie befunden hatte.

Mir hämmerte das Herz gegen die Rippen. Ich hatte den Cadillac an dem verstecktesten Ort abgestellt, der mir eingefallen war – etwa eine Viertelstunde entfernt, am Ende einer gewundenen, von Bäumen gesäumten Auffahrt von Nachbarn, die den größten Teil des Jahres in Florida verbrachten. Nicht dumm, aber einen Nachteil hatte die Sache: Was war, wenn ich mich schnell aus dem Staub machen mußte?

Ich hatte noch andere Sorgen. Was war, wenn mir eine scheinbar unbedeutende Kleinigkeit entgangen war, die nun immer größere Ausmaße annahm, so lange, bis sie mir das Genick brechen würde? Oder was war, wenn mich tatsächlich eine Gefahr bedrohte – zum Beispiel Cass selbst? Ich ermahnte mich: Mach dir keine Gedanken, daß das Ganze eine Falle sein könnte. Vertrau Cassandra Higbee dein Leben an. Sie wird die Polizei nicht rufen. Ich versuchte es noch einmal mit einem Kiesel, dann mit noch einem. Die Silhouette bewegte sich! Eine Hand schien den Vorhang in Zeitlupe zurückzuziehen. Bevor er noch weit genug geöffnet war, um das Gesicht dahinter sichtbar zu machen, erkannte ich auch schon ihren heißgeliebten Lesepullover, ein Ungetüm aus der flauschigsten Wolle, die man sich vorstellen konnte, rubinfarben, mit tiefen Taschen für Brille und Bonbons.

Cass hatte offenbar keinerlei Zweifel daran, daß ich es war, die sich da draußen versteckte, obwohl ich noch immer hinter einer Hecke kauerte. Sie deutete mit dem Daumen in eine Richtung. Einen Augenblick später ging die Garagentür auf, und ich stand im Inneren, zwischem ihrem BMW und Theodores Porsche, wo Cass mich umarmte. Dann wich sie zurück und glotzte meine Haare an. »Du schaust ja aus wie Zelda Fitzgerald!«

»Danke.«

»Nein, nein, nachdem sie den Verstand verloren hatte.« Ihr Blick wanderte nach unten, dann richtete sie sich zu ihren vollen Einsneunundfünfzig auf. »Verglichen mit dem Faschingskostüm, in dem du da rumläufst, ist deine neue Frisur allerdings ein Werk vollendeter Schönheit.«

»Jetzt ist nicht der richtige Zeitpunkt für kritische Betrachtungen.«

»Wie schade. Tja, dann sage ich dir wohl lieber, was ich über diese Mandy/Amanda herausgefunden habe.«

Cass hatte einen regen Verstand, doch ihr restlicher Körper bewegte sich nie schneller als im Schneckentempo – und das auch nur, wenn ihr überhaupt kein anderer Ausweg mehr blieb. Wenn Theodore oder ihr Arzt sie nicht ständig drängen würden, hätte sie kaum jemals einen Fuß vor den anderen gesetzt. Sie stand nicht, wenn sie sitzen konnte, also öffnete sie die Tür zu ihrem Wagen. Ich ging hinüber zum Beifahrersitz, und wir nahmen auf den eisigkalten Ledersitzen Platz.

»Bevor ich die Schule verlassen habe«, berichtete sie, »habe ich mit Faith und Vivian von der Beratungsstelle gesprochen. Sie konnten sich an zwei Schülerinnen mit dem Namen Mandy erinnern.« Sie suchte so lange in ihren Taschen herum, bis sie ein Formular der Beratungsstelle fand; sie warf einen Blick auf ihre Notizen. »Vor zwei Jahren hat eine Mandy Daley ihren Abschluß gemacht und ist nach Oberlin gegangen. Sie war Cellistin; vermutlich bearbeitet sie ihr Instrument noch immer in Ohio. Die andere ist ein bißchen älter, also Mitte Zwanzig. Sie heißt Mandy Springer . . .«

»Der Name sagt mir was. Er war auf einer alten Klassenliste. Ich bin mir ziemlich sicher, daß sie in Bens Jahrgang war.«

»Sie hat meinen Kurs über amerikanische Literatur besucht. In den Schulakten heißt es, daß sie Zahnarzthelferin werden wollte, aber sie hat sich nie an einem College eingeschrieben. Niemand weiß, wo sie steckt. Es gibt keine Springers im Telefonbuch. Wenn ich mich richtig erinnere, war sie ziemlich unauffällig und schüchtern, kaum mehr als eine durchschnittliche Schülerin. Ich kann mir nicht vorstellen, daß Richie sich mit einem solchen Mädchen einläßt. Du etwa?«

»Bei ihm kann ich mir mittlerweile alles vorstellen. Aber . . . Ich glaube nicht, daß wir unsere Zeit mit diesen Mandys vergeuden sollten. Oder mache ich da einen großen Fehler?«

»Ich habe keine Ahnung, Rosie.«

Cass wandte den Kopf, um zu der Tür zu sehen, die von der Garage in ihre Küche führte. Ich versuchte mir einzureden, daß sie nicht die Kavallerie gerufen hatte; sie war nur unruhig, weil es immerhin die entfernte Möglichkeit gab, daß Theodore auf die Idee kam, in die Garage zu schlendern, um dort seine Einspritzpumpen mit ein paar Streicheleinheiten zu beglücken.

»Was ist – gibt es auch noch andere Mandys?« erkundigte ich mich. Sie legte ihre Notizen auf das Armaturenbrett.

»Nein . . .«

»*Nein?*«

»Würdest du mich bitte ausreden lassen? Danke. Ich habe viele Leute angerufen. Es ist schon merkwürdig: Die meisten schienen überzeugt zu sein, eine Amanda zu kennen. Wenn ich jedoch nachgebohrt habe, konnten sie mir keine einzige nennen. Ich bin dann schließlich doch« – sie nahm ihre Notizen wieder in die Hand – »auf eine Amanda Huber gestoßen. Sie ist so um die siebenundsiebzig und die Stütze des Seniorenkurses im kreativen Schreiben. Dann wäre da noch eine Amanda Conti. Sie ist dreizehn und die Weitsprungmeisterin der Junior-High-School. Es gibt keine Amandas, die Anwältinnen wären, und überhaupt keine anderen Mandys. Das war der letzte Stand, bis ich vor einer Stunde Stephanie erreicht habe.«

»Wo hatte sie denn gesteckt?«

»Sie hat an einem Wettbewerb ihres Gartenclubs teilgenommen, wo die Teilnehmer Tischblumenarrangements aus Stechpalmen, Blumen und Gemüsen zeigten. Sie sagte, der Wettbewerb sei ›super‹ gewesen, aber du weißt ja, ›super‹ ist das einzige Adjektiv, das sie kennt.«

»Abgesehen von ›scheußlich‹.«

»Genau.« Cass, die niemals auch nur eine einzige Kalorie umsonst verschwendet, wurde allmählich unruhig. Sie fummelte an den Schaltern für die Blinker und den Scheibenwischer herum, wischte nicht existente Staubfusel von den Luftventilen, polierte das Radio und den Kassettenrecorder mit dem Ärmel ihres Pullovers.

»Wer ist Mandy?« fragte ich.

Sie drückte auf einen kleinen Knopf und stellte so den Kilometerzähler auf Null. »Mandy Anderson.« Sie mußte ihre Notizen jetzt nicht mehr zu Hilfe nehmen. »Sie ist Anwältin für Konkursrecht, ungefähr in Stephanies Alter. Sie haben sich kennengelernt, als Stephanie noch bei Johnston, Plumley & Whitbred war.«

»Arbeitet Mandy auch dort?«

»Das habe ich nicht gefragt, aber ich glaube schon. Nachdem Stephanie mit dem Arbeiten aufgehört hat, hatten sie keine Zeit mehr, sich zu treffen. Um Abhilfe zu schaffen, sind sie abends immer zusammen zum Joggen gegangen.«

»Auch noch in letzter Zeit?«

»Nein. Konkurse sind im Moment der große Renner; diese Mandy hat offenbar immer bis elf oder zwölf in der Nacht zu tun. Stephanie sagt, die Frau sei ›supergestreßt‹. Sie hat sie schon seit Ewigkeiten nicht mehr gesehen.«

»Wo wohnt sie?« fragte ich.

»Hier in der Gegend.«

»Das weiß ich. Wo genau?«

»Tut mir leid«, sagte Cass. »Das habe ich nicht gefragt.« Sie sah in den Rückspiegel, als könne sie darin einen höchst interessanten Vorgang beobachten.

»Cass«, störte ich sie in ihren Überlegungen.

»Sie hat gesagt, daß diese Mandy ein nettes Mädchen ist. Mandy ist smart. Mandy versteht ihr Handwerk.«

»Ist sie auch hübsch?«

»Stephanies Meinung nach nicht«, sagte Cass. »Wenn ich mir's recht überlege, ist das schon seltsam.«

»Das stimmt«, pflichtete ich ihr bei. »Schließlich sagt Stephanie doch immer, wie hübsch alle sind.«

»Das ist der Fluch großer Schönheit: Sie fühlt sich verpflichtet, jede noch so unansehnliche Frau als hübsch zu bezeichnen. Dann halten die Leute sie für wohlwollend und glauben, sie sei sich ihrer eigenen Reize nicht bewußt. Kannst du dir vorstellen, ständig den inneren Drang zu spüren, anderen zu beweisen, daß du dich nicht insgeheim über sie lustig machst?«

»Also muß diese Mandy ein ziemliches Monster sein?« fragte ich.

»Oder Stephanie kann sie schlicht und ergreifend nicht leiden. Dann könnte sie ohne weiteres kleinlich sein, genauso wie wir auch. Warum sollte sie die Frau auch mögen? Wie kann man nur einen Menschen leiden, der um neun Uhr abends freiwillig fünf Meilen durch die Gegend rennt?«

»Aber Stephanie rennt doch auch nachts durch die Gegend, und wir mögen sie«, sagte ich. Cass verzog den Mund, als habe sie in eine Zitrone gebissen. »Doch, doch wir mögen sie.«

»Wahrscheinlich hast du recht.«

Mein Gedächtnis regte sich. Irgend etwas war mit dieser Mandy. Ich zog den Reißverschluß von zwei Taschen der Daunenjacke auf und schob die Hände hinein. »Mandy Anderson«, dachte ich laut.

»Mein Gott!« rief Cass aus. »Das hätte ich fast vergessen. Es gibt siebzehn Andersons in Shorehaven; die müssen sich vermehren wie die Karnickel. Ich habe alle angerufen.«

»Und?«

»Keine einzige Mandy. Vielleicht steht ihre Nummer ja nicht im Telefonbuch. Möglicherweise ist Anderson auch ihr Mädchenname. Sie könnte ja zum Beispiel für die Bankrotteure Mrs. Anderson sein und hier in der Gegend Mrs. J. Harcourt Goldfleigel. Das werden wir nie herausfinden.«

»Aber natürlich werden wir das« – ich schlüpfte aus dem Wagen – »sobald ich mit Stephanie geredet habe.«

Cass sprang aus dem Auto. »Du *kannst* nicht zu ihr zurück!« rief sie aus. »Die Polizei hält mit Sicherheit nicht nur ein Auge auf dein Haus, sondern auch auf ihres.«

Die Garagentür stand offen; jenseits der Scheinwerfer herrschte völlige Dunkelheit. »Jetzt bin ich schon mal da. Warum sollte ich nicht mit Stephanie reden?«

»Mein Gott, Rosie, hast du denn keine Angst?«

»Natürlich. Ich habe Angst, seit ich in meiner Küche über ein großes, unförmiges Ding gestolpert bin, das sich als mein Mann entpuppt hat. Seitdem haben sich meine Eingeweide nie mehr so recht beruhigt. Aber wenn man Risiken eingeht, ist das eben so.«

Cass faltete die Hände unter dem Kinn und ließ sich das, was ich gesagt hatte, durch den Kopf gehen. »Ich verstehe. Du bist also ein Risiko eingegangen, als du hierhergekommen bist.« Ich hätte ihr mit großen Worten widersprechen können, aber statt dessen sagte ich einfach: »Ein kleines Risiko.«

»Du hast dich richtig entschieden, auch wenn du das selbst noch nicht so genau beurteilen kannst. Hör mir zu, Rosie. Heute nacht lauern überall Gefahren auf dich. Du wirst Hilfe brauchen.«

»Ich würde dich gern aus allem raushalten, wenn's geht.« Wir gingen zur offenen Tür. »Ich weiß nicht, ob ich in den nächsten Stunden an ein Telefon rankomme. Wie kann ich mit dir in Verbindung bleiben?«

»Du kennst doch die Stufen zu unserem Kellereingang? Ich

lasse die Tür dort offen und sage Theodore ... Ach ja, ich sage ihm, daß ich meine Tage habe. Er wird sehr zuvorkommend sein, aber schon der Gedanke an das, was er ›Frauengeschichten‹ nennt, verunsichert ihn, den Dummkopf. Er wird mir aus dem Weg gehen, wo er kann.«

»Weißt du was, Cass, du liebst ihn. Das ist dein schmutziges kleines Geheimnis. Deshalb bleibst du auch bei ihm.«

»Ach was, Quatsch.«

»Aber du tust immer so, als wäre er der größte Narr auf Gottes Erdboden.«

»Das ist er auch. Ihm würde es nicht mal merkwürdig vorkommen, wenn eine Frau der Menstruationsgöttin während ihrer Tage eine ganze Ziegenherde opfert. Er wird es gar nicht merken, wenn ich mich seltsam aufführe. Ich werde etwa jede Viertelstunde hinunter in den Keller schauen, bis er ins Bett geht. Dann bleibe ich ganz da und warte auf dich, so lange das auch dauern mag.«

Es gibt nichts Dunkleres und Gefährlicheres als eine reiche Wohngegend ohne Straßenlaternen. Teenager, die eine Abkürzung über die Grundstücke nehmen, klettern über Zäune und fallen in unsichtbare Swimmingpools aus schwarzem Marmor. Ahnungslose Autos werden von Rissen in den Straßen überrascht, die mit der Zeit zu richtigen Abgründen geworden sind. Potentielle Einbrecher werden nicht nur durch die Angst abgeschreckt, über einen umgestürzten Kirschbaum zu stolpern oder in einen offenen Kanalschacht zu fallen – ihre Schreie würden dann, ungehört von den Chardonnay-Trinkern, Hunderte von Metern von der Straße entfernt, verhallen –, sondern auch durch die ständig hin und her patrouillierenden Streifenwagen. Ich bog in die Hill Road ein, die zum Haus der Tillotsons führte, und knallte gegen einen Briefkasten in Form einer Stockente.

Ich sah hinüber nach Gulls' Haven. Eine Lampe in einem der Schlafzimmer strahlte einen goldenen Schimmer aus. In einem Film würde jetzt eine einzelne Geige »There's No Place Like

Home« spielen. Aber Schmalz konnte tödlich wirken; wenn ich mir vorstellte, die rauhen Wangen meiner Söhne zu streicheln oder vor einem prasselnden Feuer zu sitzen und mit ihnen eine Schüssel Popcorn zu teilen, während sie sich über schreckliche Schulerlebnisse ausließen, könnte mir so warm ums Herz werden, daß ich die bevorstehende Nacht nicht überstehen würde.

Als ich am oberen Ende von Stephanies Auffahrt anlangte, legte sich der Wind, und eine Eule verstummte lange genug, daß die kühle Luft die Rufe von Polizisten von Gulls' Haven herübertragen konnte: »Hallo!« »Jim? Bist du das?« »Halt verdammt noch mal die Klappe!« Ich bog hinter einem immergrünen Wäldchen ab und beobachtete die Front und eine Seite von Stephanies Haus. Ich konnte keinerlei Anzeichen dafür entdecken, daß das Grundstück überwacht wurde, denn ich hörte keine Schritte und sah keine Lichtkegel über den Rasen schwenken. Das Äußere des riesigen, geldverschlingenden Tudorhauses, das von Scheinwerfern angestrahlt wurde, wirkte flach wie die Kulisse für eine kostspielige Filmproduktion. Doch dann nahm ich Küchengerüche wahr, etwas Süßes, das nach Äpfeln duftete, und plötzlich wurde Stephanies Haus wieder dreidimensional.

Drinnen waren nur die Lichter im unteren Stockwerk angeschaltet. Von den Fichten schlich ich mich in einen kleinen, nur spärlich bestandenen Birkenhain, der mir so gut wie keinen Sichtschutz bot. Jetzt kam allmählich Stephanies Gewächshaus ins Blickfeld. Es war auch kaum zu übersehen, denn es war so hell erleuchtet, daß man sich fast vorstellen konnte, wie Aschenputtel darin tanzte. Das Glas glitzerte wie ein Diamant; Spotlights warfen Splitter gebrochenen Lichts zurück. Stephanie stand in ihrem blauen Gartenanzug am Waschbecken, hob einen Blumentopf in die Höhe und stutzte die haarigen Wurzeln, die daraus hervorragten.

Ich schlich mich näher heran, vorbei an Terrakottatrögen, in denen üppig ihre Herbstpflanzen wucherten: grün-purpurner Zierkohl und rankende, purpurfarbene Chrysanthemen. Eine

Frau, die ein gutes Händchen für Grünpflanzen hat, backt, kocht, Handarbeiten macht, webt, liest, Opern hört, die Zweijährigen aus der Umgebung zum Fingermalen einlädt und sich aktiv bemüht, das Grundwasser zu verbessern, so sagte ich mir, kann nur ein guter Mensch sein. Sie wird mir glauben. Sie wird mir helfen.

Andererseits hatte ich ihren Mann entführt und mit einer Waffe bedroht. Vielleicht würde sie doch nicht so erfreut darüber sein, daß ich mich in meiner Not an sie wandte.

Auf Händen und Knien näherte ich mich dem Eingang zum Gewächshaus. Das Gras war stachlig und trocken, aber Hunderte von Gängen in den Garten hatten den Pfad geglättet. Ich streckte die Hand nach dem Griff der hölzernen Tür aus. Ein einziges Klicken des Riegels genügte. Stephanie zuckte zusammen, als sei irgendwo ein Alarm losgegangen. Ich zog mich zurück und drückte mich flach auf den Boden, den Kopf etwa eineinhalb Meter von der Tür entfernt.

Stephanies Gartenclogs klapperten auf mich zu. Ich hob den Kopf ein paar Zentimeter, als die Tür aufging. Sie sah sich um und senkte den Blick auch zu Boden, jedoch ohne mich zu entdecken. »Rosie?« flüsterte sie in die Nacht hinaus. Das Pflanzenlicht, das auf ihr perfektes, ovales Gesicht fiel, enthüllte keinen einzigen Makel; ihre Haut ließ selbst Porzellan noch grob erscheinen. Ihr Gesicht war nicht nur hübsch, sondern sogar schön; wenn ich den Ausdruck darin richtig las, machte sie sich weniger Sorgen um sich selbst als um mich. »Hallo?« fragte sie, und Anspannung schwang in ihrer Stimme mit. »Rosie, bist du das da draußen?«

Wenn sie mich aber doch für eine Bedrohung hielt, hatte sie immerhin ein ganzes Arsenal an Gartenwerkzeugen in den Taschen ihres Arbeitsanzuges, mit denen im Ernstfall nicht zu spaßen war. Ich selbst hatte lediglich die Spielzeugpistole, mit der ich schon ihren Mann bedroht hatte.

Ich ging in die Hocke, bereit aufzuspringen und sie zu begrüßen, denn dann hatte ich den Vorteil der Überraschung. Wenn man jedoch das letzte Jahr ausschließlich damit verbracht hat, eine siebenundvierzigjährige Englischlehrerin zu sein, ist das Aufspringen aus der Hocke eher ein gedanklicher Vorgang als ein tatsächliches Ereignis. Als ich endlich die Hände auf den Knien hatte, um mich hochzudrücken, stand Stephanie auch schon neben mir und half mir auf die Beine.

»Ist alles in Ordnung?« erkundigte sie sich. Sie war über einssiebzig groß und sportlich. Ein spitzes, bedrohliches Pflanzholz, das aus einer ihrer Brusttaschen herausragte, war direkt auf meinen Hals gerichtet.

»Ja, ja«, sagte ich und wich zurück.

»Was ist los?«

»Nichts. Ich möchte nur nicht neben der Tür bleiben, wenn du nichts dagegen hast, denn dann stehe ich für die Cops direkt im Schaufenster.« Mit einer Hand wischte ich mir den Jogginganzug ab, mit der anderen tastete ich nach der Pistole; sie war noch immer in meiner Tasche.

»Laß uns ins Haus gehen. Ich mache gerade ein *dartois aux pommes.* Das ist ein flockiger Teig mit Äpfeln und Apfelmus . . .«

»Mein Gott, Stephanie!«

Sie schlug sich mit der flachen Hand gegen die Stirn. »Du lieber Himmel. Was habe ich mir nur dabei gedacht? Du bist sicher völlig durchgefroren. Tut mir leid. Vergiß das *dartois.* Wie wär's mit einem Armagnac? Komm doch rein.« Mir konnte die Kälte nichts anhaben in meinem Jogginganzug, der Daunenjacke, den Handschuhen, den dicken Socken und dem nagelneuen Paar Laufschuhen. Sie hingegen hatte lediglich ihren Arbeitsanzug und einen hochgeschlossenen Baumwollpullover an. »Wie kann ich dir helfen?«

»Mach dir mal keine Sorgen um mich. Ich habe nicht viel Zeit.« Ich sah hinüber zum Haus. Wenn die Polizei dort auf mich wartete, würde sie sicher keine Luftschlangen aufhängen oder Ballons aufblasen, um mich willkommen zu heißen; die Cops würden sich verstecken. Aber Stephanie hatte bisher keinen einzigen Blick in diese Richtung geworfen, was sie wahrscheinlich getan hätte, wenn von dort Hilfe zu erwarten war. Sie machte auch nicht den Eindruck, als habe sie Angst vor mir: Kein melodramatischer Schrei à la Heldin-in-größter-Not war ihr entwichen, als sie mich erblickt hatte. »Laß uns hierbleiben und reden.«

»Aber sicher. Ich hol' mir nur eine Jacke.« Sie sah, daß ich etwas dagegen hatte, bevor ich es sagte. »Hör zu, Rosie, ich weiß, daß du supernervös sein mußt. Meine Jacke hängt da drüben im Gewächshaus, an dem armen, abgestorbenen Magnolienbaum. Siehst du sie? Ich brauche keine Minute, um sie zu holen.« Während ich noch zögerte, schlang sie die Arme um den Körper, um sich zu wärmen. »Laß mal«, sagte sie. »Ich komme auch ohne aus.«

»Stephanie, es tut mir leid, daß ich Carter so erschreckt habe.«

Sie nickte, sah mich aber nicht an. Es ist gar nicht so leicht, angemessen auf die Entschuldigung einer Freundin zu reagieren, die dem Ehemann eine Waffe gegen die Schläfe gedrückt hat. »Wahrscheinlich hast du sehr unter Druck gestanden«, sagte sie schließlich.

»Ja, das stimmt.«

Ihre Großzügigkeit machte einer gewissen Gereiztheit Platz – aber das konnte ich ihr nicht verdenken. »Wo, um Himmels willen, hast du bloß die Waffe her?«

»Von einem meiner ehemaligen Schüler, der jetzt das Leben eines Kriminellen führt«, log ich.

Stephanie war mehr als zehn Zentimeter größer als ich und sah jetzt mit strenger Miene auf mich herab. »Weißt du, wie viele Menschen jedes Jahr aufgrund von Unfällen mit illegalen Schußwaffen sterben?«

»Ich habe den mir statistisch zustehenden Todesfall schon hinter mir. Der wurde aber nicht durch eine Schußwaffe herbeigeführt. Und außerdem war es kein Unfall.«

Stephanie zitterte so heftig, daß es fast aussah wie ein Krampf. »Hast du es getan, Rosie?« fragte sie. Der Wind trug ihre Stimme fast davon.

»Nein!« Beruhige dich, dachte ich. Sie hat Angst. Schließlich willst du nicht, daß sie die Polizei ruft. Du brauchst sie noch.

Das glaubte ich zumindest. Aber was war, wenn die Geschichte von Jessica nicht stimmte? Was war, wenn Jessica selbst Richie umgebracht hatte, und die Story, die sie Tom erzählt hatte, reine Fiktion war? Was war, wenn ich der falschen Spur gefolgt war, während die Antwort in Manhattan lag?

»Hast du eine Ahnung, wer's gewesen sein könnte?« Stephanie klang noch immer verängstigt.

»Erzähl mir von deiner Freundin Mandy.«

»Warum wollen plötzlich alle was über Mandy wissen?« fragte Stephanie. Sie zitterte immer noch. Sie verschränkte die Arme und drückte sie so eng an den Körper, daß ihr das Pflanzholz fast aus der Tasche fiel.

»Wen meinst du mit ›alle‹?« fragte ich.

»Dich und Cass. Warum wollt ihr was über Mandy erfahren?«

»Richie hatte ein Verhältnis mit ihr, bevor er was mit Jessica angefangen hat.«

»*Was?* Mit Mandy? Das glaube ich nicht.«

»Mandy Anderson«, sagte ich.

»Ja, so heißt sie, aber . . . Nein, Rosie. Das kannst du dir aus dem Kopf schlagen. Die ist superhäuslich. Aber nicht interessant häuslich. Sie hat eine ganz gute Figur, aber schiefe Unterzähne und häßliche Haut mit riesigen Poren. Außerdem hat sie die schrecklichste korrigierte Nase der Welt. Carter sagt, sie sieht aus, als ob sie jeden Moment ›oink-oink‹ machen könnte.« Sie wollte gerade über diesen Schönheitschirurgenwitz lachen, hielt aber inne, als sie mein Gesicht sah. »Tut mir leid, ich meine die Bemerkung, aber auch die ganzen Verletzungen, die man dir zugefügt hat. Du kennst doch diese Streßindikatoren, wo traumatische Erfahrungen auf einer Skala von eins bis zehn bewertet werden? Darauf mußt du ja . . .«

»So viele Punkte gibt's auf der ganzen Streßskala nicht«, unterbrach ich sie. »Wie ist diese Mandy?«

»Sehr nett. Ich kann sie gut leiden. Sie ist clever und gerade Partnerin in ihrer Firma geworden. Sie bringt einen eigenen Klientenstamm mit. Schön, daß auch mal eine Frau so großen Erfolg hat.«

»Hat sie jemals was von Richie erwähnt?«

»Nein. Natürlich nicht. Ich bin mir nicht mal sicher, ob sie ihn überhaupt gekannt hat. Ich meine, sie arbeitet fast den ganzen Tag. Die Kanzlei ist ihr Leben. Sie hat keine Zeit für die Leute hier; sie sind erst vor einem Jahr hergezogen.«

»Arbeitet sie in der Kanzlei, in der du auch warst?«

»Nein.«

»Wo dann?«

»In einer großen Kanzlei an der Wall Street.«

»In welcher?«

»Bei Kendrick, McDonald.«

»Ist sie verheiratet?«

»Rosie, vielleicht habe ich Richie doch nicht so gut gekannt. Als du mir gesagt hast, daß er ein Verhältnis mit einer anderen hat und dich verlassen will, bin ich fast in Ohnmacht gefallen. Richie Meyers? Aber ich habe ihn gut genug gekannt, um zu wissen, daß er nie, nicht in einer Million Jahren . . .«

»Stephanie, Richard Meyers war immer für Überraschungen gut. Bitte beantworte einfach nur meine Fragen.« Sie nickte. »Ist Mandy verheiratet?«

»Ja, mit einem Steuerrechtler.«

»Wie heißt er?«

»Jim. Ich kenne ihn kaum. Weißt du, ich habe Mandy eigentlich nur bei den Treffen der Anwältinnen und beim Joggen gesehen.« Der Wind brachte Stephanies Haare durcheinander; sie strich sich mit der Hand darüber, und natürlich legten sie sich wieder genauso wie vorher. Das war echte Perfektion. Sie war allerdings schon so makellos, daß sie aus pfirsichweißem Plastik geformt schien, nicht aus Fleisch und Blut. »Jim sieht viel besser aus als sie«, fügte sie hinzu.

»Haben sie Kinder?«

»Noch nicht. Sie ist erst zweiunddreißig. Sie wollte warten, bis sie zur Partnerin aufgestiegen wäre, und dann ein Kind kriegen, aber bei dem Arbeitspensum, das sie sich aufhalst, läßt sie sich bestimmt nicht so schnell durch ein Baby an die Kandarre legen.«

»Wo wohnt sie?«

Stephanie atmete tief durch. »Laß mich nachdenken.« Ich wartete. Warum brauchte sie so lange? Na, mach schon. »Sie holt mich immer hier ab, deswegen muß ich überlegen. Ach ja, drüben in Shorehaven Acres, in der Crabapple Road.«

»Weißt du die Nummer?«

Sie schüttelte den Kopf. »Das Haus hat ein Zwischengeschoß. Ich glaube, es ist das dritte oder vierte von links, aber leg mich bitte nicht darauf fest.« Plötzlich packte sie mich am Arm. »Rosie, du solltest nichts überstürzen.«

»Ich mache nur, was nötig ist. Sag mir, woher Carter Jessica Stevenson gekannt hat.«

»Was?« wollte Stephanie wissen. Der schnelle Themenwechsel und die Tatsache, daß ich den Namen ihres Mannes erwähnt hatte, brachte sie aus dem Gleichgewicht. Sie wandte den Kopf, als suche sie nach jemandem, der die Antwort kannte. »Ich schwöre dir, Rosie, als Richie dich verlassen und du mir von Jessica erzählt hast, ich schwöre dir . . .«, dabei hob sie die rechte Hand, ». . . ich habe nicht mal gewußt, daß Carter sie gekannt hat. Das mußt du mir glauben.« Ich glaubte es ihr nicht, aber andererseits mißtraute ich ihr auch nicht völlig. »Sie hat bei der gleichen Investmentbank gearbeitet wie einer seiner Patienten, dem Carter die Augen und den Kiefer korrigiert hat. Jedenfalls war sie auf einer Cocktailparty, die dieser Mann gegeben hat. Sie hat Carter von ihrer Arbeit erzählt, daß sie sich darauf konzentriert, kleinen Gesellschaften bei der Kapitalbeschaffung und Expansion zu helfen. Das klang ideal für Richie, also hat Carter die beiden miteinander bekannt gemacht. Das war alles.«

»War Carter mit ihr befreundet?«

»Nein!« Das war die leidenschaftlichste Antwort, die ich je von Stephanie erhalten hatte. »Mit Sicherheit nicht.« Also wußte sie tatsächlich über Carter und Jessica Bescheid. »Wenn er sie überhaupt noch mal gesehen hat, nachdem sie bei Data Associates zu arbeiten angefangen hat, dann nur, wenn er sich mit Richie vor einem Knickerbockers-Match oder so in seinem Büro getroffen hat.«

Ich wollte sie nicht demütigen, indem ich sie zwang, ihr Wissen um die Affäre mit Carter zuzugeben, also ließ ich mir Zeit, bevor ich die nächste Frage stellte: »War Carter entsetzt, als er über die Geschichte mit Richie und Jessica gehört hat?«

»Wahrscheinlich schon. Ja. Er hat sich Gedanken gemacht, Gedanken darüber, daß Richie eure Ehe einfach so aufs Spiel setzt.«

»Was hat er genau gesagt?«

»Nichts, ich meine, du kennst ja den alten Carter Tillotson, den größten Schweiger vor dem Herrn.« Sie klang jetzt fröhlich, als würde sie gleich anfangen zu kichern. »›Was für ein Pech‹ oder so was Ähnliches hat er wohl gesagt.« Plötzlich packte sie mich an der Daunenjacke und zog mich zu sich heran. »Laß uns reingehen, Rosie! Komm schon, bevor mein *dartois* völlig verkohlt.« Ich packte sie am Handgelenk und zog ihre Hand weg. »Tut mir leid«, entschuldigte sie sich. »Ich habe das nicht so gemeint. Ich will dir ja nur helfen. Es ist so kalt hier draußen. Das muß alles ganz schrecklich für dich sein. Und...«

»Und was?«

»Ich habe solche Angst, daß man dich faßt, Rosie.« Ihre Augen strahlten noch mehr als sonst. »Ich weiß was! Du kannst die kleine Wohnung von Gunnar und Inger im Keller haben, gleich neben Astors Spielzimmer. Das ist genau das richtige! Carter kommt erst gegen elf heim, und wenn du jetzt reingehst, merkt er gar nicht, daß du da bist! Die Räume sind wirklich hübsch; ich habe alles mit einem blauen Toile-Stoff gestaltet. Du könntest dich ein wenig ausruhen. Ich könnte dir was zu essen kochen, und in der Zwischenzeit könnten wir überlegen.«

Wieder streckte sie die Hand nach mir aus, nicht, um mich zu packen, sondern um mich anzuflehen. Aber ich hatte noch einiges vor, und mit der extragroßen Käsepizza mit Peperoni im Magen war mir gar nicht danach, von Stephanie mit einem erwartungsvollen Lächeln umsorgt zu werden, die sich ein dickes Lob für ihr *dartois* erhoffte. Außerdem hatte ich Bedenken, mit ihr ins Haus zu gehen; ich hielt sie nicht für cool genug, um vor Carter ein Geheimnis bewahren zu können.

»Rosie«, sagte sie schließlich und streckte auch noch die andere Hand nach mir aus. »Komm, ich pass' schon auf dich auf.« Welch großherzige Geste.

»Okay«, willigte ich schließlich ein. »Hol deine Jacke, dann machen wir einen Spaziergang rund ums Haus. Nimm mir das nicht übel, Stephanie, ich möchte nur sichergehen, daß keine Cops unterwegs sind. Dann werde ich gleich ruhiger.«

»Ich verstehe. Du brauchst dich nicht zu entschuldigen«, sagte sie und eilte ins Gewächshaus. Hatte sie mir wirklich vergeben für das, was ich Carter angetan hatte? Konnte sie tatsächlich so verständnisvoll sein? Oder würde sie mich auf ein blaues, toilebezogenes Bett drücken und die Polizei rufen?

Wie von Hunden gehetzt, rannte ich in den Wald zurück.

Ich hatte Cass gegenüber zugegeben, daß ich die ganze Zeit Angst hatte. Sicher, in dem Motel neben dem Flughafen, als Tom mich im Arm gehalten hatte, hatte die Angst ein wenig nachgelassen, aber an ihre Stelle war die Furcht vor der Unvermeidlichkeit meiner weiteren Nachforschungen getreten. Dazu kam Trauer, darüber, daß der kleine Raum in meinem Hinterkopf, den ich all die Jahre für Tom freigehalten hatte, nur für eine kurze Nacht benutzt werden konnte.

Doch in der Zeit, die ich benötigte, um von Stephanies Haus weg und durch eine dichte Reihe von Bäumen zu rennen, um dann eine weitere halbe Meile zu Madeline nach Shorehaven Gardens zu trotten, verloren sich meine Ängste für immer.

Warum? Wie? Ich glaube, ich kann das nur mit einem Bild aus einer Schlacht erklären. Es ist Mitternacht. Die Soldatin im Graben weiß, daß das Granatfeuer nicht aufhören wird. Sie weiß, daß sie möglicherweise vor Tagesanbruch sterben wird. Nachdem sie diese Vorgabe akzeptiert hat und das Glück, bisher nicht getroffen worden zu sein, wirft sie den Kopf in den Nacken, um mit einem Gefühl des Schwindels und der Dankbarkeit den Sternenhimmel zu betrachten. Hallo, Gott! Ich bin am Leben! In diesem Augenblick ist ihr klar, daß sie selbst nur eine geringe Rolle bei der Gestaltung ihres weiteren Schicksals spielen wird. Aber was soll's. Gott hat ihr bis jetzt beigestanden. Trotzdem ist es noch lange bis Tagesanbruch. Sie weiß um all die schrecklichen Dinge, die ihr zwischen jetzt und dann zustoßen können. Was wird sie tun? Wird sie sich geschlagen geben? Selbstmord begehen? Doch nicht unsere Soldatin! Ihr bleibt nur eine Wahl. Sie bringt ein kurzes Dankgebet zustande, ein breites Grinsen. Dann packt sie ihre Waffe und kämpft weiter. Vielleicht bleibt sie am Leben. Vielleicht stirbt sie auch. Doch wenigstens hat sie in dieser Nacht keine Angst.

Madeline und Myron Michael Berkowitz hatten sich ein Haus gebaut, in dem Anne Hathaway hätte wohnen können, wenn sie sich von Shakespeare hätte scheiden lassen, von ihm Unterhaltszahlungen bekommen hätte und nach Long Island gezogen wäre. Es hatte gekreuzte Balken, Bleiglasfenster und ein synthetisches Reetdach, das den feuerpolizeilichen Vorschriften von Nassau County genügte. Als Myron sie verließ, überschrieb er seiner Frau das Haus. Im folgenden Jahr sackten die Grundstückspreise in den Keller. Ein paar potentielle Käufer sahen sich das Anwesen an, aber offenbar brachte niemand außer den Berkowitzes das gute Leben mit einem englischen Cottage und einer versenkten Badewanne hinter dem Haus in Verbindung. Also blieb Madeline auf dem Haus sitzen.

Auch ich befand mich in einer Sackgasse. Ich versuchte, mir

eine einfallsreiche Methode auszudenken, wie ich mich an Madeline heranschleichen könnte, aber ich brütete eine Erkältung aus und mußte meine ganze Selbstbeherrschung darauf verwenden, sie nicht durch ein herzhaftes »Hatschi!« auf mich aufmerksam zu machen. Schließlich ging ich einfach den Weg zu ihrer Haustür hinauf und klingelte.

»Wer ist da?« rief Madeline durch die Gegensprechanlage, genau, wie ich es mir erhofft hatte. Es war noch nicht allzu spät, aber ihre Stimme klang schon ziemlich schläfrig. Bei Madeline gab es im ganzen Haus Gegensprechanlagen; in den letzten Jahren ihrer Ehe hatten sie und Myron sich in vernünftigem Tonfall nur noch von einem Raum zum anderen unterhalten.

»Ich bin's, Cassandra«, verkündete ich. Ich erhielt keine Antwort, also fügte ich hinzu: »Ich habe Neuigkeiten« – dabei versuchte ich, Cass' Stimme zu imitieren – »über Rosie.«

Als Madeline die Tür öffnete, sah sie, noch bevor ihr klarwurde, wer ich war, daß ich eine Weiße war, nicht die Farbige, die sie erwartet hatte, und fing an zu schreien: »Aaaaaaaaa!« – In allen Tonlagen, während sie versuchte, die Tür wieder zuzumachen. Dann rief sie »Rosie!« und wäre fast in Ohnmacht gefallen. Sie hörte auf mit dem Brüllen, sank in sich zusammen, und ich bahnte mir einen Weg ins Haus. Sie erholte sich zu schnell wieder. »Aaaaaaaa!« Ihre Haare waren noch ganz durcheinander und standen ihr in grauen Spitzen vom Kopf; sie sah aus, als trage sie einen Helm. Ihr Kaftan, ein flaschengrünes Ungetüm, das wohl aus den Tagen stammte, als sie noch Gäste empfing, war völlig verknittert, weil sie darin geschlafen hatte. »Aaaaaa . . .«

»Mein Gott, Madeline, so reiß dich doch zusammen!« Ich knallte die Tür hinter mir zu.

»Die Polizei ist oben!«

»Nein.«

Vermutlich war das nicht das Schlaueste, was ich sagen konnte. Ihr Gesicht, das noch vor Nachtcreme glänzte, fiel in sich zusammen. Tränen traten ihr in die Augen, aus Angst vor dem, was sie jetzt erwartete. »Bitte . . .«, stammelte sie.

»Madeline, beruhige dich doch. Wenn ich eine irre Mörderin wäre, wärst du jetzt schon tot.«

»Tot?« wimmerte sie. Als sie zurückwich, stolperte sie über eine Schwelle, die zwischen Flur und Gästetoilette lag. Ich packte sie am Arm, damit sie nicht hinfiel. Sie versuchte, mich mit einem Schlag auf die Nase k. o. zu schlagen, aber weil sie das Gleichgewicht verloren hatte, traf sie nur Luft. Sobald sie wieder sicher auf den Beinen stand, ließ ich sie los und wich in den Flur zurück.

»Ich muß mit dir reden, Madeline.«

»Ich hab' mir eine Dose Tränengas gekauft«, murmelte sie, mehr zu sich selbst als zu mir. »Weil ich gehört habe, was du mit Carter gemacht hast.«

»Wo ist es?«

»Wo ist was?«

»Das Tränengas.«

»Glaubst du, das sage ich dir?« Wahrscheinlich war es oben, auf ihrem Nachtkästchen.

»Du und ich, wir brauchen kein Tränengas.«

Sie lachte ironisch. »Natürlich nicht.«

»Ich habe Richie nicht getötet, Madeline.«

»Ja.« Sie wich zurück, bis sie gegen die Spüle stieß, die wie eine Muschel auf einem Sockel geformt war.

»Denk doch mal nach, Madeline. Wenn ich wirklich die Mörderin wäre, hätte ich dann nicht schleunigst das Weite gesucht? Warum, um Himmels willen, wäre ich wohl hiergeblieben und hätte versucht herauszufinden, wer es getan hat?«

Das gab ihr zu denken, wenn auch nur einen Augenblick lang. »Du suchst nach einer Möglichkeit, den Mord einem anderen anzuhängen.«

»Wie soll ich das denn machen, wenn alles gegen mich spricht?« Entweder war sie jetzt noch vorsichtiger geworden, oder meine Antwort hatte ihr den Wind aus den Segeln genommen. Sie stützte sich mit der Hüfte an der Spüle ab, und ihr Atem wurde schwer. Es fiel ihr keine Antwort ein. »Bevor Richie die Geschichte mit Jessica angefangen hat, hat er noch ein Verhältnis mit einer anderen gehabt.«

»Ach?« fragte sie, nicht ohne Sarkasmus. »Überrascht dich das?«

»Schon. Aber dich hat das offenbar nicht erstaunt.«

»Versuch doch mal, erwachsen zu werden. So sind die Männer eben.«

Dies schien nicht der rechte Augenblick zu sein, ihr zu erklären, daß ich es nicht für fair hielt, alle Männer über einen Kamm zu scheren. »Die Affäre, die er vor Jessica gehabt hat – die Frau hieß Mandy.« Madeline legte die Hand an die Wange. Als sie die Fettcreme spürte, riß sie fast einen Meter Toilettenpapier ab, um sich das Zeug aus dem Gesicht zu wischen. »Kennst du Mandy?« Madeline schüttelte den Kopf. »Sie ist abends immer mit Stephanie zum Joggen gegangen.«

»Ich hab' sie nie getroffen.«

»Weißt du irgendwas über sie?«

»Stephanie sagt, sie sei eine tolle Anwältin. Und sie hat eine Achtundfünfzig-Zentimeter-Taille. Wahrscheinlich hat Jessica noch mehr auf dem Kasten als diese Mandy, aber sie sind sich wohl vom Typ her ganz ähnlich, oder?« Ihre Angst schwand allmählich, dafür wallte ihr altbekannter Zorn wieder auf. »Die beiden sind vom selben Schlag. Eitel und egoistisch. Haben alle Vorteile der Frauenbewegung genossen, aber nie was dafür getan. Jung. Ostküstenestablishment. Arrogant.«

Plötzlich schoß mir etwas, das Hojo zu Tom gesagt hatte, durch den Kopf. Sie hatte über Richie gesprochen. Richie und wen? Mandy? War es etwas über Mandy gewesen? Nein, über Richie und Jessica: »Er liebte die arrivierten Oststaatlertypen . . .«

»Ach übrigens«, fügte Madeline hinzu, »noch eins. Stephanie sagt, Mandy sei die sexbesessenste Frau, die sie jemals kennengelernt habe.«

20

Ich verließ Madelines Haus mit einer Handvoll Papiertüchern und vielen Zweifeln. Sollte ich den Cadillac holen und hinüber nach Shorehaven zischen, um Mandy aufzuspüren? Oder sollte ich noch einmal zu Stephanie? Sie hatte die Geschichte mit Jessica und Carter gewußt und mir nicht vertraut. Verständlich. Wußte sie vielleicht auch von Mandy und Richie? Langes Herumlaufen in der Dunkelheit fördert Vertraulichkeiten; hätte ihre Anwaltsfreundin Mandy tatsächlich so diskret über ihre Affäre mit Stephanies Nachbar sein können?

Ich hätte eigentlich im Bett liegen und Dickens' *Bleakhouse* noch einmal lesen sollen. Meine Nase war verstopft, mein Hals fühlte sich an, als wäre er mit einer Nagelfeile traktiert worden, meine Augen tränten und ich hatte die Schnauze voll von meinen Heldentaten. Ich putzte mir die Nase, versuchte, dabei nicht allzusehr zu trompeten, und riß ein paarmal den Mund weit auf, um die Eustachischen Röhren freizubekommen. Dann schlich ich mich hinüber zu Madelines Werkzeugschuppen.

Die Antirutsch-Beschichtung des Fußabstreifers quietschte grauenerregend, als habe man hundert Babys gleichzeitig den Schnuller aus dem Mund gezogen. Genau, der Schlüssel war noch immer in seinem Versteck. Ich tastete in der spinnwebenverhangenen Dunkelheit des Schuppens herum, wild entschlossen, nicht an Kriechgetier und Spinnen mit behaarten Beinen zu denken. Schließlich entdeckte ich die Familienräder der Berkowitz'. Wie eine Hausfrau, die die Qualität von Honigmelonen prüft, drückte ich einen Reifen nach dem anderen. Ich riß mir ein Rad unter den Nagel, das sich als Mountainbike entpuppte, und fuhr hinaus in die Dunkelheit.

Natürlich war es kein Zuckerschlecken für mich, zu Stephanie zurückzuradeln, weil ich seit meiner Schulzeit an der James-

Madison-High-School, als ich mein geliebtes Rad einen Augenblick abgestellt hatte, um ein Pumpernickelbrot für meine Mutter zu holen, und ein Lastwagen darüber gefahren war, nicht mehr im Sattel gesessen hatte. Mit gesenktem Kopf und wie wild vor mich hin tretend, sah ich wahrscheinlich aus wie Miss Gulch in *Das zauberhafte Land*. Außerdem war es gar nicht so leicht, mit laufender Nase in der Dunkelheit einen Drahtesel über Erhebungen und Schlaglöcher zu lenken. Wenigstens ging es nicht bergab, wo mir das Rad außer Kontrolle geraten und ich möglicherweise durch die Luft und mitten in eine sorgfältig angelegte japanisch-jüdische Landschaft aus Weiden, Felsen, Moos, Holzbrücken und murmelnden Bächlein hineinfliegen und ertrinken konnte. Mein altes Mädchenrad hatte keine Gangschaltung gehabt, aber als ich begriffen hatte, wie ich mit dem Mountainbike umgehen mußte, erreichte ich den Gipfel des Hügels in etwa neunzig Sekunden.

Cops! Hier wimmelte es nur so von Polizisten. Stephanie hatte sie vermutlich vom Gewächshaus aus gerufen, gleich nachdem ich mich aus dem Staub gemacht hatte. Ich zerrte das Rad in den Wald, lehnte es an einen Baum und beobachtete das Eingangstor zu Emerald Point, das etwa hundert Meter unter mir lag. Die Polizei verbreitete die frohe Kunde von ihrer Gegenwart nicht, das heißt, es heulte keine einzige Sirene. Zu beiden Seiten der hohen Eingangspfosten standen jedoch genügend Streifenwagen für den Showdown in einem Dirty-Harry-Film. Drei noch offizieller wirkende Gefährte rasten so schnell an mir vorbei, daß die Blätter hinter ihnen aufstoben. Mit quietschenden Reifen fuhren die Wagen durch die offenen Eisentore und die Auffahrt zu den Tillotsons hinauf.

Vorne auf der Straße patrouillierten Polizisten mit Sprechfunkgeräten auf und ab. Hin und wieder drehte sich einer um die eigene Achse, um die Dunkelheit abzusuchen. Funkgerätlose Beamte beäugten neidisch ihre Kollegen. Drüben auf der anderen Straßenseite versammelten sich die Nachbarn; sie waren in genügend exquisite Pseudoexpeditonskleidung gehüllt, um eine ganze Polarexpedition auszustatten. Gleich würde irgendeine Haushälterin heißen Apfelwein und Doughnuts reichen.

Ich starrte den Hügel hinunter: Zwei Männer rannten zu den Cops herauf. Alex und Ben? Ja! Sie hasteten an der Stelle zwischen unserem Haus und dem der Tillotsons vorbei, wo Richie seinen Lamborghini zum letzten Mal abgestellt hatte. Ben, der durchtrainiertere von beiden, fiel zurück. Der kleinere, behendere Alex, mit seinen langen, im Wind flatternden Haaren, zog an seinem Bruder vorbei und blieb schließlich im blendenden Scheinwerferlicht der Polizei stehen. Sie waren so nahe, daß ich sie in zwei Sekunden hätte berühren können! In diesen zwei Sekunden hätte ich allerdings bei all den schießwütigen Polizisten auch ein lebendiges Sieb sein können.

Mandy. Ich mußte mich auf Mandy konzentrieren. Was hatte ich alles über sie erfahren? Ich legte das Rad auf den Boden, warf ein paar Blätter und Kiefernzweige über die glänzenden Stangen und ging durch den Wald – weg von meinen Jungs, weg von den Tillotsons. Mandy . . . War es etwas, was Stephanie gesagt hatte? Was es auch war, es paßte nicht mit der Wahrheit zusammen. Warum nicht? Weil es etwas widersprach, das Tom über Mandy gesagt hatte, und alles, was Tom sagte, war *eo ipso* die Wahrheit.

Ich kam jetzt langsamer voran, weil ich mich zwischen den Bäumen halten mußte. Ich wollte zwar zu Cass zurück, aber ich konnte es mir nicht leisten, auf der Straße zu gehen und von einem der Scheinwerferkegel der Polizeiwagen erfaßt zu werden. Meine Brust und mein Rücken taten mir weh, als hätten sich brutale Hände darüber hergemacht und mir das letzte bißchen Atem herausgepreßt. Ich setzte mich auf einen umgefallenen Baum, um Luft zu schöpfen. Die Rinde grub sich durch den dicken Baumwollstoff meiner Jogginghose. Immer mit der Ruhe, wenn du dich entspannst, findest du auch die Antwort. Erinnere dich nur wieder an die Frage.

Gut, was hatte Tom also über Mandy gesagt?

Das menschliche Gehirn ist alles andere als perfekt. Was mir durch den Kopf schoß, war nicht ein hübsches Paket aufschlußreicher Sätze in Anführungszeichen, sondern die Erinnerung daran, wie ich in Toms Armen eingeschlafen war, sein langes Bein über meiner Hüfte. Das war zwar tröstlich, aber nicht sehr hilfreich. Noch einmal von vorn: Welche Information hatte Tom Driscoll mir über Mandy Anderson gegeben? Hatte er Hojo über sie reden hören? Hatte er gehört, daß jemand in einem Gespräch etwas über sie sagte? War er möglicherweise sogar irgendwann einmal dieser Mandy begegnet? Verdammt! Sollte es mein Schicksal sein, daß ausgerechnet die Gehirnzelle, die die Informationen für meine Rechtfertigung enthielt, dreißig Jahre vor meinem restlichen Körper an Altersschwäche verschieden war?

Plötzlich durchzuckte mich ein Gedanke. Ja, das war es! Ich hastete schneller, als ich es je für möglich gehalten hätte, durch den Wald zurück zu Cass.

»Stephanie hat uns doch beiden unabhängig voneinander erzählt, wie unattraktiv Mandy ist, oder?«

»Genau«, bestätigte Cass. Wir legten gleichzeitig die Füße auf den Sitz vor uns. Als die Kinder der Higbees noch klein waren, Jahre, bevor sie ins College kamen, hatten Cass und Theodore den hinteren Teil des Kellers in ein Theater verwandelt. Vor einer erhöhten Bühne, die hinter einem blauen Duschvorhang verborgen lag, standen drei Reihen Bänke für das Publikum.

»Okay«, fing ich an. »Wenn diese Mandy riesige Poren und eine Schweineschnauze hat, dann überleg dir mal das Folgende: Als Tom mit seiner Frau gesprochen hat...«

»Welcher Tom?«

»Tom Driscoll. Der Tom von der High-School, erinnerst du dich noch? Ein wichtiger Kunde von Richie. Tom...«

»Der leichtfüßige, langfingrige Tom mit den Augen, die wie dunkle Seen schimmerten?« erkundigte sich Cass. Der Segen und gleichzeitig der Fluch des Vertrauens in die beste Freundin liegt darin, daß sie nie vergißt, was man ihr irgendwann einmal erzählt hat.

»Ach, hör doch auf damit.«

»Woher weißt du, was Tom zu seiner Frau gesagt hat?«

»Weil ich mitgehört habe. Ich erzähl' dir das später, wenn's überhaupt noch ein Später gibt. Jedenfalls hat Toms Frau irgendwann dieses Jahr, höchstwahrscheinlich im Februar oder März – vor Jessica also – ein Abendessen zusammen mit Richie arrangiert. Sie hat Tom gesagt, daß sie zu viert sein würden. Weil sie wahrscheinlich pro Monat genau drei Komma zwei Stunden gemeinsame Zeit auf dem gesellschaftlichen Parkett vereinbart haben und er ihr noch was schuldig war, ist er mitgegangen. Aber rate mal, wen er dort erwartet hatte, wer aber nicht dabei war . . ., weil man sie nicht gefragt hatte? Rate mal, wen Richie statt meiner Wenigkeit zu dem Essen mitgenommen hat?«

»Wie billig! Er hat eine *Geliebte* mitgenommen?«

»Ja, und ich sage dir auch, wen: die Frau, die die Lücke in Richies Leben ausgefüllt hat. Tom hat gesagt, sie war ganz verrückt nach Richie. Nennen wir sie der Einfachheit halber Mandy, denn an dem Tag, als die Frau, die verrückt nach Richie war, zusammen mit ihm und den Driscolls Kaviar in sich hineingeschaufelt hat, hat eine Mandy in Richies Büro angerufen und sich zu ihm durchstellen lassen. Sie ist dabei so plump vorgegangen, daß sogar Richies Sekretärin was von seiner neuen Eroberung mitbekommen hat.«

»Wie primitiv.«

»Aber es paßt alles zusammen. Außerdem ergibt Mandy Anderson Sinn. Ihr Auftauchen fällt mit der Zeit zusammen, als Richie plötzlich wieder früher nach Hause kam. Erinnerst du dich noch, damals, als ich überzeugt davon war, daß dies der Beginn einer neuen Phase war, die ›Jetzt-werden-wir-zusammen-alt-Phase‹?«

»Ich erinnere mich. Du hast mich damals auch überzeugt.«

»Richie ist nur deswegen so früh heimgekommen, weil seine

Geliebte Mandy hier im Ort gewohnt hat. *Sie* hatte nicht die ganze Nacht Zeit, weil sie wieder zu ihrem Mann nach Hause mußte.«

»Was ist dann mit dem Abend, an dem sie zu viert gegessen haben?« fragte Cass. »War das nicht eine ganze Nacht?«

»Wenn sich eine Frau hin und wieder einen Abend allein gönnt, macht das noch keinen Mann argwöhnisch, schon gar nicht den Mann einer emanzipierten Frau.«

Cass betrachtete die Tragödienmaske, die ihre Kinder auf die eine Seite des Proszeniums gepinselt hatten. Die nach unten gebogenen Mundwinkel sprachen für sich. »Ich bin mir da nicht so sicher.«

»Dann werde ich dich jetzt überzeugen. Anfangs hat Tom sich nur daran erinnert, wie unangenehm ihm der Abend war – wie vulgär es doch von Richie gewesen war, seine Geliebte mitzubringen: Er hat genauso reagiert wie du. Aber er hat sich noch an was anderes erinnert – die Frau war hübsch.«

Cass wäre fast der Mund heruntergeklappt. »Und diese Mandy ist nicht hübsch!«

»Genau! Bevor Tom und Hojo anfingen, sich anzubrüllen und aufgelegt haben, hat sie ein paar interessante Sachen gesagt. Unter anderem, daß es sich bei dieser Frau um seine erste richtige Liebesbeziehung gehandelt hat, nicht nur um eine Bettgeschichte. Wenn es schon nicht die große Liebe war, so doch zumindest so etwas wie eine Generalprobe dafür.«

»Und Jessica war die große Liebe?«

»Ja«, mußte ich zugeben. Na schön, es tat immer noch ein bißchen weh. Aber vielleicht würde ich irgendwann in der Lage sein, meine Jahre mit Richie als ein ausgedehntes Versehen zu betrachten. Wenigstens hatte ich aus dieser Ehe zwei Kinder, die ich liebte, eine tolle Karriere und ein rotes Kabrio gerettet. Es gibt Frauen, die schlechter weggekommen sind. Und wenn ich tatsächlich das Glück hatte, noch eine Zukunft vor mir zu haben, konnte ich mich eigentlich nur noch verbessern.

»Aber selbst wenn die Frau bei dem Abendessen nicht die große

Liebe war«, fuhr ich fort, »war sie auch nicht gerade irgendein Püppchen. Hojo hat gesagt, sie sei mehr als angenehm gewesen. Und noch eins: Sie kam aus einer guten, alten Ostküstenfamilie.«

»Ich kann nichts über ihre Herkunft sagen«, meinte Cass. »Aber jedenfalls klingt ihr Name nicht gerade lettisch. Warum könnte Mandy nicht die Frau bei dem Abendessen gewesen sein?«

»Weil Mandy ein Gesicht wie Miss Piggy hat. Die Lady, mit der Tom zu Abend gegessen hat, war hübsch. Daraus folgt: Entweder hat Tom einen schlechten Geschmack, was Frauen anbelangt, oder die Frau war nicht Mandy oder ...« Ich wartete darauf, daß Cass etwas sagte.

»Oder Stephanie lügt! Denn Mandy *ist* hübsch.«

»Genau! Cass, du weißt ja, Stephanie wünscht sich nichts sehnlicher als eine makellose Welt. Schöne Häuser, toll arrangiertes Essen, prächtige Gärten – und gutaussehende Paare, die einander bewundern. Sie muß am Boden zerstört gewesen sein wegen der Geschichte mit Carter und Jessica, aber hat sie mir das anvertraut?«

»Nein.«

»Warum nicht?« fragte ich.

»Weil ihr das unangenehm war. Ja, das ergibt Sinn! Sie geht allen unangenehmen Dingen aus dem Weg. Und ihr Mann hat daraus sogar seinen Beruf gemacht: Er führt einen Kreuzzug gegen die Realität und kreiert das, was er für Schönheit hält.«

»Stephanie würde alles tun, um Unordnung in ihrem Universum zu vermeiden. Wie hätte sie mir da sagen können, daß mein Mann noch mit einer anderen Frau als Jessica fremdgegangen ist? Als sie dann wußte, daß ich es herausbekommen hatte, hat sie versucht, mir die Sache zu erleichtern: Sie hat Mandy zum unscheinbaren Typ gemacht. Jessica ist jung und hübsch, und Stephanie wollte nicht, daß ich mich wie eine alte Vogelscheuche fühlte, die man *zweimal* wegen einer cleveren, gutaussehenden Lady Mitte Dreißig hintergangen hat. Sie wollte mich schützen.«

Ich stand auf und streckte die Beine. Mit der weiten Hose war das schwer zu beurteilen, aber ich hatte den Eindruck, daß meine Oberschenkel im Verlauf der letzten Woche dünner geworden waren. Ich ging zu dem Wandtelefon hinüber, wählte die Nummer der Auskunft in Manhattan und erfragte die Nummer von Kendrick, McDonald. »Es heißt ja immer, daß die großen Kanzleien an der Wall Street Ausbeuterbetriebe sind«, sagte ich zu Cass. »Schauen wir mal, wie lange bei denen jemand da ist.« Aber in diesem Ausbeuterbetrieb ging niemand ran.

»Cassandra!« hallte plötzlich Theodores Stimme durch den Raum. Ich suchte verzweifelt nach einem Ort, an dem ich mich verstecken konnte. Es gab keine Tür, durch die man rennen konnte; der Duschvorhang vor der Bühne war durchsichtig; hinter der Bühne befand sich kein Raum mehr. »Ich habe dir deinen Kakao gemacht!« rief er.

»Ich komme gleich rauf.«

»Mein Gott!« rief Theodore aus. Wir wirbelten herum, und da stand er, am Fuß der Kellertreppe, sah von mir zu Cass, als sei er gerade Zeuge einer schockierenden Auseinandersetzung geworden. Bevor ich noch überlegen konnte, was ich tun sollte, hastete er schon durch den langen Raum. Ich rappelte mich hoch, um wegzulaufen, aber er packte mich an beiden Armen und preßte sie mir in einer Art Ringergriff auf den Rücken. »Versuchen Sie nicht, sich zu wehren!« Cass rief er zu: »Ich halte sie fest. Ruf die Polizei!«

Theodore war ziemlich schmal, aber er konnte ganz schön zupacken! Ich versuchte, mich an all die Artikel zu erinnern, die ich über Selbstverteidigung gelesen hatte, aber weil er hinter mir stand, geschützt durch die Bank, auf der ich gesessen hatte, konnte ich ihm keinen Tritt in die Hoden verpassen.

»Lassen Sie mich los!« brüllte ich, denn er tat mir wirklich weh. »Theodore, lassen Sie mich erklären.«

»Cassandra!« rief Theodore. »Steh nicht so rum! Geh ans Telefon!«

»Laß sie los«, sagte Cass mit ruhiger Stimme.

»Was?« fragte er verständnislos.

»Laß sie los.« Seine Daumen gruben sich in meine Oberarme. »Rosie und ich haben heute abend noch etwas vor.«

»Hast du völlig den Verstand verloren?« fragte er und drückte noch fester zu.

»Aua!« meldete ich mich wieder zu Wort.

»Nein. Rosie ist unschuldig. Und ich werde ihr dabei helfen, das zu beweisen.«

Theodore schwang ein Bein über die Bank, vermutlich, damit er mich besser zur Treppe dirigieren konnte. Ich hob den Fuß, um ihm auf den Rist zu treten; während er sich noch vor Schmerz wand, würde ich mich befreien können, hoffte ich. Aber ich traf ihn nicht. »Du wirst ihr *nicht* helfen«, wies er Cass an. »Sie ist *nicht* unschuldig. Denk dran, was sie mit ihrem Mann gemacht hat und mit Carter Tillotson. Sie ist verrückt, eine Mörderin.« Meine Unterarme wurden allmählich taub. »Ist sie bewaffnet?«

Ich drehte den Kopf. »Ja. Ich trage eine kleine Neutronenbombe bei mir.«

Genau in dem Moment, als Theodore dämmerte, daß Cass mich freiwillig ins Haus gelassen hatte, verkündete Cass: »Wenn du versuchst, die Polizei zu rufen oder uns in irgendeiner anderen Form zu behindern, verlasse ich dich und verzichte außerdem auf das Sorgerecht für die Kinder. Denk ans Erntedankfest. Nein, denk an Weihnachten. Du mit einer kahlen Norwegertanne und drei mißmutigen Halbwüchsigen, und ich ...« Sie dachte eine Weile nach. »... der Star von Oxford.«

»Oxford?« Er grinste süffisant. »Wer will schon nach Oxford?« Aber er wußte genau, wer, und ließ mich vorsichtshalber los.

Ganz sanft massierte ich meine Ellbogen. »Setzen wir uns doch wieder«, schlug ich vor. »Bitte. Ich muß euch was sagen.«

Cass tat mir den Gefallen. »Vertraust du meinem guten Menschenverstand, Theodore?« Er nickte widerwillig. »Ich verbürge mich für Rosie. Hör ihr zu.« Er glättete die Falten seines Morgenmantels und setzte sich neben sie.

»Ich habe in der Woche nach Richies Tod mehr über ihn herausgefunden als in der ganzen Zeit unserer Ehe«, fing ich an. »Ich muß die Wahrheit hinnehmen: Er wollte aus den Vororten raus, einer von den ganz Großen werden. Und auch aus unserer Ehe wollte er schon seit einiger Zeit raus.

Ich habe ihn zum Bleiben gezwungen. Ihr wißt doch, letzten Sommer wollte er eine Villa in der Toskana kaufen. Ich habe ihn ausgelacht: Wir in einer italienischen Villa? Ich habe gelacht, weil ich ihn davon überzeugen wollte, daß er immer noch der alte Richie aus Queens ist. Aber er hatte sich auf eine Art und Weise weiterentwickelt, wie ich es nie tun würde. Er war ein Mann geworden, der tatsächlich in einer italienischen Villa leben *könnte*. Er war nicht nur wütend, weil ich ihn hier festgehalten habe, sondern außer sich vor Zorn. Er hat den alten Richie, der die Jugendmannschaft der High School trainiert hat, gehaßt. Er hatte es satt, ewig der kleine Mathelehrer zu sein, der mit viel Dusel das große Geld gemacht hat. Er wollte unbedingt zu Rick werden. Und das einzige, was ihn daran hinderte, sein neues Leben zu führen, war eine High-School-Lehrerin mit einem leichten Brooklyner Akzent.

Ich habe mich durch seine Tränen am letzten Tag täuschen lassen. Sie waren nicht gespielt, nein, ich bin mir sicher, daß ihm die Trennung von mir nicht leichtgefallen ist. Aber er wollte mich nicht einfach verlassen und von nun an sein eigenes Leben führen. Er wollte mir heimzahlen, daß ich eine Jüdin aus der unteren Mittelschicht bin, noch dazu nicht einmal aus Manhattan, und daß ich ihn immerzu daran erinnert habe, daß auch er nichts anderes ist. Er mußte mich verletzen und demütigen.

Hört euch an, wie er eine Ehe beendet hat, die immerhin fünfundzwanzig Jahre gehalten hat: nicht mit Bedauern, auch nicht eiskalt, sondern mit einem Tritt in den Arsch. Er hat den Vorschlag mit der Party gemacht, die Farce mit der silbernen Hochzeit – Freunde, Verwandte, Nachbarn, Geschäftsfreunde. Wißt ihr noch, wie er einen Toast auf mich ausgesprochen hat?

›Rosie, wir sind jetzt fünfundzwanzig Jahre verheiratet. Was soll ich nur sagen?‹ Ich dachte damals, daß er noch viel mehr sagen wollte, aber so gerührt war, daß er kein Wort mehr über die Lippen brachte, der arme Kerl. Aber dann, keine zwölf Stunden später, hieß es dann: Tschüs, Rosie. Gott sei Dank bin ich die los. Ich muß zugeben, daß er an dem Morgen noch seine väterlichen Pflichten erfüllt hat; immerhin hat er sich eine Stunde Zeit genommen, um es den Jungens zu sagen. Dann hat er seinen Schreibtisch ausgeräumt – wobei er offenbar ein paar Sachen vergessen hat. Und dann hat er sich aus dem Staub gemacht.

Wißt ihr, was ich immer noch nicht begreifen kann? Seine Bosheit. Er hat es mir überlassen, allen Leuten, die angerufen haben, um sich für das tolle Fest zu bedanken, zu sagen, daß das alles offensichtlich doch nicht so toll war. Er hat es mir überlassen, alles wieder einzupacken und die Geschenke zurückzugeben, die wir am Abend zuvor gemeinsam ausgepackt hatten. Warum hat er das getan? Wir sind bis zwei Uhr früh aufgeblieben – nur wir beide – und haben Papier aufgerissen, Bändchen geworfen, gelacht, Spaß gehabt.«

»Sechs Saftpressen habt ihr bekommen«, erinnerte sich Cass. Sicherlich erinnerte sie sich auch daran (schließlich hatte ich ihr davon erzählt), daß Richie und ich uns geliebt hatten – von zwei bis nach drei, leidenschaftlich wie Frischverliebte.

»Sieben Saftpressen. Ich möchte nicht behaupten, daß er mich nur demütigen wollte. Aber das spielte mit Sicherheit eine große Rolle.« Ich lächelte die Higbees an. Sie lächelten zurück.

Sie glaubten wahrscheinlich, daß ich versuchte, tapfer zu sein. Aber eigentlich dachte ich daran, wie ich mich mit Richie, einen Tag nachdem er mich verlassen hatte, beim Anwalt laut brüllend darüber gestritten hatte, ob ich tatsächlich mitgeholfen hatte, Data Associates aufzubauen. Doch dann hatte er plötzlich seine Taktik geändert. Er hatte die Hand über den Schreibtisch gestreckt, und ich hatte sie mit gleicher Arglist, wenn auch mit ein wenig Sehnsucht, ergriffen. Zärtlich, wie er schon seit einem Jahrzehnt nicht mehr zu mir gewesen war, sagte er: »Du wirst wieder jemanden finden, Rosie« – mit dem sicheren Wissen im Hinterkopf, daß das nicht so leicht sein würde.

Ich dachte an den Spaß, den ich mit Danny gehabt hatte. Ich dachte an meine Nacht mit Tom und daran, wie er danach die Linien meines Gesichts nachgezeichnet, meine Wange gestreichelt und gesagt hatte: »Du bist mein Schatz, Rosie.« Er hatte mich die ganze Nacht im Arm gehalten. Richie, du verdammter Kadaver, dachte ich, er hat mir in ein paar Stunden das gegeben, wozu du nie in der Lage gewesen bist, die ganzen fünfundzwanzig Jahre nicht.

»Es wird Zeit, daß wir was unternehmen«, sagte ich zu Cass.

»Was sollen wir machen?«

»Wir müssen rausfinden, was Stephanie über Mandy und Richie weiß.«

»Und wenn sie es uns gesagt hat, müssen wir sie bitten, daß sie uns die Lady vorstellt.«

Theodores Lächeln schwand. Er löste seinen Arm von dem seiner Frau und strich sich mit Daumen und Zeigefinger über seinen Clark-Gable-Schnurrbart. »Egal, was Sie machen, Rosie, Cass begleitet Sie nicht.«

Cass trat einen Schritt näher zu mir. »Achte gar nicht auf ihn. Du weißt ja, daß man ihn nicht ernst nehmen muß.«

»Du solltest mich aber lieber ernst nehmen«, warnte Theodore sie.

»Bitte! Das einzige, was du liest, sind Romane von William F. Buckley. Wie kann ich dich da ernst nehmen?«

»Versteh das bitte als Warnung, Cassandra.« Damit wandte Theodore Higbee sich um und stapfte den Gang neben den Bänken entlang, durch den Keller und die Stufen hinauf. Einen Augenblick später sah ich, wie Cass' graue Hose und dunkelroter Pullover in die gleiche Richtung verschwanden.

Hin und wieder sind Klischees nötig, weil sie ein Gefühl perfekt in Worte fassen. Also: Mir sank der Mut. Das hatte nichts mit

Freundschaft zu tun, auch nicht mit Verständnis oder Wärme. Mittlerweile hatte ich gelernt, daß ich auch so zurechtkam. Aber ohne Cass würde ich nie an den Polizisten vorbei zu Stephanie kommen.

Bevor mir auch noch das Herz brechen konnte, rief Cass jedoch die Treppe hinunter: »Theodore hat mir sein Wort gegeben, daß er nicht die Polizei ruft. Du kannst ihm vertrauen. Ich hole jetzt meinen Mantel.« Sie sprach plötzlich so leise, daß ich sie kaum verstand. »Und eine Pistole.«

»Ohne dich tut sich das Englischkollegium der Shorehaven High-School schon schwer genug«, sagte Cass, »aber wenn wir beide eingelocht werden, sitzen sie bis zum Hals in der Scheiße.« Dann machte sie den Kofferraumdeckel über mir zu.

Wir waren uns einig, daß es keine andere Alternative gab. Ich konnte nicht wie bei Carter flach hinter dem Sitz des Wagens liegen, weil überall Polizisten mit Taschenlampen herumschwirrten. Nach elf Uhr nachts konnte man in Long Island auch nicht damit rechnen, an der nächsten Straßenecke eine Hornbrille und eine falsche Nase erwerben zu können, weshalb die Aussicht, als Wanderbuchhalter in Stephanies Haus zu schlüpfen, mehr als fragwürdig wurde.

In Filmen hüpfen die Leute immer in den Kofferraum, um sich darin zu verstecken, oder sie werden hineingestoßen, um zur nächsten Betonmischmaschine verfrachtet zu werden. Aber weder eine Aufnahme von dem sich herabsenkenden Kofferraumdeckel, der die Leinwand plötzlich in undurchdringliches Schwarz hüllt, noch eine übersteuerte Tonspur mit wildem Hämmern und erstickten Hilferufen kann auch nur ein annäherndes Bild von dem Schrecken geben, in so ein Loch gesperrt zu werden.

Ich durchlebte meine schlimmste Todesangst. Und es war nicht das Ende des Bewußtseins, das mich schreckte, sondern die Vorstellung, das Fortdauern dieses Bewußtseins völlig hilflos erdulden zu müssen – das war der lebende Tod. Sogar am finstersten

Himmel läßt sich ein schwacher Lichtschimmer von einem fernen Stern entdecken, aber ich war in einer Gruft der Schwärze gefangen.

In dem Kofferraum roch es, wie ich es mir in einem besseren Viertel der Hölle vorstellte: Hier vermischten sich der Gestank von schimmelnden Taschenbüchern und einem kaputten Schirm, der nie ganz getrocknet war, mit dem Aroma eines Radicchio-Blattes, das auf dem Nachhauseweg vom Lebensmittelhändler versehentlich abgerissen worden war, mittlerweile den Übergang von der festen zur flüssigen Form hinter sich hatte und auf dem besten Wege war, in den gasförmigen Zustand überzugehen. Aber wenigstens bewies mir der faulige Gestank, der mir ätzend in die Nase stieg, daß es überhaupt noch Luft zum Atmen gab.

Ich lag auf der Seite, die Arme schützend um den Kopf gelegt, weil ich bei jedem Straßenbuckel gegen die Seiten des Kofferraums gedrückt wurde. Und ich machte mir Sorgen wegen Cass' Vorliebe für überbackenen Käsetoast. Sie hatte einen elektrischen Grill im Büro und machte sich fast jeden Tag einen solchen Schweizer Toast mit Tomate, außer wenn wir mit ein paar Kollegen zum Essen gingen. Dann aßen wir Gemüse und Pitabrot; und sie bestellte Corned beef. Du wirst noch Probleme mit deinen Arterien kriegen, hatte ich sie schon mindestens tausendmal gewarnt. Denk an dein Herz. Ein schwerer Schock könnte das Ende für sie bedeuten. Wenn sie irgendwo Polizisten mit einem Gewehr im Anschlag sah, käme ihr vielleicht in den Sinn, daß sie lieber auf Theodore gehört hätte und zu Hause geblieben wäre. Aber dann würde es schon zu spät für ihr armes Herz sein; es mochte vielleicht mit den Aufregungen fertigwerden, die die Brontë-Schwestern zu bieten hatten, aber diese Nacht war einfach zuviel für eine Frau mit einem Doktor von der Columbia-Universität. Sie würde das nicht überleben.

Mich würden sie erst eine Woche später finden. Cass' älteste Tochter Kate würde nach Hause kommen, um den Trauerfeierlichkeiten für ihre Mutter beizuwohnen. Sie würde den Kofferraum öffnen, um einen Sack Hundefutter für Ronnie hineinzubefördern und – *Iiiiiii!*

Ich wurde nach vorne geschleudert. Ein Stück Metall, vielleicht der Wagenheber, zerfetzte mir die Jogginghose und zerkratzte mir das Knie. Ich wollte gerade vor Schmerz und Schreck aufheulen, als ich das Knirschen von Kies hörte. Sofort war mir klar: Wir befanden uns auf der leicht ansteigenden Auffahrt zum Haus der Tillotsons! Plötzlich rollte ich nach vorn. Wir waren wieder auf ebenem Untergrund. Schließlich brachte Cass den Wagen so sanft zum Stehen wie noch nie in all den Jahren, die ich schon mit ihr Auto fuhr.

Wir hatten alles durchgesprochen, was sie sagen würde: Officer, mein Name ist Cassandra Higbee. Ich wohne im Bridal Path Way und bin eine Freundin von Mrs. Tillotson. Cass würde dem Beamten dann ihren Führerschein zeigen und hinzufügen: Ich war außerdem eine Freundin von Mrs. Meyers, und sie war gerade bei mir zu Hause. Hey, Lieutenant! würde der Cop dann rufen, worauf sich mehrere Polizisten um die Fahrertür herum versammeln würden. Als Fachrespizientin der englischen Abteilung würde Cass sich nur mit dem ranghöchsten Beamten unterhalten. Ich habe gewußt, daß die Polizei hier sein muß, würde sie sagen, also habe ich mir gedacht, es würde schneller gehen, gleich selbst vorbeizufahren, statt anzurufen. Mrs. Meyers hat mein Haus vor etwa zwei Minuten verlassen. Während sie dort war, hat sie mich immer wieder gefragt, ob ich etwas über ihren verstorbenen Mann und eine Frau namens Mandy weiß; ich habe ihr gesagt, daß das nicht der Fall ist. Hier konnte Cass vielleicht die Hand auf die Brust legen und tief durchatmen, um sich zu beruhigen. Mrs. Meyers war völlig außer sich, würde sie dann fortfahren. Ich habe sie gefragt, ob ich ihr irgendwie helfen kann. Sie hat nein gesagt, sie wolle wieder in die Stadt zurück. Ich habe ihr angeboten, sie zum Bahnhof zu fahren, aber sie hat gesagt, sie habe einen Wagen gemietet. Einen Cadillac, glaube ich.

Hier würde Cass eine Pause von vier Sekunden machen. Dann

würde sie hinzufügen: Ach ja! Das hätte ich fast vergessen: Mrs. Meyers hat erwähnt, daß sie den Wagen bei den Rothenbergs abgestellt hat. Das ist die große Ranch drüben in der East Road. Sie sind gerade in Florida.

Cass und ich waren zu dem Schluß gekommen, daß der Wagen, an dem sich überall meine Fingerabdrücke befanden, Gevinski und seine Leute erst einmal beschäftigen und, wichtiger noch, einen Großteil von ihnen vom Haus der Tillotsons weglocken würde. Dafür konnte ich leicht meinen Fluchtwagen opfern. Ein vages »Rosie Meyers hält sich irgendwo hier in der Gegend auf«, wäre nur einer von zahlreichen Hinweisen für die Cops; sie würden nicht sofort alles liegen- und stehenlassen und sich auf die Socken machen.

Wenn die Information über den Cadillac den Aufruhr verursachte, den wir uns erhofften, würde Cass aus dem Wagen steigen und einen der Beamten fragen, ob sie bitte mit Mrs. Tillotson reden könne. Das ist alles so schrecklich für uns alle, würde sie zu ihm sagen. Vielleicht können Stephanie Tillotson und ich einander trösten. Mit ein bißchen Glück wäre der Polizist dankbar für Cass' Auftauchen. Zumindest könnte er es sich kaum leisten, nein zu sagen, weil er dann Gefahr liefe, einer selbstbewußten, offenbar wohlhabenden schwarzen Frau gegenüber wie ein Rassist dazustehen.

Cass würde den Wagen beiseite fahren. Wenn sie den Eindruck hatte, daß keine Gefahr mehr für mich bestand, würde sie die Verriegelung für den Kofferraum lösen, so daß dieser sich einen Spalt öffnete. Dann würde sie zu Stephanies Tür gehen. Wenn die Luft rein war – das heißt, wenn nur Stephanie und nicht ein Beamter auf sie zukäme, würde Cass Stephanies vollen Namen sagen: Stephanie Tillotson.

Dann würde ich aus dem Kofferraum springen. Cass würde schockiert und verärgert reagieren – was? Rosie in meinem Kofferraum? –, während ich sie ums Haus scheuchen würde. Wenn Stephanie doch unter Polizeischutz stünde, würde Cass nur ihren Vornamen sagen. In diesem Fall – was für ein Alptraum – würde ich im Kofferraum bleiben, und Cass würde uns wegfahren, so schnell sie konnte.

Warum dauerte das bloß so lange? Ich kam bis »Tief ins Dunkel späht' ich lange, zweifelnd, wieder seltsam bange . . .« aus Edgar Allan Poes »Der Rabe«. Doch das Gedicht war eine schlechte Wahl; zum ersten Mal konnte ich mich voll und ganz in Poes grausige Welt hineinversetzen.

Klick! Cass entriegelte mein Gefängnis. Berauschend frische Luft schlug mir ins Gesicht. Ein schmaler Streifen mitternächtliches Blau tat sich vor mir auf, und obwohl ich nichts sehen konnte, hörte ich doch die Baritone und Bässe der Polizisten – nicht allzu nahe beim Wagen. Schon bald folgte auf ihre Stimmen der Klang von Stephanies Türglocke.

Ich griff in meine linke Tasche und wog die fast gewichtslose Spielzeugpistole in der Hand. Die Waffe in der rechten Tasche mußte ich nicht eigens berühren; daß sie schwer war, spürte ich auch so.

Cass hatte sie für mich mitgehen lassen. Hier, hatte sie gesagt, als sie wieder in den Keller zurückgekehrt war. Ich brauche sie nicht, hatte ich ihr gesagt. Ich habe ja noch die Spielzeugpistole. Dabei klopfte ich mir auf die Tasche. Sie schüttelte den Kopf: Vielleicht hast du Carter damit hinters Licht geführt, weil du sie ihm an die Schläfe gehalten hast und er sie nicht richtig sehen konnte. Aber wenn wir von einem Polizisten überrascht werden, weiß der sofort, daß es sich nur um eine Spielzeugpistole handelt. Wir schwiegen beide. Die Polizei mit einer Waffe zu bedrohen, klang nicht besonders klug. Lieber nicht, hatte Cass gesagt und die Waffe an einen Haken für die Billardqueues gehängt. Sie sah wirklich sehr echt aus.

Nein, erwiderte ich, es sei denn, Theodore vermißt sie. Wahrscheinlich weiß er gar nicht mehr, daß er sie überhaupt noch hat, meinte Cass. Er bewahrt sie in einer Kassette in seinem Schreibtisch auf, zusammen mit den Briefmarken ohne Gummierung. Er hat sie sich nur gekauft, weil sich das für reaktionäre, waffengeile

Volltrottel so gehört. Er versteckt die Patronen im obersten Fach des Wäscheschranks, gleich neben seiner Schnorchelmaske. Einbrecher und der Ku-Klux-Klan rufen natürlich immer zuerst an, bevor sie vorbeischauen, damit er noch Zeit zum Laden der Waffe hat. Dann hatte sie noch hinzugefügt: Ich habe mir nicht die Mühe gemacht, auch noch die Patronen zu bringen, Rosie; ich habe gedacht, du wirst wahrscheinlich keine geladene Waffe mit dir rumschleppen wollen.

Eine schwere Tür öffnete sich. »Wie schön, dich zu sehen!« hörte ich Cass sagen. Eine Frauenstimme murmelte eine Antwort. »Du stehst doch sicher noch unter Polizeischutz?« erkundigte sich Cass. Es folgte langes, abschweifendes Gemurmel. Und dann: »Was du nur alles durchmachen mußt. Arme Stephanie Tillotson!«

Und ich sprang aus dem Kofferraum.

21

»Bitte«, sagte ich zu Stephanie, »schrei nicht um Hilfe. Ich schwöre dir, daß ich dir nichts tue.«

»Rosie ist unschuldig«, sagte Cass. »Ich verbürge mich für sie.«

»Wie kannst du das?« wollte Stephanie wissen. Ihr Gesicht war aschfahl. Sogar in dem gedämpften Licht konnte ich die perlenblauen Venen an ihrer Schläfe sehen. Ein Muskel neben ihrem rechten Auge zuckte. Einen Moment lang glaubte ich, sie zwinkere mir zu. Doch ich täuschte mich. »Heute abend habe ich das erste Mal auch geglaubt, daß sie ihn getötet hat. Wie sie sich an mich rangeschlichen hat! Ich habe solche Angst gehabt, Cass, besonders nach dem, was sie mit Carter gemacht hat.«

»Dafür habe ich mich bereits entschuldigt«, flüsterte ich, teils wegen meines rauhen Halses, teils aus Angst, jemand anders könnte mich hören. Wenn dieser Moment nicht für die weiteren Entwicklungen so entscheidend gewesen wäre, hätte ich mich schnell mal ins Bad verdrückt, um zu gurgeln. »Tut mir leid, daß ich weggelaufen bin. Ich weiß nicht, warum ich das gemacht habe.«

»Sie hat's gemacht, weil sie ein einziges Nervenbündel ist«, erklärte Cass uns beiden. »Sieh sie dir doch mal an!«

Wenn man die angeborenen Schönheitsunterschiede außer acht ließ, sah ich im Augenblick sehr viel besser aus als Stephanie. Das lag nicht nur an ihrem bleichen Gesicht. Ihre Hände waren schmutzig von der Arbeit im Gewächshaus, und sie hatte an den Nägeln gekaut. Außerdem befanden sich Blumenerdekrümel um ihren Mund und an ihrem Kinn.

Stephanie riß sich schließlich zusammen und sah mich an. »Ich habe die Polizei gerufen«, sagte sie.

»Das sehe ich selbst. Da draußen schwirren mindestens hundert von denen herum.«

»Was hast du denn erwartet? Wenn du einfach so wegrennst . . .«

»Wie konntest du nur glauben, daß ich schuldig bin? Du bist Anwältin, Stephanie, man möchte meinen, daß du logisch denken gelernt hast. Wenn ich Richie tatsächlich getötet hätte, weshalb sollte ich mich dann wohl in Carters Wagen verstecken, um an Informationen heranzukommen?«

»Das weiß *ich* doch nicht!« Ihre Stimme hallte von den Steinwänden des Flurs wider.

»Sch!« zischten Cass und ich wie aus einem Munde.

Der Flur war ein höhlenartiger Saal, der nur durch einen von der über sieben Meter hohen Decke herunterhängenden Kronleuchter und ein großes Buntglasfenster über der Eingangstür aufgelockert wurde. Das alles wirkte so imponierend und erhaben, daß man sich vorstellen konnte, wie Thomas à Becket hier vor einem großen Kreuz einen Gottesdienst hielt.

»Tut mir leid, daß ich so laut war«, flüsterte sie.

»Mrs. Tillotson?« Ein Cop, der vermutlich aus ihrem Musikzimmer rief.

»Sag ihm, es ist eine Nachbarin, die nur wissen will, ob alles in Ordnung ist«, wies ich sie an. Stephanie schluckte. »Bitte, Stephanie, versuch, überzeugend zu klingen!«

Sie sah Cass an, um sich rückzuversichern. Cass sagte: »Mach schon.«

Stephanie wiederholte, was ich gesagt hatte, auch wenn sie nicht überzeugend klang. Ihre Stimme war zu brüchig. Sie wischte sich die Hände an ihrem Arbeitsanzug ab und hinterließ einen dunkelbraunen Fleck über den heller braunen Gartenflekken.

»Sag ihm, du gehst nach oben, um ein Bad zu nehmen, weil du dich entspannen möchtest«, flehte ich sie an. »Dann können wir reden. *Beeil dich.*«

Als wir uns gerade nach oben schleichen wollten, fiel mir ein, daß das Musikzimmer, in dem der Cop sich wahrscheinlich aufhielt, gleich neben der großen Treppe lag. Ich sah mich in dem riesigen Flur um, der wie ausgestorben dalag. »Mrs. Tillotson?« rief der Beamte.

»Komm!« sagte ich und schob die beiden in die Garderobe. Sekunden bevor wieder das »Mrs. Tillotson? Wo sind Sie denn?« erklang, schloß ich die Tür. »Mrs. Tillotson!« Die Stimme schien, wenn auch gedämpft, näher zu kommen. »Sind Sie da?« Lauter. Die Stimme! Gevinski! Schließlich wurde die Stimme leiser und verschwand in Richtung Treppe.

Ich ließ die Tür einen Spalt auf, damit das Licht nicht ausging. Trotzdem war es für Cass und Stephanie vermutlich eine Qual, sich in dem winzigen Raum aufzuhalten. Mir erschien er nach der Zeit im Kofferraum wie die Radio City Music Hall. Cass drückte sich in eine Ecke. Stephanie wich in den hinteren Teil des Wandschrankes zurück, bis sie gegen ihren Rotfuchsmantel stieß und nicht mehr weiter konnte. Ich hielt den Türknauf fest, damit die Tür nicht plötzlich aufsprang.

»Wir brauchen Informationen, Stephanie.«

»Ich *habe* keine Informationen.«

»Erzähl uns von Mandy«, sagte ich.

»Schon wieder?« Die langen Fuchshaare kitzelten Stephanie; sie schüttelte immer wieder den Kopf und zuckte mit den Achseln, um sie loszuwerden. »Ich habe euch schon alles gesagt, was ich weiß, und zwar euch beiden.«

»Du hast uns gesagt, daß Mandy eher unscheinbar ist. Das stimmt aber nicht.«

»Woher wollt ihr denn wissen, wie sie aussieht?«

»Glaub mir ruhig«, sagte ich, wahrscheinlich ziemlich kühl. »Ich weiß es. Und ich weiß auch, daß sie ein Verhältnis mit Richie hatte.«

»Rosie, ich hab' dir doch schon gesagt, daß Richie sich nie mit jemandem wie Mandy einlassen würde.« Sie sah nicht wütend aus, aber sie redete so schnell, daß sie es mit Sicherheit war. »Kannst du nicht damit aufhören?«

»Nein, das kann ich nicht. Hör mir zu, Stephanie. Es ist mir egal, ob das, was du zu sagen hast, angenehm ist oder nicht. Ich möchte lediglich die Wahrheit erfahren. Erzähl mir von dem Verhältnis.«

»Ich weiß nichts darüber. Selbst wenn . . .«

»Du brauchst dir keine Sorgen zu machen, daß du Rosie weh tun könntest«, pflichtete Cass mir bei. »Sie hat schon einiges einstecken müssen. Mandy wird sie auch noch verkraften.« Irgendwann hatte Cass ihren Pullover ausgezogen, ohne daß ich es bemerkt hatte. Jetzt trug sie ihn um die Schultern und hatte die Ärmel so miteinander verknotet, wie es nur ehemalige Schüler der Prep-School machen.

»Wo wohnt Mandy?« fragte ich. Im Wandschrank roch es nach Aprikosen. Die Wände waren mit Goldfolie ausgeschlagen, die Kleiderhänger mit apricotfarbenem Satin bezogen. Winzige, spitzenverzierte Kissen in Herzform, die mit Aprikosenpotpourri gefüllt waren, hingen von ebenso winzigen Messinghaken.

»In den Acres. Das habe ich dir doch schon gesagt. In der Crabapple Road.«

»Kannst du uns hinbringen?« erkundigte sich Cass.

»Was?« Stephanie schien verblüfft über Cass' Bitte.

»Nicht jetzt gleich«, sagte ich schnell. Cass war zu schnell gewesen. Es war schlimm genug für Stephanie, daß sie ihre Lüge zugeben mußte. Ich wollte ihr Zeit geben, damit sie sich an unsere Freundschaft zurückerinnerte, damit wir, wenn wir dann tatsächlich zu Mandy gingen, dort als die Drei Musketiere auftreten konnten. »Sie arbeitet in Manhattan?«

»Ja. Sie ist gerade Partnerin geworden. Hat sich auf Konkursrecht spezialisiert.«

»Gut. Ich glaube, das hast du mir schon gesagt.«

»Wie kommt sie in die Stadt?« mischte sich Cass ein, als Stephanie gerade begann, sich zu beruhigen. Am liebsten hätte ich ihr eine Ohrfeige gegeben. »Mit dem Wagen oder mit dem Zug?«

»Mit dem Wagen«, antwortete Stephanie. »Wir sind früher immer zusammen gefahren, bis ich gekündigt habe.«

»Hätte sie wohl irgendeinen Grund gehabt, am Abend von Richies Tod hier in den Estates herumzufahren?« fragte Cass. Das war eine gute Frage, aber ich gab ungern das Heft aus der Hand.

»Nicht daß ich wüßte«, sagte Stephanie. »Ich habe sie allerdings auch schon Ewigkeiten nicht mehr gesehen. Sie arbeitet Tag und Nacht.«

Cass fragte: »Was macht ihr Mann, während sie arbeitet?«

»Er arbeitet auch.«

»Wo?«

»Bei Kendrick, McDonald. Das ist eine große Kanzlei mit über fünfhundert Anwälten.«

»Fährt er abends zusammen mit ihr nach Hause?«

»Nein.« Plötzlich und ohne einen ersichtlichen Grund bekam ich Herzklopfen. Nicht genug Luft, dachte ich. Der Schimmer der Folie ließ Stephanie wie eine goldene Statue aussehen. »Sie haben unterschiedliche Arbeitszeiten, und er hat sein Büro in der Wall

Street.« Sie wandte sich von mir ab, um ihren Fuchsmantel auf die andere Seite des Wandschranks zu schieben, doch dort stieß er auf einen Nerzmantel und eine Schaffelljacke und glitt wieder zurück.

»Mit anderen Worten . . .«, sagte Cass.

»Einen Augenblick«, mischte ich mich ein. »Dräng sie nicht, Cass.«

»Ich dränge sie nicht, und bitte sei nicht so empfindlich.«

»Könnten wir vielleicht hier raus?« meinte Stephanie. »Hört ihr? Der Sergeant sucht oben nach mir.« Wir vernahmen seine schweren Schritte. »Wißt ihr was? Wir könnten durch die Küche in den Flügel mit dem Pool schleichen und uns in der Sauna verstecken.«

»Einen Augenblick«, sagte ich. »Du hast gesagt, du bist früher immer mit Mandy zusammen zur Arbeit gefahren, bis du gekündigt hast.«

»Ja«, antwortete Stephanie mit einem sehnsüchtigen Blick zur Tür. »Ich glaube, ich kriege Platzangst.«

»Du hast bei Forrest Newel in der Park Avenue gearbeitet.«

»Ja.« Sie klang jetzt, als habe sie nicht mehr Platzangst, sondern auch die Nase voll. Der süßliche Geruch der Aprikosen wurde allmählich überreif.

»Dann ist Mandy also«, drängte nun ich, »die Partnerin von Forrest Newel.« Stephanie nickte verärgert. »Das ist ja interessant.«

»Rosie, du vergeudest deine Zeit. Ich höre den Beamten nicht mehr oben herumgehen. Er kann jede Minute . . .«

»Mach dir mal keine Gedanken.«

»*Ich* muß mir keine Gedanken machen.«

»Stephanie, wie ist es möglich, daß sie die Partnerin von Forrest Newel ist? Du hast mir doch gesagt, Mandy arbeitet bei Kendrick, McDonald.«

»Das habe ich nicht gesagt.«

»Doch.«

Stephanie sah zuerst Cass an und dann mich. »Ihr Mann Jim ist bei Kendrick, McDonald«, sagte sie mit fester Stimme.

»Nein, das ist er nicht«, sagte ich. Ich sah, daß sie sich verkrampfte, und spürte, wie auch Cass in ihrer Ecke erstarrte. »Ich will die Wahrheit wissen. Es wird Zeit, daß du ehrlich bist.« Plötzlich drückte Stephanie gegen die Tür des Wandschrankes. Sie hatte Kraft, aber nach einer Woche in meiner Rolle als Bedrohung für die Gesellschaft war ich auf alles gefaßt.

»Tu mir das nicht an, Rosie. Halt mich nicht hier drin fest. Dazu hast du kein Recht.«

Ich hielt den Türknauf fest, zog die Tür mit aller Kraft zurück und schaute an ihr vorbei zu Cass. »Halt sie fest!«

»Rosie«, wehrte sich Cass entrüstet.

»Halt sie fest, verdammt noch mal!«

Cass packte Stephanie an den Trägern ihres Arbeitsanzuges und entschuldigte sich bei ihr: »Das tut mir alles schrecklich leid.«

»Das braucht dir nicht leid zu tun, Cass«, sagte ich, als Stephanie sich wehrte. »Wir könnten zusammen zu den Shorehaven Acres hinüberfahren und an jede Tür in der Crabapple Road klopfen. Wir könnten bei Johnston, Plumley & Whitbred *und* Kendrick, McDonald anrufen, und weißt du was? Wir würden keine Mandy Anderson finden.«

»Sie ist verrückt!« rief Stephanie.

»Nicht so laut«, herrschte Cass sie an.

»Es gibt keine Mandy«, sagte ich.

»Hör ihr gar nicht zu, Cass!« flehte Stephanie.

»Wovon redest du eigentlich?« fragte Cass mich.

»Alles, was wir wissen, haben wir von Stephanie erfahren. Stimmt's, Stephanie?« Cass hielt sie wieder an den Trägern fest, während ich die Tür zuhielt. »Ich will die Wahrheit, Stephanie, und zwar jetzt«, herrschte ich sie an.

Einen Augenblick bewegte sich Stephanies Fuß, und ich dachte, sie würde mir einen Tritt versetzen, aber dann hörte sie auf, sich zu wehren. Sie hob den Kopf, als würde sie sich nun mit den apricotfarbenen Hutschachteln oben auf der Ablage unterhalten. »Es gibt keine Mandy«, gestand sie den Hutschachteln. »Ich habe eine Ausrede gebraucht, um abends rauszukommen. Als wir noch in Manhattan gewohnt haben, bin ich abends immer im Park gelaufen, aber Carter wollte das hier nicht. Also habe ich Mandy erfunden.«

»Und warum hast du auch uns die Geschichte mit Mandy erzählt?« fragte Cass. »Hast du denn geglaubt, wir machen uns was draus, wenn du abends allein zum Joggen gehst?«

»Es war mir peinlich. Wie hätte ich euch gegenüber denn zugeben können, daß ich mich nicht gegen meinen Mann durchsetzen kann?« Sie schob den Pelz wieder weg.

»Also hat es nie eine Mandy gegeben«, sagte ich.

»Ich hätte nicht lügen sollen«, sagte Stephanie und betrachtete nun ihre Socken. Sie hatte ihre Clogs offenbar im Gewächshaus gelassen. »Am Anfang war es nur eine kleine Lüge, die dann mit der Zeit immer größer geworden ist.« Sie nahm ein herzförmiges Potpourri-Kissen vom Haken und sog den Duft ein. »Es tut mir ja so leid, Rosie.«

»Ich versuche ja, dich zu verstehen. Die Frau hier im Ort, mit der Richie ein Verhältnis hatte . . .«

»Das war nicht Mandy«, gestand sie erleichtert. »Es gibt keine Mandy.«

»Ist das nicht merkwürdig?« fragte ich.

»Was ist merkwürdig?« erkundigte sich Cass. »Rosie, du drückst dich nicht ganz klar aus.«

»Ist es nicht merkwürdig«, sagte ich, »daß ständig eine Mandy in Richies Büro angerufen hat, wenn es gar keine Mandy gibt?«

»Verstehe«, sagte Cass.

»Es gibt nicht nur *eine* Mandy auf der Welt«, wandte Stephanie mit leiser Stimme ein.

»Soweit ich weiß«, erklärte Cass ihr, »hatte Richies Sekretärin – die selbst jahrelang seine Geliebte war – den Eindruck, daß diese Mandy ein ziemlich eindeutiges Interesse an Richie hatte. Sie ist sich ziemlich sicher, daß Mandy anrief, um ein Rendezvous auszumachen oder zu bestätigen.«

Stephanie sagte kein Wort. Ich wandte mich an Cass: »Stephanie hat sich ihren Lebensunterhalt einmal als Prozeßanwältin verdient. Man hat sie dafür bezahlt, daß sie keiner Konfrontation aus dem Weg ging. Glaubst du wirklich, sie hätte Carter anlügen müssen, wenn sie abends noch zum Joggen wollte?«

»Nein«, sagte Cass. »Sie hätte das einfach gemacht!«

»Genau. Wir müssen diese ›Mandy‹-Geschichte als das sehen, was sie wirklich ist: als einen Vorwand, noch mal aus dem Haus zu kommen, ohne Verdacht zu erregen. Sie sagte tschüs zu ihrem skandinavischen Ehepaar, zog ihre Laufschuhe an und weg war sie. Eine Stunde später kam sie dann mit einem Lächeln auf den Lippen wieder zurück.«

»Nein!« sagte Stephanie.

»Was machte es schon, wenn sie ein bißchen zerzaust war?« fragte ich Cass. »Oder wenn sie länger weg war als eine Stunde und erst nach Carter nach Hause kam, ein bißchen außer Atem? Kein Problem. Er machte sich in der Zwischenzeit das viergängige Menü in der Mikrowelle warm, das sie für ihn vorbereitet hatte. Wie ihre Augen dann glänzten! Wahrscheinlich sagte sie so etwas wie: ›Carter, das war heute mal wieder ein Supertraining!‹ Verstehst du denn nicht? Mandy ist Stephanie. Und Stephanie hat Richie getötet.«

Stephanie schrie, und obwohl ihre Schreie eigentlich von Fuchs-, Nerz- und Schaffell hätten gedämpft werden sollen, wurde mir Sekunden später der Türknauf aus der Hand gerissen – von Sergeant Gevinski. Er hielt mir seine Pistole unter die Nase. »Bewegen Sie sich«, wies er mich an.

Aber Theodores Waffe war in meiner Hand, und sie war auf Stephanies Herz gerichtet. »Nach Ihnen«, sagte ich.

Ich hatte jetzt die Zügel in der Hand, also saßen wir fünf Minuten schweigend beisammen. Dann fing ich an. »Wo ist Dr. Tillotson?« fragte ich Gevinski.

»Bei den Leuten, die auf das Kind aufpassen.«

»Bei seiner Mutter«, erklärte Stephanie. Sie klang so freundlich, daß ein Außenstehender glauben mußte, wir hätten uns hier getroffen, um Pekannußkuchen zu backen. »Er ist rübergegangen, um ihr einen Gutenachtkuß zu geben – auch wenn sie schon schläft.« Sie war wieder ganz die alte Stephanie: unkompliziert, klug, aber nicht überkritisch, und voller Energie. Kurz: unsere tolle Stephanie. Ich durfte nur eins nicht vergessen: Das war ihre brillante Strategie. Laß dich nicht zweimal aufs Glatteis führen, Rosie. Diese liebe, freundliche Frau, mit der du zusammen Strudelteig ausgewalzt hast, hat dich hintergangen und deinen Mann ermordet.

Ein mildes Lächeln glitt über Gevinskis Mondgesicht, während Stephanie redete. Einen Augenblick später glotzte er mich an. Aus dem Glotzen wurde ein Starren, offenbar, um den Richtlinien für den Umgang mit bewaffneten Psychopathen Genüge zu tun. »Mrs. Meyers«, sagte er mit sehr ruhiger Stimme. Dann betrachtete er seine Waffe, die jetzt auf dem Tisch unter meiner linken Hand ruhte. »Vor ein paar Stunden hat man mich zum Staatsanwalt gerufen, damit ich mich mit Ihrem Anwalt unterhalte. Ich habe früher schon mit ihm zu tun gehabt; er ist ausgesprochen clever. Er hat mir ein paar Dinge gesagt, die durchaus Sinn ergeben. Vielleicht habe ich mich wirklich getäuscht. Vielleicht haben Sie ja eine glaubwürdige Erklärung für das alles.«

»Die habe ich«, antwortete ich.

»Gut«, sagte er. Wir hätten gut und gerne vier alte Freunde sein können, die bei Stephanie um einen Kartentisch saßen und Scrabble spielten. Nur die Waffen störten. Und trotz ihrer Backkurs-Freundlichkeit schwitzte Stephanie so heftig, daß ein Schweißtropfen von ihrem Gesicht auf die Tischfläche fiel. »Ich würde diese Erklärung gerne hören«, sagte Gevinski.

»Gern.«

»Ich würde Sie nur bitten«, sagte er mit fast schon engelsgleicher Ruhe, »daß Sie Ihre Waffe auf den Tisch legen. Sie können nach wie vor die Kontrolle über beide Waffen behalten, aber uns wäre allen wohler . . .«

»Nein.«

»Hören Sie, jeden Augenblick wird einer von meinen Männern nach mir suchen.«

»Dann sagen Sie ihm, daß Sie zu tun haben.«

»Glauben Sie, er kauft mir das ab?«

»Dann sagen Sie ihm ruhig, daß ich Sie alle mit einer Pistole bedrohe. Vielleicht beruhigt er sich, bis der Geiselspezialist kommt. Und in der Zwischenzeit können wir uns unterhalten.«

Ich stützte den Waffenarm auf dem dunkelroten Filz des Kartentisches ab. Wir befanden uns hier in den Shorehaven Estates, deshalb handelte es sich nicht um einen ganz normalen Kartentisch, sondern um ein Möbel aus dem achtzehnten Jahrhundert, an dem der Filz an so zahlreichen Stellen eingerissen war, daß der Tisch auch ausreichend alt aussah. Abgesehen jedoch von einem Ledersofa und einem Kronleuchter mit Glühkerzen, der wohl aus dem Billardsalon eines Herzogs stammte, war der Raum sonst völlig kahl. Der Billardtisch, den Stephanie sich eigentlich wünschte, kostete den Gegenwert von mindestens vier Brustkorrekturen und dazu noch das Geld, das alle chemischen Peelings in einem Monat einbrachten. Die Chippendale-Stühle im Eßzimmer und der Teppich fürs Wohnzimmer hatten verständlicherweise Vorrang.

»Ich kann Ihnen sagen, die Brioches von Stephanie sind einsame Klasse«, sagte ich. »Wir haben immer zusammen gebacken. Ich bin auch nicht schlecht, aber sie ist einfach ein Genie.« Gevinski hörte mir nicht zu. Er war zu sehr damit beschäftigt, die Waffen anzustarren, also nahm ich die seine vom Tisch und hielt sie im Schoß. »Hören Sie mir bitte zu. Brioches sind ein französisches Eiergebäck. Die meisten Leute backen kleine Brioches mit einem netten kleinen Teigzipfelchen oben als Abschluß. Sie schmecken gut zum Frühstück.«

»Rosie?« Cass sah besorgt aus.

»Ich habe Richies Leiche gegen halb vier morgens gefunden. Du« – dabei wandte ich mich an Cass – »bist gegen Viertel vor sieben vorbeigekommen, nachdem Sergeant Gevinski mich verhört hatte. Du wolltest zusammen mit Madeline und Stephanie zum Gehen, aber sobald du gehört hast, was passiert ist, bist du gleich gekommen. Ungefähr eine Stunde später bist du gegangen, weil du in die Schule mußtest, aber ich war noch immer völlig durcheinander.«

»Natürlich.«

»Also bin ich so gegen halb neun oder neun den Hügel hinauf, in der Hoffnung, daß Stephanie mir ein bißchen Trost spendet.« Ich wandte mich Gevinski zu. »Aber bevor ich bei Stephanie anlangte, habe ich zwei Leute von der Gerichtsmedizin beobachtet.«

»Die waren vom Labor«, murmelte er.

»Sie haben Abdrücke von den Reifenspuren rund um Richies Wagen gemacht. Am meisten schienen sie sich für die Spuren des Lamborghini zu interessieren, aber es waren auch noch andere da. Reden Sie mit den Leuten; die werden Ihnen sagen, daß es noch zwei andere, unterschiedliche Reifenspuren gegeben hat.« Er nickte, überhaupt nicht überrascht darüber, daß ich über die Reifen redete. Jetzt wußte ich, daß er sich tatsächlich mit dem Staatsanwalt und Vinnie Carosella unterhalten hatte. »Eine Spur stammte von den Reifen des Lamborghini – das waren Pirelli-P-Null-Reifen. Die anderen waren Michelin MXVs. Eine ganze Reihe von Luxusautos haben solche Reifen: Jaguars, Mercedesse, BMWs.«

Stephanie räusperte sich. »Etwas anderes gibt es in den Estates nicht; Luxuswagen gehören hier zum Leben. Cass und ich fahren BMWs, du hast . . .«

»Wir plaudern hier nicht alle, Stephanie. Das ist ein Monolog.« Ich sah Gevinski an. »Ich habe eine Idee. Rufen Sie doch, wenn Dr. Tillotson nach Hause kommt, einen von Ihren Laborleuten, damit er seinen Mercedes und ihren BMW überprüft. Von Reifen kann man fast so eindeutige Abdrücke machen wie von Fingern, nicht wahr? Sie werden sehen: Eines der beiden Autos hat Michelin-MXV-Reifen, die zu den Spuren neben Richies Wagen passen. Wollen Sie wissen, welches?« Cass begriff jetzt; sie hörte gar nicht mehr auf, zustimmend zu nicken.

»Mrs. Meyers«, sagte Gevinski vorsichtig. »Vielleicht ist das ja interessant, aber was soll's? In jener Nacht ist der Mörder nicht mit dem Auto in Ihr Haus gefahren. Im Körper Ihres Mannes steckte ein Messer. Reifen hin oder her, es waren nur Sie beide im Haus, als es passiert ist.«

»Sergeant, Sie wissen genausogut wie ich, daß beide Tillotsons bestritten haben, irgend etwas darüber zu wissen, daß Richie sich in jener Nacht hier in der Gegend aufgehalten hat. Wenn also das Auto von einem der Tillotsons neben dem Wagen von Richie abgestellt war, beweist das doch, daß einer von ihnen gelogen hat. Das ist ein bißchen mehr als nur interessant.«

Gevinski gab keine Antwort. Stephanie blies die Backen auf und atmete dann langsam durch geschürzte Lippen aus. Ich wartete darauf, daß sie etwas zu ihrer Verteidigung sagen würde, aber sie schnaufte und schwitzte nur weiter.

Gevinski verschränkte die Arme und stützte sie auf seinen Bauch. »Hat das irgendwas mit dem Eiergebäck zu tun?«

»Darauf komme ich noch zu sprechen. Aber lassen Sie mich zuerst erzählen, was passiert ist, als ich an diesem Morgen hierhergekommen bin. Gunnar, der Butler – er ist Norweger –, hat die Tür geöffnet. Er spricht nicht viel Englisch, aber er hat mich zu Stephanie begleitet. Später hat seine Frau Inger dann ein Tablett mit Brioches hereingebracht.«

»Gut«, sagte Gevinski.

»Ich bin noch nicht fertig. Was ist eigentlich aus Gunnar und Inger geworden, Stephanie?«

»Sie haben gekündigt.« Ihre Freundlichkeit wich einem finsteren Blick. »Ich habe dir doch schon gesagt, daß sie gekündigt haben.«

»Wann?«

»Ich weiß es nicht mehr so genau.«

»Das war erst letzte Woche. War es am gleichen Tag, als Richie ermordet wurde? Oder am nächsten?«

Gevinski sah Stephanie an, jedoch nicht skeptisch genug, um mir ein Gefühl der Sicherheit zu geben. »Das kann ich nicht so genau sagen«, meinte sie. »Sie haben ein anderes Angebot bekommen, das weit über dem unseren lag. Sie haben ihre Sachen gepackt und sind sofort gegangen.« Sie beugte sich ein wenig zu Gevinski hinüber. »Ich habe sie nicht weggeschickt. Sie versucht, es so hinzustellen, als hätte die Sache etwas mit dem Verbrechen zu tun – aber diese Kündigung war etwas ganz Alltägliches. Bedienstete kommen und gehen heutzutage die ganze Zeit. Gunnar hat mich vor vollendete Tatsachen gestellt. Sie haben gekündigt, ich habe ihre Kündigung angenommen.« Sie klang so rational – und so höflich –, daß Gevinski mich ansah, als wolle ich Stephanie Tillotson gleich mit Lee Harvey Oswald in Verbindung bringen.

»Wie hießen Inger und Gunnar mit Familiennamen?« fragte ich sie.

»Ich weiß es nicht«, herrschte Stephanie mich an. »Olsen? Jensen? Irgend so etwas. Frag Carter.«

»Hat er die Schecks ausgestellt?« wollte Gevinski wissen.

»Wir haben sie immer bar bezahlt, weil sie das so wollten. Aber ich bin mir sicher, daß Carter Ihnen das alles genauer sagen kann.«

»Falls nicht«, mischte ich mich ein, »können wir die Agentur anrufen, die die beiden vermittelt hat. Cloverleaf? Cloverdale?« Stephanie bleckte nicht die Zähne, sondern nickte wieder so kooperativ, daß Gevinski das Denken vergaß. »Ich habe mich auch immer an die Agentur gewendet. Werden Sie sie anrufen, um festzustellen, ob sie gekündigt haben?« fragte ich Gevinski. »Ich glaube nämlich nicht, daß sie das getan haben. Ich glaube, sie hat sie gefeuert. Vielleicht haben die beiden ja etwas gesehen.«

»Ich rufe sie an«, versicherte er mir. »Ich versprech's Ihnen.«

Kein Wunder, ich hatte zwei Waffen, er keine. »Eiergebäck?« half er mir auf die Sprünge.

»Brioches. Als ich zu Stephanie gekommen bin, hat sie gesagt, sie hat Brioches für mich gemacht.« Diese Bemerkung schien die Anwesenden nicht vom Hocker zu reißen. »Ich dachte mir noch: Wie nett von ihr. Damals habe ich noch nicht verstanden, was das bedeutet. Natürlich, ich hatte ja auch erst vor fünf Stunden Richies Leiche gefunden, da konnte man nicht erwarten, daß ich in Topform war. Jetzt ist das anders. Hören Sie zu: Ich mache Brioches auf die schnelle Weise – das dauert insgesamt drei Stunden. Aber Stephanie würde sich nie auf die schnelle Tour einlassen.«

»Ich weiß, daß du eine Pistole hast«, sagte Stephanie mit rauher Stimme. »Aber das ist mir egal. Das ist so superdumm, daß ich es kaum fassen kann.«

»Das klassische Rezept dauert insgesamt sieben Stunden. Der Teig muß dreimal gehen.«

»Was soll der Blödsinn?« schrie Stephanie. Cass warf ihr einen finsteren Blick zu.

»Wenn Stephanie um halb neun Uhr morgens Brioches serviert, muß sie schon um halb zwei angefangen haben, sie zu machen – vielleicht sogar bereits vor Mitternacht.« Mein Arm mit der Waffe tat mir allmählich weh. Ich stützte ihn wieder auf dem Tisch auf, bis ich, eine Sekunde vor Gevinski, bemerkte, daß er mich so mit einer schnellen Handbewegung entwaffnen konnte. Ich lehnte mich also zurück und zielte erneut auf Stephanies Herz. »Wieso hast du mitten in der Nacht gebacken?« fragte ich sie. »Hast du nicht schlafen können?«

Sie schüttelte den Kopf, nicht nur zornig, sondern auch mitleidsvoll. »Der Teig war gefroren«, erklärte sie Gevinski. »Ich habe ihn aus der Tiefkühltruhe geholt und eine halbe Stunde in den Ofen gesteckt.« Er nickte.

»Er war nicht gefroren!« mischte ich mich ein. »Sie würde Käsestangen einfrieren, vielleicht auch *bouchées* – das sind Blätterteigtaschen –, aber niemals den Teig für Brioches. Der hält sich nämlich nur ungefähr eine Woche. Abgesehen davon ist sie ohnehin zu sehr Puristin, als daß sie irgend etwas einfriert.«

Ich hatte Cass überzeugt, doch Gevinski verdrehte die Augen.

Stephanie faltete die Hände wie zum Gebet; ihre Nagelhaut war völlig verdreckt. »Was willst du damit sagen?« knurrte sie. Tja, endlich war sie so richtig schön wütend und machte auch kein Hehl mehr daraus. »Vielleicht, daß ich ein Verhältnis mit deinem Mann hatte, ihn umgebracht habe und dann nach Hause bin und Brioches gebacken habe?«

»Ja, genau das.«

»Weißt du, noch bist *du* hier die Verdächtige. *Du* bist die Flüchtige. *Du* bist diejenige, die eine Waffe hat.«

»Keine Sorge, das weiß ich schon.«

»Erwartest du ernsthaft, daß der Sergeant – oder der Staatsanwalt oder irgend jemand sonst – Brioches als Beweis in einem Mordfall in Erwägung ziehen wird? Kaum zu glauben, daß man sich einen solchen Quatsch anhören muß.« Sie wandte sich Gevinski zu. »Das ist sadistisch.«

»Bin ich sadistisch?« Ich lachte. »Ich finde es eher sadistisch, wenn man ein Verhältnis mit dem Mann einer Freundin hat, wenn man diesen Mann dann ersticht und den Mord der Freundin anhängt.«

Sie redete jetzt nicht mehr mit mir. »Das ist obszön«, erklärte sie Gevinski und Cass.

»Du hast also kein Verhältnis mit Richie gehabt?« fragte ich.

»Natürlich nicht! Ich habe mit niemandem ein Verhältnis gehabt.«

»Als du herausgefunden hast, daß er mich verläßt, um Jessica Stevenson heiraten zu können, warst du also auch nicht schokkiert?«

»Natürlich war ich schockiert«, erklärte sie Gevinski. »Das ist doch schockierend, wenn ein guter Freund seine Frau verläßt.«

»Du hast dich nicht hintergegangen gefühlt, als du gehört hast, daß Richie Jessica liebt?« wollte ich wissen.

»Nein!«

Ich wandte mich Gevinski zu. Er steckte die Finger unter den Kragen und kratzte sich am Hals. »Was ist, wenn Richie ein Verhältnis mit Stephanie hatte und ihr gesagt hat, das würde zu gefährlich, weil Carter oder ich Verdacht schöpfen könnten? Was ist, wenn er ihr gesagt hat, daß seine silberne Hochzeit vor der Tür steht und er sich verpflichtet fühlt, das durchzuziehen, was hieße, daß sie ihre Beziehung fürs erste auf Eis legen müßten? Es hätte Richie nicht ähnlich gesehen, einfach die Wahrheit zu sagen – nämlich, daß er sich in eine andere verliebt hatte. Ich würde tippen, Stephanie hat sich so unsichtbar gemacht wie möglich – und dann nie wieder was von ihm gehört. Sie hat ihn bei dem Fest anläßlich unserer Silberhochzeit gesehen, aber natürlich konnte sie ihm dort keine Szene machen, nicht einmal dann, als sie zusehen mußte, wie Richie mit der Frau tanzte, mit der ihr Mann einmal ein Verhältnis hatte, nämlich mit Jessica Stevenson. Glauben Sie wirklich, daß sie sich nicht hintergangen gefühlt hat?«

Stephanie starrte mich wütend an und schenkte Gevinski ein Lächeln. »Das ist doch lachhaft, einfach lachhaft«, wiederholte sie an Cass gewandt.

»Sie glauben also, daß sie nicht genau gewußt hat, wer Jessica Stevenson war? Reden Sie doch mal mit Dr. Tillotson«, schlug ich vor. »Er wird Ihnen bestätigen, daß er ein Verhältnis mit Jessica hatte. Übrigens hat er den Kontakt mit Jessica nicht abgebrochen. Wenn er es bestreitet, fragen Sie Jessica selbst. Sie ist zwar nicht gerade ehrlich, aber sie müßte Ihnen die Wahrheit sagen; es wissen zu viele Leute von dieser Affäre, als daß sie sie einfach abstreiten könnte.« Gevinski lockerte seine ockerfarbene Krawatte und öffnete den Kragen seines Hemdes.

»Am Tag nach dem Fest«, sagte ich zu Stephanie, »als ich dich angerufen und gesagt habe: ›Stephanie, bitte komm vorbei. Richie hat mich verlassen. Er will eine Frau aus seiner Firma heiraten, eine Jessica Stevenson‹, da hast du dich auch nicht hintergangen gefühlt?«

»Verdammt noch mal, so machen Sie doch was!« wandte sich Stephanie an Gevinski.

»Mrs. Tillotson, sie hat zwei Waffen. Verhalten Sie sich lieber ruhig.«

Ich hatte rasende Kopfschmerzen; die Füße brannten mir – ich hätte meine Turnschuhe am liebsten auf der Stelle ausgezogen. Aber was war, wenn ich wieder weglaufen mußte? Und selbst wenn ich noch einmal die Kraft zum Fliehen aufbrachte, wohin sollte ich mich nun wenden?

Ein lautes Klopfen an der Tür ließ uns zusammenzucken. Wir sahen alle Gevinski an. »Sergeant?« fragte eine tiefe Stimme.

Ich richtete die Waffe auf Gevinski, bereit, ihm vorzusprechen, was er sagen sollte, doch er sah zur Tür hinüber. »Turner? Sind Sie das?«

»Ja.«

Er schloß die Augen und verschränkte die Arme hinter dem Kopf. »Ich habe zu tun. Geben Sie mir noch ein paar Minuten Zeit.«

»Okay.«

»Ist Dr. Tillotson schon da?«

»Nein.«

»Klopfen Sie, wenn er da ist.« Er wartete darauf, daß die Schritte sich entfernten. »Mrs. Meyers, Mrs. Tillotson ist Anwältin. Sie könnte Ihnen sagen, daß das, was Sie uns da erzählen, lediglich . . . Details sind, die vor Gericht keinen großen Nutzen haben.« Stephanie brachte ein leises Lächeln zuwege. »Selbst wenn Sie das alles zu einer zusammenhängenden Geschichte verbinden könnten, was ich, offen gestanden, bezweifle, könnten Sie Ihre Argumentation lediglich auf weit hergeholte Indizienbeweise gründen. Der Staatsanwalt würde sich vermutlich vor Lachen nicht mehr einkriegen.« Er ahmte das hysterische Lachen des Staatsanwalts nach und schlug zum Abschluß sogar noch mit der flachen Hand auf den Tisch. »Habe ich nicht recht, Mrs. Tillotson?«

»Sie haben völlig recht.« Stephanie war zu clever, um ihn umgarnen zu wollen, obwohl sie ihm trotzdem ein strahlendes Lächeln schenkte. Sie tat gerade genug, um aufrichtig und sehr dankbar zu wirken.

Trotzdem spürte ich in diesem Augenblick eine kaum wahrnehmbare Veränderung der Atmosphäre im Zimmer. Ich denke, wir nahmen sie alle wahr. Nicht etwa, daß Gevinski angefangen hätte, mir zu glauben; vielleicht hätte ich die Sache mit den Brioches doch lieber nicht erwähnen sollen. Er war jetzt nur einfach neugierig geworden. Wahrscheinlich hätte er mir sogar zugehört, wenn ich ihn nicht mit der Waffe bedroht hätte.

»Sie behaupten also, Sie haben eine zusammenhängende Story?« fragte Gevinski.

»Ja.«

»Dann raus mit der Sprache.«

»Ich habe eine ganze Reihe von Nachforschungen angestellt. Sie werden jetzt nur die Zusammenfassung hören.«

»Wir verbinden verschiedene Fäden zu einem logischen Ganzen«, meldete Cass sich plötzlich zu Wort.

»Sie ist Fachrespizientin für Englisch«, erklärte ich Gevinski.

»Ich habe schon ein paarmal mit Dr. Higbee gesprochen, ich weiß, wie sie redet. Machen Sie weiter mit Ihrer Zusammenfassung.«

»Stephanie hatte also ein Verhältnis mit meinem Mann. Ich weiß nicht, wann die Sache angefangen hat, aber im Februar lief sie jedenfalls auf Hochtouren. Sie schlich sich abends unter dem Vorwand aus dem Haus, daß sie mit ihrer Anwaltsfreundin Mandy joggen wollte. Sie hat Cass und mir gegenüber zugegeben, daß sie diese Mandy erfunden hat.

Richie stellte den Wagen immer an der Stelle ab, wo Sie ihn gefunden haben. Vielleicht haben sie ihre Rendezvous im Wagen gehabt. Bei meinem Mann könnte ich mir das durchaus vorstellen, wenn ich mir allerdings denke, wie groß Stephanie ist, ist das eher unwahrscheinlich. Wahrscheinlich sind sie in ein nahegelegenes Motel gefahren.«

»Einer von den Kästen am Northern Boulevard.« Cass rümpfte die Nase. »Kein halbwegs normaler Mensch würde sich bei denen in die Bettwäsche legen.«

»Wenn Sie sich in den Motels umhören, finden Sie sicher jemanden, der sich an Richie und seinen auffälligen Wagen erinnert«, sagte ich zu Gevinski. »Mit ein bißchen Glück war dieser Jemand sogar neugierig und könnte Stephanie bei einer Gegenüberstellung identifizieren.«

»Du schaust zu viel fern«, herrschte Stephanie mich an.

»Nein, ich mag B-Pictures«, berichtigte ich sie. »Jedenfalls hat Richies Firma im April ein Managertreffen in Santa Fe abgehalten. Ich hatte stapelweise Arbeiten zu korrigieren, deswegen konnte ich nicht mitkommen. An dem Wochenende hat er sich Hals über Kopf in Jessica verliebt. Alle schienen sich einig zu sein, daß sie die Liebe seines Lebens war. Sie sollten das genaue Datum des Treffens anfragen, denn dann würden Sie wissen, wann das Verhältnis mit Stephanie zu Ende war.«

»Was wollen Sie damit sagen?« fragte Gevinski. »Mrs. Tillotson hat ihn in Ihr Haus gelockt und ...«

»Nein. Ich bin mir sicher, daß sie nicht mit seiner Anwesenheit gerechnet hat. Er wollte aus einem anderen Grund in mein Haus: Er hatte ein absurd teures Gemälde gekauft – für drei Millionen Dollar – und es Jessica geschenkt. Es gab nur ein Problem, vielleicht auch zwei.«

»Müssen wir das hier auswalzen?« rief Stephanie aus.

Gevinski senkte die Stimme zu einem Flüstern, als wolle er etwas Vertrauliches mit ihr besprechen. »Es ist besser, wenn sie es sich von der Seele redet.« Dann wandte er seine Aufmerksamkeit wieder mir zu.

»Jessica wollte das Gemälde verkaufen. Sie hatte es satt. Sie hatte Richie ebenfalls satt, aber das ist eine andere Geschichte. Das Problem war lediglich, daß sie es nur dann verkaufen konnte, wenn sie von ihm die Kaufunterlagen bekam und so ihr Eigentumsrecht belegen konnte. Er hat mich so überstürzt verlassen, daß er einige wichtige Papiere vergessen hat.«

Draußen im Flur begann eine Uhr zu schlagen. Sie klang gedämpft, störte aber trotzdem die Unterhaltung. Es war jetzt elf, vielleicht sogar schon zwölf. Aus keinem bestimmten Grund sahen wir alle zur Tür.

»Richie und ich haben nicht mehr miteinander geredet. Es wäre sehr schwierig für ihn gewesen, mich anzurufen und zu fragen, ob er vorbeikommen darf. Außerdem hatte er Angst, daß ich die Sache mit dem Gemälde herausfinden könnte; das hätte unser gemeinsames Vermögen immerhin um drei Millionen Dollar erhöht, außerdem hätte sich die Frage erhoben, ob das Geschenk legal war.«

»Und?« fragte Gevinski.

»Also weiß ich nicht, wann er ins Haus gekommen ist, weil ich an dem Abend schon gegen halb zehn oder zehn ins Bett ging. Vermutlich ist er etwa um halb elf gekommen.«

»Wenn er in das Haus eindringen wollte«, sagte Stephanie mit einem verächtlichen Lächeln, »warum ist er dann schon so früh aufgetaucht?«

»Weil er wußte, daß ich, wenn ich am nächsten Tag unterrichten muß, früh zu Bett gehe. Er kannte meine Gewohnheiten. Wenn alle Lichter aus waren, schlief ich oder war zumindest im oberen Stock. Er wußte außerdem, daß unser Hund gestorben war, also würde kein Bellen ihn verraten. Das Haus ist so groß, wenn der Alarm nicht losging, würde ich niemanden in der Küche hören. Und wenn ich aus irgendeinem Grunde doch nach unten kommen würde, nun ja, Richie war sich wohl sicher, daß er mich um den kleinen Finger wickeln könnte – vielleicht erzählte er mir, er habe sich nach dem Haus gesehnt, was ich als Signal für seine Sehnsucht nach mir interpretiert hätte. Wenn es gar nicht anders gegangen wäre, hätte er sicher auch mit mir geschlafen.«

Gevinski wäre es wohl lieber gewesen, wenn ich das nicht gesagt hätte. Er seufzte und meinte: »Wenn das Ihre Geschichte ist, dann muß ich Ihnen eins sagen – daß er so früh ins Haus gekommen ist, ergibt nicht sonderlich viel Sinn. Warum hat er nicht bis später gewartet?«

»Weil er unbedingt wieder in die Stadt zurückwollte. Er wußte, daß Jessica einen anderen hatte ...«

»Sie hatte *noch* einen?« murmelte Gevinski.

»... und Richie hatte Angst, sie auch nur einen einzigen Abend allein zu lassen. Er stand unter schrecklichem Druck, tat alles in seiner Macht Stehende, um unsere Scheidung durchzukriegen und endlich frei zu sein. Jessica hatte einen ausgesprochen attraktiven Heiratsantrag bekommen, und Richie hatte schreckliche Angst, daß sie sich irgendwie aus der Verlobung mit ihm herauswinden würde. Gehen wir einfach mal davon aus, daß er gegen halb elf gekommen ist. Widerspricht das den Ergebnissen des Obduktionsberichtes?«

»Nein«, antwortete er, nicht allzu zögerlich.

»Zu dieser Zeit ist Stephanie auch nach Hause gekommen.«

»Wovon redest du?« fragte sie. »Ich war zu Hause.«

»Du warst in deinem Gartenclub und hast dich dort über Zimmerpflanzen unterhalten.«

Sie gab klein bei und nickte Gevinski zu. »Das stimmt. Ich hatte ganz vergessen, daß an dem Tag das Treffen war. Tut mir leid.«

»Ist schon okay.« Er lächelte sie an.

Bevor er beschloß, sie auch noch in die Wange zu kneifen, redete ich weiter. »Sie fuhr gerade den Hügel hinauf, als sie aus den Augenwinkeln den Rückstrahler an der Seite von Richies Wagen sah. Wahrscheinlich war sie höchst erfreut darüber. Sie stellte ihren Wagen neben dem seinen ab. Vergessen Sie nicht: Sie müssen noch die Reifenspuren überprüfen.« Ich hatte eigentlich erwartet, daß Stephanie sich einmischen würde, aber sie saß nur mit ausdruckslosem Gesicht da; sie hätte gut und gerne eine Puppe sein können. »Wahrscheinlich hat sie darauf gewartet, daß er aus dem Wagen springt und sie begrüßt. Aber es passierte nichts. Also ist sie ausgestiegen und hat in seinen Wagen geschaut. Doch es war niemand drin. Vermutlich hat sie seinen Namen gerufen.«

Stephanie rutschte unruhig auf ihrem Stuhl hin und her. »Das ist vielleicht eine phantastische Geschichte«, sagte sie mit einem angewiderten Blick in Richtung Gevinski.

»Tja, da haben Sie recht«, pflichtete er ihr bei.

Cass klopfte auf die Tischkante. Wir setzten uns alle wieder gerade hin. »Eine Geschichte ist Fiktion«, erklärte sie. »Aber das hier ist keine Fiktion.«

»Stephanie mußte Richie finden«, fuhr ich fort, »aber sie hatte schon die Sachen für ihr Treffen an. Sie ist noch einmal nach Hause gefahren und hat sich umgezogen – wahrscheinlich hat sie Inger, die durchaus so viel Englisch verstand, erklärt, daß Mandy zur Abwechslung mal nicht so lang arbeitet und daß sie wieder zum Joggen wollten.

Sie hat mit Sicherheit die ganze Nachbarschaft abgesucht, aber sie konnte Richie nicht finden. Wo konnte er nur stecken? Offenbar in seinem Haus – in meinem Haus. Vielleicht ist sie die Straße entlang oder über den Strand. Aber wenn sie eine dieser beiden Routen gewählt hatte, hätte man sie sehen können. Carter hätte sie auf dem Nachhauseweg entdecken können oder wenn er zufällig die hinteren Lichter einschaltete und aus dem Fenster schaute. Ich glaube, daß sie die Abkürzung durch den Wald genommen hat. Stephanie kennt die Gegend wie ihre Westentasche. Sie sucht dort immer Beeren und Kiefernzapfen für ihre Blumenarrangements. Jedenfalls ist sie zu meinem Haus gekommen und hat gesehen, daß Licht brennt.«

»In der Küche?« fragte Gevinski.

»Ich weiß nicht genau, wo Richie zu dem Zeitpunkt war. Er hätte die Kaufunterlagen für das Bild nie in der Küche gelassen, denn die war mein Reich. Aber zum Kommen und Gehen hat er sicher die Küchentür benützt; das ist der Eingang, der am weitesten von meinem Schlafzimmer entfernt liegt. Und es gibt keinerlei Grund, warum er Angst gehabt haben sollte, das Licht anzuschalten. Ich hätte das nicht gesehen, genausowenig wie jemand anders. Das Haus liegt ziemlich abgeschieden.

Vielleicht hat sie an ein Fenster geklopft, und er hat sie hereingelassen. Möglicherweise ist sie auch selbst hereingekommen. Oder sie hat gewartet, bis er die Tür aufgemacht hat, um zu gehen. Jedenfalls müssen sie sich unterhalten haben. Dann haben sie sich gestritten. Oder er hat sie einfach nur abblitzen lassen: ›Machst du Witze? Ich soll Jessica wegen *dir* verlassen?‹

Stephanie hat ihren Job ohne große Klagen aufgegeben. Ich vermute, man hat ihr gesagt, daß sie es nie bis zur Partnerin bringen würde. Sie hat versucht, ihr Leben zu Hause mit zahllosen Kleinigkeiten auszufüllen, aber es blieb dennoch leer. Richie war ein atemberaubender Mann. Einige wenige Monate lang muß sie gesehen haben, was *leben* bedeuten kann.« Stephanie beäugte meine Waffe. Ich nahm sie fester in die Hand. »Als er sie fallenließ, was hatte sie da noch? Ein paar Topfpflanzen, einen Mixer mit einem Rührhaken, ein Kind, das sie nicht sonderlich interessierte – und einen Mann, dessen Leidenschaft einer anderen galt. Als Richie sie verließ, hat er ihr Glück zerstört. Und in jener letzten Nacht nahm er ihr das letzte, was sie noch hatte: die Hoffnung. Also hat Stephanie das Messer gepackt und ihn erstochen.«

Stephanie stieß so etwas wie ein verächtliches Schnauben aus, aber mir erschien der Laut eher wie ein Wimmern, ein stummes Geständnis. Ich sah Gevinski an. Er hatte offenbar nicht dasselbe vernommen wie ich. Seine Arme blieben verschränkt, während er darauf wartete, daß ich weitererzählte.

»Ist das alles?« wollte Stephanie wissen, die sich durch Gevinskis Reaktion ermutigt fühlte. Das mußte ihr der Neid lassen: Sie wirkte immer noch gefaßt. Das Wimmern konnte sich auch den überlasteten Wasserleitungen entrungen haben. »Das ist deine ganze Geschichte?«

»Nein«, antwortete ich. »Das ist erst der Prolog.«

22

»Man möchte meinen, daß eine Frau, die den Mann, den sie liebt, mit einem Fleischmesser erstochen hat, nervös ist«, sagte ich. »Und das war Stephanie mit Sicherheit auch. Aber sie hat ihre Selbstbeherrschung nicht völlig verloren. Es muß alles ziemlich schnell gegangen sein, denn sie hatte keine Zeit, darüber nachzudenken, ob Richie wirklich tot war. Es wäre nur ein Blick nötig gewesen, und sie hätte gesehen, was ich am liebsten nie erfahren hätte: Es war vorbei.«

Jetzt sahen alle Stephanie an, die mit ausdruckslosem Gesicht dasaß. Vielleicht erinnerte sie sich an den schrecklichen Moment, als sie Richie in die Augen geschaut hatte, die weit geöffnet waren, dunkel und tot. So weit geöffnet, daß sie die Krümmung des Augapfels sehen konnte. Aber ihre makellosen Gesichtszüge blieben ausdruckslos. Vielleicht dachte sie einfach nur darüber nach, wie viele Sorten Salat sie im Frühjahr anpflanzen sollte. Cass suchte in einer Tasche des Kartentisches herum, vermutlich, um eine längst vergessene Cashewnuß zu finden. Aber Gevinski blieb hellwach.

»Falls Stephanie es uns nicht sagt«, fuhr ich fort, »werden wir nie erfahren, ob sie jemals daran gedacht hat, alles zu gestehen. Wir wissen lediglich, daß sie in meiner Küche stand und plötzlich, wie jeder Erstlingstäter, gemerkt hat, daß sie überall Fingerabdrücke und Fußspuren hinterlassen hatte. Haben Sie viele Fingerabdrücke gefunden?« fragte ich Gevinski.

»Glauben Sie, daß ich das Ihnen auf die Nase binde?«

»Aber meinem Anwalt müßten Sie es vor dem Verfahren doch ohnehin sagen, oder?«

»Aber ich muß es Ihnen nicht jetzt sagen.«

»Wollen Sie nicht ein bißchen von Ihrem harten Kurs abgehen?« fragte ich.

»Nein.«

»Rücken Sie mit dem Stuhl fünf Zentimeter näher an mich heran«, wies ich ihn an. »Genau. Keinen Zentimeter weiter.« Ich bat ihn, sich auf seine Hände zu setzen, damit er mir nicht die Pistole entreißen konnte, und den Kopf zu mir vorzubeugen.

»Sergeant Gevinski, glauben Sie nicht, daß es vernünftig wäre, das Mißtrauen mir gegenüber aufzugeben?«

»Warum?«

»Selbst wenn Sie nicht von meiner Geschichte überzeugt sind, wissen Sie jetzt genug, um wenigstens Zweifel an Stephanies Version zu haben. Wenn Sie mir sagen, ob Sie Fingerabdrücke gefunden haben, verraten Sie kein Staatsgeheimnis. Ihre Vorgesetzten im Präsidium, die Presse – sie alle werden sich nur dafür interessieren, wie die Auflösung des Falles gehandhabt wurde. Wenn ich schuldig bin, haben Sie nichts verloren. Wenn ich unschuldig bin, könnten Sie mit Ihrer Offenheit zeigen, daß Sie nicht voreingenommen sind.«

Stephanie redete so schnell, daß ihr Satz wie ein einziges langes Wort klang: »Solange sie die Waffe hat, schweben wir in Gefahr. Aber ich beschwöre Sie. Geben Sie ihren Drohungen nicht nach. Beschwichtigungen haben noch nie etwas geholfen. Wenn Sie ihr den kleinen Finger geben, will sie bald die ganze Hand.«

»Ich komme schon mit ihr zurecht, Mrs. Tillotson.« Gevinski schüttelte seine Finger aus; vielleicht waren seine Hände taub, weil er auf ihnen gesessen hatte. »Ich verrate Ihnen nichts, was Ihr Anwalt nicht selbst herausfinden könnte«, sagte er – für mich, für Stephanie und für die Nachwelt. »Der äußere Türknauf wies keinerlei Fingerabdrücke auf.«

»Nicht einmal die von meinem Mann?«

»Nicht einmal seine. Aber er könnte durchaus durch eine andere Tür hereingekommen sein.«

»Haben Sie die Schalter der Alarmanlage überprüft?«

»Auf einem war ein unvollständiger Fingerabdruck«, murmelte er. Vielleicht hoffte er, daß ich ihn nicht hören würde.

»Von wem stammte er?«

»Von Mr. Meyers' rechtem Zeigefinger.« Die Stühle waren klein für einen Mann seiner Größe, deshalb rutschte er darauf herum, um die bequemste Position zu finden. »Der Fingerabdruck stammt möglicherweise aus der Zeit, in der er noch in dem Haus gewohnt hat.«

»Sie wissen, daß das nicht stimmen kann«, widersprach ich. »Er ist seit Juni nicht mehr im Haus gewesen. Ich habe die Alarmanlage jeden Abend eingeschaltet. Auch meine Jungs schalten sie ein, wenn sie zu Hause sind. Wie also konnte sein Fingerabdruck noch immer an dem Schalter sein?«

»Machen wir weiter«, schlug Gevinski vor. »Die Arbeitsflächen waren sauber. Das gilt auch für die anderen Messer sowie den dazugehörigen Holzblock. Es gab jede Menge Fingerabdrücke – hauptsächlich die Ihren – auf dem Herd, am Ofen, an der Mikrowelle, am Kühlschrank. Das wär's so ziemlich.«

»Abgesehen von dem Messer, das in Richies Bauch steckte.«

»Die einzigen Fingerabdrücke darauf sind ebenfalls von Ihnen.«

»Ich habe Ihnen schon gesagt, daß ich versucht habe, das Messer aus ihm herauszuziehen.«

»Aber das ist Ihnen nicht gelungen, stimmt's?«

»Stimmt. Hätten Sie mich auch für schuldig gehalten, wenn meine Fingerabdrücke nicht auf dem Messer gewesen wären?«

»Wahrscheinlich schon. Ich könnte nicht beschwören, daß ich genügend Beweise zusammengetragen hätte, um den Fall in die Voruntersuchung zu bringen, aber ich hätte es trotzdem versucht.«

»Wollen Sie wissen, was nach dem Mord wirklich passiert ist?«

»Sie haben die Pistole, also haben Sie auch das Sagen.« Er schien freudig überrascht über dieses unerwartete Wortspiel und belohnte sich selbst mit einem kleinen Lächeln.

»Stephanie wischte jede Oberfläche ab, die sie vielleicht berührt hatte, einschließlich des Messergriffes«, erklärte ich. »Dabei hat sie vermutlich ein Handtuch oder ein anderes Tuch verwendet, um die Klinge festzuhalten, während sie am Griff rieb. Sie beugte sich über ihn, kniete oder hockte neben ihm, und ihr Gewicht hat das Messer noch tiefer in seinen Körper getrieben.« Ich wandte mich Stephanie zu.

Stephanie öffnete den Verschluß ihrer Armbanduhr und rieb sich das Handgelenk. »Ich glaube nicht, daß du mir den Mord anhängen wolltest«, sagte ich zu ihr. »Jedenfalls noch nicht zu diesem Zeitpunkt. Ich habe dir ungewollt geholfen, als ich versucht habe, das Messer herauszuziehen.«

»Diese Geschichte hat sie sich nicht erst heute abend ausgedacht«, sagte Stephanie zu Gevinski. »Daran arbeitet sie schon die ganze Woche!«

Ich versuchte, sie dazu zu bringen, daß sie meine Ausführungen bestätigte. »Wenn ich nicht die einzige Verdächtige gewesen wäre, wenn die Polizei sich die Zeit genommen hätte, sich Richies Leben genauer anzusehen, wäre sie doch sicher auch auf deinen Namen gestoßen, meinst du nicht auch?«

»Sie wird den Gedanken an mein ›Verhältnis‹ einfach nicht los!« meinte Stephanie, an Gevinski gewandt. »Wir waren befreundet. Wir vier waren befreundet.«

»Als sie die Fingerabdrücke beseitigt hatte«, fuhr ich fort, »wußte sie, daß sie verschwinden mußte. Da fiel ihr vermutlich der Schmutz ein, den sie mit den Schuhen hereingetragen hatte. Er steckte immer noch im Profil ihrer Turnschuhe. Die Schuhe von Richie waren sauber. Sie schob die Erde mit einem Papiertuch auf dem Boden hin und her, um die Fußspuren zu verwischen, die sie mit ihren Turnschuhen verursacht hatte. Dann ist sie hinausgelaufen – vermutlich zu der Stelle, wo Richies Wagen stand – und hat noch mehr Erde geholt. Sie ging ein gewaltiges Risiko ein, als sie noch einmal ins Haus zurückkehrte, aber sie ging es ein, denn wenn sie es nicht tat, würde die Polizei merken, daß ein Außenstehender Richie getötet hatte.«

Cass richtete sich zu ihrer vollen Größe auf. Offenbar handelte es sich um eine Situation, die einen Doktorgrad erforderte; ein einfacher Magister reichte hier nicht mehr. »Für sich genommen«, meinte sie, »war die Schmutzspur nichts Verfängliches. Sie konnte von einem Dieb verursacht worden sein oder von einem Missetäter, der Richie von Manhattan gefolgt war. Es gibt keinerlei Anlaß für die Vermutung, daß die Polizei die Erde automatisch mit einem Nachbarn in Verbindung gebracht hätte. Warum auch? Eine solche Annahme war nicht logisch. Trotzdem erkannte der Mörder bereits zu diesem Zeitpunkt die Bedeutung des Schmutzes. Sein Vorhandensein mußte erklärt werden. Wenn man die Behörden glauben machen konnte, daß Richie ihn hereingeschleppt hatte, würden sie sich nicht mehr außerhalb von Gulls' Haven umsehen. Also traf der Mörder eine Entscheidung: Schieben wir den Mord einfach Rosie in die Schuhe. Absolute Sicherheit war nur möglich, wenn man den Mord jemandem im Haus anlasten konnte.«

»Du glaubst doch nicht etwa, daß *ich* es gewesen bin, Cass?« fragte Stephanie mit ungläubiger Stimme.

»O doch, Stephanie. Wenn ich mich täuschen sollte, werde ich mich entschuldigen, obwohl klar sein dürfte, daß ich nun nicht mehr mit einer Einladung zum Neujahrstag zu rechnen habe.« Sie wandte sich mir zu. »Entschuldige, daß ich dich unterbrochen habe, Rosie. Du hast gerade von Schmutz gesprochen.«

»Danke. Stephanie hat also die Erde genommen und sie in das Profil von Richies Turnschuhen gedrückt. Vielleicht hat sie noch ein bißchen zusätzlich auf dem Küchenboden verteilt. Noch eins: Im Rest der Küche hat man keinen Schmutz mehr gefunden. Er hört bei Richies Schuhen auf. Bedeutet das, daß er das, was er gesucht hat, nie gefunden hat? Daß Stephanie ihn enttäuscht und mit leeren Händen angetroffen hat?«

Gevinski massierte sich mit einer nach unten gerichteten Bewegung das Kinn und strich sich dann noch über einen unsichtbaren Spitzbart. »Vielleicht war er selbst gerade erst gekommen«, murmelte er.

»Vielleicht. Jedenfalls hatte Stephanie in meinem Haus das

erledigt, was sie erledigen wollte. Sie mußte jetzt nur noch nach Hause laufen, sich waschen und auf ihren Mann warten. Carter behauptet, daß er vor elf heimgekommen ist. Wenn Stephanie Richies Wagen also das erste Mal gegen halb elf gesehen hat, hatte sie Zeit, ihn zu töten, ihre Fingerabdrücke wegzuwischen, ein bißchen Dreck zu verteilen – und immer noch rechtzeitig nach Hause zu kommen, um eine schnelle Vinaigrette zuzubereiten.«

Gevinski trug keinen Bart; nur um seinen Mund sprießten ein paar rotbraune Stoppeln. Ich mußte ihn die ganze Zeit anstarren, denn er sah aus, als hätte er einen der gräßlichen Lippenstifte ausprobiert, die die Mädchen gewöhnlich in der Junior High tragen, Fudgy Cherry oder wie er auch immer hieß, und den hatte er ziemlich nachlässig verschmiert.

Er war immer noch argwöhnisch. Ich mußte ihn auf meine Seite ziehen. Was hatte ich ihm außer meiner Brioche-Theorie noch zu bieten? Was war mit dem Abendessen, das Stephanie, Madeline und Cass für mich, die Jungs und die Verdachterregende zubereitet hatten? Alex war wie üblich zu spät gekommen und hatte die Haare mit Gel nach hinten geklatscht; Cass und Madeline waren verblüfft gewesen über seine Ähnlichkeit mit Richie. Aber Stephanie? Sie war zutiefst schockiert gewesen, wie hypnotisiert von meinem Sohn.

Hatte sie mir nicht den Namen von Forrest Newel, dem schlechtesten Anwalt von ganz Amerika, gegeben, und mich gedrängt, ihm die Treue zu halten? »Er ist der Beste«, hatte sie mir versichert. Sie hatte Carter gezwungen, mir mit ihr zusammen zu kondolieren, und hatte mir bei diesem Anlaß noch neun weitere Namen gegeben (vermutlich der Nachtrag der Hitliste der Versager). Des weiteren hatte sie mir angeboten, mich bei den Anwaltsbesuchen zu begleiten. Was war das doch für eine geschickte Methode, auf dem laufenden zu bleiben, ohne zu neugierig zu wirken. Sie würde so nicht nur die Ermittlungen der Polizei unmittelbar mitverfolgen können, sondern auch die Strategie, die sich mein Verteidiger zurechtlegte.

Oder war es klüger, wenn ich mich auf die handfesten Indizien beschränkte und Gevinski eine stichhaltige, emotionslose Darstellung der Fakten lieferte? Ja, beschloß ich, das war der richtige Weg.

Doch bevor ich noch etwas sagen konnte, begann Stephanie zu weinen. Jämmerliches Schluchzen, ein Wasserfall aus Tränen. Gevinski suchte in seiner Gesäßtasche herum und reichte ihr schließlich ein nicht mehr ganz weißes Taschentuch. Sie schüttelte es aus und weinte hinein.

»Ich bin keine Frau, die Tränen einsetzt, um . . .« Der Rest ihres Satzes ging natürlich im Schluchzen unter.

»Ich weiß«, sagte Gevinski.

Stephanie schaffte es, das Weinen mit einem letzten Erbeben ihrer breiten, athletischen Schultern zu beenden.

»Ich möchte mich verteidigen, aber wie soll ich reden, wenn mich jemand mit der Waffe bedroht?«

»Ich verstehe«, sagte Gevinski in einem so mitleidsvollen Tonfall, daß man sich ihn fast als Max von Sydow in *Die größte Geschichte aller Zeiten* vorstellen konnte. »Sie bekommen auch noch Gelegenheit dazu. Das verspreche ich Ihnen, Mrs. Tillotson.«

»Ich habe niemals ein Verhältnis mit jemandem gehabt«, sagte sie. »Und schon gleich gar nicht mit Richie Meyers . . .« So, wie sie das sagte, konnte man meinen, sie spräche von analem Sex mit einer Kanalratte. »Ich würde wirklich gerne wissen, warum sie sich ausgerechnet mich als Sündenbock augesucht hat. Wahrscheinlich hat sie nach ihrer Flucht bemerkt, daß es nur eine Frage der Zeit sein würde, bis man sie erwischt. Sie *mußte* eine andere Verdächtige parat haben. Also hat sie sich diese Geschichte gegen Stephanie Tillotson zurechtgelegt. Ich muß gestehen, daß einzelne Teile davon überzeugend klingen. Aber die ganze Geschichte? Das ist doch der blanke Wahnsinn. Hinausgehen, um dem Mann Erde ins Profil seiner Sohlen zu stopfen? Sergeant, ich *bitte* Sie: Ist das nicht verrückt?«

»Wo hast du die Laufschuhe und den Jogginganzug von dem Abend, Stephanie?« fragte ich.

Natürlich schenkte sie mir keine Beachtung. »Und dann die absurde Geschichte, daß ich die ganze Nacht aufgeblieben bin, um Brioches für sie zu machen? Das ist doch die Ausgeburt eines kranken Gehirns.«

»Hat mein krankes Gehirn auch die Reifenspuren neben Richies Wagen verursacht? Hat es Spuren produziert, die – und da würde ich jede Wette eingehen – zu denen an deinem Wagen passen?«

»Ständig hackt sie auf den Reifen herum«, sagte Stephanie zu Gevinski und schlang die Arme um den Körper, um sich gegen das Schreckliche zu wappnen, das da mit ihr passierte. »Vielleicht hat sie sich in jener Nacht ja meinen Wagen geschnappt und ihn neben den ihres Mannes gestellt. Wissen Sie, ich bin bis jetzt davon ausgegangen, daß sie sich die Geschichte erst diese Woche ausgedacht hat, aber möglicherweise hat sie den Mord ja schon seit ewigen Zeiten geplant!«

Meine perfekte Reaktion auf diese Anschuldigung blieb ungehört, weil in diesem Augenblick eine schwere Faust gegen die Tür hämmerte und sagte: »Sarge, der Mann ist da.« Ich wollte Gevinski gerade vorschlagen, er solle Carter hereinholen, als die Tür aufgestoßen wurde. Tja, das war eindeutig Carter – zusammen mit seinem Begleiter, einem Beamten in Zivil, der fast seine Dose Orangenlimonade fallen gelassen hätte, als er mich sah. »Du liebe Scheiße!« bellte der Cop, als er die Waffe in meiner Hand sah.

»Warten Sie draußen, Turner«, sagte Gevinski.

»Sarge . . . ?«

Gevinski bedeutete ihm mit einer Handbewegung, daß er die Tür schließen solle.

»Warum haben Sie ihn gehen lassen?« platzte es aus Carter heraus.

»Mein Gott!« sagte Stephanie im gleichen Augenblick.

Die Tillotsons warteten auf eine Erklärung: Wie *konnten* Sie nur? Sie waren entsetzt.

Aber ich hatte noch nicht gewonnen. Wer konnte schon wissen, was in Gevinskis Gehirn vor sich ging? Und außerdem lief da draußen noch Turner herum. Die Zeit verging. Ich stellte mir vor, wie ein Einsatzkommando mit hochgeschlossenen, gerippten schwarzen Pullovern die Fenster stürmte. Oder konnte die Sache auch einen simpleren Abschluß finden – zum Beispiel, indem Turner noch einmal zur Tür hereinkam und mir einfach zwischen die Augen schoß?

Ich bat Cass, sich auf das Sofa zu setzen, und bedeutete Carter, er solle Cass' Platz am Tisch einnehmen. »Gunnar und Inger«, sagte ich, »hast du mit ihnen geredet, bevor sie aus euren Diensten ausgeschieden sind?« Er preßte die Lippen trotzig zusammen und schüttelte den Kopf: Nein, ich sage kein Wort!

»Carter, bist du plötzlich übergeschnappt?« fragte ich. »Gib mir eine Antwort. Ich habe eine Pistole.«

Er öffnete die Lippen gerade weit genug, um zu sagen: »Ich mache das nicht mehr mit. Mach ruhig. Erschieß mich, wenn du das unbedingt willst.« Es gibt nichts Widerwärtigeres als einen Waschlappen, der versucht, den großen Helden zu spielen. Wenn ich plötzlich »Buh!« gesagt hätte, hätte er sich wahrscheinlich vor Angst in die Hosen gemacht.

Ich würde ihm den Wind aus den Segeln nehmen. Ich warf einen Blick auf die Waffe, um das kleine Metallstück zu finden, das man mit dem Daumen zurückdrücken muß, bevor man schießt. Vielleicht hatte diese Waffe ja gar kein solches Teil ... Doch Gevinski riß mich aus meinen Überlegungen: »Sagen Sie ihr, was sie wissen möchte, Doc.«

»Was?« Carter spielte den erzürnten Bürger.

»Sie müssen die Frage sowieso früher oder später beantworten, aus Dokumentationsgründen«, sagte Gevinski ruhig. »Jetzt, wo sie schon einmal damit angefangen hat, können wir das auch gleich erledigen. Wir haben genug Zeit.«

Carter versuchte Zeit zu schinden, indem er sich mit den Fingern durch die Haare fuhr, aber sie waren zu kurz. »Ich habe

Gunnar und Inger nicht mehr gesehen, bevor sie uns verlassen haben.«

»Wie lautete ihr Familienname?«

Er wirkte verblüfft über diese Frage. »So etwas dürfen Sie mich nicht fragen.« Er sah Stephanie an, doch sie wandte den Blick nicht von Gevinski.

»Mrs. Meyers, wir könnten das ziemlich schnell hinter uns bringen, wenn Sie mir erlauben, einen meiner Männer hereinzurufen, der versucht, den Namen der beiden herauszufinden«, schlug Gevinski vor.

Wir einigten uns schließlich darauf, daß Cass den zweiten Telefonanschluß der Tillotsons benutzen würde, um Turner über den ersten Apparat anzurufen und ihm zu sagen, er solle die Inhaber der Cloverleaf oder Cloverdale Agency in Manhattan ausfindig machen und diese dann nach dem Familiennamen und der Telefonnummer von Inger und Gunnar fragen. Sagen Sie Turner, er soll's sofort machen, bedeutete Gevinski Cass mit einer Handbewegung. »Als du in der Mordnacht nach Hause gekommen bist«, fragte ich Carter, »hast du da Richies Wagen gesehen?«

»Was?« fragte er, als finde er die Frage zu kompliziert. »Ach, sein Wagen neben dem Court. Nein.«

Er hatte mit seiner Antwort gezögert, folglich log er. Ich wußte es. Ich spürte es. Das Problem war nur: Wie sollte ich die Wahrheit aus ihm herausbekommen? Sollte ich ihm zur Strafe etwa mit Nachsitzen drohen? Konnte ich ihn einen Lügner nennen? Sollte ich es noch einmal mit der Pistole versuchen und sie ihm diesmal ins Ohr stecken?

»Kann ich auch meinen Senf dazugeben?« erkundigte sich Gevinski. Ich nickte. »Vielleicht ist es besser, wenn ich die Fragen stelle, Mrs. Meyers. Und vielleicht wäre es auch angenehmer für die Tillotsons, wenn ich sie getrennt befrage. Ich garantiere Ihnen, daß Sie weiter die Kontrolle behalten. Aber der eine könnte warten, zum Beispiel in der einen Ecke des Zimmers, während ich dem anderen Fragen stelle . . .«

Ich war zu erschöpft, um zu begreifen, was er wollte, aber ich spürte, daß er etwas im Schilde führte. »Wir werden alle hier sitzenbleiben«, sagte ich. »Aber Sie können Fragen stellen, wenn Sie wollen.«

Gevinski gab mir mit einem Achselzucken zu verstehen, daß ich im Begriff war, etwas unglaublich Dummes zu tun, aber trotzdem wandte er sein Mondgesicht Carter zu. »Sind Sie soweit, Doc?«

»Ich muß morgen früh um acht wieder in der Praxis sein.«

»Ich versuche, mich zu beeilen. Wir haben schon ziemlich viel geredet, und Sie müssen jetzt noch ein bißchen Geduld mit mir haben, auch wenn es vielleicht nicht allzuviel Sinn hat.«

»Na schön«, sagte Carter.

»Sie haben Jessica Stevenson und Richie Meyers miteinander bekannt gemacht?«

»Ja.«

»Wie gut haben Sie Mrs. Stevenson gekannt?«

»Nicht sehr gut. Wir haben uns über einen meiner Patienten kennengelernt. Sie hat mir von ihrer Arbeit erzählt. Ich habe vorgeschlagen, daß sie sich einmal mit Richie unterhält.«

»Das war alles?« erkundigte sich Gevinski.

»Kurz zusammengefaßt, ja.«

»Sie hatten kein Verhältnis mit Jessica Stevenson?«

Plötzlich wurde mir klar, warum Gevinski die Tillotsons getrennt befragen wollte. »Ist das Ihr Ernst?« wollte Carter wissen.

»Ja«, antwortete Gevinski. »Das ist mein Ernst.«

»Nein, ich habe kein Verhältnis mit ihr gehabt.«

»Warum rufen Sie Jessica Stevenson nicht einfach an und fragen sie selbst?« drängte ich.

»Es ist schon spät, und Sie haben eine Waffe, Mrs. Meyers«, sagte Gevinski. »Es würde nichts schaden, wenn Sie sich ein wenig entspannen und den Mund halten. Ich habe noch ein paar Fragen; und ich würde sie auch gern stellen.« Er packte die Tischkante und beugte sich nach vorn. Vermutlich war das die Lehrbuchhaltung für den aufrichtigen Fragesteller. »Es tut mir leid, daß ich das tun muß, Mr. und Mrs. Tillotson. Es ist gräßlich, aber so ist mein Job nun mal oft: Ich sehe schreckliche Dinge und muß Menschen peinliche Fragen stellen. Also . . . Doc, hat Ihre Frau Ihres Wissens jemals ein Verhältnis mit Richard Meyers gehabt?«

Carter machte den Mund auf, doch Stephanie sprach: »Carter, du weißt, daß du keine einzige dieser Fragen beantworten mußt. Das weißt du doch, oder?« Das war nicht ganz so direkt wie eine Ohrfeige, hatte aber ungefähr die gleiche Wirkung.

»Ich weiß, das ist eine unangenehme Frage«, sagte Gevinski zu Carter. »Ich kann auch verstehen, in was für einer Zwickmühle Sie sitzen. Aber hier geht's nicht nur um eine eheliche Auseinandersetzung. Wir stecken in den Ermittlungen zu einem Mordfall. Wenn Sie in dieser Hinsicht also nichts zu verbergen haben, sollten Sie lieber die Wahrheit sagen.«

Carters Worte waren so kurz wie seine Haare. »Ich bin mir sicher, daß Stephanie mir nie untreu werden würde.«

»Gut!« sagte Gevinski erfreut. »Gut!« Aber statt weitere Fragen zu stellen, zupfte er an seinen Manschetten herum, bis seine Ärmel genau die vorgeschriebenen eineinhalb Zentimeter unter seinem Sakko hervorsahen. Es schien ihm nicht aufzufallen, wie Carter und Stephanie einander ansahen, wegschauten, einander wieder ansahen.

Dann bemerkte ich aus den Augenwinkeln eine Bewegung am Fenster. Was war das? Nichts, tröstete ich mich und versuchte mir einzureden, daß das, was man nicht sieht, auch nicht existiert, wie beispielsweise eine Maus, die über den Küchenboden huscht und unter der Spülmaschine verschwindet: ein Schatten, redet man sich ein, nichts weiter. Aber wieder bemerkte ich die Bewegung. Es war kein Schatten, sondern ein Lichtstrahl.

Draußen rotteten sich die Cops zusammen. Sondierten sie das Terrain? Planten sie den letzten Schlag? Auch Gevinski sah das Licht und verfiel für einen Augenblick in strategische Überlegungen. Sollte er mir die Waffen entreißen? Sollte er Stephanie mit seinem Körper schützen?

Ein Lichtkegel von einer auf den Boden gerichteten Taschenlampe erschien auf dem Gras. Dann verschwand er wieder. Gevinski sagte noch einmal »gut«, nicht aus einem bestimmten Grund, sondern weil ihm die Stille bewußt geworden war und weil er nicht wollte, daß wir uns Gedanken darüber machten, was da draußen vor sich ging. »Wo war ich stehengeblieben?« murmelte er.

»Stephanie«, meldete sich Cass vom Sofa aus zu Wort. Einen Moment war Gevinski verwirrt über das Geräusch aus einer unerwarteten Richtung. »Warum sagst du nicht die Wahrheit?« fragte Cass Stephanie. »Wenn du ein Verhältnis mit Richie gehabt hast, bedeutet das nicht unbedingt, daß du ihn auch umgebracht hast. Schließlich führen Seitensprünge in der Regel zu Verdruß und nutzlosen Strapshaltern und nicht unbedingt zu Morden.«

»Ich *habe* kein Verhältnis gehabt«, fauchte Stephanie sie an. »Außerdem geht dich das überhaupt nichts an.«

»Du bist also nie mit ihm zusammen in einem Motel gewesen?« beharrte Cass. Vergiß es, wollte ich ihr sagen, aber alle Energie, die ich noch hatte, konzentrierte sich nun auf die Dunkelheit draußen, wo noch vor Sekunden Licht gewesen war.

»Nein.«

»Du bist nie mit ihm zum Essen gegangen?«

»Nein. Hör auf damit, Cass.«

»Nicht zum Essen«, überlegte Cass laut. Aber ich kannte Cass, sie war eigentlich nicht der Typ, der laut überlegte. »Nein . . .«

Essen! Na klar!

»Was war denn mit dem Abend, als du zusammen mit Richie und den Driscolls zum Essen gegangen bist?« fragte ich.

Ich hielt Stephanie für zu klug, um sich dumm zu stellen, aber sie sagte tatsächlich: »Wovon redest du da?« Dann dachte ich: Was ist, wenn die Frau wirklich eine andere war? Tom hatte lediglich gesagt, sie sei »hübsch« gewesen. Und Hojo hatte nur etwas von »Ostküstenestablishment« und »guter Erziehung« erwähnt. Das engte den Kreis immerhin auf knapp eine halbe Million Frauen in New York und Umgebung ein.

»Was soll das?« wollte Gevinski wissen.

»Das ist wieder eine von ihren infamen Lügen«, fauchte Stephanie.

Während ich noch überlegte, ob unser hübsches Fräulein aus dem Ostküstenestablishment wohl eine Reiterin aus Lloyd's Neck oder eine einsachtundfünfzig große Kongregationalistenpfarrerin von der Park Avenue oder eine Apothekerin aus Rye war – oder eben doch Stephanie Tillotson, legte draußen möglicherweise gerade ein ganzes Bataillon Polizisten die Taschenlampen weg und griff statt dessen zu den Gewehren. Tja, ich mußte mich entscheiden oder aber den Mund halten. »Im Februar«, fing ich an, »ist Stephanie mit Richie und einem seiner besten Klienten, einem Mann namens Tom Driscoll, ausgegangen. Driscolls Frau war wiederum eine Busenfreundin von Richie.« Ich wandte mich Carter zu. »Joan Driscoll. Sie gehörte doch zu deinen Patientinnen, nicht wahr?« Carter schluckte, obwohl er damit seine liebe Mühe hatte. Ich wandte mich jetzt direkt an Stephanie. »Möglicherweise kannte Joan dich schon von früher, von Cocktailpartys oder so. Aber Richie hat Joan sowieso alles anvertraut, also wußte sie mit Sicherheit schon alles über dich, bevor ihr euch persönlich kennengelernt habt, Stephanie. Und als du dann aufgetaucht bist, wußte sie genau, wer du warst. Carters Frau. Richies Geliebte.«

»Eine Lüge«, sagte sie leise.

»Offenbar bist du mit ihr in irgendeiner Form in Verbindung gestanden.« Als ich Hojos Kalender durchgegangen war, hatte ich darin die Telefonnummer der Tillotsons gefunden. Damals hätte mir schon auffallen müssen, wie merkwürdig das war. Hojos Beziehung zu Carter war rein beruflicher Natur. Wenn sie etwas von ihm wollte, würde sie ihn in seiner Praxis anrufen. Nein, sie hatte die Nummer von Long Island, damit sie sich mit der lieben Freundin ihres lieben Freundes in Verbindung setzen konnte – mit Stephanie. »Du hast Joan ein paar von deinen *pots-de-fleur* geschenkt. Das sind die hübschen Pflanzen mit dem Röhrchen, in das man eine Blüte stecken kann. Hat sie dir erzählt, daß sie immer Orchideen in das Röhrchen steckt?«

Gevinski hatte die Augen halb geschlossen, und der Mund hing ihm schlaff herunter. Er war ganz der unaufdringliche Beamte, der durch seinen distanziert-schläfrigen Gesichtsausdruck zu dokumentieren versucht, wie wenig ihn das berührt, was ihn eigentlich brennend interessiert. »Haben Sie zu alledem etwas zu sagen, Mrs. Tillotson?« fragte er.

»Nein, außer, daß ich alles abstreite.«

»Was streiten Sie ab? Das Abendessen? Die Pflanzen?«

»Alles. Rose Meyers hat ihren Mann getötet. Etwas anderes bekommen Sie aus mir nicht heraus.«

Gevinski schickte sich nun an, mit seinem Körper so viel Raum wie möglich einzunehmen. Er schob den Stuhl zurück und streckte die Beine aus. Wenn er ein Bier in der Hand gehabt hätte, hätte er einer von den netten Jungs im Hintergrund einer Werbeanzeige für Lastkraftwagen sein können. »Ich weiß, daß Sie Anwältin sind, Mrs. Tillotson. Es würde mir nicht im Traum einfallen, Sie hinters Licht führen zu wollen. Aber Sie sollten jetzt alles klären, damit wir uns bei der Verhandlung nicht mit diesen ganzen Details herumschlagen müssen. Wenn Sie mit mir kooperieren, müssen wir später in der Öffentlichkeit keine schmutzige Wäsche waschen.«

Ich warf Cass einen Blick zu, um festzustellen, ob sie das gleiche Gefühl hatte wie ich: Das Blatt hatte sich gewendet, Gevinski war auf unserer Seite.

»Steph!« heulte Carter plötzlich auf, als Stephanie den Kartentisch umstieß und zum Fenster rannte.

Gevinskis Waffe fiel auf den Boden. Als ich versuchte, sie aufzuheben und den Kartentisch von meinem Schoß wegzuschieben, versetzte Gevinski mir einen Karateschlag gegen das Schlüsselbein. »Was machen Sie denn da?« rief ich. »Kümmern Sie sich lieber um *sie!*« Er reagierte mit einem harten Schlag in meinen

Solarplexus. Ich ging zu Boden und bekam keine Luft mehr. Ich krümmte mich, um den Schmerz zu lindern.

»Steph!« schrie Carter wieder. »Steph, tu's nicht!«

Den Rest bekam ich nicht mehr deutlich mit, ich sah nur, daß Stephanie die Fensterscheiben einschlug. Die Holzsprossen bereiteten ihr jedoch einige Schwierigkeiten.

Ich rang immer noch um Luft, und der kalte Schweiß trat mir auf die Stirn. Von Panik ergriffen, versuchte ich, um Hilfe zu rufen, doch ich brachte kein Wort heraus. Cass beugte sich über mich.

Gevinski brüllte: »Kommen Sie rein! Kommen Sie verdammt noch mal rein!«

Als ich endlich wieder Luft bekam, hatten vier Uniformierte Stephanie schon gepackt. Eine Sekunde später sah ich nichts mehr, weil zwölf blaubehoste Beine und sechs gezückte Pistolen mir den Blick verstellten. Einer von den Polizisten half mir hoch und setzte mich auf einen Stuhl. Gevinski stellte den Tisch wieder auf und setzte sich neben mich. Er hatte sein Taschentuch bereits Stephanie gegeben, als sie so heftig geschluchzt hatte, deshalb mußte er sich jetzt das von Turner ausleihen, damit er die Fingerabdrücke, die ich auf der Waffe hinterlassen hatte, nicht verwischte. Er sah sich das Magazin an und sagte: »Scheiße, war nicht mal geladen.« Dann reichte er die Pistole Turner.

»Sie haben mich geschlagen!« preßte ich hervor.

»Ich hab' Ihnen ja nicht den Schädel eingeschlagen, oder? Dafür sollten Sie mir verdammt dankbar sein.« Aber wenigstens scheuchte Gevinski ein paar von den Cops von mir weg. Jetzt waren nur noch zwei Waffen auf mich gerichtet.

Den Beamten, die sich um Stephanie kümmerten, schien es peinlich zu sein, daß sie eine so schöne Frau festhalten mußten; sie wollten nicht, daß sie Schlechtes von ihnen dachte, weil sie sie unsanft behandelten, und entschuldigten sich jedesmal, wenn sie versuchte, sich aus ihrem Griff zu winden.

»Wollen Sie sich hinsetzen und reden, Mrs. Tillotson?« erkundigte sich Gevinski. Er trat einen Augenblick in den Hintergrund

und wandte sich dann Carter zu. »Doc«, sagte er düster, »hier geht's um ernste Dinge. Setzen Sie sich.« Carter stand etwa eineinhalb Meter von Stephanie und ihrem Begleitschutz entfernt und starrte sie an wie ein Ausstellungsstück im Museum. »Setzen Sie sich«, herrschte Gevinski ihn an. Carter setzte sich neben mich, Gevinski gegenüber, um mir nicht in die Augen sehen zu müssen. Die Krawatte perfekt gebunden, die Haare adrett geschnitten, keine einzige Schweißperle im Gesicht: Und doch konnte man hinter den ausdruckslosen grauen Augen lesen, daß er gerade viel quälendere Dinge miterlebt hatte als je zuvor in der Notaufnahme des Krankenhauses. »Doc, haben Sie Richard Meyers' Wagen am Abend seines Todes gesehen?«

»Ja.«

»Halt den Mund, Carter!« rief Stephanie aus. »Sag nichts. Sag, daß du mit deinem Anwalt reden willst.« Wetten, daß sie diesmal nicht Forrest Newel empfehlen würde.

»Ich habe den roten Rückstrahler an seinem Wagen gesehen, als ich nach Hause fuhr.«

»Halt verdammt noch mal den Mund!« rief Stephanie.

»Tut mir doch einen Gefallen«, sagte Gevinski zu der Gruppe von Polizisten, die Stephanie festhielten. »Mrs. Tillotson ist ziemlich durcheinander. Bringt sie doch bitte in einen anderen Raum. Und leistet ihr Gesellschaft.« Er klang freundlich, schon fast fröhlich, bis er hinzufügte: »Nehmen Sie auch ein paar Beamtinnen mit, falls sie mal auf die Toilette muß. Gebt mir Bescheid, wenn es Schwierigkeiten gibt und wenn ihr den Eindruck habt, daß sie an einem sicheren Ort besser aufgehoben wäre.«

Als sie Stephanie hinausführten, bedeckte Carter das Gesicht mit den Händen. Er weinte nicht; ich hatte eher das Gefühl, daß er das, was sich da abspielte, nicht mit eigenen Augen sehen wollte. Als sie an ihm vorbeiging, warf Stephanie ihm einen vernichtenden Blick zu. An der Tür wandte sie sich noch einmal zu Gevinski um. »Er kann Ihnen nichts sagen.«

»Das kann man nie wissen«, antwortete Gevinski.

»Sie wissen das sehr wohl, genausogut wie ich. Ein Mann kann nicht gegen seine Frau aussagen.« Dann marschierte sie zur Tür hinaus, eine Königin mit ihrer Leibwache.

»Man hätte erwarten können, daß sie sich bei dir entschuldigt, Rosie«, meinte Cass. »Wenn schon nicht aus Reue, dann wenigstens aus Höflichkeit.«

»Wollen Sie hierbleiben, Dr. Higbee?« erkundigte sich Gevinski.

»Ja, das wäre mir recht.«

»Dann müssen Sie aber den Mund halten, auch wenn ich Sie gerne reden höre. Abgemacht?«

»Einverstanden.«

»Gut.« Er holte einen Spiralblock und einen Stift aus seiner inneren Jackentasche und wandte sich wieder Carter zu. »Doc, ich werde mir ein paar Notizen machen, aber wir sollten es auch gleich richtig festhalten.« Gleichzeitig machte er einem Cop mit einer umgedrehten Baseballmütze und einer Jacke mit Reißverschluß ein Zeichen.

Der Polizist hastete sofort aus dem Zimmer und kehrte mit einem Kassettenrecorder, der ungefähr so groß wie ein Kartenspiel war, zu Gevinski zurück. »Lassen Sie sich dadurch mal nicht stören, Doc, das ist eine reine Routineangelegenheit. Wir verwenden die Dinger immer.« Er schaltete den Recorder an. »Sie haben gerade gesagt, Sie hätten den Wagen von Richard Meyers auf dem Nachhauseweg gesehen, Dr. Tillotson. In der Nacht, in der er getötet wurde. Erzählen Sie weiter.«

»Ich war ziemlich aufgebracht, weil ich mir dachte, mein Gott, jetzt geht das wieder los.«

»Das Verhältnis zwischen Ihrer Frau und Meyers?«

»Ja.«

»Wie lange wußten Sie schon davon?«

»Ich habe erst hinterher davon erfahren. Aber es hat mich trotzdem ziemlich aus der Fassung gebracht.«

»Woher haben Sie's gewußt?«

»Jessica hat es mir erzählt.«

»Jessica Stevenson?«

»Ja.«

»Haben Sie mit Mrs. Tillotson darüber geredet?«

Carter schüttelte den Kopf. »Ich wußte, daß sie es mir heimzahlen wollte, weil sie die Sache mit mir und Jessica herausgefunden hatte.« Gevinski mußte nicht einmal nachfragen, wie, Carter erzählte es ihm von allein. »Detektive«, sagte er. »Ich habe immer lang gearbeitet, aber Frauen haben für solche Dinge offenbar einen siebten Sinn. Sie hat Detektive angeheuert. Die Geschichte zwischen Stephanie und Richie ist jedoch zu Ende gegangen, weil *er* sich in Jessica verliebt hat.«

»Wissen Sie, ob Mrs. Tillotson die Trennung von Richard Meyers sehr schwer genommen hat?«

»Ich glaube schon. Sie ... hat sich, wie soll ich sagen ... zurückgezogen. Dann ist sie genau ins andere Extrem verfallen. Sie hat zuviel gemacht. Hat kaum noch geschlafen. War völlig überdreht.«

»Was ist passiert, als Sie an jenem Abend nach Hause kamen?« fragte Gevinski. »War Ihre Frau daheim?«

»Ja, aber das war sie eigentlich immer, sogar während der Affäre mit Richie. Sie machte gerade eine Flasche Wein auf. Hat sich sehr gefreut, mich zu sehen. Fast übertrieben gefreut. Ich bin nach oben gegangen, um zu duschen und meinen Schlafanzug und einen Morgenmantel anzuziehen – das mache ich immer, wenn ich nach Hause komme –, da bin ich Inger Jensen begegnet.«

Gevinski stupste einen der Beamten, die mich bewachten, an. »Sagen Sie Turner, der Familienname der Bediensteten war Jensen, und er soll sich beeilen mit der Agentur.« Er stützte beide Arme auf den Tisch und beugte sich zu Carter vor. »Haben die beiden eine Adresse hinterlassen, Doc?«

»Inger hat mich im Büro angerufen, weil sie eine Abfindung wollte. Ich habe ihr gesagt, ich schicke ihr einen Scheck. Sie können die Arzthelferin nach der Adresse fragen.«

Carter holte ein kleines, in Leder gebundenes Büchlein aus der Innenseite seines Jacketts und gab Gevinski die Privatnummer der Arzthelferin. Gevinski schickte einen weiteren Polizisten damit los. »Was ist passiert, als Sie diese Inger getroffen haben?« fragte Gevinski.

»Sie hat etwas gemurmelt, daß meine Frau noch Joggen gewesen wäre. Ich glaube, sie wußte, was ›Joggen‹ für meine Frau hieß. Sie hat mir durch die Blume gesagt, daß alles wieder von vorn anfängt.«

»Und am nächsten Tag haben sie dann gekündigt?«

»Nein, Steph hat sie gefeuert. Sie feuert ständig die Bediensteten, deshalb habe ich mir weiter keine Gedanken gemacht. Sie ist einfach eine Perfektionistin. Als Anwältin hat sie Tag und Nacht gearbeitet. Als sie sich entschlossen hat, zu Hause zu bleiben und Mutter zu spielen, war es das gleiche.«

Ich spürte einen spitzen Schmerz am Schlüsselbein und einen dumpfen zwischen den Rippen. Aber wenigstens konnte ich jetzt fast wieder normal atmen. Ich beschloß, es mit Reden zu versuchen. »Wann hast du von dem Mord erfahren?« fragte ich.

»Halten Sie den Mund«, knurrte Gevinski. »Also, wann haben Sie von dem Mord erfahren, Doc?«

»Ich habe mir die *Today*-Show angeschaut, und dann kamen die Lokalnachrichten. Ich bin nach unten gerannt, aber Stephanie war mit ihren Freundinnen beim Gehen.« Er betrachtete seine kurzgeschnittenen Ärztefingernägel. »Da habe ich es begriffen.«

»Daß sie ihn getötet hat?«

»Ja. Sie ist kurz darauf nach Hause gekommen. War völlig aus dem Häuschen wegen der Geschichte und wegen den ganzen Polizisten überall. Sie hat sich gefragt, was sie für Rosie tun könnte.« Er sprach meinen Namen aus, als sei ich eine oberflächliche Bekannte, die seine Frau einmal erwähnt hatte, und sah mich dabei nicht an. »Ich habe gewartet. Nach dem Frühstück bin ich nach oben, um mich umzuziehen. Dann habe ich überall nach dem Messer gesucht. Im Fernsehen hatten sie gesagt, daß er erstochen worden war. Ich wußte nicht, daß es noch in seinem Körper steckte. Vielleicht, so dachte ich, hatte sie es ja mit nach Hause genommen. Schließlich haben wir ein großes Haus. Sie hat wohl angenommen, daß ich in die Praxis bin, weil ich gehört habe, daß sie ins Gewächshaus ging. Aber ich blieb und habe gesucht.«

»Was haben Sie gefunden?«

»Nur eine Jogginghose und eine Jacke. Im Waschraum. Die Sachen lagen in einem Haufen Schmutzwäsche. Aber ich weiß nicht, ob das die Kleidung war, die sie am Abend getragen hat.«

»Wissen Sie, wo die Sachen jetzt sind?«

»Ich nehme an, sie hat sie weggeräumt. Wir haben noch keine neue Haushälterin, deshalb macht sie die ganze Hausarbeit selbst.«

»Haben Sie auch ihre Schuhe gefunden?«

»Steph ist eine leidenschaftliche Sportlerin. Sie hat vier oder fünf Paar Sportschuhe im Schrank. Ich weiß nicht, welche sie zum Laufen anzieht.«

»Sie baten mich, nicht zu sprechen«, meldete sich Cass zu Wort, »aber ich werde ein kurzes Wort einwerfen: Stephanies Laufschuhe sind Sauconys.«

Gevinski schleuderte Cass ein knappes »Danke« entgegen, als er zur Tür rannte. »Ich brauche Turner«, dröhnte seine Stimme durch den Raum. Turner kam mit einem großen Kaffeefleck auf dem rechten Ärmel und einem gequälten Blick zurück ins Zimmer.

»Die Inhaberin der Agentur ist jetzt in ihrem Büro, Sergeant. Die Arzthelferin geht in Dr. Tillotsons Praxis, um die Adresse der Jensens zu holen, aber sie wohnt in der Bronx. Ich sage es Ihnen, wenn jemand etwas Neues weiß.«

»Du hast es die ganze Zeit gewußt«, sagte ich zu Carter, aber er betrachtete einen Punkt des Raumes, an dem zwei Wände mit der Decke zusammentrafen. »Du liebst sie nicht einmal so sehr, daß du sie beschützen möchtest. Du liebst Jessica. Aber es hätte dir trotzdem nichts ausgemacht, wenn ich den Rest meines Lebens hinter schwedischen Gardinen verbracht hätte.«

»Halten Sie den Mund«, sagte Gevinski.

»Wahrscheinlich hast du gedacht, das Gerede schadet deiner Praxis«, fuhr ich fort. Carter musterte die Decke, als befinde er sich mutterseelenallein im Raum und warte nur darauf, daß sich etwas Interessantes ereigne. »Du mußt schreckliche Angst vor Stephanie gehabt haben. Deswegen hast du Astor auch zu deiner Mutter gebracht. Deshalb hast du in der Praxis geschlafen. Aber sobald sie mich verhaftet hätten, so hast du dir gedacht, würde sie sich beruhigen. Stimmt's, Carter? Dann hättest du dein gewohntes Leben weiterführen können.«

»Halten Sie den Mund!« Gevinski wandte den Blick ab und sah zu Turner hinüber. »Ich brauche einen Durchsuchungsbefehl. Holen Sie mir den stellvertretenden Staatsanwalt ans Telefon.« Turner benutzte das Telefon in dem Spielezimmer und reichte Gevinski den Hörer.

Dieser beendete seinen zweiminütigen Vortrag an den stellvertretenden Staatsanwalt mit folgenden Worten: »Ich will die Unterschrift des Richters eine halbe Stunde, nachdem ich aufgelegt habe, auf dem Tisch haben.« Dann knallte er den Hörer auf die Gabel und schlenderte zu meinem Stuhl zurück. »Was halten Sie von einem kleinen Spaziergang, Mrs. Meyers?«

Wir gingen an einem ganzen Haufen neugieriger Polizisten vorbei und die Steinstufen zum Strand hinunter. »Tut's noch weh?« erkundigte sich Gevinski.

»Wenn ich mit meinem Anwalt gesprochen habe, sage ich Ihnen, wie sehr«, antwortete ich. Der Wind wehte unablässig vom Norden herüber und wühlte die Spitzen der Brecher zu Schaum auf. »Kann ich jetzt meine Jungs sehen?«

»Nein. Wenn wir wieder zurück sind, können Sie sie anrufen und sagen, daß alles in Ordnung ist, aber zuerst brauche ich noch Ihre Aussage. Machen Sie sich jedoch keine allzu großen Hoffnungen. Sie sind noch nicht aus dem Schneider. Schließlich sind Sie geflüchtet.«

»Sie waren hinter der Falschen her, und jetzt erzählen Sie mir, daß ich noch nicht aus dem Schneider bin? Ich habe gerade Ihre Karriere gerettet, ist Ihnen das eigentlich klar?«

»Sie haben mich und die anderen gegen unseren Willen festgehalten. Das ist Freiheitsberaubung.«

Wir gingen über Muscheln, bei jedem Schritt knirschte es laut und vernehmlich unter unseren Sohlen. »Was würden Sie und Ihre Vorgesetzten denn davon halten, wenn ich meine Geschichte an eine von diesen unsäglichen Fernsehshows verkaufe? Da können Sie mich dann am Bildschirm bewundern. Die werden mich wunderbar hinschminken und mir eine tolle Frisur verpassen. Ich schniefe in ein Taschentuch und versuche, Contenance zu bewahren, während ein Ausschnitt eingespielt wird, in dem der Polizeipräsident und der Staatsanwalt Rosie Meyers als Bedrohung für die Allgemeinheit bezeichnen und ihr drohen, daß sie nichts mehr zu lachen hat, wenn sie erst gefaßt ist, weil sie ja hieb- und stichfeste Fakten gegen sie in der Hand haben. Was halten Sie davon?«

Gevinski kickte mit dem Fuß die sterbliche Hülle eines Krebses ins Wasser. »Sie haben doch zuviel Format für solche Shows.«

»Nein, da täuschen Sie sich.«

»Sie haben zuviel Format dafür. Und wenn Sie die Finger davonlassen, könnte ich beim Staatsanwalt ein gutes Wort für Sie einlegen, daß er von einer Anklageerhebung gegen Sie absieht.«

»Wenn mein Anwalt das in Ordnung findet, soll's mir auch recht sein.«

Vom Strand aus sah Emerald Point wie ein Schloß aus, das für einen Ball festlich erleuchtet war. Auch im Gewächshaus brannten noch alle Lichter.

»Das ganze Geld...«, murmelte Gevinski. Er wartete auf meine Bestätigung, daß Geld allein auch nicht glücklich mache.

Statt dessen boxte ich ihn in den Arm, so fest ich konnte. Was für ein tolles Gefühl! »Was zum Teufel machen Sie denn da?« bellte er.

»Ich will nur Ihre ungeteilte Aufmerksamkeit. Sagen Sie mir eins: Was machen Mörder mit ihren Waffen und den blutbefleckten Kleidern normalerweise?«

»Sie haben mir weh getan.«

»Gut. Und jetzt beantworten Sie mir die Frage mit den Mördern.«

»Keine Ahnung. Wenn sie dumm sind, tragen sie das ganze Zeug auf eine der großen Brücken, die in die Stadt führen, und werfen es ins Wasser. Wenn sie schlauer sind, suchen sie sich ein hübsches Versteck, bis die Ermittlungen abgeschlossen sind. Sie hätten nämlich viel zuviel Angst, daß man sie auf der Brücke erwischt. Aber wissen Sie was? Am Ende sind doch die Dummen die Schlauen, denn selbst wenn ich höchstpersönlich zusehen würde, wie sie ihr Päckchen die Brücke runterwerfen – wie hoch wären meine Chancen wohl, es jemals wiederzufinden? Aber die Schlauen ... Um Ihnen die Wahrheit zu sagen: Das ist meine große Hoffnung bei Mrs. Tillotson. Vielleicht ist sie so schlau, daß sie schon wieder dumm ist.« Er sah zu dem zweistöckigen Gebäude hinauf; die Scheinwerfer blendeten uns und ließen den Glanz der Sterne verblassen. »Es wäre ein Wunder, wenn ich irgendwas finde. Verzeihen Sie mir die vulgäre Ausdrucksweise, aber es ist ein verflucht großes Haus.«

»Da haben Sie verflucht recht«, stimmte ich ihm zu. »Aber wollen Sie zehn Dollar mit mir wetten, daß ich weiß, wo die Turnschuhe stecken?«

Sie hatten Stephanies acht Sweatshirts, ihre drei Jacken und einen ganzen Stapel Lycrahosen zusammengesammelt, um sie ins Labor zu schicken, aber mit bloßem Auge konnte Gevinski keinen Blutfleck darauf erkennen.

Nach dem Eintreffen des Durchsuchungsbefehls dauerte es noch fast eine Stunde, aber schließlich fanden sie Stephanies

Turnschuhe unter den Wurzeln eines riesigen neuseeländischen Baumfarns vergraben – im Gewächshaus, wie ich gesagt hatte. Ein junger Polizist hastete zu Gevinski, der gerade meine Aussagen aufnahm. Vinnie Carosella saß neben mir. Gevinski rannte hinaus. Da er vergessen hatte, Vinnie und mich zu fragen, ob wir ihn begleiten wollten, beschlossen wir, ihm einfach zu folgen.

»Ich weiß nicht, ob wir was finden werden«, sagte die Frau vom Labor gerade zu Gevinski. Sie hielt die Saucony-Schuhe an den Bändern gegen das Licht und schüttelte ein wenig von der Blumenerde weg, die noch immer an ihnen haftete. Besonders optimistisch schien sie nicht zu sein. »Sehen Sie den ganzen Dreck, der da dranklebt? Wissen Sie auch, warum? Sie sind feucht. Vielleicht sind sie zusammen mit der Pflanze gegossen worden, Sergeant, aber . . .«

». . . aber eigentlich glauben Sie eher, daß sie sie abgewaschen hat, bevor sie sie da reingesteckt hat«, meinte Gevinski kopfschüttelnd. »Dreimal-verdammte-Scheiße!«

Insgeheim pflichtete ich ihm bei.

»Ich weiß nicht, was Sie mit den wenigen Beweisen anfangen können«, sagte Vinnie nicht ohne Boshaftigkeit. »Gegen einen guten Anwalt kommen Sie damit vermutlich nicht durch.« Vinnie stand mit dem Rücken zu dem Farn und betrachtete ausführlich Stephanies Begonien – er schien zutiefst beeindruckt. »Keine Fingerabdrücke, nichts.« Gevinski tat, als höre er nicht zu. »Also hat sie ein Verhältnis gehabt und die Polizei angelogen. Und die Norweger haben gesagt, sie ist an dem Abend zum Joggen. Also hat sie den Wagen vielleicht direkt neben dem seinen abgestellt. Ich würde mich über so einen Fall freuen.« Er tätschelte mir die Hand. »Aber über Ihren Fall freue ich mich noch mehr, Rosie. Darüber freue ich mich am meisten: Sie sind frei!«

»Verflixt und zugenäht!« brüllte Gevinski. »Lassen Sie mich die verdammten Sachen sehen.« Die Labortechnikerin händigte ihm die Turnschuhe an den Bändern aus. Gevinski hielt sie sich ganz nahe vors Gesicht, aber schon einen Moment später verzog er angewidert den Mund.

»Pech«, sagte Vinnie.

»Tja.«

»Wollen Sie ihre Sportkleidung sehen?« fragte die Technikerin.

»Später.«

»Warum nicht jetzt?« mischte ich mich ein. »Schließlich haben Sie nicht gerade üppig viele Hinweise.«

Vinnie nuschelte mir aus den Mundwinkeln zu: »Übertreiben Sie's mal nicht.«

Gevinski warf mir einen angewiderten Blick zu, nahm aber der Labortechnikerin tatsächlich den Stapel Kleider aus der Hand. Dann stand er einfach nur herum, bis ein Cop den schmutzigen Boden mit einer Plastikfolie abdeckte. Gevinski gab Anweisung, sie wie zu einem Picknick auszubreiten. Dann legte er Stephanies Sweatshirts, die Lycrahosen und die Jacken darauf. Er trat einen Schritt zurück und betrachtete sein Arrangement. »Sie können jetzt wieder hineingehen, wenn Sie wollen«, murmelte er uns zu.

»Machen Sie sich wegen uns mal keine Gedanken«, sagte ich.

»Wir bleiben erst mal hier«, pflichtete Vinnie mir bei.

Wir beobachteten Gevinski dabei, wie er die Kleidung anstarrte. »Wenn sie abends zum Joggen gegangen ist, hat sie vermutlich eine Jacke getragen«, half ich ihm. »Wahrscheinlich nicht die mit den Neonstreifen, schließlich wollte sie ja nicht gesehen werden.«

Ich deutete auf zwei andere Jacken. Gevinski nahm der Technikerin ein Vergrößerungsglas aus der Hand und sah sich die Kleidungsstücke ganz genau an, innen wie außen. »Nix. Hat sie sich denn niemals vollgekleckert?« Er öffnete die Reißverschlüsse der Taschen. »Wieder nix.«

»Wenigstens haben wir rausgefunden, wer es war, und ich bin frei«, sagte ich, um ihn aufzumuntern.

»Ja«, brummte Gevinski ohne große Begeisterung. Doch bereits eine Sekunde später wurde er lebhaft. Mit Hilfe eines Stifts holte er vorsichtig und mit unendlicher Geduld ein Stückchen Papier aus der Tasche. »Von einem Papiertaschentuch«, murmelte er.

»Wenigstens ist es noch nicht gebraucht«, sagte die Technikerin.

»Tja, alles kann man nicht haben, Carl«, meinte Vinnie.

Gevinski beschäftigte sich jetzt mit der zweiten Jacke, einem dunkelgrünen, fast schon schwarzen Modell. »Pinzette!« bellte er plötzlich. Die Technikerin drückte ihm eine Pinzette in die Hand. Aus der rechten Tasche der Sportjacke holte Gevinski ein gefaltetes Papier.

»Haben Sie was gefunden?« fragte die Technikerin.

»Halten Sie den Mund. Lassen Sie mich in Ruhe! Verschwinden Sie.« Sie rührte sich nicht von der Stelle. Gevinski entfaltete das Stück Papier ganz langsam mit der Pinzette und seinem Stift.

»Sehen Sie sich das an, Rosie«, triumphierte er. »Sehen Sie sich das an.«

Dünnes weißes Papier eignet sich nicht zum Waschen. Es war in sieben ausgeblichene Stücke zerfallen, und der Trockner hatte ein übriges getan, sie zerfetzt und zu Staub zermahlen. Am oberen Ende war ein ausgebleichtes Firmenzeichen aufgedruckt: Knightsbridge Gallery. Eine computererstellte Quittung. Das Kaufdatum hatte sich in Wohlgefallen aufgelöst, und die Rechnungsnummer war fast genauso weiß und unleserlich wie das Papier selbst.

»Sehen Sie sich das an!« rief Gevinski aus. Die Beschreibung eines Gemäldes in Öl und Buntstift, das Werk eines Künstlers, dessen Name im Spülgang aufgelöst worden war.

»Sie muß Richie die Quittung aus der Hand gerissen haben!« freute ich mich.

»Und sie hat sie in ihre Tasche gesteckt!« Gevinski warf den Kopf in den Nacken und brüllte wie ein Löwe, der gerade Beute gemacht hat.

Vinnie, der hinter mir stand, begann zu johlen. Der Name des

Käufers war klar und deutlich zu lesen: Richard Meyers, Gulls' Haven, Shorehaven, New York. Auch der Preis war nicht verwaschen: Zwei Millionen achthunderttausend Dollar. Plus Steuer.

Vinnie brachte mich nach Hause. »Hübsches Haus«, meinte er, als wir am Ende der Auffahrt anlangten. Im ersten Morgenlicht hatten die Ziegel die Farbe von rotem Wein. Die Luft war köstlich salzig, und die Möwen kreischten und zogen ihre Kreise über dem Dach. »Wenn Sie hierbleiben und eins mit der Natur werden wollen«, riet ich ihm, »sollten Sie ein bißchen auf Ihren Kopf aufpassen. Am Morgen zielen sie nämlich immer besonders gut.« Gedankenlos suchte ich in meinen Taschen nach dem Schlüssel. »Ach. Ich werde klingeln müssen. Ich habe den Jungs gesagt, sie sollen ein bißchen schlafen. Das war alles furchtbar für sie. Zuerst verlieren sie den Vater, und dann behauptet noch die ganze Welt, ich wäre schuld daran. Ich wecke sie ungern auf.«

»Rosie, ich glaube, sie werden nichts dagegen haben.«

Sie schliefen nicht. Die Glocke klang noch nach, als sie schon die Tür aufrissen. Ben nahm mich zuerst in den Arm und hob mich vom Boden hoch. Als er mich endlich wieder herunterließ, weinte er. »Schatz«, sagte ich und tätschelte ihm den Kopf.

»Mom.«

»Du solltest dir Schuhe anziehen. Die Böden sind sicher eiskalt.«

Alex drängte sich zwischen uns, aber Ben ließ meine Hand nicht los. »Hallo, Ma«, sagte er. Er hatte sich gerade die Haare gewaschen, die jetzt nach einem von Richies sündteuren Shampoos rochen und ihm in dichten schwarzen Locken auf die Schultern fielen. Er lächelte mich an, schüchtern, süß, ein Lächeln, das ich seit seinen Wölflingstagen nicht mehr bei ihm gesehen hatte. »Ma, ist jetzt alles in Ordnung?«

»Wenn du mich in den Arm nimmst, schon.«

Er nahm mich in den Arm, und es war tatsächlich alles in Ordnung. Na ja, beinahe.

Vinnie sagte, wir würden uns später unterhalten. Wir drei schlossen die Tür hinter uns. »Ich habe mir gedacht, du hast sicher Hunger und möchtest was ›Herzhaftes‹«, sagte Ben.

»Weißt du noch, wie sie uns immer zum Essen reingeholt hat?« fragte Alex, »dann hat sie gesagt: ›Heut gibt's ein herzhaftes Wintergericht.‹« Er steckte den Finger in den Hals. »Lammeintopf!«

»Cassoulet«, setzte Ben noch eins drauf. »Mit diesen ekligen schleimigen Bohnen.«

»Ihr wißt eben nicht, was gut ist«, erklärte ich ihnen.

»Ich habe dir überbackene Zite gemacht«, sagte Ben.

»Und ich habe den Parmesan gerieben«, konterte Alex. »Wenn du möchtest, können wir dir auch was anderes machen. Ach Ma. Macht's dir was aus, wenn du . . .« Seine Stimme wurde leiser.

»Ist es dir recht, wenn wir in der Küche essen?« fragte Ben.

Ich nahm sie bei den Händen. »Gehen wir.«

Gott sei Dank hatte ich ja gesagt, denn als wir die Küche betraten, stand dort Tom Driscoll neben dem Tisch, um mich zu begrüßen.

23

Das Badeöl »Dämmergardenie« bildete einen Schlick auf dem Wasser, das im Morgenlicht rosa-gelb schimmerte. Ich lehnte mich in dem süßen, dampfend heißen Wasser zurück und sah zu, wie die Möwen sich draußen in den Long Island Sund stürzten.

Wieso hatte keiner von uns je gesehen, was in ihr steckte? Warum hatten wir nicht einmal eine Ahnung davon gehabt? Dachten wir einfach: Wow, wenn das Äußere schon so toll ist, können wir uns dann das Innere überhaupt noch vorstellen? Waren wir nach mehr als einem Jahrzehnt voll kleingeistig-schäbiger Gier noch immer so dumm, daß wir blaues Blut für ein Zeichen der Tugend hielten? Waren wir von den Gaunereien der Rechten immer noch so eingeschüchtert, daß wir glaubten, eine Frau, die das Basilikum zurückschneidet und Mitfahrgelegenheiten organisiert, habe eine reinere Seele und ein sanfteres Herz als die Frau, die hinausgeht in die Welt?

Der sonore Klang einer elektrischen Gitarre hallte herauf zu mir ins Bad. Ich hob den Kopf und hörte Alex singen: Zuerst sank seine schöne Stimme in ungeahnte Tiefen, dann erhob sie sich hoch in die Luft. Er übte für ein Demotape. Tom hatte einen Freund bei Columbia Records.

Ganz abgesehen von dem Mord: Wie konnte sie nur fünfmal die Woche morgens mit mir gehen, am Freitagnachmittag mit mir backen und dann am Abend meinen Mann bumsen? Wenn ihr meine Freundschaft so wenig wert war, wo lagen ihre Werte dann?

Ich dachte an den verheirateten Mann im Erdgeschoß. Als ich nach oben gegangen war, hatte Tom Ben gerade um Rat gefragt wegen seines Knies, und Ben hatte, nachdem er sich das Knie angeschaut hatte, die Diagnose von Toms Arzt bestätigt: Osteoarthritis.

Tja, was soll's. Wir sind alle irgendwo degeneriert. Ich wollte diesen Mann. Warum auch nicht? Hojo war mit Sicherheit nicht meine Freundin, soviel stand fest. Oder schuldete ich ihr vielleicht doch etwas? Nein.

War Gott vielleicht an dem Tag, als er das Gebot »Du sollst nicht ehebrechen« in den Stein meißelte, besser aufgelegt gewesen als an dem, wo er dem Menschen verbot zu töten?

Ich wand ein Handtuch um meinen Kopf und stieg aus der Badewanne; es gab zu viele Spiegel in diesem Raum. Ich hatte kein Bedürfnis, meinen unsäglichen Haarschnitt zu betrachten, bevor ich mich schlafen legte.

War sie krank? Hatte jemals jemand gedacht – wenn auch nur einen kurzen Augenblick lang –, daß mit dieser Dame vielleicht etwas nicht stimmte? Nein – jeder hatte sie für mehr als normal gehalten. Aber vielleicht war sie doch krank? Wenn dem jedoch so war, wo hatte dann das Böse noch seinen Platz? Oder war das Böse nicht wichtig? Ist Hitler von seinem Vater mißbraucht worden? War Pol Pots Mutter egoistisch und selbstsüchtig? Vielleicht erklärte das den Charakter dieser Leute. Vielleicht konnte man niemanden für das verantwortlich machen, was er tat.

Aber das glaubte ich nicht.

»Rosie Posie«, sagte Danny Reese, »Du stehst schon wieder in der Zeitung! Wer ist denn dieses Miststück bloß?« Trotz seiner Freude klang Danny noch sehr verschlafen. Aber es war ja auch noch nicht einmal neun Uhr morgens.

»Ich wollte dich anrufen, um mich zu bedanken.«

»Es hat Spaß gemacht, findest du nicht auch?«

Ich dachte über seine Frage nach. Spaß? »Darüber müssen wir uns ein andermal ausführlicher unterhalten.«

Ich rieb mir die Füße mit einer Lotion ein, die den blumigen Namen »Weißes Entzücken« trug, aber nach sieben Tagen der Entbehrung war es gar nicht so leicht, sich in allerfeinstes Baumwollbettzeug zurückzulehnen und wegzudösen.

»Denk noch ein bißchen weiter drüber nach«, sagte er voller Zuversicht. »Und wenn du schon dabei bist, denk auch gleich ein bißchen über dich und mich nach.«

»*Das* hat in der Tat Spaß gemacht«, gab ich zu. »Aber darüber hinaus bist du auch ein toller, treuer Freund gewesen. Das werde ich dir nie vergessen, Danny.«

»Keine Ursache.«

»Ich möchte dir den Führerschein und die Kreditkarte bezahlen.«

»Machst du Scherze?«

»Sie haben mir sehr geholfen.«

»Du liebe Scheiße! Du hast sie wirklich verwendet?« Mein Schweigen war Antwort genug. »Du bist mir ein Glückspilz, Rosie.«

»Mein Gott, du hast mir gesagt, die Dinger sind in Ordnung.«

»Das hängt ganz davon ab, wie du dieses ›in Ordnung‹ definierst. Sie waren halt nicht heiß.«

»O je, Danny!«

Jetzt, wo ich mich nicht mehr in seiner Wohnung aufhielt, konnte ich sogar bei dem Gedanken an sein unsägliches Badezimmer lachen. Mein Lächeln wurde breiter, als ich mich an Danny selbst erinnerte, an seine grünen Augen und seinen unglaublich knackigen Hintern. »Ich möchte dir einen Vorschlag machen.«

Seine Stimme war samtiger als der weichste Samt. »Ich höre.«

»Nein, es ist sogar noch besser als das, was du denkst. Es ist ein Angebot, bei dem du dich auf etwas einlassen mußt.«

»Ich lasse mich ungern auf was ein.«

»Wenn du an die NYU zurückgehst und deinen Abschluß machst ...«

»Hör auf damit, Rosie.«

»Dann kaufe ich dir zum Abschluß, was du willst.«

»Was ich will? Eine neue Hifi-Anlage?«

»Klar. Oder ein Auto. Eine Reise. Oder ich kaufe dir eine eigene Wohnung.«

Danny war sprachlos, allerdings nur eine Sekunde lang. »Und ich muß wirklich den Abschluß machen?«

»Ja, den B. A. – und wenn du das Zeugnis hast, gehe ich höchstpersönlich in die Studentenkanzlei der NYU und lasse es überprüfen, ob's echt ist.«

»Mein Gott, du bist und bleibst ein Pauker!« erklärte Danny mir.

»Ich weiß«, sagte ich fröhlich.

Angesichts meines angegriffenen Nervenkostüms war es ein Glück, daß niemand auf die Idee kam, »Überraschung!« zu rufen. Glücklicherweise hatte ich außerdem zehn Stunden geschlafen, eine Seidenhose und eine blaue Seidenbluse angezogen und mich so stark geschminkt, daß es aussah, als hätte ich kein Make-up nötig, denn – meine Söhne veranstalteten eine Willkommensparty.

Cass trug einen betörenden auberginefarbenen Hosenanzug und dazu Diamantohrringe. Sie sagte, sie habe mich gern – und ich könne mir den Rest der Woche freinehmen. Theodore nahm mich in den Arm und erklärte mir, er würde seine nächste Monatskolumne mit dem Titel »Rechtswende« Rose Meyers und ihrem Freigeist widmen. Ich erinnerte ihn daran, daß ich kein Freigeist war, sondern, wie er sehr wohl wußte, eine liberal eingestellte Demokratin. Er tat meine Äußerung mit einem Lachen ab.

Die Verdachterregende war herausgefahren, um den Abend mit uns zu verbringen, aber nahm wenigstens Abstand davon, mich zu küssen, was ich als vielversprechendes Zeichen deutete. Madeline trug so etwas Ähnliches wie ein Lord-Byron-Kostüm und gab mir einen Kuß, was in Ordnung war, weil sie eine Schachtel dunkle Pralinen mitgebracht hatte und keine Gedichte.

Vinnie Carosella trug einen blauen Blazer und eine gepunktete Fliege. Während er Madelines Pralinen beäugte, erzählte er mir, daß ein Nachbar von mir Probleme hatte, auf Kaution freizukommen. Dann überreichte er mir eine Flasche Champagner und versprach, sie mir nicht auf die Rechnung zu setzen. Ich nahm ihn beiseite, erwähnte, daß ich Theodores Pistole gestohlen hatte, und fragte ihn, ob er sie im Rahmen eines Friedensabkommens wieder von der Polizei zurückbekommen könne. Und wenn er schon dabei war: Konnte er meine Handtasche – und den Saphirring darin – von Jane Berger zurückholen? Gar kein Problem, antwortete er.

Tom Driscoll hatte den größten Teil des Tages damit verbracht, telefonisch seine Geschäfte zu tätigen und dem Staatsanwalt über das Abendessen mit Richie und Stephanie zu erzählen. Dann machte er auf dem Sofa der Bibliothek ein Nickerchen. Ich stellte ihn als alten Freund aus Brooklyn vor, der auch Klient von Data Associates sei. Nicht einmal die Verdachterregende kaufte mir diese Geschichte ab; wie die meisten anderen warf auch sie einen kurzen Blick auf seine linke Hand und schien verwirrt und verärgert, dort einen Ehering zu entdecken.

Alex und Ben hatten die Zite um ein Büffet von einer Hausfrau aus der Gegend, die sich zu einem beliebten Partyservice gemausert hatte, erweitert. Sie hatten ihr munter freie Hand gelassen, und ich wurde blaß, als ich eine Lage Trüffel auf Rindfleischscheiben sah. Alex sagte: »Nur nicht aufregen, Ma. Heute wird gefeiert.« Ben fügte hinzu: »Aus den Resten können wir Sandwiches machen.«

Erst nach dem Dessert – Kürbismousse, wir hatten noch eine knappe Woche bis Halloween – kam ich dazu, meine Geschichte zu erzählen. Ich strich den Sex, ließ die Bosheiten zwischen Hojo und Tom weg und enthielt mich jeglicher Erwähnung von Theodore Higbees Waffe und Danny Reeses Handel mit gestohlenen Kreditkarten. Als der Mann vom Partyservice zusammenräumen und nach Hause gehen wollte, schlug ich vor, noch auf einen Kaffee in die Bibliothek zu gehen.

Vinnie Carosella war der Star des Abends. Er schenkte Brandy ein, trank Kaffee und stellte so geschickt Fragen, daß man fast den Verdacht bekommen konnte, ein Team mit versteckter Kamera sei anwesend. »Sie hatte wohl vergessen, daß die Kaufunterlagen in ihrer Tasche waren«, erklärte er gerade. »Sie hätte schließlich keinerlei Grund gehabt, sie zu waschen und zu trocknen.«

»Warum hat sie sie denn überhaupt mitgenommen?« fragte Ben.

»Sie ist Anwältin«, antwortete Vinnie. »Wahrscheinlich hat sie die Bedeutung sofort geahnt. Vielleicht hatte ihr Vater ihr gesagt, warum er gekommen war. Möglicherweise hatte sie sich das auch selbst zusammengereimt. Wenn er in ein Haus eindrang, tat er das sicher nicht nur, um ein altes Stück Papier mitzunehmen. Hier ging es um viel mehr.«

»Der Preis des Gemäldes war auch nicht von schlechten Eltern«, bemerkte Tom. »Sie hat sicher gemerkt, daß das ein Wertgegenstand war, den er verbergen wollte. Wenn sie tatsächlich so schlau ist, wie alle sagen, konnte sie sich ja denken, daß Rick es verkaufen wollte. Stephanie dachte sich vielleicht, sie könnte mit Jessica ein lukratives Geschäft machen, wenn sie sich mit ihr zusammentun würde.«

»Stephanie war das personifizierte Understatement«, sagte Madeline.

»Klug gedacht!« sagte Vinnie und lächelte sie an. »Und sie hat sich ausrechnen können, daß fünfzig Prozent von drei Millionen kein Pappenstiel sind. Meiner Ansicht nach hat sie allerdings schon ziemlich bald gemerkt, wie riskant die Sache ist.«

Tom nickte.

»Wie konnte sie nur vergessen, daß das Papier in ihrer Tasche war?« fragte Theodore.

»Sie mußte ganz schön viel im Kopf behalten in letzter Zeit«, antwortete Cass. »Sobald sie den Gedanken an das schnelle Geld verworfen hatte, hatte sie ja keine Verwendung mehr dafür.«

»Irgendwann hätte sie sich mit Sicherheit wieder daran erinnert«, meinte ich. »Spätestens, wenn die Situation sich ein bißchen beruhigt hätte.«

»Also, wenn du wieder aus dem Gefängnis gekommen wärst!« ereiferte sich Madeline. »Dieser Fall wirft die Frauenbewegung um glatte hundert Jahre zurück!« Diese Feststellung war so offensichtlich idiotisch, daß weder Cass noch ich uns die Mühe machten, ihr zu widersprechen. Ich nahm mir statt dessen eine ihrer Pralinen und konnte sie gleich wieder besser leiden.

»Der Staatsanwalt hätte selbst dann leichtes Spiel gehabt, wenn das Papier nie gefunden worden wäre«, sagte Vinnie, der nur darauf wartete, daß ich die Pralinenschachtel an ihn weiterreichte. »Wunderbare Schokolade!« schwärmte er Madeline vor. »Wo kaufen Sie die bloß?«

Sie schenkte ihm ein Mona-Lisa-Lächeln. »Ich schicke Ihnen eine Schachtel, wenn Sie wollen.« Vinnie strahlte sie an.

»Haben Sie heute schon mit dem Staatsanwalt gesprochen?« erkundigte sich Alex.

»Was?« fragte Vinnie, immer noch strahlend. »Ach so, ja, der Staatsanwalt. Wir haben uns jede Stunde mindestens einmal unterhalten. Er sortiert gerade das, was er hat. Die Jensens – das Ehepaar, das für die Tillotsons gearbeitet hat – werden beide aussagen, daß Stephanie so gegen zehn Uhr dreißig nach Hause gekommen und kurze Zeit darauf noch einmal zum Joggen weg ist. Mrs. Jensen kann die Jacke beschreiben, die Stephanie getragen hat, die Jacke, in der wir auch die Kaufunterlagen gefunden haben. Und Tom hat Stephanie bei einer Gegenüberstellung erkannt. Er sagt aus, daß er mit ihr und Richie und seiner Frau zu Abend gegessen hat.«

»Die Reifenspuren«, half ich ihm weiter.

»Genau«, sagte Vinnie. »Sie müssen erst noch die ganzen Labortests machen, bevor die Befunde als Beweis anerkannt werden, aber es ist klar, daß die Spuren von ihrem BMW stammen.«

»Gut«, sagte Alex. Er saß auf einer gepolsterten Truhe und beobachtete mich und Tom. Die anderen ahnten etwas, aber Alex wußte es.

»Und wir haben einen Bonus«, fuhr Vinnie fort. »Der Lamborghini war abgeschlossen. Der Türgriff und sein Umfeld waren abgewischt. Aber Stephanies Fingerabdrücke befanden sich auf der Windschutzscheibe, weil sie sich aufgestützt hat, um zu sehen, ob er im Wagen sitzt.«

»Aber das beweist noch lange nicht, daß sie ihn umgebracht hat«, meinte Madeline.

»Genau«, stimmte Vinnie ihr zu, offenbar beeindruckt von ihrer logischen Stringenz. »Aber zumindest beweist das, daß sie sich am Tatort aufgehalten hat. Wir sammeln eben Indizienbeweise.« Vinnie schenkte sich noch einen Brandy ein und schwenkte ihn im Glas. Dann lehnte er sich zurück und nippte. Alle sahen zu und warteten; er war der geborene Entertainer. »Und dann wären da noch die Anrufe.«

»Welche Anrufe?« fragte ich. Ich wäre hochgesprungen, wenn Tom nicht neben mir gesessen hätte. »Die Drohanrufe, die Jessica erhalten hat?«

»Nein. Damit beschäftigt sich Gevinski. Er geht davon aus, daß sie intelligent genug war, sie von einer öffentlichen Telefonzelle aus zu führen. Ich spreche von ihren Anrufen über Richie Meyers' Privatleitung im Büro.«

»Mein Gott!« sagte Theodore mit einem wohligen Schauer.

»Sie haben noch nicht alle Belege, aber die Telefongesellschaft meint, manche der Gespräche hätten fast eine Stunde gedauert. Sie überprüfen gerade, ob Richie sie selbst auch von einem Privattelefon aus angerufen hat.«

Vinnie schaute zuerst mich an und sah dann schnell zu den Jungs hinüber.

»Alex, Ben«, sagte ich, »bitte sorgt dafür, daß der Mann vom Partyservice den Abfall nach draußen stellt. Und paßt auch auf, daß er die Deckel ganz fest draufmacht. Die Waschbären sind wieder unterwegs.«

Als sie den Raum verließen, sagte Vinnie: »Er war schließlich ihr Vater. Man muß nicht immer in offenen Wunden bohren. Mrs. Driscolls Aussage wird uns eine große Hilfe sein. Sie war nicht in der Stadt, ist aber zurückgeflogen und heute am späten Nachmittag im Präsidium gewesen. Sie und Richie waren Busenfreunde. Er hatte ihr alles über sein Verhältnis mit Stephanie erzählt – obwohl sie darüber als Zeugin vielleicht nichts sagen muß. Was sie aber auf jeden Fall sagen wird, ist, daß Richie bei jenem Abendessen Stephanie gegenüber sehr zärtlich gewesen ist. Er hat sie sogar auf den Nacken geküßt. Die Verteidigung wird Mühe haben, das als freundschaftlichen Kuß hinzustellen.

Außerdem hat Richie ihr ein Diamantarmband geschenkt. Weil keiner von beiden das Risiko eingehen konnte, es mit nach Hause zu nehmen, hat er es in seinen Bürosafe gelegt und jedesmal, wenn sie sich getroffen haben, mitgebracht.«

»Woher wissen Sie denn das?« erkundigte sich Cass.

»Die beiden haben damit geprahlt und bei dem Abendessen über ihr kleines Spielchen gelacht. Mrs. Driscoll erinnert sich noch ganz deutlich daran.«

Alle Blicke wandten sich Tom zu. »Ich weiß noch, daß sie sich über ein Armband unterhalten haben, das sie trug«, sagte er, »aber das ist auch schon alles. Ich habe mich in dem Moment ausgeklinkt, als ich ins Restaurant gekommen bin und ihn dort mit dieser Frau gesehen habe.«

Als die Jungen wieder zurückkamen, sagte Vinnie, er könne noch nicht beurteilen, ob Stephanies Anwälte auf harten Kurs gingen oder einen Kompromiß anstrebten.

»Bedeutet das, daß sie auf jeden Fall ins Gefängnis muß?« fragte Ben.

»Zweifelsohne«, antwortete Vinnie.

Theodore sah mich an und schüttelte den Kopf. »Ihr Liberalen! Stellen Sie sich doch mal vor, Rosie, wie glücklich Sie wohl wären, wenn es in New York noch die Todesstrafe gäbe.«

Cass tätschelte ihm die Wange und wandte sich mir zu. »Du glaubst mir ja nie, wenn ich dir sage, daß der Mann ein Trottel ist. Jetzt erlebst du ihn in voller Aktion – wenigstens hat er heute nicht sein Bravourstückchen ›Verurteilter auf dem elektrischen Stuhl‹ zum besten gegeben.«

Theodore griff nach ihrer Hand und lächelte sie liebevoll an. »Gehen wir heim, Cassandra.«

Nachdem die Gäste sich verabschiedet hatten und die Jungen ins Bett verschwunden waren, sagte ich Tom, daß es Zeit sei zu gehen.

»Was redest du denn da?«

»Erinnerst du dich noch?«

»Woran?«

»An die Zeit in der High-School. Wir hatten uns ein paarmal gestritten, aber egal, wie wütend ich auf dich war, du mußtest mich nur in den Arm nehmen, und schon fingen wir wieder an.«

»War das denn so schlimm?« fragte er, während er mir die Bluse aufknöpfte.

»Ich bin nicht mehr das Mädchen von damals«, erklärte ich ihm und nahm die Sache mit den Knöpfen wieder selbst in die Hand. »So leicht geht das nicht mehr bei mir.«

»Du bist also eine knallharte Frau?« Er lachte.

»Nein, das nicht, nur nicht mehr so leicht zu kriegen.«

»Du hast mir doch gesagt, daß du mich liebst, Rosie«, meinte er verärgert. »Weißt du, wenn wir heute nicht miteinander schlafen, werde ich das überleben. Aber warum schickst du mich heim?«

»Du bist verheiratet. Ich will keinen verheirateten Mann.«

»Du weißt doch, daß ich nichts für sie empfinde. Umgekehrt gilt das genauso. Wir sind zusammengeblieben, weil es keinen Grund gab, es nicht zu tun. Aber jetzt... Glaubst du nicht, daß ich Schluß machen werde?«

»Ich hoffe, daß du es machst. Aber ich möchte dir was sagen: Du bist ungefähr genauso lange mit dieser Frau zusammen, wie ich es mit Richie war. Vielleicht ist die Trennung keine Überraschung für sie, aber trotzdem wird sie ihr weh tun. Und nicht nur ihr.«

»Wir verbringen etwa zwei Wochen im Jahr als Ehepaar, und selbst dann verreisen wir zusammen mit anderen. Wir können zur gleichen Zeit in New York sein und uns trotzdem wochenlang kaum sehen.«

»Sie hat aber auch Gefühle.«

»Das stimmt, aber die Liebe gehört nicht zu diesen Gefühlen, jedenfalls nicht die Liebe zu mir. Sie sieht allerdings gewisse gesellschaftliche Vorteile in der Ehe, und da hat sie vermutlich recht. Ich bin vorzeigbar und habe Manieren, was ihr gefällt. Wenn ich Milliardär wäre, könnte ich wahrscheinlich eine feuchte Aussprache haben und mir öffentlich die Eier kratzen, und ihr würde es nichts ausmachen. Aber das bin ich nun mal nicht, auch wenn ich bei uns das Geld verdiene. Solche Sachen sind wichtig für sie. Aber Joan ist eine kultivierte Frau; sie weiß, daß ich bis zu ihrem Lebensende für sie sorgen werde, egal was kommt.«

Tom schlüpfte aus dem Sakko und schickte sich an zu bleiben. Ich ging zum Telefon. Er sah mit starrem Blick zu, wie ich eine Taxigesellschaft aus der Gegend anrief und einen Fahrer bestellte, der einen Gast in die Stadt zurückfahren sollte.

»Ich liebe dich«, sagte ich.

»Ich liebe dich auch.« Er nahm mich in die Arme. Unsere Körper paßten immer noch perfekt zusammen. Tom hob mein Gesicht und küßte den Pony meiner schrecklichen Frisur.

»Tut mir leid, wenn du mir böse bist, weil ich dich wegschicke«, sagte ich. »Aber ich möchte dich nur ungebunden.«

»Ich komme morgen nachmittag oder übermorgen abend wieder. Ungebunden. Na ja, die Sache mit dem Papierkram dauert natürlich noch ein bißchen.«

Dann küßte er mich, bis das Taxi kam. Ich hatte vergessen, was für ein schönes, schwindeliges Gefühl ich dabei bekam, wenn ich auf den Zehenspitzen stand und den Kopf ganz in den Nacken legte, so daß unsere Lippen sich berühren konnten. »Mein Schatz«, sagte er zärtlich. Der Taxifahrer blendete die Scheinwerfer auf: Beeilt euch, ich warte. Aber wir standen vor der Tür und küßten uns. »Wir werden ein tolles Paar«, versicherte er mir.

»Wir können's ja versuchen«, sagte ich.

»Ist das nicht wunderbar, Rosie? Wir kriegen noch mal eine Chance.«

»Und das nach all den Jahren.«

»Ja«, sagte Tom. »Aber diesmal wird alles anders.«

»Wieso anders? Willst du mir etwa erzählen, daß du jetzt älter und weiser bist?«

»Nein. Ich will dir nur sagen, daß wir diesmal beide folgendes wissen: Etwas Besseres kommt nicht nach.«

Wir hielten uns an den Händen, als wir zum Taxi gingen. Ich drehte mich um, als er einstieg, weil ich es nicht ertragen konnte, ihn wegfahren zu sehen.

»Rosie!« Also wandte ich mich doch noch einmal um. Er hatte das Fenster heruntergekurbelt.

Was war, wenn er es sich doch anders überlegte? Nun, ich würde es überleben.

»Ja?«

»Tut mir leid wegen dem Schülerball.«

»Du warst ein Ekel.«

»Ich weiß. Verzeihst du mir?«

Ich mußte lächeln. »Natürlich verzeihe ich dir.«

Das Taxi fuhr weg, aber ich hörte Tom noch rufen: »Bis morgen, ich versprech's dir!«

Und er hielt sein Versprechen.

Danksagung

Ich brauchte Fakten, Beistand, Wissen und Rat, und all das fand ich bei den nachstehend aufgeführten Personen. Ihnen möchte ich meinen Dank aussprechen – und mich bei ihnen entschuldigen, falls ich ihre Wahrheiten verdreht habe, damit sie in meine Dichtung passen:
Arnold Abramowitz, Janice Asher, Mary Elizabeth Bliss, Barbara Butler, Edmond Coller, Jonathan Dolger, Mary FitzPatrick, Nancy Frankel, Lawrence S. Goldman, Leonard Klein, Edward Lane, John McElhone, Gail Mallen, Mathias Mone, James Nininger, Bill Scaglione, Cynthia Scott, Chris Speziali, Connie Vaughn, Susan Zises sowie (natürlich) Justin Zises, Lara Zises, Samantha Zises und Jay Zises.
Mein Dank gilt auch Susan Lawton für die Informatio-

nen zu Antiquitäten und Innenarchitektur, ebenso wie Anthony Lepsis und Brian Whitney für die landschaftsgärtnerische Beratung.
Dann danke ich allen, die mir in der Port Washington (New York) Public Library und der Audubon Society in Huntington (New York), der New York Public Library sowie der Billy Rose Theater Collection der New York Public Library for the Performing Arts (Theater Research Division) bei meinen Recherchen geholfen haben.
Ein Hoch auf die Englischlehrerinnen unter meinen Freundinnen, die ihren Schülern – und mir – stets eine Inspiration sind: Barbara Kaplan-Halper, Edith Tolins und die wunderbare und bewundernswerte Mary Rooney.
Apropos Freundinnen: Jane Berger ist in Wahrheit ein zauberhafter Mensch.
Meinen Kindern, Andrew und Betsy Abramowitz, bin

ich dankbar für ihre Liebe, ihre Unterstützung und ihren redaktionellen Rat. Ein besonderes Dankeschön auch ihren High-School- und Collegefreunden für ihre angenehme Gesellschaft.
Meine Assistentin AnneMarie Palmer hat mich viel zu oft vor dem geistigen Kollaps bewahrt, als daß es noch einzeln aufzuzählen wäre. Ihr bin ich über alles dankbar für ihre gute Laune und ihre harte Arbeit.
Mein Agent Owen Laster ist nicht nur ein kluger und rechtschaffener Gentleman, sondern auch ein wahrer Schatz.
Larry Ashmead, mein Lektor, hat mir mittlerweile bei fünf Romanen zur Seite gestanden. Ich kann mir im gesamten Verlagswesen keinen anständigeren Kerl vorstellen.
Und nach all den Jahren ist mein Mann, Elkan Abramowitz, noch immer der beste Mensch der Welt.